GW01045342

Faruqi's Law Dictionary

Arabic - English

Second Edition
Revised and Enlarged

Containing terms of jurisprudence (ancient and modern), forensic medicine, commerce, banking, insurance, civil aviation, diplomacy and petroleum

by

HARITH SULEIMAN FARUQI

LIBRAIRIE DU LIBAN
BEIRUT

Librairie du Liban, Beirut

Associated companies, branches and representatives throughout the world

First edition 1972
Second edition revised and enlarged 1983
New Impression
ISBN 9953-1-0129-9

Printed in Lebanon

المعجم القانوني

FARUQI'S LAW DICTIONARY

المعجم القانوني

(المفصل)

عربي - إنكليزي

يشتمل على مصطلحات الفقه، القديم والحديث، والطب الشرعي
والتجارة والبنوك والتأمين والدبلوماسية
وقوانين البترول والطيران المدني

تأليف
حارث سليمان الفاروقي

مكتبة لبنان

مكتبة لبنان
ساحة رياض الصلح
بيروت

طبعة أولى، ١٩٧٢
طبعة ثانية منقحة ومزيدة، ١٩٨٣
إعادة طبع
ISBN 9953-1-0129-9

طبع في لبنان

مقدّمة

يقول اللاتينيُّون « Saepe viatorem nova non vetus »، أي يَنخدِع المسافر غالبًا بالطريق الجديدة لا القديمة. والحُجّة في ذلك أَنَّ عِلمك بطبيعة الشيء يُتيح لك التحوُّطَ لمَخاطِره وأنَّ ركوب الجديد قد يكون وبالاً عليك. وبعبارة أخرى: خذ بما أخذ به غيرك وجرَت به التقاليد فهو أَجْلَبُ لسَكِينة البال وأَمْنَعُ للنقد وأَقلُّ مَوجَعَة للرأس.

ومن الناس من يأخذ بهذا ومنهم من يَضيق به فيعصِرُ فِكرهُ ويُقَلِّب دماغه بحثًا عن الأحسن لَعلّه أن يضاعف نفعًا أو يُحرِّك جامدًا لخير. واذا كان التطوُّر طبعًا وأَثرًا لازِمَيْن للهيئة التي جُبِل عليها أو الطِّينة التي قُدَّ منها دماغ المخلوق البشري، فإنّ الظروف التي يعيشها هذا المخلوق لا تَعدَم أحيانًا أن يكون لها سهم وافٍ في قبض التطور وتبليد المشاعر.

وقد مرَّت بنا، أَهلَ اللغة العربية، حِقَبٌ طويلة عريضة صَحَونا فيها من اكتِنان الجاهليّة وانطلقنا في دروب التطور ولم نكن عليها مجرَّد سائرين بل عَدَّائين في الطليعة قَرنًا بعد قَرن حتى نفدت هِمَّتُنا وعُدنا للجُمُود نَغِطُّ في اكتنانٍ جديدٍ عَبْرَ قرونٍ طويلة من ألوان الاستعمار حتى كاد الجُمُود أن يصبح عندنا طبعًا ونَهْجَ حياة.

ولعلَّ اللغة العربية ما فتئت تعاني بعضَ مظاهرِ هذا الجُمود، كأنَّ بها مِن تلك القرون الماضية داء تصلُّب الشّرايين ولَوْثةَ الفزَع من الانفتاح على ألوان المعرفة، التي تجمعُها الشُّعوب العِملاقة من آفاق العلم، والتوجُّسَ المَرَضيَّ من المُرونةِ والدُّلوفِ نحوَ الاستيعابِ والتّعريبِ السلِس.

من هذه المعاناة ما نراه في المُعجمِ العربي أو في الأسلوب الذي ينتهجُه هذا المُعجم منذُ الخليل بن أحمد النّحْوي. فالمعجم العربيُّ اجمالاً لا يزال يستمسِك بالمَثَل اللاتينيّ ويمقُتُ التغيير. وقد تسرَّبت هذه الطريقة بالعَدوى إلى المعجم المُزدوِج اللِّسان وهي بُؤرةُ الدَّاء والخَصيصةُ الفريدةُ التي تُميِّزُ المعجمَ العربيَّ عن الإفرنجي بتوعّر المَطْلَب وصعوبةِ المُزاولة. آيةُ ذلك أنك إذا أردتَ الرجوعَ إلى القاموس الإفرنجي في معنى إحدى الكلمات وجدتَه على حَبْل ذِراعك كما يقولون ولم يلزمْك شيء خَلا الإلمامِ بحروف كلمتك. لكنك اذا أردتَ الرجوعَ الى المعجم العربي لتفسير كلمة غريبة فلن يكفيكَ مُجرَّدُ الإحاطةِ بحروفِ هذه الكلمة، بل لا بد لك من أن تكون مُلِمًّا بقواعدِ الصّرفِ وأوزان الأفعال ومجرداتها ومَزيداتِها عالِمًا بأُصول الإدغامِ والإعلالِ لا يشُقُّ عليك أن تُشَرِّح فِعلَك أو تُجرِّدَه في سبيل العثور على موقعه في المعجم. فاذا أردت كلمةَ «اشتهى» فهي في باب «شها» واشرأَبَّ في شَرِبَ واستقام في قوم وانتزع في نزع وتخمة في وخم واستيقظ في يقظ وتقابح في قبح ومؤامرة في أمر إلى غير ذلك.

ولا مِريَةَ في أنَّ من يراجع هذا المعجم (المزدوِج) من رجال المهنة القانونية وغيرهم لن تُعجزَه قواعد الصرف ومتعلّقات المشتقات والمصادر والاوزان. وفي رأيي أن التدريب التطبيقي على هذه القواعد له مراجعه الخاصة وأن الذي يطلب في اللغة الانكليزية مثيلاً لكلمة عربية لا يهمُّهُ التحقيق فيما اذا كانت كلمته العربية ثلاثية أو مجردة أو مَزيدة ولا ينشُدُ غيرَ الوُصولِ إلى طِلبتِه من أقرب الطرق. ولا رَيْبَ في أن خوض القواعد الصرفية واختبار الاوزان طريقةٌ تقليديةٌ عريقة لها قُدس وعُشّاق، غيرَ أن فرضها على الباحث في هذا المعجم وأمثاله من المعاجم العربية – الإفرنجية هو عُسر لا يُسر وعِبء لا يجدي. وهذا ما دعاني الى اطِّراح الطريقة التقليدية وإبدالها بما يُجدي الباحث. واذا أعوزتنا همّةُ الاختراع فلا يَضيرُنا أن نستعير اليُسر والتبسيط ممن سبَقَنا فيه من أصحاب المعاجم الافرنجية.

وهكذا يا سيدي القارئ، فمهما يكُن أَصلُ كلمتِك أو وزنُها فستجدها على حالها دون تجريد (إلّا طبعًا من ال التعريف وياء المضارعة) كما تجدها في المعجم الإفرنجي مُدرجَةً في باب حرفها الأول تَبَعًا لِمَقامِ حروفها الأخرى من التدرج الأبجدي.

يتناولُ هذا المعجمُ المصطلحات القانونيّة أصلاً وأساسًا كما يتناول مُفرَداتِ المواضيع المشارِ إليها في غِلاف المعجم بالاضافة إلى جذور العَديد من المصطلحات الفنية الثابتة.

وأعني بالجذور مُقَوِّماتِ المصطَلَحات. فاذا أردتَ معنَى «طاقة كهرَبائية» مثلاً، وجدتَ «طاقة» تحت الطاء و «كهربائية» تحت الكاف وترتّبَ عليك جَمعُ الكلمتين. وقد آثرتُ الاقتصاد المعقول في هذا الباب نظرًا لضيق المقام. وكذلك أوردتُ ما ينسجم مع تسلسُل المفردات الأصلية مما لا تنحصر فائدتُه في المحامي والمتّصِل بالمهنة القانونية بل تتجاوز ذلك إلى الصَّحافيِّ والمترجِم والمعلِّم والطّالب والأديب بوجهٍ عام. ولم أحاول أن أتقَفّى معاجِم اللغة العربية العامة كي أحصُرَ عشراتِ المرادفات التي قد تُوجَد للمعنى الواحد بل اكتفيتُ مثلاً لمعنى «قرابة» بمرادفين مألوفين أو ثلاثة دون أن أُورِد غير ذلك من المرادفات البعيدة، كلُحْمَة وحامَّة وقُصْرَة وسُهْمَة وما اليها، أو لمعنى «الحقد» بحقد وضغينة دون أن أُورِد مثلاً كَلِمةَ وَغْر وسخيمة وكتيفة وأمثالَ ذلك من غير الشائع. ولم يُقصد بهذا المعجم أن يكون محيطًا عامًّا للمرادفات الفنية (غير القانونية) بل قُصِد به توسيع نطاق المعجم القانوني (انكليزي – عربي) توسيعًا معقولاً كما يفعل الصيدلي مثلاً باضافة غير الأدوية الى بِضاعته طَمَعًا في تكثير زَبائنه. ولا يصِحُّ أن يُقالَ له أين الجبن والسمك الطّازَجُ والأحذية لأَنَّ في هذا تجاوزًا للمعقول. فلا بد من رجائك أيها القارئ الفاضل أَن لا تمُدَّ المعجمَ فوق نطاقه القانوني، وعساه في هذا أن يلبِّي الحاجَة وعَساكَ راضيًا عنه، ففي ذلك غايَة المُبتغى، والله المُستَعان.

حارث سليمان الفاروقي

أ

ائْتِلاف harmony (*between persons*), concord, understanding; coalition (*between parties*)

ائْتِلافيّ coalescent, coalition (*government, cabinet, etc.*)

ائْتَلَف be in harmony (*with*), agree, concur, coalesce

ائْتِمان trust, confidence

ائْتِمانيّ fiduciary (*relation, act, etc.*)

ائْتَمَر (: تشاور) confer, consult, take counsel (*with others*)

~ (: أطاع ، أذعن) obey, comply with, abide (*by orders, etc.*)

~ (أناس بشخص : أمر بعضهم بعضًا بقتله) order one another (*to do in or to kill somebody*)

ائْتَمَن entrust or trust, confide

أب father

~ روحانيّ spiritual father

آب (أغسطس) August

آبَ return

~ (إلى رذيلة ، موضوع ، الخ ..) revert (*to vice, subject, etc.*)

أبَى refuse, decline

أباح (١) (: أجاز) permit, allow, consent; acquiesce (*in*)

~ (على مضض) tolerate, suffer, consent passively

~ (راجع أجاز)

أباح (٢) (: كشف ، أفشى) disclose, divulge, reveal

إباحة (١) (: إجازة شيء على مضض) sufferance, tolerance or toleration, passive consent, negative permission

إباحة (٢) (: كشف عن خبر أو سرّ) disclosure, divulgence, revelation (*of fact, knowledge, etc.*)

إباحِيّ libertine, rake (*of person, thing, etc.*), rakish, dissolute, permissive

إباحِيَّة libertinism, permissiveness (*as in: sexual permissiveness*), unbridled promiscuity

أبـاد (: أهلك) destroy

~ (شيئًا عن بكرة أبيه) annihilate, exterminate

~ (مكانًا ، مدينة أو ما إلى ذلك) raze, ravage

إباضَة ovulation

أبان show, demonstrate

~ (: أبرز) exhibit, display

إبّان (راجع أثناء)

ابْتاع purchase, buy

ابْتِدائيّ elementary (*as of school, knowledge, etc.*)

~ (: أوّليّ من حيث ترتيب أو زمن أو غير ذلك) primal, primary

~ (: مبدئيّ) initiatory, initial

ابْتَدَر (: أسرع إلى ، تسابق) hasten (*to*), make haste; race

~ (بشأن) commence, set about (*a procedure*)

ابْتَدَع contrive (*a plan*), innovate (*a principle, etc.*), devise (*a scheme*)

~ (: اخترع) invent (*an excuse*), create

أبْتَر stub

ابْتَزّ extort, exact forcibly

~ (بالتّهديد بفضيحة) ، ~ بالتجريس blackmail

ابْتِزاز extortion, forcible exaction

~ (بالتّهديد بفضيحة) بالتجريس blackmail

ابْتَسَر precipitate (*course of events*); accelerate, anticipate

ابْتِعاد (: عزلة) aloofness, detachment

~ (: بعد) distance, spatial remoteness

~ (: خروج عن موضوع ، محل ، الخ ..) departure (*from subject, place, etc.*)

ابْتِعاد (: تفادٍ ، تهرّب من شأن) shunning, avoidance (*of*)

ابْتعَث (: أرسل) transmit, dispatch; emit

~ (راجع أيقظ)

ابْتعَد keep far or distant, stay away (*from*), stay aloof or apart (*from*), shun (*act, discussion, etc.*), detach (*oneself from something*)

ابْتكَر invent, contrive, create; devise

ابْتَلى test, put to the test

ابْتَلَع swallow

~ (: الْتَهَم) devour, engorge, gulp down

~ (: احتوى) engulf

ابْتَنى build, construct

ابْتِناء anabolism, constructive metabolism

ابْتهَج be delighted (*to*), have the pleasure (*of*), be pleased (*to*)

ابْتهَل pray, implore, supplicate or make supplication, entreat

~ (راجع توسّل)

أبْحَر sail; navigate, put to sea

أبَّدَ (: خلد) immortalize

~ (: حكم بالسجن مدى الحياة) condemn to life imprisonment

أبْدَى show (*difference*), disclose (*error*), reveal (*defect*), manifest (*prejudice*); betray (*weakness*)

إبْدال change, alteration; exchange (*paper money for gold*), substitution (*of wheat for rice*)

أبْدَع distinguish oneself, shine

أبْدَل change, alter, exchange (*some currency for another*), substitute (*a commodity for another*)

أبْرَأ (: شفى) heal, cure

~ (: أخلى طرفًا) absolve (*from blame, responsibility, etc.*)

إبْراء acquittal, absolution

~ (: إخلاء ذمّة) release, discharge

~ (كتابيّ) quittance or acquittance

إبْراز production, bringing forward

~ (: إفراز) excretion

إبْرام ratification

أبْرَز produce; propound (*a theory*), bring forward; exhibit, show up; project, cast forward, give prominence (*to*), accentuate (*a syllable*), emphasize (*a point*), underline or stress (*idea, point, etc.*)

أبْرَشِيّ diocesan, parochial

أبْرَشِيَّة parish, diocese, see

أبْرَق telegraph, cable

أبْرَمَ ratify; conclude, draw (*contract, agreement, etc.*)

~ (زواجًا) solemnize (*marriage*)

أبْرِمَ drawn, made, ratified

أبْريل April

إبْصار perception, vision

إبْصارِيّ visual

أبْصَر see, perceive, conceive; have insight (*into a problem*)

إبْط armpit

أبْطَأ slow (*down*), make or go slow, lag, fall behind, delay, linger

إبْطال nullification, annulment, defeasance, revocation (*of treaty, etc.*), abrogation (*of custom, law, etc.*), avoidance

~ (أثر ، مفعول ، الخ ..) neutralization

قابل للإبطال revocable, voidable, defeasible

أبْطَل nullify, annul, invalidate; revoke (*agreement*), abrogate (*act*), avoid (*judgment*)

~ (: عابَ) vitiate (*proceeding, decree, etc.*),

~ (: أثرًا) neutralize, counter

إبْعاد (على سبيل العقاب) deportation, banishment

~ (إلى جزيرة نائية) transportation

~ (: إقصاء ، عَزْل) removal (*from place, post, etc.*); isolation, aloofness (*from project, affairs, etc.*)

أبْعَد deport, banish, relegate, proscribe, ostracize (*from society, etc.*)

~ (: أقصى) keep at a distance (*from*), distance (*thing from another*), separate (*from*), allay (*fears*)

أَبْعَد (شيئًا عن مكان ، أزال) keep away (*from*), remove
اَبْغَضَ hate, detest, resent strongly, loathe, abhor, dislike intensely
أَبْقى retain, keep
أَبْقار cattle
أَبْكَم dumb, mute
أَبَلَّ recover, be restored to health, heal, be cured
أَبْلى (١) (: جعله يبلى) wear, consume, impair or cause to deteriorate by use
أَبْلى (٢) (بلاءً حسنًا) endeavour, strive (*earnestly*), apply oneself diligently, fight (*a good fight*)
أَبْلَغَ communicate (*news*), convey (*message*), intimate (*intention, plan, etc. to somebody*), inform (*the police of the incident*), notify
~ (: سلم ، اعلن) deliver, serve notice (*of departure, loss, etc.*)
أَبْلَه idiot, imbecile, utter fool
أَبَّنَ eulogize, praise (*a dead person*) in speech or poem, speak encomium
اِبن son, child
~ سبيل tramp, wayfarer
~ شرعيّ legitimate child
~ غير شرعيّ illegitimate child
~ طبيعيّ natural child
ابن أخ . ابن أخت nephew
ابن عمّ . بنت عمّ cousin
~ بعيد القرابة cater cousin
ابن عمّ أو عمّة cousin, first cousin, paternal cousin
ابن ابن عمّ أو عمّة . ابن ابن خال أو خالة second cousin, first cousin once removed
ابن عمّ أو عمّة (أو خال أو خالة)– من الأب والأمّ cousin-german
اِبْنَة daughter
إبْهام (: غموض) ambiguity, equivocation, obscurity
~ (: إصبع اليد) thumb, pollex
~ (القَدم) hallex or hallux
أَبْهَمَ (الأمر) be confused or confounded, become indistinguishable or incomprehensible

أُبُوَّة paternity, fatherhood
أَبَويّ paternal, fatherly, paternalistic
~ النسب patrilineal
أَبْيَض white
ابْيَضَّ whiten, blanch
ابْيِضاض الدَّم leukemia, leucemia
أَتى (: اقترف) commit, perpetrate
~ (: فَعَلَ) do, perform, carry out
~ (: حضر) come, appear (*in court, etc.*), attend (*meeting, reception*)
~ (بشأن) bring, introduce (*a new subject*)
~ (: وقع) occur, fall (*after certain date*)
أتاحَ give (*a chance*), afford (*an opportunity*), provide (*an escape*); spare (*a moment*)
أتاهَ (: ضَيَّع ، أهلك) mislead, lead to perdition, destroy
أَتاوَة royalty
أَتْبَعَ (راجع أَلْحَقَ)
اتَّبَعَ follow (*lead, policy, course*), pursue (*an object, a certain pattern*); adhere (*to a doctrine, to a principle*)
اتِّجاريّ mercative, commercial
اتِّجاه direction, destination
~ (: وجهة) course, route; heading, bearing; trend (*of thought, politics, etc.*)
اتِّجاهِيّ directional
اتَّجَر trade, practise trade
اتَّجَهَ head, steer (*north*), tend (*upwards*), converge (*on the enemy*), bear (*to the right*), go, proceed, move (*to, towards, etc.*)
اتِّحاد union (*of states*), unity or identity (*of interests, parties, etc.*), association (*of clubs, physicians, etc.*); combination (*of corporations, persons*)
~ (بين ولايات على أساس فيديراليّ) federation
~ (حيازة) unity of possession
~ (عمل) trade (*or labour*) union
~ (شركات) trust
اتِّحادِيّ unitary (*state*)

اتّحادِيّ (: فيديراليّ) federal
اتّحَدَ unite; combine (*persons, interests, etc.*); link (*things together*), join (*parties, hands, etc.*)
اتّخَذَ take, pick up (*partner, way*), adopt (*measure, faith, course*); assume (*attitude, name*)
~ (: اتّبع) follow (*a tailor's trade*), pursue (*a long route*)
~ (: أقام) institute (*proceedings, action*)
~ (مسلكاً وسطاً) steer (*middle course*)
اتّزان rationality (*of action*), sobriety (*of judgment*), sedateness (*of behaviour*), balance; poise
~ (: توازن) (*maintain one's*) equilibrium
اتّزَن be rational, be moderate or judicious
~ (: استقر) stabilize, become stable or firm
اتّساع width
اتّساق uniformity (*of measures*), evenness (*of operations, treatment*), consistency (*of form*)
اتّسَخ become dirty or filthy or squalid, get soiled
اتّسَعَ hold, accommodate (*five persons*), have capacity (*for*)
~ (: كفى من حيث الاتساع) have ample room or space (*for*), be roomy or spacious
اتّسَق be uniform or even, be consistent
اتّسَم be marked (*by*), be characterized or distinguished (*by*)
~ (: جَعَل لنفسه علامة) assume or adopt a distinguishing mark or characteristic
اتّصال connection, communication, intercourse; relation
~ (بين جهتين) liaison, linkage
~ جنسيّ sexual intercourse, coitus, copulation, carnal knowledge
اتّصَف be characterized, be known (*for*)
اتّصَل (بـ : تعلّق بـ) relate (*to*), concern (*some person*), interest (*a party*), have to do or deal (*with*), be connected (*with*)

اتّصَل (: كان على صلة بشأن) communicate, make contact or get in touch (*with*)
~ (جنسيّاً) know (*person*) carnally or have carnal knowledge (*of person*), copulate; have, or engage in, sexual intercourse (*with*); be intimate (*with*)
اتّضَح be clear, become lucid, clear up
~ (: ظَهَر) appear, seem
اتّضَع humble (*oneself*), abase or bring (*oneself*) low
أتعاب fees (*of lawyer*), honorarium (*of physician*)
~ محاماة (أو محامٍ) legal attorney fees
~ توكيل retaining fees
كَشْف ~ fees bill
أتْعَب tire, weary (*or make weary*), exhaust, fag, fatigue
اتّعَظ take warning, take counsel
اتّفاق agreement
~ (آراء) concurrence (*of view points*), identity (*of views, etc.*)
~ (: انسجام) concord, harmony
~ (: تَفاهُم) entente (*between states*)
~ (دوليّ) pact or compact
~ خواطر أو أفكار telepathy
~ شرف parol agreement
~ صريح express agreement
~ ضمنيّ implied agreement
~ مفتوح open-end agreement
~ ودّي (بين دول) entente cordiale
(راجع اتّفاقيّة)
اتّفاقاً by agreement
~ (: بمحض الصدفة) by chance, accidentally, casually
اتّفاقيّ by agreement; pactional, contractual
~ (: عَرَضيّ) accidental, casual
~ (: تآمريّ) conspiratorial
اتّفاقيّة agreement
~ (دوليّة غالبًا) pact
~ تنفيذيّة executory agreement
~ مشروطة conditional agreement

اتِّفاقِيّة منجَزة executed agreement
(راجع اتِّفاق)

اتَّفَقَ agree; concur (*in opinion*); coincide (*in habits*), conform, be in harmony (*with*)
~ (: تآمَرَ) conspire (*with others*)

اتَّقَى (: حَذِر) be wary (*of*), be cautious
~ (: صار تقيًّا) be god-fearing, fear, reverence

أَتْقَن (: حذق) master, gain thorough understanding (*of*), become proficient (*in some language*) or skilled (*in some trade*), learn (*thing*) adeptly
~ (عملًا أو ما إليه) do properly, do adeptly or proficiently

اتَّكَأَ lean (*against*), recline (*upon*)

اتِّكال reliance (*on or upon*), dependence or dependency

اتَّكَلَ rely (*on self or others*), depend, count (*on*), reckon (*on*), trust (*in God*)

إتْلاف (: إعطاب) damage
~ (: قضاء على شيء) destruction, waste
~ (وثيقة) spoliation (*of document*)

أَتْلَف (: أعطب) damage, spoil; impair (*effect, health, etc.*)
~ (: قضى على شيء) destroy or waste (*an entire fortune*)

أَتَمَّ (: أكمل) complete, finalize
~ (بزيادة شيء إضافيّ) supplement (*an income*)
~ (: أنهى) conclude (*discussion*), finish, end (*speech*), terminate (*a deal*)
~ (الزواج بالدخول) consummate (*marriage*)

إتْمام completion, conclusion
~ (الزواج بالدخول) consummation (*of marriage*)

اتِّهام indictment, accusation, charge
لائحة ~ bill of indictment or accusation
ورقة ~ charge sheet
~ خاطئ mischarge

اتِّهامِيّ accusatory (*words*)

اتَّهَم accuse (*of*), indict (*for obscenity*), charge (*person with theft*)

أتون kiln, furnace

أثاب reward (*for*), recompense (*services*), repay (*person for something*), requite (*good treatment with good treatment*)

أثاث furniture

أثار rouse or arouse (*anger, sympathy, etc.*), excite (*ill feeling*), stir up (*trouble*), incite (*revolt*), instigate (*hatred*), provoke (*riot, laughter, etc.*); foment
~ (: هيج) impassion, incense, enrage
~ (نقطة) raise (*a point*)

آثار antiquities
~ (: بقايا شيء أو عهد غابر) relics

إثارَة incitement, provocation, instigation, fomentation, excitement; stirring, arousing

إثْبات proof, demonstration
~ إيجابيّ (مباشر) positive proof
~ بنوة filiation
~ تحريريّ literal proof
~ سلبيّ negative proof
~ شخصيّ (بشهادة شهود) testimonial proof
~ شخصيّة identity (*evidence thereof*)
~ كافٍ conclusive proof
~ كامل full proof
~ كتابيّ proof in writing
~ لا يداخله شكّ معقول proof beyond reasonable doubt
~ ناقص imperfect proof
~ وصايا probate
عبء ~ onus (*or burden*) of proof
نصف ~ (بشهادة شاهد واحد أو بورقة عرفيّة) half-proof

إثْباتِيّ probative (*facts*), evidentiary

أَثْبَتَ prove, substantiate (*claim*), demonstrate (*truth of theory*)
~ (: أكّد) affirm, confirm
~ (: شهد على ، بَيَّن) certify, establish evidence, attest
~ (بكتابة أو قيْد) inscribe, commit to writing or to record
~ (: أرْسَخَ) (راجع ثَبَّت)

أثْبَتَ (وصيّة) — probate (*will*)

أثّث — furnish (*a house*), fit up or provide (*with*)

أثَر — effect, efficacy, influence, impact

~ (: عاقبة ، نتيجة) — consequence, result

~ (: انطباع) — impression

~ (: علامة باقية لشيء) — trace, vestige, mark, perceptible sign

~ (مرور ، عقب) — trail, trace, track, wake

~ (لقدم أو ما إليها) — print

~ جرح — scar, cicatrice

~ قدم — footprint, vestige

أثّر (في) — produce effect (*upon*), affect (*relations, business, etc.*), have impact or impression (*on market, civilization, etc.*), impress (*somebody*)

~ (: أمال إلى جانب) — influence (*a judge*), sway

آثَر — prefer (*a course of action*), like better, favour; have preference (*for something*), give preference (*to*), choose rather (*a certain course*), give (*candidate*) priority

أثْرى — become rich, enrich (*onself*)

إثْراء — enrichment

~ غير مشروع — illicit enrichment

إثْرَة (: إيثار) — preference

~ (تختصّ بها جهة دون أخرى لميل خاصّ) — favouritism

~ أقارب — nepotism

أثَرة (النفس) — egoism, self-love

أثَرِيّ — ancient

~ (: قديم العهد) — antique, old-fashioned

إثْغار — dentition

أثْقَل — bear heavily (*on*), encumber (*title, budget*), burden, overload, charge (*with extra duties*)

أثْكَل — bereave (*a mother*) of (*her*) child

أثِمَ — sin, transgress (*the divine law*)

إثْم — sin

~ (: هفوة ، ذنب) — fault, offence

آثِم — sinner, transgressor

أثْمَر — bear fruit; pay off

أثْنى — praise, commend

~ (: مدح) — laud, extol; compliment

أثْناء — during, in the course of

~ (: طيلة) — through

أثيم (: ينطوي على إثم) — sinful; wicked

~ (: مفرط الغلظة أو الوحشيّة من فعل أو ما إليه) — outrageous, heinous, monstrous

~ (شخص) — sinner

أجاب — reply, answer, respond

~ (على تهمة) — plead (*guilty, etc.*)

إجابِيّ — responsive

أجادَ — do (*act, plead, write, behave*) well, do (*deal, choose, etc.*) properly

أجار — give refuge or succour (*to someone*), shelter; harbour, (*some enemy or criminal*)

إجارَة — lease, tenancy

~ انفراد — several tenancy

~ تداخل ، تزاحم — concurrent lease

~ تضامن — joint tenancy

~ شيوع — tenancy in common

~ عامّة (غير محصورة المدّة) — general tenancy

~ مسانَاة — tenancy from year to year; annual lease

أجاز — permit, allow, grant (*a request*); sustain (*an objection*); sanction (*corporal punishment*)

~ قانونا — pass or carry a law

~ (: خوّل) — entitle (*a person to something*)

إجازَة — leave, permission of absence from duty

~ تغيُّب — leave of absence

إجْبارِيّ — compulsory, obligatory, mandatory

أجْبَرَ — compel or impel, oblige, constrain, force (*to do*), coerce

اجْتاح — invade (*territory*); encroach upon

~ (عقار الغير : اعتدى عليه) — trespass (*upon somebody's realty, right, etc.*)

~ (: انتشر لسوء) — permeate (*as of wicked propaganda, corruption, etc.*)

اجْتاز (عقبة ، مكانًا ، خطرًا) traverse (*territory*), cross (*desert*), clear (*obstacle, bar*), pass across or by (*some place*); undergo (*danger, hardship*); pass (*test, examination, etc.*)
~ (: تجاوز) surpass
اجْتَثّ pull out, pluck (*weeds, etc.*)
~ (: اقتلع من الجذور ؛ محا) root out, deracinate, eradicate (*illiteracy, corruption*), uproot; erase, blot out, exterminate
اجْتِثاث (: اقتلاع من الجذور ، مَحْو ، قضاء على شيء)
eradication, erasure, extermination
~ (جراحيّ) ablation
اجْتِذاب attraction
اجْتَذَب attract, draw
اجْتَرّ ruminate, chew repeatedly
اجْتَرَأ dare (*disobey the rule*), venture (*to defend a wrongdoer*), take courage; have the pluck or audacity or boldness (*to challenge a superior*)
اجْتِرار rumination
اجْتِراف (راجع جرف)
اجْتَرَف carry away (*all prizes*), scoop (*up*); sweep (*the audience by the force of his argument*), wash (*up*) or (*out*) as in: (*timber was washed up by the waves*) or (*cliffs were gradually washed away*)
اجْتَزأ (من شيء) curtail, cut short
اجْتِماع meeting, assembly
~ (: تجمُّع ثوريّ) riotous (*or rebellious*) assembly
~ غير مشروع unlawful assembly
اجْتَمَع meet, assemble, congregate
~ (على سبيل الصدفة) come across (*some person*)
~ (: اتّصل بـ) come into contact (*with*)
~ (أناس حول شخص : التفّوا حوله) rally round (*a person*)
~ (على رأي) concur, accede to same opinion
اجْتَنى collect, pick, gather (*fruit, crop, etc.*), reap
اجْتَنَب avoid, avert; shun (*temptation*), eschew (*act, conduct, etc.*)

اجْتِهاد (: جِدّ) diligence, assiduity, endeavour, painstaking
~ (في تقدير أو ما إليه) discretion, interpretative judgment
~ (في تفسير) discretionary (*interpretation, opinion, etc.*)
اجْتِهادِيّ interpretative; discretionary
اجْتَهَد endeavour, strive, try hard (*to succeed*), make an effort; exert oneself
إجْحاف injustice, inequity
أجْحَفَ be unfair or act unfairly, do injustice
~ (بشخص : أضرّ به) wrong
~ بـ (: اقتلع ، أهلك) root out, exterminate, destroy
أجْدى benefit, avail (*somebody*), be of good or of use; do (*for some purpose*), serve
أجْدَب become barren (*as of land*), become sterile (*as of humans*), be waterless
أَجْدَب (: لم يُثْمِر) fail of fruit, be fruitless or sterile
~ (: جفّ) become arid or dry
أَجْر wage, remuneration, pay, recompense; rate
~ زمن (: يُعطى على أساس الزمن) time rate
~ قطعة piece rate
آجَر remunerate, reward, repay, recompense
أَجَّر let, lease
~ من الباطن sublet, sublease
آجُرّ brick
أجْرى hold, conduct (*interview, inquiry, etc.*), make, carry out (*investigation*), perform (*operation*)
~ حسابًا (على شخص أو له) debit or credit an account
~ عقوبة impose, carry out, subject to penalty, penalize
إجْراء (ج. إجراءَات) procedure (*code, rules, etc.*), proceeding (*before court*), process (*of law*); measure (*to be adopted*)
~ إفلاس (أو تفليس) proceeding in bankruptcy
~ تكميليّ supplementary proceeding
~ تنفيذيّ executory proceeding

إجراءٌ فرعيٌّ	collateral proceeding
~ قانونيّ	legal action or proceeding
~ كَيْديّ	malicious proceeding
~ مألوف ، مُتَّبع	practice
~ مستعجَل	summary proceeding
~ مطوَّل	circuity of action
قانون إجراءات	procedure code
إجْرائيّ	procedural
قانون ~	adjective law, procedural law
إجْرام	guilt
~ (: مجرميّة)	culpability, criminality
إجْراميّ	criminal (*act*), culpable (*conduct*)
أجْرَب	scabious
أجْرة	wage, pay; salary; hire
~ (عقار)	rent, rental
~ إخلاء (محلّ)	quit rent
~ أرضيّة	ground rent
~ سفر	fare
~ شحن	freight, naulage
~ صافية	net rent
~ فاحشة	rack-rent
~ متأخّرة (: معاش)	back pay, arrears
~ متأخّرة (: إيجار)	back rent
~ محدّدة	dead or fixed rent
~ معجّلة	forehand rent, advance rent
~ نقل	freight, naulage
أجْرَم	commit a crime, offend (*against*)
أجزخانة	pharmacy, drug-store, dispensary, chemist's shop
أجْزَلَ (عطاء أو ما إليه)	(*give*) liberally or openhandedly or copiously or in plenty
أجْفَل	scape, frighten, make (*a horse*) shy
أجَل	term, period
~ (: ساعة)	hour, moment
قصير الأجل	short-term
طويل الأجل	long-term
آجِل	future (*reward*); executory (*bequest*)
~ (: مرجأ)	deferred (*payment*)
أجَّل	postpone, put off, defer (*action, payment, etc.*); adjourn (*meeting, session*); prorogue (*parliament*)
أجْلى	dislodge (*from a position*), drive or turn out (*of a place*), remove (*troops*), evacuate (*civilians*)
إجْلاء	dislodgment, departure, evacuation
أجْلَسَ	sit (*someone*) down, seat (*person at table, in front, etc.*)
إجْماع	unanimity
~ (: اتّفاق عامّ)	consensus (*of opinion*)
بالإجماع	unanimously
إجْماعيّ	unanimous
إجْمالًا	generally, in general, for the most part, prevalently
إجْماليّ	global; aggregate (*sum*); gross (*weight, profit, etc.*); in gross or mass; overall (*gain, weight, etc.*), all-up (*expenses*)
أجْمَعَ	be unanimous (*in supporting, demanding, etc.*), agree unanimously
أجْمَلَ	outline, state main features, state briefly, give a concise or succinct account (*of an event*)
أجْنَبِيّ	alien, foreign (*person or thing*)
شخص ~	foreigner
~ صديق	alien friend or alien amy
~ عدوّ	alien enemy
~ مستوطن (يتمتّع ببعض الحقوق)	denizen
أجَنَة	chisel
أجْنَح	careen (*a boat*)
إجْهاد	strain, exertion, fatigue
~ (النفس)	self-exertion; stress
إجْهاز (: قضاء على شيء)	neutralization (*of resistance*), destruction (*of means of production*); liquidation (*of an enemy*), dispatch or annihilation
~ (: تمام استهلاك)	consumption (*of provisions*)
إجْهاض	abortion, miscarriage
~ جنائيّ	criminal abortion
أجْهَد	strain (*his heart*), tire, exhaust, exert (*oneself excessively*), fatigue
~ (النفس)	exert oneself, strive (*to achieve success, to be elected*); be at pains (*to do something*)

أَجْهَزَ put an end (*to*), do in (*a person*), deal (*to someone*) a finishing blow
~ (على) (: قتل أو أعدم) dispatch, kill (*a wounded person*); destroy (*an animal*)
~ (: أفنى) annihilate
~ (: أتى على آخر شيء) finish up, consume
أجْوَف hollow, empty; sunken
آح (: بياض البيض) glair, albumen, white of egg
أحاط (: اطّلع ، عرف ، أدرك) learn, know, be familiar or acquaint oneself (*with*), be aware (*of*); be conscious (*of*); cognize (*a point, etc.*)
~ (: هَدَّد) (راجع أحاق)
~ (: لاذ بشأن) encircle, enclose; surround, circumscribe, envelop
~ (: رافق ، اكتنف) attend, accompany (*an act, a circumstance, etc.*)
~ (: شمل) contain, comprise
إحاطَة knowledge, awareness, consciousness (*of*), familiarity (*with*), cognizance
أَحاق impend (*as of danger*), overhang, threaten, become imminent; surround, encompass
أحال (إلى) commit (*papers, lawsuit, etc.*), refer (*matter to somebody*), submit (*question*)
~ (على) refer (*to*)
~ على معاش retire on pension, pension off, superannuate
~ (حقًّا أو مالًا أو ما إليه) assign, transfer
إحالَة committal, reference, submission (*of question, matter, etc.*)
~ على معاش retirement on pension, superannuation
أمر ~ committal order
إحْباط frustration (*of attempt*), defeat (*of purpose*), failure (*of efforts*)
أَحْبَط frustrate, foil (*a wicked purpose*), defeat (*one's hopes, effort, etc.*), spoil (*intention*)
أحْبولَة snare, stratagem, ploy, pitfall
احْتاج need, require
احتارَ (راجع تَحَيَّرَ)

احْتاط take advance care, take precaution(s) (*for some probable event or occurrence*)
احْتال trick (*somebody*), defraud (*others*), dupe, deceive
احْتِباس (: حجز أشياء) distraint, detainment, impoundment
~ (: توقّف عن مسير ؛ انسداد) arrestment; discontinuance, blockage, obstruction
~ الطمث ischiomenia
~ الغائط scatacratia
احْتَبَس detain, impound (*goods, etc.*)
احْتَجَّ (على) protest (*measure, act, etc.*), make representations or remonstrate (*against*)
~ (: قَدَّم كعذر) produce as pretext or excuse
~ (بشان على شخص) use, or make use of, (*thing against person*)
~ (بقانون أو ما إليه) plead, invoke (*law*); adduce (*an opinion, a point*)
احْتِجاج postest; representations, remonstrance
مع الاحتجاج under protest
(راجع نكرة)
احْتَجَب withdraw from sight, conceal oneself, lie concealed, disappear, hide
احْتَجَز detain (*person*), sequestrate or impound (*goods*)
احْتَدَّ get incensed or exasperated or excited, fall into a rage
~ (: أصبح حادًّا) sharpen, become keen (*as of scent*), be pungent or acute
احْتَدَمَ (راجع حَمِيَ)
احْتَذى imitate, emulate
~ (: قلّد ، حاكى) copy, mimic
احْتِراز care, precaution
احْتِراق (: اشتعال ، تلف ناشئ عن اشتداد الحرارة) burning
~ (: تولّد الاشتعال والحرارة) combustion
احْتِرام respect, esteem, regard
~ (شخص أو شيء مقدّس أو ما إلى ذلك) reverence, veneration

احْتَرَس (من) keep guard, guard against (*attack*), watch out

احْتَرَم respect, esteem, think highly (*of somebody*)

~ (شخصًا أو شيئًا مقدّسًا) revere, venerate

احْتَشَد congregate (*in some place*), crowd (*in or around something*), throng (*to watch a fight*); cluster (*round something*)

احْتُضِر be *in articulo mortis*, be dying (*suffering the pains of death*) or expiring

احْتَضَن (: ضمّ) embrace, hug, take into one's arms

~ (: تولّى بتربية أو عناية) take into one's care

~ (ربّى) foster, nurture, nurse, educate, promote; cradle

احْتَفَى (بشخص) receive warmly or with (*extreme*) reverence, show great esteem, give cordial welcome

~ (: مشى حافيًا) go (*or walk*) barefooted

احْتِفال reception (*in honour of guest*), celebration (*of an occasion*)

احْتَفَظ keep, reserve (*right*), retain possession (*of*)

احْتَفَل celebrate, observe (*occasion*); honour

احْتِقار contempt, scorn, disdain, disregard

احْتِقان congestion, clogging

احْتَقَر despise, scorn, disdain (*an offer*), scoff (*at*)

احْتَقَن congest (*as of blood vessels*), become congested or obstructed, conglobe

~ (: احتبس) congest, get overcharged, clog

احْتَكّ rub against

~ (بشخص : اتّصل به) contact, come in contact (*with*)

احْتِكار monopoly, corner, pool, syndicate

احْتِكاك friction

احْتَكَر monopolize, get a monopoly (*of some article, trade, etc.*)

احْتَكَم (إلى) appeal (*to*), litigate (*before*), refer (*matter for judgment to*), have recourse (*to*)

احْتَلّ occupy, take possession (*of*); seize (*a position*); fill up (*a space*)

~ (مكان شخص أو أي شيء آخر) supplant

احْتِلال occupation, taking possession (*of an area*)

~ (: استيلاء) seizure

احْتَمَى take refuge or asylum (*in some place*), seek protection or sanctuary

احْتِمال (: تَوَقُّع ، إمكان) probability, likelihood, possibility, eventuality, contingency

~ (: صَبْر) endurance, resignation; tolerance

مجرد ~ bare probability

احْتِمال (عبء ، ألم ، ضيم ، الخ ..) tolerance, sufferance

~ مسؤوليّة (: اضطلاع بها) assumption of responsibility

احتماليّ contingent, probable; eventual

احْتَمَلَ (: حمل) bear, sustain, support

~ (: صبر على) suffer, endure, stand (*pain, exertion*), tolerate (*noise*), put up with

~ (من زمن أو جهد ، استغرق) take, last

~ (مسؤوليّة أو ما إليها) assume, shoulder

احْتَوى contain, comprise, cover, include (*all goods*), hold (*a great quantity*); accommodate (*many people*); comprehend; embrace; house (*a school, a workshop, etc.*)

احْتِواء inclusion

~ (: تقييد شيء ، كَبْحه أو وَقْف استعماله) containment

احْتِياج need, necessity, exigency, want

احْتِياط (: تحوُّط) precaution, advance care

~ لازم due precaution

~ (لسدّ فراغ محتمَل) reserve, substitute

احْتِياطِيّ auxiliary (*force*); alternative (*member, remedy*); spare (*tyre*)

~ (من حَبْس أو ما إليه) preventive (*custody, detention, etc.*), precautionary (*measure*)

~ (: رديف) reservist

~ استهلاك depreciation reserve

~ مستتر inner reserve

احْتياطِيًّا alternatively; by way of precaution

احْتِيال trickery, fraud, deception, deceit; subterfuge

احتياليّ fraudulent

إحْجام (عن شأن) abstention (*from some act*), forbearance (*from going into detail*)

أحْجَم refrain (*from*), forbear (*from*), abstain (*from*)

أُحْجِيَّة riddle, conundrum; mystery

أحْدَب (: مُحدَوْدِب) curved, convex (*shape*), hunched (*up shoulders, etc.*)

شخص ~ hunchbacked

احْدَبَّ buckle, hunch

أحْدَثَ create (*displeasure, panic, etc.*), cause (*a disturbance*), occasion (*disorder*), eventuate (*a fall in prices, etc.*)

أحْدَق (مِن خَطَر أو ما إليه) impend, become imminent

~ (: هدّد بوقوع) threaten

(راجع محدق)

أُحدوثة reputation, repute

إحْراز (: نوال) obtainment (*of object*), achievement (*of success*), accomplishment, perception (*of crops, etc.*), acquisition (*of title*)

إحْرام pilgrim garb, state of wearing the pilgrim garb

أحْرَز obtain, achieve, accomplish, acquire (*right, advantage, etc.*)

أَحْرَقَ burn (*oneself, candle, clothes, etc.*)

~ (: أشعل النار في شيء) set fire (*to a house*), set (*house*) on fire

أَحْزَن sadden, grieve, distress (*a person*), give sorrow (*to*)

أَحَسَّ feel (*pain, cold*), sense (*danger, trouble*); perceive (*ill feeling in some person*)

إحْساس feeling (*of dejection*)

~ (: عاطفة) sentiment, emotion

إحْسان (: بر) charity, benevolence, beneficence

أَحْسَر myope

أحْسَن do good (*to somebody*), do right

أَحْصى count (*houses, sheep, etc.*), number (*population*), include in reckoning; compute (*loss, gain, etc.*), calculate

~ (: أحاط كلِّيًّا بشأن) take comprehensive or exhaustive account (*of something*)

إحصاء (سكّان أو غيره) census, census taking; count (*as in :take a count or keep a right count of*)

إحْصائِيّات statistics

أحْضَر bring, fetch (*book, food, police, etc.*), get

~ (: أبرز ، وفّر شيئًا أو حصل عليه) produce (*a permit*), provide, obtain

أحقّ have prior or superior right, have precedence of title

أحْقَدَ envenom, cause grudge or ill will, provoke malice, embitter

أحْقَر (راجع احتقر)

أَحَقِّيَّة rightfulness; superiority of right, precedence of title

~ (: قيام الحقّ في شأن ، استحقاق) entitlement; qualification, deservingness

أحْكَمَ (عملًا) do thoroughly or proficiently or expertly

~ (وثاق شيء) secure; tighten (*screws, belt, etc.*)

أحَلَّ (شخصًا محلّ آخر) subrogate, substitute (*a person for another*), put in the place (*of a debtor*)

~ (: حَلَّل ، أجاز) (راجع حَلَّل)

إحْلال (شخص محلّ آخر) subrogation, substitution

أَحماء in-laws, affines

أَحْمَر red

أحْمَق foolish, rash, indiscreet

أحْنَف clubfooted, taliped

أحْنَق (راجع أغضب)

أحْوَج render needful (*of assistance, repair*), make (*person*) short of (*food, books*), render exigent (*of help, action*)

أحْوَل cross-eyed, squint

أحْيا (: نشط ، بعث الحياة في شيء) enliven, invigorate, animate, resuscitate (*a wounded person*)

أحْيا (الدعوى) — reinstate or revive (*action*)

أَحْياء (عِلم) — biology

إحْياء — animation, invigoration, resuscitation

~ ذِكْرَى — commemorate (*an occasion*)

أخ — brother

~ بالرضاع — foster brother

~ الزوجة — brother-in-law

~ عين (: شقيق) — brother german

~ لأب أو لأمّ (فقط) — half-brother, stepbrother

أخاب — fail (*expectation*), disappoint (*hope*), defeat (*odds*)

أخاف (: أرهب ، أرعب) — frighten, daunt, alarm, scare

~ (: خوَّف ، أرهب بسوء أو ما إليه) — intimidate

إخْبار (: إخباريّة) — information, intimation

~ (: إحاطة ، تبليغ بشأن) — notification, communication (*of some occurrence*)

أخْبَرَ — report (*an offence*), tell, inform (*authorities*), give information or news, give account (*of event, trial, etc.*)

أُخْت — sister

نصف ~ — half-sister, stepsister

~ رضاع — foster sister

~ الزوجة — sister-in-law

~ لأحد الأبوين فقط (راجع نصف أخت عاليًا)

اخْتار — elect, choose, select (*a wife*); cull (*the best on record*), opt for (*a particular nationality*)

(راجع اختياريّ)

اخْتَبَأ — hide, conceal oneself, abscond (*from creditors*)

اخْتِبار — test, trial, examination

~ (: تجريب شخص مدّة معلومة لمعرفة لياقته) — probation

~ (في مختبَر أو ما إليه ، وضع مادّة تحت الاختبار) — experiment, experimentation

~ المعادن كيماويًّا — assay (*of metals*)

اخْتَبَرَ — test, put (*person, courage, etc.*) to the test, try (*a friend*), examine, check (*for precision, safety, etc.*); experience

اخْتَتَم — close (*one's day*), conclude (*an argument, a speech*), end (*journey, discussion*), wind up (*a debate*)

اخْتِراع — invention; creation

~ مسجّل — patent or patented invention

براءة ~ — letters patent

اخْتَرَع — invent

~ (: ابتدع) — devise; create

~ (: اختلق) — fabricate (*a charge, a story, etc.*)

اخْتَرَق — penetrate (*a surface*)

~ (: نفذ عبر شيء) — pierce (*darkness, or through lines, etc.*), run (*through*), force a way into (*object*), thrust (*into*); perforate (*armour*)

~ (: نفذ خلال جسم ، تخلّله) — permeate (*through soil, etc.*)

اخْتِزال (في كتابة) — stenography, shorthand

اخْتَزَل (في كتابة) — write (*in*) shorthand

اخْتَزَن — store up, amass, hoard (*provisions*); stock

اخْتَصّ (بشأن دون الغير) — have (*thing*) exclusively, exercise exclusive enjoyment (*of*)

~ (: عاد إليه الاختصاص) — be competent (*to decide*), have jurisdiction (*over a question*)

~ (: عنى ، تعلّق بـ) — concern, affect (*person or thing*)

~ بولاية قضائيّة (دون الغير) — have, or exercise, exclusive jurisdiction (*over*)

اخْتِصار — abridgment, abstract (*of some article*), epitome (*of a book*), synopsis

اخْتِصاص — jurisdiction, competence; power; specialty, special skill or apitude

~ (: امتياز على مال) — lien

~ ابتدائيّ — original jurisdiction or jurisdiction of first instance

~ استئنافيّ — appellate jurisdiction

~ إقليميّ (راجع اختصاص مكاني)

~ تعيينيّ — special jurisdiction

~ جزئيّ — summary jurisdiction

اختِصاص جنائي criminal jurisdiction
~ حسبيّ (في الموادّ الحسبيّة) probate jurisdiction
~ شخصيّ jurisdiction of the person
~ كمّيّ jurisdiction of amount
~ مدنيّ civil jurisdiction
~ مكانيّ (أو إقليميّ) venue (*or territorial*) jurisdiction
~ موضوعيّ jurisdiction of subject matter or jurisdiction of merits
~ نوعيّ ، قيميّ jurisdiction of value
اختِصاصِيّ specialist
اختَصَر summarize (*a tale*), abridge, abbreviate (*a report*), cut short, shorten (*a discussion*); curtail (*a process*)
اختَصَم sue (*person*), litigate (*against*), dispute (*decision, action, etc.*), contend (*with or against*)
اختَطّ (: وضع خُطّة لشأن) plan design (*an attack*), scheme (*to some objective*); contrive
اختِطاف (أشخاص) adduction, kidnapping (*of persons*)
~ (وسائل نقل أثناء سيرها) hijacking
اختَطَب (لزواج) (راجع خطب)
اختَطَف snatch, grab, seize eagerly or quickly
~ (امرأة) abduct (*a woman*)
~ (شخصًا) kidnap
~ (وسيلة نقل أثناء مسيرها) hijack (*aeroplane*)
اختَفى disappear, abscond
اختَلّ become disordered, fall out of gear or into confusion, become deranged
اختَلى withdraw into seclusion or into a secluded spot, shut oneself away; meet (*someone*) out of the way or alone
اختِلاج (: خلجان ، تشنُّج) convulsion, spasm
اختِلاس embezzlement, defalcation (*of government funds*), peculation, misappropriation
اختِلاط intermixture, mixing, blending; confusion (*of names, titles, etc.*)
اختِلاف difference (*of opinion*), variance or variation, diversity (*of system*), discrepancy (*between the two reports*); dissimilarity

اختِلاف (: عدم اتّفاق) disagreement
اختِلاق fabrication, invention (*of complaint, charge, etc.*)
اختِلال disorder, disorganization, derangement
~ توازُن imbalance
اختَلَج convulse, move violently, shake (اختلاج (*convulsion, spasm*
اختَلَس embezzle (*government funds*), defalcate, misappropriate (*property in one's charge*), peculate
اختَلَط mix (*up*), blend (*with other sorts*), intermingle or commingle (*with*)
~ (على) (*be or get*) mixed up, get confused or puzzled, be nonplussed
~ (: خالط) associate with (*vagabonds*)
اختَلَف differ (*from*), vary (*in weight or with the season, with something*)
~ (مع) take issue (*with an opponent*)
اختَلَق fabricate, invent
اختِناق suffocation, asphyxia, asphyxiation
اختَنَق suffocate, be suffocated or asphyxiated, choke
اختِياريّ optional, facultative, elective, permissive
~ (: طَوْعيّ) voluntary
أخجَل touch (*one's*) sense of modesty (*as in offences against decency*), render shy or bashful or timid; make (*person*) ashamed
أُخدود furrow; ravine, cleft, fissure; crevice; crevasse
~ (تحدثه السيول) gully
أخَذ (: تناول) take; receive
~ (: استولى) seize (*town, power*), capture
~ (برأي ، قاعدة) adopt, allow, accept, sustain, entertain
~ (: شرعَ في شأن) commence, start
~ (حُكمًا) recover or sue out (*judgment*)
~ (شخصًا بشأن) (راجع ألزم)
~ (على النفس) (راجع تعهّد)
~ (عن جهة) (راجع تلقّى)

آخَذَ (على فِعْلٍ أَو تَصَرُّفٍ) blame (*somebody*), find fault (*with conduct*), hold responsible or liable (*for omission*), inculpate, incriminate

~ (. انقد) censure

آخِذ taker

آخَر other, another; further (*delay*)

~ (: أخير من حيث ورود أو ذِكْر) latter

~ (طَرَف) third party

~ ، أُخرى (: العالم الآخر ، القيامة) afterlife

آخِر (: نهاية) end (*of work*)

~ (: بقيّة) remnant, remains

~ (: حدّ) limit

~ (: طرف) extremity; tail

~ (: أخير) last, ultimate

~ ، اليوم الآخِر ، يوم القيامة doomsday, judgement day

أخَّر delay, retard

~ (أرْجأ) put off (*payment*), defer (*judgment*), postpone

~ (عن موعد ، عَطّل مسيرة) delay, detain

~ (شيئًا : جعله يلي آخر) put (*thing*) behind (*another*)

إخْراج emission, ejection

~ (شخص) ouster, eviction (*of person*)

~ (من اعتبار) exclusion (*from consideration*)

الآخرة the hereafter

أخْرَج emit (*fumes*), send forth, give out

~ (: طرد) oust, evict (*from premises*), eject (*impurities*); dislodge

~ (من حساب) exclude, discount

~ (من مكان) remove, take out, produce

~ (: شَهَر سلاحًا أو ما إليه) draw out, brandish (*a weapon*)

أخْرَس (: أبكم) dumb, mute

أخْرَف become senile, become mentally enfeebled

أخْرَق (راجع أَحمق)

أخْزَى shame (*person*), put to shame, disgrace (*a people*)

أخِصّائيّ specialist

أخِصّائيّ (: خبير) expert

إخْصاب fertilization; productivity, prolificacy or prolificness

أخْصَب fertilize (*soil*), make fertile, render productive

إخْضاع subjection, subjugation

~ (: فتح) conquest

أخْضَر green

أخْضَع subdue, subject, subjugate (*a people*); conquer (*a territory*), reduce (*person to submission, dicipline, etc.*)

~ (لقاعدة) subject (*a matter to some rule*), bring (*person*) to observe

أخْطَأ err, make a mistake, be at fault

~ (: زلّ) slip

~ (هدفًا) miss (*mark, etc.*)

إخْطار notice, notification; intimation (*of details to somebody*)

أخْطار risks; perils, dangers

~ الغير [تأمين] third party risks

أخْفَى (: خبّأ) conceal, hide, abscond (*oneself from creditors*), occult

~ (: ستر معالم شيء) disguise (*his face*), obscure

~ (في موضع سرّيّ) secrete

~ (: أبقى سرًّا) keep (*matter*) secret

~ (عن الغير : أمسك) withhold (*news from somebody*)

~ (معنى ، حقيقة ، الخ ..) equivocate, (*sense, fact or truth, etc.*)

أخْفَق fail (*in a duty or to perform something*), be unsuccessful; fall short of (*success*); default (*on payment*), make default

أخَلَّ (بأمن ، قاعدة ، وَعْد ، الخ ..) disturb (*the peace*), break (*a rule, a promise*), commit a breach (*of law, contract, etc.*)

~ (بواجب ، لائحة ، حدود ، الخ ..) default (*on duty*), violate (*regulations*), transgress, infringe

~ (بنصّ) prejudice (*a provision of law*)

أخْلَى quit (*a house*), vacate (*one's seat*), empty (*of contents*), evacuate (*a town*), move

out (*of*), abandon (*a position*), give up possession (*of*)

أخلى (: أبرأ) — absolve (*of liability*)

~ (سبيل الغير) — discharge, release

– من ملاحقة (قانونيّة) — acquit of suit

إخْلاء (سبيل) — discharge, release

~ (طرف ، ذمّة) — quittance, quitclaim

~ (: إبراء) — absolution (*from*)

إخْلال (بقانون ، نظام ، وعد) — violation, transgression, breach

~ (بواجب أداء دَيْن أو ما إليه) — delinquency

~ بالشرف — breach of honour, moral turpitude

~ بأمن — breach of peace

~ بعقد أو ميثاق — breach of contract or covenant

~ بواجب — breach of duty

مع عدم الإخلال (بالنصّ) — without prejudice (*to provision*)

أخْلَد (إلى شأن) — resort (*to peace*), lean (*to*), take (*to opposition*)

أخْلَف — break (*a promise*), fail (*to keep a word*), default or make default (*on payment or performance*)

إخْماد (فتنة ، ثورة ، الخ ..) — suppression (*of sedition, rebellion, etc.*)

~ (نار) — extinguishment, quenching (*of flames*)

أخْمَد — suppress, quell (*resistance*), stifle, stamp out, crush (*opposition*), subdue

~ (نيرانًا) — extinguish, quench

أخْمَص القَدَم — sole of foot

أخُوّة (جماعة) — fraternity, brotherhood

~ (: شعور بذلك) — brotherliness

أخْياف — various, different

إخوة ~ — half-brothers (*by the mother*)

أخير — last, final (*trial*), ultimate (*degree*)

~ (من حيث الورود ، آخر) — latter

أدّى — lead (*to*), conduce (*to*)

أدّى (: دفع ، أنجز ، أوفى) — pay, perform (*duty*), satisfy (*promise*), discharge, defray (*costs, debt, etc.*)

أدّى (: أعطى) — give, render

أداء (واجب) — performance, satisfaction

مذكّرة (حصول) ~ — satisfaction piece

آداب — ethics (*of a profession, etc.*), rules of conduct, morals

أداة — instrument (*of government*), tool (*of trade, tyranny, etc.*), article (*of use, etc.*); implement, utensil (*domestic*)

~ (: عُدّة لتحريك شيء) — gadget

أدار — manage (*operations*), direct, administer (*estate, government, etc.*), run or keep (*shop*)

~ (من جهة إلى أخرى) — turn (*one's head, attention, etc.*)

~ (دفّة شيء ، قاد ، وجّه) — pilot (*ship*), steer

إدارة — management (*of business*), administration (*of government*), direction (*of operations*), running (*of affairs, etc.*)

~ أجنبيّـة — foreign administration

~ تبعيّـة [وصايا] — ancillary administration

~ عامّـة — public administration

~ قضايا حكومة (جهة) — department of litigation

~ مدّة الحداثة — administration *durante minori aetate*

~ مدّة الخصومة — administration *pendente lite*

~ مدّة الغيبة — administration *durante absentia*

~ مع إضافة وصيّة — administration with will annexed

إداريّ — administrative; managerial (*relations, work*)

محكمة قضاء ~ — administrative causes court

أدام (: حفظ) — save, preserve, keep

~ (على نحوٍ مستمرّ) — perpetuate

أدَب (: لياقة ، تهذيب) — civility, education, (*good*) manners, courtesy, politeness

~ [علم] — literature, letters

أدَّب (: هذّب ، ربّى) — educate; tutor

أدَّب (: عاقب ، جازى) — discipline, chasten (*a minor*)

أدْبَر (: ولّى) — turn back (*on, to*), turn away (*from*)

~ (: انقضى ، مات) — be gone, pass away, die

أدَبيّ (: أخلاقيّ ، أصوليّ) — moral (*behaviour*), ethical

أدَبِيّ (عمل ، مؤلَّف) — literary (*work, book*)

أدَبِيّات [عِلْم] — humanities

ادِّخار — saving; preservation (*of provisions*)

بنك ~ — savings bank

صندوق ~ — provident fund

إدْخال — insertion, introduction (*of something into another*)

ادَّخَر — save (*money, provisions*)

~ (: حفظ) — preserve (*from unnecessary use or spending*)

~ (: جمع) — accumulate

~ (: وفَّر ، امتنع عن إنفاق) — spare (*an effort*)

أدْخَل — enter (*an item in a list*), introduce (*a custom into a country*), insert (*a thing in*); interpose (*an object between*)

~ (في حساب أو اعتبار) — take into account or consideration

~ (في إشكال أو ما إليه) — involve (*in*), implicate (*in*)

~ (في مذهب أو أخُوَّة أو عهد أو جماعة أو ما إلى ذلك) — induct

أدَرَّ — yield, bear (*fruit*) or bring forth; produce

أدْرَى (راجع اطلع)

إدراك (: وعي) — perception (*of peril, etc.*), conception, understanding, consciousness (*political, etc.*), awareness, comprehension

~ طبيعيّ — common sense

~ (: تمييز) — discretion: capacity to distinguish right and wrong, discernment, judgment; gumption

~ (كنه الأشياء) — insight

~ (غاية) — achievement, attainment

أدْرَج — enter (*on record, in list*), make an entry (*of a transaction deal, etc.*), inscribe, register, list (*items*)

~ (دعوى في جدول) — set down case in cause list

أدْرَك (: وعى ، رأى ، فهم) — be conscious (*of*), perceive or conceive (*something*), comprehend, see, understand; realize; discern (*a difference*), grasp (*sense*), visualize (*risk, consequence, etc.*)

أدْرَك (: أصاب) — attain, achieve

~ (لحق بـ) — overtake (*a car, somebody ahead of him*)

ادَّعَى — allege (*that something took place; having heard, etc.; absence during an event*), claim, contend (*that a story was fabricated*), affirm (*lack of knowledge*), assert, profess (*to be ignorant of something; to be versed in some art*)

ادِّعاء — allegation, claim, contention; assertion

~ (المدَّعي : بيان دعواه) — declaration

~ كاذب — false allegation

~ (: تصوير شيء على غير حقيقته) — false representation, false pretence(s)

أُدْعُوَّة ، أُدْعِيَّة — issue, argument, moot point

إدْغام (جرائم أو ما إليها) — joinder (*of offences, etc.*)

أدْغَم (عددًا من جرائم) — join (*a number of offences*)

أدْلَى — give (*opinion, description, information*), deliver (*speech*), make (*statement*)

أدْمَى — bleed (*somebody*), cause (*thing*) to bleed

إدْماء — blood-letting, bleeding

إدْماج (: إلغام) (راجع (دمج)

إدْمان (مخدِّرات أو ما إليها) — addiction (*to drugs, etc.*)

إدْمانِيّ — addictive

أدَمَة — derm

أدْمَن — become addicted (*to*), addict (*oneself to drugs, liquors, etc.*), accustom oneself to habitual use (*of opiates, etc.*)

آدَمِيّ — human, adamite

أدْنى (بين أمرين) (راجع قرَّب)

أدْنى — proximate (*cause*), next (*of kin*), nearer (*to reason, etc.*)

~ (مكانة ، درجة ، الخ ..) — inferior, lower, subordinate (*in rank, quality, etc.*)

~ أقارب — next of kin

~ درجة (بين قضاة) — puisne (*judge*)

أدْهَشَ — astonish, amaze, surprise, astound, flabbergast

أديب (ج. أدباء) — scholar, man of letters, versed in literature

إذْ — when, at the time that; while

آذى (: نال بأذى) — harm, injure, hurt

~ (مصلحة أو ما إليها) — damage, prejudice

أذى — harm, injury, detriment, mischief

~ جسمانيّ — bodily harm

~ شخصيّ — personal injury

~ للبلاد — harm or disservice or ill turn to one's country

إذا — if, where, in the event of

أذابَ — dissolve (*salt*), melt (*butter, a metal, etc.*), thaw (*snow, ice*)

آذار (مارس) — March

أذاعَ — announce, proclaim, disclose (*some secret, contents of document; etc.*)

~ (: نشر) — propagate (*harmful literature*), announce; give public notice (*of provision, action, etc.*)

أذاع (بطريق الراديو أو ما إليه) — broadcast

إذاعة) — (*broadcasting*

إذْعان — submission, obedience (*to authority*)

~ (لواقع : قَبول صاغر به) — resignation (*of onself to fact*)

أذْعَن (: أطاع ، خضع) — obey, yield (*to authority*), submit, succumb; accede (*to the wishes of a majority*)

أَذَلَّ — humble (*a person*), abase (*oneself*), reduce (*somebody*) to humiliation, subject (*him*) to compulsion, bring low, mortify (*body, soul, etc.*)

أذِن — permit (*somebody to do some work*), allow

~ (: رَخَّصَ) — license (*to act, do, etc.*)

أذَّن (لِصلاة) — proclaim, or call for (*payer*)

إذن — permit, permission, leave (*to appeal*)

~ (: ترخيص لعمل أو ما إليه) — licence

~ (: سلطة) — warrant (*for saying something; to arrest somebody*)

إذْن غياب عن عمل (أو وظيفة) — leave of absence; furlough

أذُن — ear, (*auris*)

شحمة ~ — earlobe

أذْنب — sin, trespass

~ (: أخطأ) — err

أذُنِيّ — otic

أذْهَب (راجع أزال)

أذْهَل — stupefy, stultify, nonplus

~ (عن شأن) — distract, confuse attention

أرى (: بَيَّن ، أطْلع) — show (*instructions*), reveal (*thing to someone*), demonstrate (*mechanical action, professional secret*)

أراب (في قيام شأن) — make (*person*) suspect (*criminal intent, plot, foul play*), give rise to suspicion or mistrust, provoke doubt (*in someone's honesty*)

أراح — soothe, relieve; spare (*someone*) the trouble (*of some inconvenience*)

أراد — want, desire, require

~ (: عزم) — will

إرادَة — will, wish, volition, irade (*iradah*); decree

~ واعية — conscious will

ضدّ ~ (مجنيّ عليه) — against the will (*of victim*)

إرادِيّ (من تصرُّف أو ما إليه) — voluntary, volitional

أراع — terrify, alarm

~ (: أعجب) (راجع أعجب)

أراغ (راجع خادع)

أراق — shed (*blood, tears, etc.*); spill

أرْبى — pay interest

~ (: زاد) — exceed (*a certain number or measure*)

أرْبَكَ (: ربك) — muddle (*scheme; somebody*), confuse, embarrass, discomfit, disconcert; derange (*measures*), dislocate (*traffic*); throw (*matters*) into confusion, throw out of gear; upset (*a plan*), destabilize (*balance, system, etc.*)

ارْتَأى — find (*appropriate*), consider (*mercy, certain course of action*)

ارْتاب (من أمر) suspect (*something*), doubt, be in doubt
إرْتاج [طبيعة] occlusion
ارْتاح rest, repose
~ (من شأن) be relieved (*from something*)
ارْتاد (مكانًا) frequent (*some place*), resort (*to a club*) habitually, visit (*a town*) often
ارْتباط engagement, commitment
~ (: التزام) obligation
~ (: ترابط ، صلة) relation, correlation, connection, link, conjunction
~ (: اتّصال بين جهتين) liaison, linkage
ارْتباك confusion, embarrassment, discomfiture; derangement (*of operations, etc.*), dislocation (*of communications*)
~ نفسانيّ psychopathy, mental derangement
ارْتَبَطَ engage or bind (*oneself*) to (*do some act or refrain therefrom*), be engaged (*to perform something*), commit oneself (*to*); get tied (*to some duty*)
~ (: اتّصل) be connected (*with*) or related (*to something*)
ارْتَبَكَ be confused, get embarrassed or confounded or discomfited
ارْتَجَّ (: اهتزّ) shake, jar, jolt
أُرْتِجَ (على شخص) be confounded, get dumbfounded
ارْتجاج shaking, jolting
~ المُخّ (*cerebral*) concussion
ارْتِجال improvisation, extemporization
ارْتِجاليّ (من عمل أو ما إليه) improvisatory, extemporaneous, extemporary; impromptu
ارتجف (راجع ارتعد)
ارْتَجَل improvise, extemporize or speak extempore
~ (: سار على قدميه) foot (*half the journey*), walk, go on foot
ارْتَحَل depart, decamp
ارْتَخى loosen, droop, drop, sag; slacken
ارْتِخاء laxity, softness (*of soil*), slackness (*of reins, ropes, etc.*)
~ القدم [مرض] foot drop
ارْتَخَص find inexpensive, regard cheap (*as of a bargain*)
~ (: اشترى رخيصًا) buy cheap or cheaply
ارْتَدَّ (كالحقّ إلى حائز سابق) revert (*to*), revest (*in somebody*)
~ (عن عقيدة أو مذهب أو ما إلى ذلك) renege (*on*), become an apostate (*apostatize*); defect (*from*), desert (*to a hostile faith*), turn back (*from*)
~ (: ارتداد الجسم بعدما يصطدم بآخر) ricochet, rebound, spring back, recoil
ارْتَدى wear (*rags*), dress oneself in (*silk*), put on (*a red coat*)
ارْتِداد (عن مِلّة ، عقيدة ، الخ ..) apostasy, renegation, defection
~ (مال إلى صاحب حقّ سابق) reversion
~ (جسم بعد أن يصطدم بآخر) recoil, ricochet; reflux
ارْتَدَع be deterred, be checked or held in check, refrain (*from*), abstain (*from*)
ارْتَزَق seek a livelihood, find a means of living
ارْتَشى take a bribe, accept bribery
ارْتِطام (جسم بآخر) collision, impact
ارْتَطَم collide (*against*), be in collision (*with*); impinge (*on or upon*)
ارْتَعى (في مكان) pasture (*e.g.: cattle on some common* ~), graze
ارْتَعَد tremble, shudder, quiver, shake; shiver (*from cold, etc.*)
ارْتِفاع (: علوّ) height, elevation; altitude
~ (أسعار ، تكاليف) high (*cost, etc.*)
~ (: ازدياد) upsurge (*of feeling, support, etc.*)
~ أقصى (لسعر أو ما إليه) ceiling
ارْتِفاق easement, servitude
~ تبادُليّ reciprocal easement
~ تقادم easement by prescription
~ شمول easement in gross

ارتفاق ضرورة	easement of necessity
~ عبور (أو مرور)	easement of access
~ عموميّ	public easement
~ متقطّع	intermittent easement
شبه ~	quasi easement
ارْتَفَع	rise, mount (*up*), ascend
~ (: سما ، حلّق)	soar
ارْتَفَق	have an easement (*in another's estate*), enjoy a usufruct
ارْتَقَى	advance, progress, develop
~ (: صعد)	ascend
ارْتِقاء	advance (*or advancement*), progress, development
ارْتَقَب	await (*something*), look forward (*to some event*), expect (*mercy*)
ارْتِكاز	support, leaning, (*against a prop*) for support
ارتِكاس (: تفاعل)	reaction
ارْتِكاض (: أوّل حركة يأتيها الجنين)	quickening (*of foetus*)
ارْتَكَب	commit (*a crime*), perpetrate (*an immoral act*)
ارْتَكَز	rely (*upon*), lean (*against a prop*) for support
ارْتَكَض (الجنين : صدرت عنه أوّل حركة)	quicken
أرْتُوازِيّ	artesian
ارْتِياب	suspicion (*about something*), doubt; apprehension (*about certain motives*)
ارْتِياد (مكان)	frequentation, habitual visiting (*of some place*)
إرث	inheritance; legacy
~ (: تراث)	heritage
أرْجَأ	defer (*to some future date*), put off, postpone
إرْجاء	deferment, postponement
~ (تنفيذ على سبيل رأفة – إمهال)	reprieve
أرْجَحِيَّة (راجع رجحان)	
أرْجَع (راجع أعاد)	
أرْجُوانِيّ	purple
أرْحَل	relay
(إرحال	(*relay*
أرَّخ	date (*a document*)
أرْخَى	relax, slacken, make less rigid; relieve
أرْخَبيل	archipelago
أرْخَص	cheapen (*price of article*), make inexpensive or cheap
أرْدَى (راجع أهلك)	
أرْدَف (راجع أتبع)	
أرْزاق	provisions; stocks of food
~ طعام	victuals
أرْسَى	anchor, moor (*a ship*), cast anchor
~ (: أقام)	establish (*on equality*), found, secure firmly
~ مزادًا (على مشترك في مزايدة)	knock down, adjudicate (*sale in favour of somebody*)
إرْساء	anchorage, mooring
إرْسال	dispatch (*of mail*), sending off, transmission, communication (*of messages, news*)
إرْسالِيَّة	mission
أرْسَب	fail (*candidate, student*)
أرِسْتُقْراطِيَّة	aristocracy
أرْسَخ (راجع ثَبَّت)	
أرْسَل	send, dispatch (*a note*)
أرْش البيع (: تعويض عيب المبيع)	compensation for defect of sold value
إرْشاد	guidance
~ (في شأن معيّن)	briefing, giving final precise instructions
~ (: قيادة)	leadership (*or leading*)
~ (بحريّ)	pilotage
أرْشَد	guide, direct, conduct (*somebody to a certain place*); brief (*a person*), instruct (*him*) thoroughly on a certain subject
~ (: تولّى توجيه سفينة)	pilot
أرْشيف	archives
أمين ~	archivist
أرْض	land, ground, terrain; earth
~ (: تربة)	soil
~ (غرفة ، قاع مكان)	floor
~ أميريّة	sultan's domain

أَرْض بور — prairie, fallow land
~ تعمير — accommodation land, reclamation land
~ زراعيّة — farm land
~ صالحة للحرث — plough-land
قطعة ~ — plot of land
أَرْضى — satisfy (*somebody*), gratify (*feeling*), indulge (*desire*), mollify (*adversary party*)
~ (: استرضى) — placate (*a person*)
إِرْضاء — satisfaction, gratification, indulgence (*of instinct, desire*)
~ (: استرضاء) — placation
أَرْضَع — wet-nurse, suckle or suck (*a child*), feed at the breast
أَرْضِيّ — land or ground (*test, target, range, etc.*), terrestrial
أَرْضِيَّة (ضريبة ، أجرة) — terrage
~ (مكان) — floor
أَرْعَن — foolish, indiscreet, imprudent
أَرْغى — foam, lather, form a lather, froth
إِرْغام — compulsion, constraint; coercion; force
إِرْغامِيّ — compulsory; compulsive, coercive
أَرْغَم — compel or impel, constrain, force; coerce (*a person into doing something*)
أَرْفَأ — near, or approach, port
أَرْفَق — enclose (*a document*), accompany
أَرِقَ — fail to sleep, suffer insomnia, be insomniac or sleepless, have a sleepless (*night*)
أَرَقٌ — insomnia, sleeplessness
أَرَقان — jaundice
أَرْكَب (: نقل ، حمل من مكان إلى آخر) — transport, carry, lift
أَرْكَس — reflex, turn over (*or back*)
أَرْمَل — widower, relict
أَرْمَلَة — widow, relict
~ مَلِك — queen dowager
~ نبيلة — dowager
نصيب ~ (من تركة زوجها) — dower
إِرْهاب — terror, intimidation

إِرْهابِيّ — terrorist
أَرْهَب — intimidate (*a child*), frighten, terrify
أَرْهَق — oppress, overburden (*with taxes, work, etc.*); fatigue, fag, overstrain; weary (*with exertion, labour*); exhaust
(إرهاق) — (*oppression, fatigue*
أَرْهَل — wax flaccid, get swollen and flabby
أَرْوى — irrigate, water; quench (*thirst*)
أُروز (راجع إسبات)
أَرُومَة (جذع ، أصل) — stem (*of tree*), origin, ancestry (*ancestral lineage*), stock
~ (شيك أو سند) — counterfoil
أريب (: متبصّر) — astute, shrewd
إزاء — for, because (*of*)
~ (: نَظير) (راجع مقابل (: نظير)
~ (: أمام) (راجع حِذاء)
أزاح — move, remove (*thing or person*); shift (*from one place to another*); lift (*trouble*); displace
أزال — clear (*away something*), remove, dispel (*fear*), eliminate (*waste*); relieve (*pain*)
~ (أثر شيء) — efface, wipe out
~ أغلاطًا — emend, remove errors
~ حساسيّة — desensitize
~ عبئًا — unburden (*one's conscience*)
~ اللّثام عن شيء — unmask (*real intent*)
أَزْبَد — froth, foam
ازْداد — increase, augment
~ (: تضاعف) — multiply
~ (راجع امتد)
ازْدِحام — crowded state, congestion (*of traffic*)
~ (سكّان) — density or congestion (*of population*)
ازْدَحَم — crowd (*with visitors*), congest (*with*), be congested (*with*)
ازْدَرى (بشأن أو منه) — despise (*a certain person or matter*), scoff (*at*), treat with contempt, scorn (*advice*); speak derisively (*of somebody*): jeer (*at*), gibe (*at*)
ازْدِراء — disdain, scorn, contempt; derision

ازْدَرَد devour, engorge (*or gorge*)
ازْدَهَر flourish, thrive, prosper
ازْدِواج duplication
ازْدِواجِيّ dual (*appointment, control*)
ازْدِواجِيّة duplicity, duality (*of control, allegiance, jurisdiction, etc.*)
ازْدَوَج (: تضاعف) double, become twofold
~ (شخصان : اقترنا) couple, unite in marriage
~ (قوم : تزوّج بعضهم بعضًا) intermarry
ازْدِياد increase, augmentation, growth (*of population, trade, etc.*), extension or enlargement (*of area, distance, etc.*)
~ (مساحة أرض بانكشاف مياه بحر أو نهر) reliction
آزَر (: عاضَدَ ، دعم) abet, assist, aid; support (*person*), back; champion (*cause, idea, etc.*)
أزْرَق blue
أزْعَج trouble, bother, inconvenience, discommode (*a person*)
~ (: نغص على شخص) annoy (*him*), harry
أزِفَ (راجع قَرُبَ)
أذْكى enhance (*hatred*), heighten (*feeling*), intensify (*resistance*), exacerbate (*anger, bitterness, etc.*)
إزْمان chronicity, inveteracy
أزْمَة crisis, deadlock (*in discussion, understanding, etc.*)
أزْمَعَ (راجع عَزَمَ)
أزْمَنَ become chronic, be inveterate
إزْمِيل chisel
أزْهَر blossom, flower
ازْهِرار florescence, efflorescence
أزْوَج couple, join in marriage; link
أُس (راجع أساس)
~ [رياضيّات] exponent
آسى comfort (*a suffering person*), soothe (*in grief*), console
أَسى grief, anguish, sorrow
أساء offend (*against morality*), wrong (*some person*), do evil
~ (راجع افسد)

أساء ائتمانًا commit a breach of trust
~ إدارة mismanage (*an operation*)
~ إدراكًا misconceive (*idea*)
~ استعمالًا abuse (*authority*)
~ تطبيقًا misapply, miscarry (*law*)
~ تفسير (شيء) misinterpret (*provision*)
~ توجيهًا misdirect (*person*)
~ حكمًا (على شيء أو ظنًّا به) misjudge
~ سلوكًا misbehave
~ فعلًا misuse
~ فهم (شيء) misunderstand (*a remark*)
~ معاملة illtreat
~ وصف (شيء) misdescribe (*a thing*)
إساءَة offence, wrong; tort
أساس foundation, ground, basis, base, groundwork
~ (صلة ، وضع) footing (*e. g. : a friendly ~ , a war ~*)
~ (: موضوع) merits
محكمة ~ court of merits
أساسًا basically, fundamentally; principally, chiefly
أساسِيّ fundamental, radical, basal, main (*question*), principal (*issue*), organic (*e.g. : ~ law*), chief (*concern*); basic, prime (*factor, mover, etc.*)
قانون ~ organic law
أسافِل (شعب) rabble, riff-raff
أسالَ (: حوّل إلى سائل) liquefy
إسْبات (: استكنان ، أروز) hibernation
أسْبَقِيَّة precedence, priority
أسْبوع week
كلّ ~ per week
أسبوعيّ . أسبوعيًّا weekly
إسْت (: باب البدن) anus
اسْتاء be disappointed (*with*), be displeased (*with*), resent (*something*)
اسْتَأْثَر (: خصّ النفس بشأن) have (*thing*) entirely (*to oneself*), have exclusively, secure for oneself, take exclusive possession (*of benefit, property*)

اسْتَأْجَر lease, rent (*a house, etc.*), charter (*a ship, an aeroplane, etc.*), hire (*a hall*)
~ من الباطن sublease
أُسْتاذ professor
~ محاضر reader, lecturer
~ في العلوم (شهادة علميّة) Master of Arts
دفتر ~ (راجع دفتر)
اسْتَأْذَنَ take (*court's*) leave (*to produce document*), ask permission
أُسْتاذِيَة (في جامعة أو ما إليها) chair, professorship
اسْتَأْسَر capture (*enemy ship*), take (*someone*) captive
اسْتِئْصال eradication, rooting out; excision
~ الثدي mammectomy
~ الحنجرة laryngectomy
~ الرحم uterectomy
~ الغدّة adenectomy
~ الكلوة nephrectomy
~ المرارة cholecystectomy
اسْتَأْصَل (شأفة شيء) root (*out*), eradicate; rout (*the enemy*), excise (*a member*)
اسْتَأْمَنَ ask for security (*from harm*), seek protection
اسْتِئْناف appeal
~ تخمين (ضدّ ضريبة مقدَّرة) rating appeal
~ مجاني (بسبب فقر المستأنف) appeal *in forma pauperis*
~ مقابل cross appeal
اسْتِئْنافِيّ appellate (*court, jurisdiction*)
اسْتَأْنَف appeal (*a verdict*), appeal (*from*), take or bring an appeal (*against a judgment*)
~ علاقة resume (*a relation*)
اسْتَأْهَل merit (*a decoration*), be worth (*the price*) or worthy (*of promotion*)
اسْتَباح plunder (*a place*), sack (*a town*), loot, violate (*a place of worship*)
اسْتِباق (حوادث أو غيرها) anticipation; precipitation (*of events*)
اسْتَبان recognize (*error*), discern (*defect*), perceive (*a difference, that something has happened*); find out (*a reason*); detect

اسْتَبَدَّ play the despot, act arbitrarily or despotically, tyrannize (*the country*)
اسْتِبْداد oppression, tyranny, despotism
اسْتِبْدادِيّ tyrannical (*rule*), arbitrary (*act*), despotic (*measure*)
اسْتِبْدال (بشيء آخر) substitution (*of one thing for another*), exchange, replacement (*of an article*)
اسْتَبْدَل exchange (*something for another*), change, replace (*an old car*)
~ (: أقام شيئًا مكان آخر) substitute, subrogate (*person for another*)
اسْتَبْرَأَ seek to be purged or purified (*of*), sue out an absolution (*of some sin*) or acquittal (*of an offence*)
اسْتَبْشَر see good omen (*in something*), take bright view (*of*), consider (*thing*) as portending good
اسْتَبْعَد (: أسقط) exclude, rule out (*defeat*), write off (*certain expenses*), discount (*negligence, bad faith, expenses*)
~ (: أقصى عن شيء) shut out (*from something*); expel
اسْتَبَق anticipate (*events*), forestall
~ (: عجّل) precipitate (*a crisis, his ruin*)
~ تاريخ (وثيقة : قدمه) foredate
~ الحكم (على شأن) forejudge
اسْتَبْقى (: ابقى على شيء ، احتفظ به) retain, keep, reserve (*a title or right*)
اسْتَتَبَّ (راجع استقام)
اسْتَتْبَع entail, involve
اسْتَتَر take cover (*under or from something*), screen (*oneself*), hide behind (*something*)
اسْتَثْمَر exploit (*water power, weather, etc.*), cultivate (*land, relation, etc.*), tap (*resources*); capitalize (*on friendship*)
اسْتَثْنى exclude (*from consideration*), except (*a matter*), make an exception (*of a matter*); save (*from some measure*)
اسْتِثْناء exception (*from a rule*), in exception to,

exclusion (*from consideration*)

اسْتَجاب (لشيء) respond (*to appeal ; call, etc.*); react (*to entreaty, applause, etc.*), move

~ (: أصغى) listen (*to advice*), hearken

اسْتِجابَة response; reaction

اسْتِجابيّ responsive

اسْتَجار seek asylum, take refuge, seek sanctuary (*in some place*), take shelter (*in*)

اسْتَجَدَّ arise newly, develop afresh

~ (: أصبح جديدًا) be renovated or renewed, become new

اسْتَجْدَى beg; solicit (*in streets*)

اسْتِجْداء mendicity, begging, soliciting in streets

اسْتَجْمَع (شجاعة ، قوّات ، الخ ..) muster (*forces, courage*), summon

اسْتِجْواب interrogation, examination (*of a witness*), cross-examination

~ (في برلمان أو ما إليه) interpellation

~ رئيسيّ (لشهود) examination in chief

اسْتَجْوَب interrogate, examine (*a witness*)

~ (: ناقش) cross-examine

~ (في برلمان أو ما إليه) interpellate (*a member*)

~ (شخصًا أوّلًا – قبل الغير) examine in chief

اسْتَحى blush, feel ashamed (*or shame*), be embarrassed, disdain (*doing or to do*)

اسْتَحال (: أصبح محالًا) be impossible or absurd, be impracticable or beyond (*one's*) power

~ (: تغيّر ، تحوّل) change, be transformed

اسْتِحالَة absurdity, impossibility, impracticability

~ (: تحوُّل ، تغيير) change, transformation, mutation

~ (خارقة للطبيعة – جسديّة ، عنصريّة أو ماديّة) metamorphosis, metamorphism

اسْتَحَثّ urge, spur; solicit (*pity*), stimulate (*to action*)

اسْتَحْدَث make an innovation, introduce a novelty

اسْتَحْسَن commend (*some action*), recommend (*severity*), find proper or appropriate, find advisable or expedient, approve (*a certain measure*), take a favourable view of

اسْتَحْضَر (أرواحًا أو ما إليها) conjure (*up*), invoke (*spirits, the dead, etc.*)

اسْتَحَقّ merit, be worth (*something*) or worthy of (*praise, reward, etc.*)

~ (لوفاء) fall due, mature, be payable

اسْتِحْقاق (: حقّ في شيء) entitlement (*to succession*), due (*e.g. : a person's due*)

~ (: جدارة) merit

~ دَين maturity (*of debt*)

تاريخ ~ due date (*of bill*)

اسْتِحْكام barricade; bulwark

اسْتَحْوَذ (على) seize (*right, land, etc.*), take possession (*of*), capture (*some provisions*), take (*a town*)

~ (نفسانيًّا) على شيء possess (*one's mind*); possess (*somebody to do something*), obsess (*person*)

اسْتَحْيا be ashamed (*of*), blush, feel shame or embarrassment

اسْتِحْياء shame, embarrassment, sense of modesty

اسْتِخْبار investigation, close inquiry or examination

اسْتِخْبارات (قلم) secret service, investigation branch or department

اسْتَخْبَر investigate (*a matter*), inquire or examine closely

اسْتِخْدام employment (*of something or somebody*), usage or use; hire (*a person to perform some work*)

اسْتَخْدَم employ (*a worker*), use (*a special device*), put into service (*some tools*), hire (*a man to do a job*), engage (*a servant*)

اسْتِخْراج suing out (*of order, certificate, etc.*); abstraction; elicitation (*of truth, opinion, etc.*); extraction (*of spirit, mineral, etc. from something*); derivation; reproduction (*of a copy*)

استخرج (وثيقة ، أمرًا قضائيًّا ، الخ ..)

بطلبه رسميًّا — sue out (*something*)

استخرَج (صورة من محرّر) — reproduce (*copy*), make a reproduction or a copy (*of*)

~ (: استنبط) — extract, abstract (*metal*), educe

~ (: استمدّ) — derive, draw forth, elicit (*aid, benefit, etc.*)

اسْتَخَفَّ — make light (*of danger, duty, etc.*), treat lightly (*as of problem*), underestimate

~ (راجع استهان)

اسْتَخْلَص — deduce (*a fact; that something has happened*), infer (*that something went wrong*), conclude

~ (: استخرج) — abstract (*spirit from fruit*), extract

اسْتَدَان — borrow (*money*)

~ (: كشف حسابه ، سحب على المكشوف) — overdraw (*an account*)

اسْتِدْراج — inveiglement (*into a desperate project*), enticement (*into vice*)

اسْتِدْراجيّ — leading (*question*)

اسْتِدْراك — catching up (*with*), following up; overtaking (*somebody ahead*)

~ (بإصلاح) — remedy, cure

~ (بإتمام نقص) — supply of deficiency

اسْتِدْراكيّ (لعلاج شأن) — remedial

اسْتَدْرَج (إلى مكان) — inveigle (*into*), lure or entice (*into some lewd place*), lead, decoy (*somebody into a county or across a frontier*)

اسْتَدْرَك (: لحق بشيء ، أدرك) — catch up (*with*), follow up; overtake

~ (بإصلاح) — remedy, correct, rectify or set right, make good (*something*), remedy, cure (*defect*)

~ (بإتمام نَقْص) — supply deficiency, supplement (*procedure, action, provision*)

اسْتَدْعى — call (*somebody*), call (*for action*), demand, require, need (*precision, firmness, etc.*), summon (*committee, person*)

اسْتَدْعى (ممثّلًا ، موفدًا) — recall

~ (الجلسة) — convoke (*commission, parliament, etc.*)

اسْتِدْعاء (: دعوة) — invitation; convocation

~ (: عريضة – طلب) — petition, application, request

المستدعي — petitioner, applicant

اسْتَدَلّ — find out, inquire; reason

~ (: استنتج) — infer

~ (: اتّخذ دليلًا من شيء) — use (*or bring or cite*) as evidence

اسْتِدْلال — reasoning

~ (: استقصاء أدلّة أو وقائع) — evidentiary fact-finding, investigation or factual investigation

اسْتِدْلالات (: معلومات ، موادّ واقعيّة) — data, factual material, information

اسْتِدْلاليّ — evidentiary (*fact*); inferential

~ (: بنائيّ) — constructive (*fraud*)

اسْتِدْماء — hemotherapy (*haemotherapy*)

اسْتَراح — rest, repose

اسْتِراحَة — rest, repose

~ (بين فترَتَيْ عمل) — recess

اسْتِراق السَّمْع — eavesdropping

اسْتِرْجاع (حقّ أو ما إليه) — recovery (*of title, right, etc.*)

~ (مدفوعات) — refund

اسْتَرْجَع — recover (*something*), recover, regain possession (*of*), secure restitution (*of*), recuperate

~ (: استردّ كرامة أو ما إليها) — retrieve (*one's dignity, etc.*)

اسْتِرْحام — prayer, supplication, entreaty

استرحاميّ — precatory, supplicatory

اسْتَرْحَم — plead (*for mercy*), pray (*somebody to show mercy*), implore (*person*), supplicate, ask humbly, beseech

اسْتَرْخى — relax, seek rest; slacken

اسْتِرْخاء — slackening, loosening, drop

~ الرسغ — wrist drop

~ القدم — footdrop

اسْتَرَدَّ — recover, retrieve, take back (*one's property*)

استردّ (: افتكّ) recapture, retake
~ (بضاعة محتبسة) replevy (*goods*)
اسْتِرْداد recovery; retrieval, recapture (*of a position*)
~ (ضريبة مدفوعة) drawback
~ (منقول محتبَس) replevin (*goods*)
~ حيازة recovery of possession, re-entry
اسْتَرْضى placate, appease, conciliate, propitiate
اسْتِرْضاء (: مسايرة ، مصالحة) placation, appeasement, conciliation, propitiation
اسْتَرَقّ enslave, reduce to slavery, subjugate
اسْتَرَق السَّمْع eavesdrop; listen to secrets
اسْتَساغ find (*thing*) agreeable, tolerate (*a conduct*), consider (*matter*) acceptable
اسْتَسْلَم surrender, resign (*to some fate*), reconcile (*oneself*) to, submit (*to*)
اسْتَشار consult (*one's lawyer*), ask advice (*of*)
~ (: تشاور) take counsel (*with*)
اسْتِشارَة consultancy, counsel
اسْتِشارِيّ advisory (*council*), consultative (*assembly, duty, etc.*)
اسْتِشْعاع radiotherapy
اسْتِشْهاد (: شهادة) martyrdom
اسْتُشْهِد martyr (*e.g. : he was martyred*), die (*or suffer death*) as a martyr
اسْتَشْهَدَ (: ساق على سبيل المثال) cite (*some poet, philosopher, etc.*), adduce (*an extract of a book*)
~ (بقَوْل) quote (*something or somebody*)
~ (: قدَّم كشاهد) produce a witness or as witness (*of some fact*)
اسْتَصْدَر (أمرًا ، حُكْمًا ، الخ ..) sue out (*injunction, judgment, etc.*)
اسْتِصْلاح [نظريّة إسلاميّة] conception of public advantage
اسْتَصْلَح (أرضًا لاستغلال) reclaim (*land*)
اسْتَصْوَب commend (*immediate action,*), recommend (*reconciliation*), advise (*a soft line of policy*)

اسْتَطاع be capable (*of*), be able (*to do or act*), can (*achieve something*); afford (*to help*)
اسْتِطاعَة (: وسع) ability or capability, capacity; potential
اسْتِطْلاع (لأغراض حربيّة) reconnaissance, reconnoitring
اسْتَطْلَع (: سأل عن شأن ، تحقّق منه) inquire or ask (*about a matter*), probe (*into a cause*)
~ (لأغراض عسكريّة) reconnoitre (*a coast*), make reconnaissance (*of enemy positions*)
اسْتَظَلّ shade, shelter; cover
اسْتِظْهارِيّ inferential (*conclusion*), inductive (*fact*)
اسْتَظْهَر infer (*some fact*), make out (*a conclusion*), deduce, draw (*conclusion*)
~ (: حفظ غيبًا) memorize, learn by heart, commit (*poem*) to memory
اسْتَعاد (ة) recover (*recovery*), recuperate (*recuperation*); resume (*resumption*)
اسْتَعار borrow, take (*thing*) on loan
اسْتِعارَة [لغة] allegory; metaphor
اسْتِعْباد enslavement, subjugation
اسْتَعْبَد enslave, reduce to slavery, enthrall
~ (: أخضع) subjugate
اسْتِعْجال expedition, urgency, promptness
اسْتِعْجالِيّ expeditious (*process*), speedy (*means*), urgent (*service*)
اسْتَعْجَل expedite (*transaction*), dispatch (*business*), accelerate (*a progress*)
اسْتَعَدّ prepare (*for some event*), get ready (*to commence*)
اسْتِعْداد (: أهبة) readiness, preparedness
~ (: تهيّؤ طبيعيّ لشأن) aptitude, talent
اسْتَعْذَر (: قدّم عذرًا) show or give excuse, show cause (*for default*)
~ (راجع اعتذر)
اسْتِعْراض survey (*of operations*), review, preview (*of a show or programme*)

اسْتِعراض (القاضي لبينات الدعوى إجمالًا) summing up (*of evidence*)

~ عسكريّ military parade (*or review*)

اسْتَعْرَضَ (: القى نظرة فاحصة) survey (*a situation*), review, preview (*a spectacle*), take stock of (*problem, position, etc.*), scrutinize (*a result*), run over (*list, invoice, etc.*)

~ (: عَرَضَ) show, display, exhibit

~ (على سبيل المباهاة أو ما إلى ذلك) flaunt (*one's skill, muscles, etc.*), show off

~ (القاضي بينات دعوى) sum up (*evidence*)

~ (صفّ شرف) inspect (*a guard of honour*)

اسْتَعْصَى toughen, indurate, become more difficult or knotty or involved, become inveterate, incurable or chronic

اسْتَعْطَى (راجع تسول)

اسْتَعْطَفَ implore, solicit (*sympathy, mercy or kindness*); appeal (*to*)

اسْتَعْفَى (راجع استقال)

اسْتَعْلَى disdain (*to do*), hold oneself above (*thing or person*)

~ (: ارتفع) rise, incline upwards, reach higher

~ (: عَدّ عاليًا) consider high

~ (: صعد) mount

اسْتِعْلاء disdain, overbearing, haughtiness, arrogance

اسْتِعْلام inquiry (*about a person or thing*)

~ (: استخبار) investigation, inquiry

اسْتَعْلَم (من جهة) inquire (*of person about a certain matter*), seek information

~ (عن شيء) inquire about (*price, hour, etc.*) or after (*the health of someone*); investigate (*some affair*)

اسْتِعْمار imperialism, colonialism; colonization (*of a certain territory*)

اسْتِعْماريّ colonial (*power*)

~ (شخص) imperialist, colonialist

اسْتِعْمال use, usage (*of a thing*), user (*of a legal right*)

عدم اسْتِعمال disuse (*of right, privilege*)

اسْتَعْمَرَ colonize (*a territory*), establish a colony (*in some region*)

اسْتَعْمَلَ use; utilize, employ; apply (*to some purpose*), make use (*of*)

اسْتَغابَ backbite, slander (*a person*), speak ill in one's absence; calumniate (*someone*)

اسْتَغاثَ call out (*or cry*) for help

اسْتَغْرَقَ take (*the entire field*), last (*a year*)

~ (: استنفد) consume (*a lifetime*), deplete (*all provisions*), engage (*the entire attention*)

اسْتَغْفَرَ ask forgiveness (*of God*) or remission (*of sins*), seek indulgence, beg pardon (*of someone*)

اسْتَغَلَّ exploit (*an opportunity*), utilize (*a privilege*), turn (*thing*) to advantage, cultivate (*a connection*; tap (*natural resources*); capitalize (*on friends, circumstances*)

~ (الغير) take advantage (*of*), make use of (*someone or something*) meanly

اسْتِغْلال cultivation, utilization (*of some title, power, etc.*), exploitation (*of resources*), taking advantage (*of connections*)

اسْتِغْلاليّ exploitive

اسْتَغْنَى (عن) dispense (*with*), spare (*something*), do without

~ عن مستخدَم lay off (*servant, workman*)

اسْتَفادَ benefit (*by a circumstance or from a relation*), receive benefit; advantage (*by the change*), receive advantage (*from*); profit by (*an agreement*)

اسْتَفْتَى (في شأن) refer matter for (*or seek*) opinion

~ الشعب appeal to people (*or country*), put (*a question*) to a plebiscite or referendum

اسْتِفْتاء (شعبيّ) plebiscite

~ عامّ referendum

استفحال escalation (*of hostilities*), serious increase in gravity (*of something*), serious development (*of competition*)

استفحل escalate, become more serious or grievous, increase in gravity

استفز provoke, urge (*somebody to act*), stir up (*ill feeling*), incite (*workers to rise*), incense (*an audience*)

~ حيوانًا bait

استفزاز provocation, incitement

استفزازي provocative (*measure*), inciting (*behaviour*)

استفسر seek explanation or interpretation, inquire

استفهم inquire, ask (*about something*), seek information

استقال (من وظيفة) resign (*from a cabinet, one's position*), relinquish (*office*)

استقالة resignation, demission, relinquishment (*of office*)

استقام adjust, behave properly, recover composure or equanimity or balance be set right

~ (: استتب) be restored, be established, reign (*as of peace, quiet, justice*)

استقامة rectitude, straightforwardness, uprightness, probity, integrity

~ (: صلاح) righteousness

استقبال (شيء) reception (*of a thing*)

~ (: مستقبل) future

استقبالي future

~ (: منتظر) prospective

استقبل receive (*a person or thing*); meet (*someone*)

استقر settle (*somewhere or on some opinion*), stabilize (*e.g.: prices will stabilize by the measure*); remain stable; become resolved (*as of a person*), become established (*as certain rules, customs, etc.*)

~ (في قاع) subside, sink to the bottom

استقر (في : آل إلى) vest (*in a certain person*)

استقراء induction, extrapolation, deduction

استقرائي inductive

طريقة استقرائية inductive method

استقرار settlement or settling down (*in a certain place or on some condition*); stability (*of prices*), firmness (*of a position, etc.*)

استقرض (راجع اقترض)

استقصى investigate (*some matter*) thoroughly, inquire (*about a reason*) searchingly

استقطب polarize, give unity (*to*); magnetize (استقطاب *polarization; magnetization*)

استقل achieve or gain independence, become independent

~ (بملكية أو حق أو استعمال) have sole (*title*), have separate or exclusive right or use

استقلال independence

~ داخلي home rule

استكبر be arrogant, be haughty or proud or overbearing

استكشاف reconnoitering (*of a region*), reconnaissance (*of enemy positions*); exploration

استكشافي exploratory

استكشف (مكانًا أو ما إليه) reconnoiter (*a region*); explore

استكنان (انظر إسبات)

استل draw (*a firearm*), flourish (*a knife*)

~ (: انتزع) extract (*a hair*), pull out

استلام (: تسلم) receipt (*of message, etc.*)

استلزم require (*something*), necessitate (*attention*), prompt (*extraordinary precaution*), demand (*special care*), call for (*action*); entail

استلف borrow

~ (من بنك) overdraw

استلفات (نظر جهة لشأن) representations (*made to some authorities about a certain matter*); inviting or calling attention (*to a question*)

اسْتَلْفَتَ (النظر لشأن) draw (*attention*), call or invite or attract (*attention*)

~ (النظر على سبيل الاحتجاج المؤدّب) make representations (*to an authority*)

اسْتَلْقَى lie (*down*); recline, prostrate

اسْتَمالَ cause to bend, sway (*a jury, an audience*), induce (*to do something*), prevail (*on*)

اسْتِمْتاع enjoyment (*of some right*), satisfaction (*personal, etc.*)

~ (: متعة) pleasure (*trip, of user of a certain right*)

اسْتَمْتَعَ enjoy (*a right*), take pleasure or satisfaction (*in some activity*), have (*a thing*) for one's use

اسْتَمَدَّ derive (*enjoyment, courage, etc., from some source*), draw (*credit*), elicit, obtain (*aid*); deduce (*a fact or a conclusion from a certain circumstance*); receive, acquire

اسْتَمَرَّ continue (*doing or to do a certain thing*), resume (*an activity*), keep up (*trade with somebody*)

~ (في أثره ، دام دون انقطاع) persist, last, endure (*uninterrupted*)

اسْتِمْرار perpetuity (*of a right or a state*), continuity or continuation, continuance, resumption

~ (: تتابع ، نتيجة تبعيّة) sequel (*of events, of war*)

اسْتِمْرارِيّ perpetual, continuous, everlasting; endless

اسْتَمْسَكَ hold fast (*to idea*), stick by, adhere to (*principle, doctrine, cause*)

اسْتِناد reliance (*on or upon*), dependence (*on trade, etc.*)

اسْتِنادًا إلى (سلطة أو ما إليها) by virtue or in virtue of (*some authority or power*)

اسْتَنْبَطَ (راجع استخرج)

اسْتِنْتاج conclusion, inference (*from facts*), deduction (*from certain events*)

اسْتِنْتاجًا by inference, *a priori*

اسْتِنْتاجِيّ deductive (*fact*), inferential, inductive

اسْتَنْتَجَ conclude, draw (*a certain*) conclusion, elicit (*a reply from a certain statement*), make out (*nothing*), infer (*something from a remark*), deduce

~ (: استمدّ) derive

اسْتَنْجَدَ call for help, seek succour, seek to be succoured or rescued

اسْتَنَدَ rely (*on or upon*), depend

اسْتِنْزاف depletion (*of supplies, etc.*), exhaustion, draining, attrition

~ (دماء أو ما إليها) bleeding, exsanguination

اسْتِنْزال deduction (*of quantity*), subtraction (*of a certain sum*)

اسْتَنْزَفَ exhaust, consume or take up (*a great deal of effort*); deplete (*all provisions*); drain (*of something*); engage fully (*all attention*)

~ (: أدمى) bleed, exsanguinate

اسْتَنْزَلَ deduct (*quantity, sum, etc.*), subtract; subduce

اسْتَنْسَبَ commend, recommend (*something*); advise (*a certain course of action*)

اسْتَنْسَخَ duplicate (*a writing*), copy out (*an order*)

اسْتِنْشاق inhalation

اسْتَنْشَقَ inhale, breathe in

اسْتَنْصَفَ (: طلب الإنصاف) request justice, seek just or fair treatment, seek redress

~ (من شخص) take the law (*of a person*), redress one's wrong (*in full*)

اسْتِنْطاق interrogation (*of witnesses*), examination

اسْتَنْطَقَ (في تحقيق) interrogate, examine (*a witness*)

اسْتَنْفَدَ spend, consume (*energies*), deplete (*povisions*), take (*up all attention, etc.*)

اسْتِنْكار denouncement (*of an act*); proscription

اسْتَنْكَرَ denounce (*an evil act*), proscribe (*a person*)

اسْتَنْكَفَ disdain (*to notice an insult*), forbear (*from hurting a child*), look with scorn upon (*or on an act*)

استَنْهَض rouse (*somebody from indolence*), excite (*feeling*), urge (*action*), stir up (*a sense of generosity*); give rise to (*courage*)

استَهان find (*thing*) easy or simple or effortless, treat lightly, make light (*of task*), regard (*problem*) unconcernedly, underrate (*another's force*), attach no significance (*to fact, risk, warning, etc.*)

استِهْتار (: عدم مبالاة) recklessness; disregard (*of laws, customs, etc.*), wantonness (*e.g. : an act of wantonness*)

~ (خلقيّ) licentiousness

استَهْتَر act rashly or recklessly, flout (*the law*), disregard (*the rules, etc,*)

استَهْزَأ mock (*something or at something*), scoff (*act*), ridicule (*a proposal*), flout (*somebody's advice*), deride (*an effort*)

استَهَلّ open (*a speech*), commence (*operations by something*)

استِهْلاك consumption

~ (قيمة : نقصها) depreciation (*of value*)

~ (دين) amortization (*of debt*)

نظام ~ depreciation system

استِهْلاكيّ consumable

بضاعة استهلاكيّة consumer goods

استَهْلَك consume, expend, spend, lay out

استَوَى level, become level or equal, be uniform or even

~ (: انبسط) become flat, flatten

استِواء (: تساوٍ) levelness, equality, uniformity, evenness

~ (خطّ) equator

استِوائيّ equatorial (*Africa*); tropical (*climate*)

استَوْثَق (من شأن) ascertain (*something or that something has taken place*), clear of suspicion, find out beyond doubt, make sure (*of a fact or that a fact has occurred*)

استَوْجَب obligate (*an act*), compel, demand, necessitate (*care*), require (*service*), prompt (*instant attention*), be needful (*of*), call (*for*)

استَوْجَب (: استحقّ) deserve

استَوْدَع deposit, bail, commend (*thing to person's care*), entrust (*valuables*)

~ (: وضع في مستودع) warehouse (*a consignment of steel wares*)

استَوْرَد import; introduce (*a thing into a place*)

استَوْضَح inquire (*about schedule, incident, cause*), obtain clarification, seek information

استَوْطَن settle (*in a territory*), domicile (*in a certain town*), establish home (*in*)

استَوْعَب consume, exhaust (*all the savings*), take (*a lifetime*), fill up (*a vacancy*), absorb (*a difficult rule*), occupy, take up

~ (: شمل) comprise (*a number of pages, etc.*)

استَوْفَى recover (*a debt*), receive (*a payment*), levy (*tax on a commodity*), collect (*a fee*)

~ (نقصًا) supply (*a deficiency of something*)

استَوْقَف require (*or ask someone*) to halt or stop

~ (شخصًا ليتثبّت من أمره) challenge (*i.e. : a sentry may challenge a caller*)

~ (سفينة ليفتّشها) visit (*a ship*)

استَوْلَى seize (*property*), capture (*a town*), take possession (*of a material*), lay hold of (*something*); appropriate (*somebody else's ideas*); occupy (*a house*)

~ (لمصلحة عامّة) requisition (*a land in the public interest*)

(الاستيلاء لما ذكر) (requisition

استِياء disappointment, displeasure, resentment

استِيداع bailing, deposit (*of property*)

~ (: إحالة على التقاعد قبل السنّ القانونيّة) provisional retirement on half pay

استِيراد importation; introduction (*of goods, materials, etc., into a country*)

استِيطان settlement

استِيطانيّ domiciliary (*intention, act, etc.*), domiciliary

اسْتِيْقاف (حركة) arrest (*of a motion*), stoppage
~ (سفينة لأخرى لممارسة حقّ تفتيش) visit or visitation (*to exercise right of search*)
اسْتَيْقَن (راجع أيقن)
اسْتِيْلاء seizure (*of power, title, etc.*), appropriation (*of other's ideas, rights, etc.*) ; capture
~ (: حيازة) occupation, possession
أسدى (راجع أعطى ، أحسن)
أَسَر (شخصًا ، شيئًا) take (*somebody*) prisoner, capture (*something*)
أَسَرَّ (بشيء) confide (*an idea to someone*), disclose (*something*) in confidence, intimate (*that something happened*), let (*person*) in on a secret
أَسْرَى journey, walk by night
إسْراع expedition, urgency
~ (: تَعاظُم سرعة) acceleration
إسْراف extravagance, profligacy; immoderation
~ (في شرب ، رذيلة ، الخ ..) intemperance, insobriety
أسْرَة (: عائلة ، بيت) family; house
~ مالكة dynasty
~ (: أهل منزل) household
أَسْرَجَ saddle (*a horse*)
أَسْرَعَ hurry, expedite (*process*), accelerate (*pace*), dispatch (*business*)
أَسْرَفَ (في شأن) go to extremes, act extravagantly; exaggerate, overdo (*something*), spend (*energy, provision*) wastefully
أَسَّسَ found, establish (*a company*), constitute (*a council*)
~ (: علّل ، أقام على أساس) ground (*a decision*), substantiate (*a judgment or a claim*), base (*upon adequate reasons*)
أَسْطُرْلاب astrolabe
أُسْطُوانَة cylinder; drum
أسْطُوانيّ cylindrical
أُسْطورَة myth, legend
أُسْطول fleet; navy
أسْعار (راجع سعر)

إسْعاف (: عون) aid, succour
~ (: إنجاد) rescue (*of victims*), salvage (*of a ship in danger or of lives in a shipwreck*)
~ أوّليّ first aid
عربة ~ ambulance
أَسْعَفَ succour (*a person in danger*), help, give aid to
~ (: أنجد سفينة) salvage (*a ship*), rescue
أسِف regret (*a mistake or that something has happened*), be sorry for
أسَفَّ demean or abase (*oneself*)
أسْفَر (عن) reveal (*fraud*), disclose, betray (*ill feeling*)
~ (: أدّى إلى) lead (*to*), conduce (*to*)
أسْفَل (: قاع ، قاعدة ، جانب أدنى) bottom (*of list, cup, well, etc.*), base (*of a structure*)
lower end (*of anything*)
~ (سفح) foot (*of hill*)
~ (سُلّم) foot (*of ladder*)
~ (: تحت) under, beneath, below
إسْفَنْج sponge
إسْفَنْجِيّ spongy
إسْفين (راجع سفين)
~ (مَبانٍ) feather
اسْقالَة scaffold, scaffolding, staging
~ (مؤقّتة لتركيب) gangway
أسْقَط drop (*an object*), let fall, dispense (*with*), leave out (*a subject*), unload (*an unwanted thing*)
~ (جنينًا) abort, miscarry
~ حقًّا extinguish (*a right*)
~ (في فحص) fail a student
~ من حساب discount
أُسْقُف bishop
أُسْقُفِيَّة diocese, bishopric, see
أسْكَت silence (*a gun*), mute (*an instrument*), muffle (*a sound*)
أسْكَر inebriate, intoxicate (*by victory, liquor, etc.*), make (*a person*) drunk; elate to the point of frenzy

أُسْكُفَّة (باب أو نافذة) — sill
أَسْكَنَ — house (*a number of families*), quarter (*persons*), provide lodging (*for someone*)
~ (جنودًا) — billet (*troops*)
أَسْلاب — booty, spoils, loot
~ (بحر) — prize
أَسْلاف — ascendants, ancestors
أَسْلَمَ — surrender, yield (*a fort, to force*), give up, succumb (*to violence*)
~ (: اعتنق الإسلام) — turn Moslem, become a Moslem, embrace Islam
أُسْلوب — style (*of writing*), manner (*of reaction*), mode (*of life*), method (*of work*), process
اِسْم — name
~ (: تسمية ، لقب) — appellation, style
~ (: سمعة) — reputation
~ (تجاريّ) — trade name
~ عمل — business name
~ قانون (يعرف به القانون) — rubric of law
~ مهنة — professional name
أَسْمى (: أَطلق اسمًا على شيء)
(راجع سَمَّى)
أَسْمى — loftier (*principle*), higher (*rank*)
الأَسْمَى (من حقّ أو ما إليه) — paramount (*title*)
اِسْمِيّ — nominal (*fee*), titular (*ruler*), existing in name only
~ (: يدلّ عليه ظاهر سند) — face (*value*)
أَسِنَ — change (*characteristic*) taste, stagnate; become musty
إسْناد — ascription (*of a thing to a person*), attribution (*of a work to somebody*), imputation (*of an offence*)
~ (: إحالة على شخص أو جهة) — referment, reference, relation
~ (: إلقاء مهمّة على شخص أو إناطتها به) — assignment
~ (: مرجع إسناد) — datum, chain of references or authorities
أَسْنَدَ (إلى شخص أو جهة) — ascribe (*a statement to somebody*), attribute; impute (*an act or an offence to*); refer (*to an authority*), relate (*to person*); assign (*a function to somebody*)
إسْهاب — detail; elaboration, enlargement
إسْهال — diarrhoea
إسْهاليّ — diarrhoeal (*diarrhoeic*)
أَسْهَبَ (في شرح أو غيره) — deal at length (*with a point*), elaborate or labour (*an argument*), enlarge (*upon*); perorate or work out in detail
أَسْهَمَ (في عمل أو جهد) — contribute (*to a project*), share (*in a joint endeavour*)
أَسْهُم — shares, stock(s)
~ وسندات — stocks and shares
~ دَيْن — debenture shares
~ مجمعة الأرباح — cumulative shares
~ مصرفيّة — bank stock
~ مصوِّتة — voting shares
~ مضمونة — guaranteed stock
~ ممتازة — preferred stock
~ مموَّهة — watered stock
أُسْوَة — comfort, consolation
~ (راجع قُدْوة)
أَسْوَد — black
أُسِّيَّة . أُسِّيّ — exponential
أَسير — captive, prisoner
~ حرب — prisoner of war
أَشاد (: رفع) — raise, elevate
~ (بشخص أو شأن : أثنى عليه ، أظهره ، رفع ذكره) — praise, commend the merits (*of*), laud (*a person or a thing*), give prominence or eminence (*to*), extol (*a behaviour, etc.*)
إشادَة — elevation
~ بشأن — praise, commendation of merits (*of a thing*), laudation, extolment
أَشار (إلى) — point (*to*), indicate
~ (على : نصح بشأن) — recommend, advise
~ (: أرشد) — instruct
إشارَة (: علامة) — mark, sign; signal
~ (: دلالة إلى شيء) — indication
~ (: أمر ، إرشاد إلى شأن) — instruction

(إشارة استغاثة (distress signal

أشاع rumour (*an intention, or to have done something*), spread the rumour (*that*)

إشاعة rumour, hearsay

أشْبَع imbue (*with patriotism or with hatred*), saturate (*with vapour*), fill (*with, or full of, something*)

أشْبَه (: شابه) resemble (*something*), be like, or similar to (*a certain thing or person*)

اشْتاق (إلى) hanker (*for*), yearn (*after peace*), long (*for a holiday*)

~ (: افتقد شخصًا أو شيئًا) miss (*a person or a thing*)

اشْتِباك entanglement, embroilment (*in some trouble*), involvement (*in feuds, etc.*)

اشْتِباه suspicion, unconfirmed belief (*in something*)

~ (: حدس) conjecture

اشْتَبَك get involved or entangled (*in a quarrel*), embroil oneself (*in some misunderstanding*)

اشْتَبَه suspect (*a person, or the existence of something*); distrust (*a cerain person*), be inclined (*to inculpate somebody*)

~ (: خمّن شيئًا) surmise

اشْتَجَر (مع ، على) quarrel (*with or about*), brawl, squabble

اشْتَدّ (راجع تعاظم ، زاد)

اشْتَرى purchase (*something*), buy

اشْتِراط stipulation, proviso

اشْتِراك (في عمل) participation, sharing (*in some act*)

~ (: اجتماع مع شخص على شيء) association (*with somebody for some purpose*)

~ (في نادٍ أو ما إليه) subscription

~ (في جرم) complicity (*in a crime*), implication (*in some trouble*)

~ ملكيّة (بين زوجين) community of property (*between man and wife*)

اشْتِراكيّة socialism

اشْتَرَط stipulate, specify (*something*) as term or condition

اشْتَرَع (راجع سَنّ)

اشْتَرَك participate (*in some activity*), share (*an act or fact*), join (*in act, or join an adventure*); subscribe (*in an association*)

~ في امتحان sit for an examination, undergo an examination

(راجع اشتراك)

اشْتَطّ (راجع شَطّ)

اشْتِعال burning; combustion; conflagration; ignition

~ خلفيّ backfire

اشْتِعاليّة ignitability

اشْتَعَل (: احترق ، التهب) burn (*up*), catch fire, flare up

اشْتَغَل work

~ (لدى جهة) serve (*with*)

اشْتَقّ derive (*from*); deduce (*from*), draw (*from*)

اشْتِقاق derivation; deduction

اشْتَكى complain (*about something or to a person*), express dissatisfaction (*about*), state a grievance

اشْتَمّ (راجع شَمّ)

اشْتَمَل (على) include (*something*), comprehend, comprise, contain; involve (*loss, trouble, etc.*); cover (*expenses, fees, etc.*)

اشْتَهى covet, crave or yearn (*for*), desire (*something*), want (*a thing*) greedily

اشْتِهار (: شهرة) fame, renown; reputation

~ (برذيلة) notoriety (*for some vice*)

اشْتَهَر (بشأن) be famed or renowned (*for something*), be famous or celebrated (*for*)

~ (بحال) be reputed (*as natural father of somebody*)

~ (بسوء ، بإجرام أو ما إليه) be notorious or infamous (*for*)

أشَدّ (من حيث الوقْع) (*of*) major (*effect*), more serious (*crime*), of greater (*moment, danger, force, etc.*)

أشَّرَ (إلى) point (*to*)
~ على محرَّر أو عقد (مع الغير) countersign
~ (على مفردات) mark or tick off (*items*)
إشراف (على شأن) supervision; superintendence
~ (: مراقبة سير شيء) control
أشْرَبَ imbue (*with patriotism*), infuse (*somebody with the spirit of sacrifice*); soak
أشْرَف oversee (*a farm*), supervise (*work*), superintend (*an operation*)
~ (على فشل) verge (*on failure*)
~ (من مكان أعلى) overlook (*something*), afford a view (*of*), rise above
أشْرَق shine
~ (: طلع) rise
أشْرَك (: أدخل في فعل ، شأن ، الخ ..) implicate (*in an action, a crime, etc.*)
~ (: اتّخذ شريكًا) take as partner, associate
~ (بالله عزّ وجلّ) ascribe partnership to, associate (*someone*) with (*The Almighty*)
أشَعَّ radiate, irradiate
إشْعار notice (*of payment*), advice, intimation
~ دائن credit advice, credit note
~ مَدين debit advice, debit note
~ مختصَر (: وجيز المدَّة) short notice
إشْعاع radiation
أشْعَر notify, advise
أشْعَل set fire (*to something*), set (*property*) on fire, kindle (*fire*), light (*candle, cigarette, fire, etc.*), ignite (*a combustible mixture*)
أشْغال works
~ (: مشاغل ، أعمال) business
~ شاقّة hard labour
إشْغال occupation (*of one's time in some activity*), engagement (*of one's attention*)
أشْغَل (: شغل) occupy (*one's leisure*), engage (*a number of people*), fill up (*a gap*)
أُشْغولَة (لتسلية لا لكسب) avocation, hobby
إشْفاق compassion, pity, ruth
أشْفَق pity (*somebody*), have pity (*on*), sympathize (*with*)

إشْكال complication, obstruction, impediment; difficulty, crux (*of a matter*); problem, deadlock
~ (: عقبة) handicap
~ تنفيذ execution complication or impediment, execution (*or executive*) complaint
أشْكَل become complicated or involved or problematic, become complex; reach a deadlock, pose (*problem, impediment, etc.*)
أشَلَّ paralyse
~ (: عطّل أثر شيء) render ineffective, unnerve
اشْمَأزّ be disgusted (*at*), revolt (*at or from or against*), turn in loathing (*from*)
إشْهاد attestation
~ (: اعتماد) certification (*of a cheque, etc.*)
أشْهَدَ call (*somebody*) to witness, bring (*a person*) in evidence or to testify or bear witness, invoke (*a deity*)
أشْياء things
~ عقاريّة things real or immovable
~ مختلطة (بين ثابت ومنقول) things mixed
~ منقولة أو ثابتة things personal or real
~ موضوع دعوى things in action
أصاب (: جلب) realize; fetch (*a good price*), obtain (*an advantage*)
~ (: انتاب) befall, affect, come upon (*a person*), be taken by (*hysteria*)
~ (: ضرب ، مسّ ، أدرك) hit (*somebody*), touch, reach
~ (الهدف) score
~ (: لم يُخطئ) be correct or right

(راجع أُصيب)

إصابَة (: أذى) injury, trauma
~ عارضة accidental trauma
~ (: مصاب بحادث أو بحرب أو غيره) casualty
~ (: رمية) score, shot, hit
إصابيّ traumatic
أصالَة purism; purity, genuineness (*of origin, ancestry, stock, etc.*); authenticity; excellence, goodness

أَصْبَح become (*clear*), come (*or grow*) to be (*important*)

~ نافذًا come into force, take effect, become operative

إصْبَع finger

~ (قدم) toe

أصْدَأ rust, cause to oxidize

إصْدار promulgation (*of a law*), issue (*of bonds*), publication (*of a newspaper*)

~ حُكْم rendition of judgment, pronouncement of judgment

إعادة ~ أوراق reissue of notes

بنك ~ bank of issue

أصْدَر promulgate (*a law*), issue (*an order*), publish (*a book*), pass or pronounce (*a judgement*); utter (*a counterfeit note, a false cheque, etc.*)

أَصَرَّ insist (*upon something*), persist (*in something*), assert (*one's innocence or that one is innocent*), maintain, stress, urge (*that party was insane*)

إصْرار insistence (*on or upon*), persistence (*in some course*), pertinacity; assertion (*of something or that something is in a certain manner*)

~ (على جريمة) malice

سبق ~ (أو تفكير) malice aforethought, premeditation

اصْطاد hunt; chase; shoot (*game, etc.*)

~ (في ماء) fish

اِصْطَبْل stable

اصْطِدام collision, impact, clash

اصْطَدَم collide (*with*), be in collision (*with*); bump (*against*), knock (*against*); clash (*with opinion, etc.*), be in conflict (*with*); encounter (*hostility*), come up against (*difficulties*)

اصْطَفَّ file, stand in row, line up, fall in line

اصْطَكَّ chatter, knock

اصْطِناعِيّ artificial, synthetic

اصْطَنَع feign (*illness*), simulate (*innocence*), sham (*death*), pretend to be (*an expert*), invent (*a tale*)

أَصْغَى pay attention, attend (*to*), apply the mind (*to*), pay heed (*to*)

أصْغَر minor (*in age*), smaller (*in size*), junior (*in rank*)

أصْفَر yellow

أصْل origin (*of mankind, species, etc.*); source, root (*of evil*); stock (*e.g.: of good stock*), ancestry, parentage

~ (في إجراء أو ما إليه) established practice

~ (: بدء) inception (*of creation*)

~ (أسرة) stirps, progenitor; ancestry

~ رأسمال (دَين ، الخ ..) principal

~ (على عمود نسب) (*lineal*) ancestor, ascendant

~ (بالنسبة لأيّ نسخة أو تقليد) prototype

~ محرّر original; script, archetype

~ مكرّر duplicate

~ ملكيّة root of title

~ (راجع أصول)

أصْلًا (: من حيث الأصل) in principle, fundamentally, basically

~ (: أساسًا ، مبدئيًّا) originally, initially, as a rule

إصْلاح repair (*of a house, machine, etc.*), correction (*of error*), reform (*of a person, an institution, etc.*); remedy (*of a defect*)

إصْلاحات repairs

إصْلاحِيّ remedial (*measure*), reformative (*action*), reformatory (*institution*)

إصْلاحِيَّة reformatory (*school*); approved school; house of correction

أصْلَحَ (من عطب) repair, amend (*something*), mend (*an instrument or a relation*), fix (*a timepiece*), put right

~ (: صوَّب ، قوَّم) correct (*error*); cure (*a defect*), remedy; rectify (*bad behaviour*)

أصلَح بين مُتقاتِلين — make peace (*between combatants*)
~ (: هذَّب) — reform

أَصْليّ — original (*copy*); initial (*act*)
~ (: خالٍ من غشّ) — genuine, authentic
~ (: جذريّ) — radical
~ (: ذاتيّ) — intrinsic (*value*)
~ (من سعر أو عامل أو غير ذلك) — prime (*cost, factor, etc,*)
~ (: فاعل أصليّ) — principal

أَصَمُّ — deaf; hard of hearing
~ وأَبكمُ — surdimute

أَصَمَّ — deafen

أصول (١) (: موجودات) — assets
~ أساسيّة — quick assets
~ استهلاك (راجع أُصول سائلة)
~ ثابتة — fixed assets
~ حقيقيّة (راجع أُصول ملموسة)
~ رأسماليّة — capital assets
~ سائلة — liquid assets
~ على عمود نسب — ascendants
~ عقاريّة — real assets
~ غير ملموسة — intangible assets
~ قابلة للتحويل إلى نقد — realizable assets
~ متداوَلة — floating assets
~ ملموسة — tangible assets
~ وَفاء — equitable assets

أصول (٢) (: قواعد ، مبادئ) — (*proper*) methods, code (*of conduct*), rules or principles
~ (: شكل صحيح أو لائق) — propriety, decorum
حسب الأصول — according to rule (s), properly, regularly, solemnly

أصوليّ — proper, regular

أصول (٣) (الشخص) — ancestors, ascendants
~ مباشرون (على عمود نسب) — lineal ascendants or ancestors
~ حَوَاشٍ — collateral ascendants

أُصيب (بعاهة ، خسارة ، الخ ..) — contract (disease), suffer (*loss, injury, etc.*)

أصيل — principal (*party*), incumbent
أصيل (أقام وكيلًا عنه لشأن) — constituent attorney
~ (من حيث النشأة) — full-blooded, pure-bred (*animal*), of the original stock
حيوان ~ — full-blooded animal
~ (من حق أو ما إليه) — vested (*right, title, interest, etc.*)
~ (من حيث الصنف) — genuine (*goods*)
~ (في وظيفة حاليّة) — incumbent (*official*)
~ (: ذاتيّ – يعود إلى أصل شيء) — intrinsic (*value*)

إضاءَة (راجع إنارة)

أضاع — lose
~ (: بعثر – صرف سدًى) — waste (*a fortune*), squander (*good money*), dissipate (*efforts, savings, etc.*)
~ (حقًّا نتيجة سوء استعماله أو عدمه) — forfeit (*title*)

أضاف — add, append (*a clause to an agreement, a paper to another*); annex (*a property*)
~ (: ضيف) — entertain (*somebody*), show hospitality (*to*), regale (*onself with a delicatessen or a friend on roast lamb*)

إضافة (شيء إلى آخر) — addition; annexation
~ (: شيء مضاف) — appendage, appendix, additive

إضافيّ — additional
~ (: جديد) — fresh (*rules, measures, etc.*)
~ (: شيء مضاف) — adjunct, appendage; auxiliary

إضْبارَة — file, dossier

أضْجَر — bore, irk; tire; annoy

أضْحَك — induce laughter, make (*one*) laugh
~ (: بعث على سخرية) — be ridiculous or derisive, excite derision

أُضْحوكَة — farce, mockery, derisory (*act*), not to be taken seriously, ridiculous

أضَرَّ — harm, injure (*someone*), damage (*property*); prejudice (*a right, an interest*), wrong (*a friend*)

إضْراب — strike
~ عن أكل (طعام) — hunger-strike
~ تضامُنيّ — sympathetic strike

إضراب خروج (من موطن العمل) walk-out strike, turnout strike

~ لزوم مكان (أو مقرّ عمل) sit-in strike, sit-down strike

أضْرار (: عطل وضرر ، تضمينات) damages; liabilities

~ استتباعيّة (تتأتّى عن ذيول فعل) consequential damages

~ اسميّة nominal damages

~ انتقاميّة (أو اتّعاظية تفرض في ظروف مشدّدة كالكيد أو العنف أو التدليس أو ما إلى ذلك) vindicative damages

~ تعويضيّة compensatory damages

~ تفوق المودعات damages *ultra*

~ توقعيّة speculative damages

~ ثابتة (تترتّب على مصدر ضرر مستمرّ) permanent damages

~ جوهريّة ، ذات بال substantial damages

~ فعليّة actual damages

~ لا تعوَّض irreparable damages

~ مدنيّة civil damages

~ مشروطة stipulated damages

~ مضاعفة double damages

~ معادلة (لخسارة واقعة) (راجع أضرار تعويضيّة)

~ منتظرة prospective damages

أضْرَبَ strike; come out (*of work*)

اضطَجَع lie down, recline

اضطُرَّ be forced (*to act in some form*), be compelled (*to do something*), be constrained, be under the necessity of doing

اضطِراب disorder (*of things, affairs, etc.*), confusion; unrest; disquiet, disturbance, riot

(بعث على اضطّراب (*throw into confusion, cause disorder*

~ (يثيره شخص) disturbance

~ (: ضجّة) racket, turmoil

~ (حركة أو مسير شيء) dislocation (*of communications, etc.*)

اضطِراب عقليّ mental disorder, mentalia, psychalia

~ (نفسيّ) perturbation

اضطِرار constraint, compulsion, inescapable or inevitable necessity

اضطراريّ compulsory

~ (مخرج ، صِمام ، الخ ..) emergency (*exit, valve, brake, etc.*)

اضطَرَب (نظام شيء) fall out of gear or tune, fall into confusion, become disordered or unsettled

~ (في حركة أو وضع أو غير ذلك) wobble, totter, quaver, tremble

اضطَلَع (بمسؤوليّة أو عمل أو ما إلى ذلك) shoulder (*responsibility*), undertake (*a work*), take over (*a duty*), assume (*authority*), bear (*a heavy load*)

اضطَهَد persecute, oppress

أضْعَفَ weaken, debilitate (*a body*), enfeeble (*resistance*), impair (*immunity*); shake (*faith, courage, power, etc.*)

~ (: فتّ في شيء ، أنهك) undermine (*cause, argument*), sap (*energy*)

~ (: حَدّ من أثر) reduce (*effect*)

أضَلّ (الغير) misguide (*others*), lead astray

~ (: ضيَّع) lose (*a way*); miss

اضْمَحَلّ decline, diminish, wane (*e.g. : influence may wane*), dwindle

~ (: ذَبُل ، تلاشى) fade (*e.g. : freshness, presence, hope, etc., faded away*)

~ (: هبط) sink

أضْمَر (: أخفى) conceal, hide

~ (: نوى) intend

أطاح fell, knock down; dislodge (*person from his position of power, etc.*)

إطـار frame, framework

~ (مطّاط) tyre (*tire*)

~ (: غِلاف) casing

~ (: نطاق ، حدود ، مضمون) context

أطاعَ obey (*orders*), comply (*with directions, rules*)

أطـاق endure, suffer, bear, tolerate
إطاقة sufferance, tolerance
أطال (ميعادًا أو مُدّة) enlarge (*a period or a term*), extend, prolong, protract (*seizure, term*)
~ (: مدّ أو زاد في طول شيء) elongate
~ (: أسهب) elaborate (*a point or an argument*)
~ (في كلام) speak at length, perorate
~ (في عمل أو شأن) be long doing (*something*)
إطالة enlargement, extension, elongation, elaboration
أطْبَق (على شيء) grip (*something*), seize firmly; clamp down (*on*); snap (*at*)
~ (: ضيّق الخناق) close in (*on*), envelop
أطْرى flatter, praise, extol
~ (: بالغ في المديح) overpraise
~ (: نافق) fawn upon, adulate
إطْراء flattery, overpraise, adulation
اطِّراد continuation, progression, steadiness
اطَّرَح (: نبذ ، رمى ، نزع) discard (*old customs*), scrap (*an agreement*), cast, throw away; shed (*a garment*)
اطَّرَد continue, persist, keep up, be steady
أطْرَش deaf, hard of hearing
أُطْروحَة (علميّة) treatise, thesis
~ قانونيّة nomography
أطْعَمَ feed, aliment (*feeding, alimentation* إطعام)
أطَفَّ overlap
أطْفَأَ extinguish (*fire, light, etc.*), douse (*a light*), put out; blow out
~ (ظمأ أو ما إليه) quench, slake (*thirst, etc.*)
أطْفَحَ (وعاء) overfill, fill to overflowing
أطَلَّ overlook (*river*), have prospect over
اطّلاع knowledge (*of*), acquaintance (*with*), state of knowing or awareness
~ (: إحساس بشيء) perception (*of error, injustice, etc.*)
~ (على سجلّات أو ما إليها) view (*of records, etc.*)
اطّلاع (: عند أو بعد الاطّلاع) sight (*e.g. : on or after sight*)
~ (ينطوي على موافقة) privity
إطْلاق release, discharge (*of a shot*)
~ (: ميزة الانطلاق من قيد قانون أو غيره) prerogative
إطْلاقًا absolutely, categorically, entirely
إطْلاقات (قضاة الموضوع) prerogatives of judges, absolutes (*of trial court, sovereignty, etc.*)
إطْلاقيّ absolute, complete, entire, full
أطْلَعَ let in on (*a secret, etc.*); inform (*about something*), let one know (*a fact, an occurrence, etc.*); brief (*on a certain question or matter*)
اطّلَع see, learn (*about something or that something has happened*)
~ (: فحص مليًّا) scrutinize (*a question*)
~ (على سجلّات أو ما إليها) view (*registers*), inspect
أطْلَقَ free or set free (*a person*), release; unfasten (*a clasp*); discharge
~ (: أرسل) dispatch
~ (اسمًا) designate, call by some name
~ امرأة (زوجة) divorce
~ (سراحًا) discharge, release (*a prisoner*)
~ (عيارًا ، نارًا ، مسدّسًا) fire (*shot*), open (*fire*), discharge (*gun*)
~ (يدًا في شأن) give full freedom (*to act, sell, arrange, etc.*), give full discretionary power
~ (قذيفة) shoot (*a missile*), launch (*a rocket*)
أطْماع designs, pretensions
اطْمَأنّ have no misgivings, be tranquil or undisturbed, have no feeling of doubt or suspicion, be unworried, find (*matter*) to one's satisfaction
~ (: وثق من شأن) have trust (*in*), have assured anticipation
أطْنَب (راجع بالَغ)
أظَلّ shade, cast shadow (*on*)

أظلّ (: حمى) shelter

~ (: حَجَب ، غطّى) screen, cover, obscure

أظْلَم darken, become dark

إظْهار show (*of friendship*), display (*of ignorance, might, etc.*), manifestation (*of affection, of some sign, etc.*)

أظْهَر show, reveal, disclose, display, evince

إعابَة abuse, obloquy

أعادَ (: أرجع) restore (*something to its owner*), make restitution (*of*), return, turn over

~ (قضيّة) remand (*case to court below*)

~ (استجواب شخص) re-examine (*a witness*)

~ (اعتبار شأن) reconsider (*a matter*)

~ (إلى وظيفة أو مركز) reinstate (*a person*), rehabilitate

~ (إلى وطن) repatriate (*someone*)

~ (بناء شيء أو تركيبه) reconstruct or reinstall

~ (علاقات) re-establish (*relations*)

~ (قضيّة أو خصومًا إلى سابق وضع) remit (*case or parties*)

~ (مدفوعًا من مال إلى صاحبه) refund

~ (محاكمة) retry (*a person or a case*), rehear (*a case*)

~ (النظر في شأن) review, reconsider

إعادة (: تكرار) repetition (*of some act*); iteration or reiteration (*of words, arguments, etc.*)

~ (: إرجاع شيء) restitution (*of property*), restoration (*of right, relations, etc.*)

~ (إلى سابق منصب أو وَضْع أو اعتبار) reinstatement, rehabilitation (*of an ex-convict*)

~ (خصوم أو قضيّة إلى وضع سابق) remission (*of case or parties*)

~ محاكمة retrial, rehearing, trial *de novo*

~ (مدفوع من مال إلى من دَفَعه) refund

~ نظرٍ (في كتاب لتصحيح أو تحسين) revision (*of book*)

~ نظر (في مسألة لتقريرها مجدّدًا) review (*of question*)

أعار lend, loan

أعار (من العارية) commodate

~ (موظّفًا : انتدبه للعمل في غير جهة وظيفته) second (*to*)

إعارَة loan, lending

~ (موظّف) secondment

أعاق hinder, handicap, hamper, impede, retard (*advance, process, etc.*)

إعاقة hindrance, let, impediment, retardation, handicap

أعالَ maintain (*a large family*), support (*two wives*), keep (*oneself and family*)

~ (: أنفق على عيال) aliment

إعالَة maintenance, upkeep

أعالي summits, heights

~ (: قمم) peaks

~ البحار high seas

أعانَ aid, assist, help, succour; befriend (*somebody*)

إعانَة (: مساعدة ، عون) assistance, relief, succour, alleviation

~ عمل work relief

~ ماليّة subsidy, grant, subvention

~ معجَّلة advancement

اعْتاد get used or accustomed (*to*), take to (*doing something or behaving in some way*), acquire the habit (*of*)

اعْتاش (راجع تَعَيَّش)

إعْتاق manumission, liberation from bondage

اعْتِبار consideration, regard

~ (: اهتمام) deference (*to*), concern (*for*)

~ (: مكانة ، كرامة ، قيمة) moral standing, prestige, dignity, worth

~ (: أهمّيّة) significance

ردّ ~ rehabilitation

(أخذ بعين اعتبار (*take stock of*

اعْتِبارِيّ (: أدبيّ) moral (*significance, value, etc.*)

~ (: قانونيّ ، كالشركات) artificial (*person*), corporate (*body*)

~ (: فعليّ ، قائم فعلًا إن لم يكن من حيث الاسم) virtual

اعْتِباطِيّ arbitrary; without cause; senseless

اعْتَبَر consider (*a question*), regard (*something as an offence*), take stock (*of a delicate situation*)

اعْتَدّ (: أدخل في حساب) reckon with (*something*), figure, take due account of

~ (: حسب ، ظنّ) reckon (*that*), think, suppose, presume

~ (بشخص أو شأن) acknowledge, accredit, recognize

~ (: اهتمّ بشأن) attach importance (*to*), interest (*oneself*) or take interest (*in*), engage the attention (*with*)

اعْتَدَى (على حقّ) trespass (*upon somebody's property*), encroach (*upon*), infringe (*a patent, a copyright, etc.*), violate (*sovereignty*), molest (*possession*)

~ (على شخص) assault, assail (*a person*), aggress, attack

اعتداء (١) (: عمل عدوانيّ) aggression, offensive action, attack

اعْتِداء (٢) (على ملك أو حقّ) trespass (*upon property*), encroachment, infringement

~ على براءة الاختراع (أو حقّه) infringement of patent

~ على حقّ الطبع أو الملكيّة الأدبيّة infringement of copyright, literary ownership

~ على العلامة التجاريّة infringement of trademark

المعتدي infringer

اعْتِداء (٣) (على شخص) assault (*on a person*)

~ بالضرب assault and battery

~ بسيط simple assault

~ بِنيّة السلب assault with intent to commit robbery

~ بِنيّة القتل العمد assault with intent to commit murder

~ بِنيّة القتل القصد assault with intent to commit manslaughter

~ مشدّد aggravated assault

اعْتِداد (بالنفس) conceit, self-conceit, vanity, excessive appreciation of one's worth; self-affection

اعْتِدال moderation, temperance, rationality

~ (اللّيل والنهار) equinox

أعْتِدَة ammunitions, military stores

اعْتَدَل (في تصرّف أو سلوك) act with moderation or temperance, be temperate (*in action or language*)

~ (الطقس) become (*or be*) fair or temperate

اعْتَذَر excuse oneself (*from duty, attendance, etc.*), offer excuses, make (*an*) apology, apologize (*to a person for doing something*)

~ (: تمسّك بعلّة ، احتجّ بشيء) plead (*some excuse or ignorance, or poverty, etc.*)

اعْتَرى seize, come upon, befall (*somebody*), happen (*to*)

اعْتِراء seizure

اعْتِراض objection; demurrer

~ (: دفع) exception

~ (طريق الغير) interception

~ (على أهليّة القاضي لنظر الدعوى) recusance, recusation

اعْتِراف confession (*of guilt*), admission (*of a debt*); acknowledgement (*of an error*), recognition (*of defect*)

~ بسيط simple confession

~ ضمنيّ implied (*or tacit*) confession

~ طَوْعيّ (إراديّ) voluntary confession

~ غير طوعيّ (غير إراديّ) involuntary confession

~ غير قضائيّ (لم يصدر أمام جهات قضائيّة) extrajudicial confession

~ قضائيّ (صادر أمام جهات القضاء) judicial confession

~ مجرّد naked confession

اعْتَرَض object (*to or against*), oppose (*a policy*), demur (*at working on a holiday*), take exception (*to something*)

~ طريق شخص (ليقتله) waylay person (*to kill him*)

اعترَض (طريقًا : قطعه) cross (*a way*)
~ (شيئًا : حال دون مسيره) intercept (*an enemy*)
~ (سير بضاعة قبل بلوغها السوق) forestall (*goods*)
~ على القضاء والقدر quarrel with providence
~ على أهليّة القاضي لنظر الدعوى recuse (*a judge*), take exception to the judge's competence to try an action
~ على أساس تافه cavil (*at something*)
اعْتَرَفَ confess (*guilt*), admit (*error or receipt of something*), acknowledge (*defect*), recognize (*a new regime or government*)
اعْتَرَكَ . اعْتِراك quarrel, brawl, squabble
اعْتَزَّ بِـ take pride (*in*), hold in esteem, regard with honour, rate highly
اعْتِزال (خدمة) retirement (*from service*), withdrawal (*from*); abdication (*of power, authority, etc.*)
اعْتَزَل (خدمة) retire, withdraw (*from service*), step down (*from office*); abdicate (*position of authority, power, etc.*)
اعْتِصاب teaming up, confederacy, strike, combination, league
اعْتَصَب team or gang (up), confederate, combine, strike (*to obtain better working conditions*), league or form a league (*for good or evil purpose*)
اعْتَصَمَ shelter (*in some place*), seek refuge or protection
~ (في مكان : لزمه) keep (*to or in a certain place*), stay (*in*)
~ (بشيء : أمسك به) hold fast (*to*)
أعْتَق set free (*a person or anything*), manumit (*a slave*), liberate (*a prisoner*), liberate from bondage (*or slavery*)
اعْتِقاد belief (*in God*), credence; faith (*in some cause*)
اعْتِقال (: حبس) custody, detention, confinement
~ وقائيّ protective custody
اعْتَقَد believe (*in*); (*give*) credence (*to*)

اعْتَقَد (: وثق من شيء) trust (*or have trust, in*)
~ (: آمن بِـ) have faith (*in*)
اعْتَقَل detain (*a person*), place under (*or take into*) custody, intern (*in a concentration camp*), restrain (*a person's*) liberty
اعْتَكَف withdraw, shut oneself away (*or in*), confine oneself (*to home*)
اعْتَلَّ fall ill or infirm, become sick, sicken, become invalid
~ (: اعتذر) excuse oneself, apologize, make an apology (*for*)
~ (: علّل ؛ احتجّ بشيء) justify (*an act*), substantiate (*a decision*); plead ignorance, etc.)
اعْتَلَى (مَنْصِبًا ، عرشًا ، الخ ..) accede (*to a throne, an office*), enter upon (*an office*)
~ (دابّـة) mount upon
اعْتِلاء accession (*to*), succession (*or succeding to a throne, etc.*)
اعْتِلال infirmity, invalidity
اعْتِماد (: ثقة ، اتكال) trust, reliance, dependence, counting or reckoning (*on*)
~ جامد (: لا يتسنّى الانتفاع به) frozen credit
~ (شخص أو شيء) accreditation
~ شيك (من مصرف) certification of a cheque (*by a bank*)
~ على النفس self-reliance
~ طويل الأجل long-term credit
~ قصير الأجل short-term credit
~ مستنديّ documentary credit
~ (مصرفيّ أو ما إليه) credit
أوراق ~ credentials
حدّ ~ (: مداه) line of credit
كتاب (أو خطاب) ~ letter of credit
كتاب إعادة ~ recredential letter
اعْتَمَدَ rely (*on or upon*), depend (*on or upon*), count upon (*or reckon on somebody's help*)
~ (: وثق) trust (*in*), put (*one's*) trust (*in*)
~ (: أقرّ ، تقبّل) accredit (*a person, an envoy*),

recognize (*a fixed price*), acknowledge (*validity of a document*), accept, endorse as valid

اعتمد (: وافق على ، كموافقة برلمان أو رئيس دولة) sanction (*a law, etc.*)

اعْتَنى (بشأن) care (*for*), take care (*of*), concern oneself (*with*), show deference (*to rules or to the wishes of somebody*)

اعْتَنق profess (*a certain faith*), embrace (*a belief*), adopt (*a creed*), espouse (*a doctrine, a cause*)

~ (: لزم أمرًا) adhere to

اعْتِياد inurement (*to hardships*), habituation, getting accustomed (*or used to something*), forming the habit (*of drinking, etc.*)

اعْتِيادِيّ customary (*proceeding or practice*), habitual, ordinary (*method*)

اعْتِيادِيًّا habitually

أعْجَب be to one's liking, delight, please, arouse admiration

أعْجَزَ (: أفقد الأهليّة لشأن) incapacitate

~ (: عطّل ، أنزل عاهة) cripple (*a person*), maim

أعَدَّ (: هيّأ) prepare, make (*or get*) ready, ready (*a plan*), gird (*oneself for a race*), set (*for purpose*), arrange in readiness, groom (*for a career*); equip (*an army with guns*)

~ (: جهّز ، عمل على توفير شيء) provide, procure

~ (: وَضَعَ ، رَسَم) plan (*a reception*), design (*a trap*), contrive (*a method for some purpose*)

أعْدَى (: نقل العدوى) infect, contaminate (*a locality*)

إعداديّ (: تحضيريّ) preliminary (*measure, action, etc.*); introductory

~ (صفّ) primary

إعْدام death (*or infliction of death*), loss of life, execution

أمر ~ death warrant

عقوبة ~ capital punishment, death penalty

أعْدَم execute (*under death sentence*), kill; dispatch (*a person*)

~ (: قضى على) destroy, neutralize, nullify

~ (: أباد) annihilate

أعْذَر (: عفا) excuse, pardon; condone (*a husband's adultery*)

~ (: أبدى عذرًا) show excuse, justify a fault

~ (: أنْصَفَ) do justice (*to a person or an idea*), be fair (*with*), act fairly or justly or equitably

إعْراب syntax

أعراض (: أمارات) signs, indications, evidence

~ (عِلّة أو خلل) symptoms, syndrome

أعْرَبَ (راجع عَبَّرَ)

أعْرَج lame, crippled in one leg, halt, cripple

أعْرَضَ (عن شأن) shun (*temptation*), decline (*an offer*), turn (*or keep*) away (*from*), avoid

أعْزَب unmarried, single (*man or woman*), celibate (*priest*), bachelor

أعْزَل unarmed

إعْسار (مَدين) insolvency

~ ظاهر open insolvency

أعْسَرَ (: عجز عن أداء ديونه) become insolvent

أعْسَرُ (: يغلب عليه استعمال اليد اليسرى) left-handed

إعْصار hurricane, storm or windstorm; tempest

~ حلزونيّ cyclone

أعْضَلَ get complicated, become involved, become knotty

أعْطَى give, render; hand over; cede (*a province, a right, etc.*)

~ (القاضي) قرارًا give or hand down a decision

~ (: وهب) donate

أعْطَب damage, put out of order; break (*a set*), impair (*an instrument*)

أعْظَم major (*title*), greater

أعْفَى exempt (*from a tax or duty*); save (*from a provision*), release (*or free from a function*), relieve (*from a duty or a burden*); dispense (*with a law or a restriction*)

إعْفاء (من ضريبة) exemption from (*a tax*)

~ (من حكم قانون أو دَين) dispensation (*from fasting*)

~ (من أعباء) relief (*from duty*)

~ (راجع حصانة)

أعقاب (: خلف) posterity, descendants, successors

~ (حرب أو كارثة) wake or aftermath (*of war*), trail (*of disaster*), track (*of a burglar*)

~ (بنادق ، سجاير) butts (*of rifles*), ends (*of cigarettes, etc.*)

~ (: أواخر ، أثر) heel, rear, end

أعْقَب leave, leave in its wake or trail

~ (: أنتج) produce, yield

~ (: ولـد) beget (*trouble, disaster, etc.*)

أعْقَم sterilize, make sterile

أعْـلى superior (*in force, rank, etc.*), higher or loftier; upper (*part, house, etc.*)

الأعلى supreme (*power*), paramount (*title*)

إعْلام information

~ (: صورة حكم) decree

~ ورثة decree of distribution

~ شَرْعِيّ doctrinal certificate

إعْلان (لدعاية أو ما إليها) advertisement or advertising (*in newspapers, etc.*); publicity (*agency*); publication (*means, etc.*)

~ (: بلاغ ، بيان ، تنبيه أو إحاطة بشيء) declaration, announcement, intimation

~ تكليف publication of summons

~ حضور citation, summons

~ حضور وإحضار subpoena duces tecum

~ رفع الدعوى notice of action

~ محاكمة notice of trial

إعْلان (: تبليغ) service

~ بَدَلِيّ substituted service

~ تقديريّ أو حكميّ constructive service

~ شخصيّ personal service

~ بطريق النشر service by publication

أعْلَم inform (*a person of something*), tell, make known (*to*), intimate (*one's agreement to somebody*)

أعْلَن (لدعاية) advertise (*a thing or about a thing in a newspaper*), publicize (*an activity*)

~ (شخصًا بشأن) notify (*a person*), intimate something to him

~ (بسبيل رسميّ) give or serve notice (*to a person by means of a summons server*)

~ (: نادى بشيء) proclaim (*independence, a state of war, etc.*)

إعْمار development (*of a region*), reclamation (*of waste land*)

أعْوَج crooked

~ (: به انحناء أو التواء) bent, twisted

~ (من حيث الخلق) dishonest

اعْوَجَّ (: انحنى ، انحرف) bend, twist, curve or incurvate, deflect (*from its proper course*), deviate (*from*)

~ (: التوى) wind or follow a winding course, bend, meander

اعْوِجاج crookedness, tortuousness

~ (: انحراف) deflection (*from a definite course*)

~ (: عدم استواء في مسلك أو تصرُّف) unevenness, tendentiousness

~ (: عدم استقامة) improbity, unrighteousness, deviousness

~ (خلقيّ) perversion

~ (: عدم شرف) dishonesty

أعْـوَر one-eyed, blind of one eye

أعْـوَل wail, lament loudly

أعْيَا (: حيّر ، أربك) baffle, defeat; perplex

~ (: أتعب) weary, fatigue, tire

إعْـياء exhaustion, fatigue; weariness

أغـاث provide (*or give*) relief (*to a needy person*), succour (*somebody in danger*), aid

~ (سفينة) salvage (*a ship in danger*)

إغـاثة relief, succour, aid

~ (سفينة) salvage (*of a ship*)

أغـار (على) raid, maraud (*a region*)

~ (على : اجتاح) invade (*a town*)

أغـاظ irk, vex, incense; annoy

أغاظ (على سبيل المزاح) tease (*a person*)
أغْبَر (: شديد الغبار) dusty
~ (: غير واضح ؛ به غبار كالضباب) hazy; misty
اغْتاب malign, slander, backbite
اغْتاظ be irked or incensed, be vexed (*by some act*), take offence, chafe, fret, be irritated
اغْتال assassinate, murder
اغْتِذاء nutrition, sustenance, alimentation, nourishment
اغْتِراب expatriation
اغْتَرَبَ . مغترب expatriate
اغْتَرَف scoop (*something*), ladle (*out*), carve (*out*)
اغْتَصَّ (: امتلأ حتّى ضاق بما فيه) be overfilled (*with something*)
~ (: اختنق) suffocate
اغْتِصاب rape (*of a woman*); ravishment; usurpation (*of power, office, right, etc.*)
~ لواط homosexual rape
اغْتِصاص suffocation, asphyxia
اغْتَصَب rape (*a woman*), violate; usurp (*power, office, property, etc.*)
اغْتِفار forgiveness, pardon; condonation (*of infidelity by a wife or a husband*)
اغْتَفَر forgive (*an injury*), pardon, excuse (*an error*); condone (*a husband's infidelity*)
اغْتِنام (بحريّ) prize
اغْتَنَم (ظرفًا ، فرصة ، الخ ..) seize (*an opportunity*), take (*an occasion, etc.*), avail oneself (*of something*)
اغْتِيال assassination; murder
أغْذِيَة foodstuffs; provisions
~ (: مأكولات) edibles
أغْرى (على فاحشة) seduce (*a woman*), entice somebody to commit an indecency; solicit (*prostitution*)
~ (على سوء : غرّر بـ) tempt (*someone*), induce (*acceptance or induce somebody to accept something*), lure or allure (*a young girl away from home or into something*); incite (*division or to some unbecoming action*)
أغْرى (بين : أفسد بين) agitate (*between two persons*), play one party against the other
~ على زور (برشوة أو غيرها) suborn
إغْراء (على فجور) seduction, enticement
~ (على سوء) temptation, allurement
~ (على قبول) inducement
~ (على فساد) incitement (*to rebellion, etc.*)
~ (على زور برشوة أو ما إليها) subornation
إغْراق sinking, drowning; inundation (*with request, complaints, etc.*)
~ (سوق ببضاعة) dumping
أغْرَق sink, founder, drown (*a person*); plunge (*in debt, vice, etc.*)
~ (سفينة افتعالاً بثَقْبها) scuttle
اغْرَوْرَق (راجع طفح)
أغُسْطُس August
أغْسَق dusk, become dark
أغَصَّ stifle (*a person*), suffocate, smother
أغْضى connive (*at an error*), wink (*at*)
إغْضاء (عن شيء) connivance (*at*)
أغْضَبَ anger, infuriate, enrage
~ (: أثار من حدّة) exacerbate, incense
~ (: كدَّر) vex, annoy
إغْفال oversight, disregard (*of something*); neglect, inadvertence
أغْفَل overlook, ignore; neglect, omit, leave out
أغَلَّ yield (*interest*), produce (*profit*), crop (*a ton of wheat*), bear fruit
أغْلى boil; seethe
إغْلاق (: غلق) closure, close-down
~ (أو غلق الرهن) foreclosure (*of a mortgage*)
~ العمل (: وقف العمل أو إقفال المصانع في قوانين العمّال) lockout
أغْلَبيَّة majority
~ عامّة (تزيد فيها الأصوات المُعْطاة

لأحد المرشَّحين على الأصوات المعطاة لأيّ مُرشَّح آخر — plurality (*of votes, etc.*)
أغْلَط cause to err or to slip or to make a mistake
أغْلَق close (*down*), shut; lock up
~ (رهنًا) foreclose (*a mortgage*)
إغْماء unconsciousness, fainting fit, loss of consciousness, faint, swoon, syncope
أُغْمِيَ (على شخص الخ ..) (*person may*) faint, lose consciousness
أغْمَد sheathe; plunge or bury (*in flesh*)
أغْنَى (عن شأن) serve the purpose (*of*), serve (*some or no good*) purpose, satisfy the need (*for*), do instead (*of*)
أغْنام sheep
ارتِفاق مُرور ~ sheep-walk
أغْوَى seduce (*a woman*), entice, debauch
~ (: سلب عفـّة) deflore (*a child, etc.*)
إغْـواء seduction, enticement

(راجع إغراء)

~ (: سلب عفـّة) defloration
أغْيار third parties (*or persons*); strangers
أفـاد (: نفع) avail (*oneself or others*), be useful or beneficial or profitable or advantageous
~ (: استفاد) benefit, profit, advantage or receive advantage (*from*)
~ (بِقَوْل) aver, state, inform
~ (: دلَّ على) purport (*that something has happened or purport to be a fraud*), indicate, signify, imply
~ (: أدَّى إفادة ، شهد على يمين) depose, testify under oath
إفادَة (: أقوال شاهد) deposition, statement
~ مكتوبة مشفوعة بقَسَمٍ affidavit
~ إثبات affidavit of prosecution
~ نَفْي affidavit of defence
أفـاق awake, wake up, awaken (*after centuries of lethargy*), arouse, become conscious or aware (*of danger*)
أفّاك imposter; pretender
~ دينيّ (يدّعي رسالة) religious imposter

آفـة pest, pestilence
أفْتَى give legal opinion or counsel, advise (*on some question*)
افْتَأت fabricate evidence (*against defendant*), accuse falsely
افْتِئات fabrication, false accusation or charge
إفْتائِيّ advisory (*council, etc.*), counselling (*institution*); consultative (*assembly*)
افْتِتاح opening (*of a session, a parliament, etc.*), commencement (*of a term*), beginning (*of something*)
~ (رسميّ) inauguration (*of an exhibition, a faculty, a new building, etc.*)
افْتِتاحِيَّـة (: مقال افتتاحيّ) editorial, leader article
افْتَتَح open (*a session*), commence (*negotiations, transactions, operations*), begin
~ (: رسميًّا) inaugurate (*a new building, an institution, etc.*)
~ (: تقدَّم الغير) pioneer or lead (*an activity, a way, etc.*)
افْتَخَر (راجع فاخر)
افْتَدَى (بمال) ransom (*somebody or something*); sacrifice (*something to a cause*), lay down (*one's life, etc. for something or to save a precious thing*)
افْتَرى accuse (*person*) maliciously and falsely, slander, calumniate, malign, vilify
افْتِراء false and malicious accusation, slander, calumny, calumniation, vilification
افْتِراض supposition, hypothesis; assumption; fiction
افْتِراضِيّ hypothetical (*conclusion*), presumptive (*evidence, heir, etc.*); fictitious (*person, name, etc.*)
افْتَرَض suppose, presume, assume
افْتِضاح (شأن) notoriety, divulgement (*of a secret*), exposure (*of state corruption*)
افْتَضَح become notorious, get exposed or revealed, lay undisguised, become public

افْتِعال wantonness, wilfulness, deliberate action, intentness

افْتِعالاً wantonly, deliberately, intentionally; designedly

افْتِعاليّ wanton (*act*), deliberate (*disregard to rules*), intentional (*injury*)

افْتَعَل design (*a heinous crime*), contrive, intend (*injury*), commit (*a certain act*) wilfully or deliberately or wantonly

~ (: تصنَّع ، قلَّد ، اختلق) feign (*illness*), simulate (*a trademark*), pretend (*ignorance*), assume (*a look of innocence*)

افْتِقار want (*of something*), lack, need or dire need; exigency

افْتَقَر be reduced to poverty, be impoverished

~ (إلى دليل ، عَوْن أو ما إليه) be wanting in evidence, be short (*of resources*) or needful (*of assistance*)

~ (إلى شيء) need, lack (*something*), be in need (*or in want*) of, have need (*for*)

افْتَكّ (رهنًا، مالًا ، الخ ..) dismortgage (*a property*), disencumber (*a title*), redeem (*a property right*)

~ (ساقطًا بيد عدو) recapture (*a town*)

~ (أسيرًا) rescue (*a prisoner*)

~ (منقولًا محتبَسًا) replevin (*a movable*)

افْتِكاك (مرهون بشرائه) redemption (*of mortgaged property*)

~ (المنقول) replevin (*of movable goods*)

أفْحَمَ nonplus, baffle

~ (بجدال) silence (*by argument*), overpower (*person*), dumbfound (*him*)

إفْراج release (*of prisoners, funds, etc.*), discharge (*of a detainee*)

إفْراز secretion, emission

إفْراط excess, intemperance, immoderation, exaggeration

أفْرَج release (*a convict*), discharge (*an accused*)

أفْرَدَ (: أوقف ، خصّص) devote, dedicate; allocate, allot, set apart

أفْرَز secrete, emit

أفْرَط carry (*a thing; drink*) to excess, exaggerate (*in describing a situation*), overdo (*something*)

~ (في بيان شيء أو تقدير قيمة) overstate (*a case*), overrate (*a value*)

أفْرَغ empty (*out*), discharge (*a burden*), unload (*a cargo, a ship*); deplete (*a reservoir*)

~ (: صبَّ) pour (*out one's troubles*), fit (*something on a certain form*), cast (*in a heroic mould*); dump

~ (في صيغة قانونيّة) couch (*in legal terms or in a legal formula*)

إفْرِيز shelf, ledge; bank, ridge

~ (إنشاءات) cornice; eave

~ قارّيّ continental shelf

أفْزَع alarm, terrify, startle

إفْساد corruption (*of a system*), disruption (*of order*), spoliation (*of a document*), impairment (*of health*); vitiation

~ (خُطّة) frustration of a plan

~ (مأكولات : غشّها) adulteration (*of foodstuffs*)

~ (عملة) abasement (*of coinage*)

أفْسَح (المجال لشأن) make way or room (*for someone or something*), give way (*to reasonable understanding*)

أفْسَدَ corrupt (*a system*), disrupt (*order*), spoil (*a plan*), impair (*health*), vitiate (*a regulation*); do or make mischief

~ (غاية أو ما إليها) foil, frustrate

~ (عناصر شيء) adulterate, debase

أفْشى divulge (*a secret*), disclose (*confidential information*), reveal (*a plan*)

أفْصَح express, explain, state (*clearly and intelligibly*), elucidate, expound

أفْضى lead (*to*), conduce (*to*)

أفْعى snake, adder, viper

أفُق horizon, offing

أفُقِيّ horizontal

إفْك imposture, fraud, deception, falsehood

أفَل (: غاب ، اضمحلّ) decline, sink

~ (: غاب) set

إفْلاس bankruptcy

~ احتياليّ fraudulent bankruptcy

~ إراديّ voluntary bankruptcy

~ قهريّ (غير إراديّ) involuntary bankruptcy

حكم شهر ~ adjudication of bankruptcy

أفْلَت escape (*punishment or from something*), slip (*out of hand*); evade (*payment of tax*), shun (*trouble*), elude (*friends*); disengage (*oneself from*); loosen

أفْلَح gain, win, succeed, thrive

أفْلَس become bankrupt or broke, be reduced to bankruptcy, be adjudged bankrupt

أفْنى annihilate (*an enemy*), utterly destroy (*resistance*), exterminate (*a pest*)

إفْناء annihilation, utter destruction, extermination

أفيون opium

~ خام raw opium

~ متفحّم (أسود) yen shee

حبّة ~ yen pock

أقارِب relatives, kindred, kinsfolk

أقال (من أعباء أو متاعب) relieve (*a person from some burden or care*), rid (*of*)

~ (من وظيفة) remove (*from office*), dismiss (*from service*)

~ (نائبًا) recall (*a deputy, etc.*)

إقالَةٌ (من أعباء) relief (*from a burden*)

~ (من وظيفة) removal (*from an office*), dismissal (*from employment*)

أقام (: سكن ؛ مكث) reside (*in a certain locality, etc.*), live; stay

~ (: استقرّ) settle (*in some town*)

~ (: وضع ؛ نصب ؛ نصّب) place (*a thing somewhere*), set or set up (*a mark*), posit (*certain difficulties*); erect; install (*a party wall*); install or instate (*a guardian, a receiver, etc.*)

أقام (: أسّس ، أنشأ) establish (*relations, barriers*)

~ (: سبب) create (*a difficulty*), occasion (*a misunderstanding*)

~ (حجّة على شأن) establish (*guilt*), substantiate (*a claim*), set up (*an*) argument, show evidence

~ (إجراء أو دعوى) institute (*an action*), bring or file or prefer a law-suit

(تقام الدعوى) (*action* (*or case*) *may lie ; action may be brought*

(لا وجه لإقامة دعوى) (*nolle prosequi*

إقامة (: سكن) residence, abode

~ (لأغراض القانون) domicile

~ جبريّة house arrest, enforced residence

~ محدَّدة confined domicile

~ مؤقّتة sojourn

محلّ ~ place of domicile

محلّ ~ أجنبيّ foreign domicile

محلّ ~ أصليّ domicile of origin

محلّ ~ اضطراريّ domicile of necessity

محلّ ~ تجاريّ commercial domicile

محلّ ~ الزوجيّة matrimonial domicile

محلّ ~ طبيعيّ natural domicile

إقامَة (: خلق ؛ نصب ؛ تنصيب) creation (*of difficulties, etc.*), installation (*of facilities*); appointment (*of a guardian, etc.*)

~ (: تقديم) introduction (*of evidence*), establishment (*of proof*)

~ (إجراء أو دعوى) institution of proceedings, bringing of a law-suit, initiation of an action

أقْبَلَ come (*toward or along*), approach, advance (*toward*), turn up, turn face (*to*)

اقْتِباس (من كاتب أو كِتاب أو ما إلى ذلك) adoption, borrowing (*from a writer, or a book, etc.*)

~ مع تحوير (ليناسب المقام) adaptation (*for something*)

إقتباس (حَرْفيّ) quotation
اقْتَبَس borrow (*from a book, etc.*), adopt (*something*); copy (*somebody or from somewhere*)
~ (حَرْفيًّا) quote
اقْتَتَل fight, engage in quarrel or altercation,
~ (: تضارب) come to blows
اقْتِحام (منازل الغير أو ما عاد إليه) breaking (*into a house*), housebreaking, forceful entry, breach (*of close*), invasion (*of someone's territory*)
~ (نطاق الغير أو أرضه) breaking of close, trespass
~ (المنازل للسَّرِقة) housebreaking
اقْتَحَم break (*into*), force one's way (*into*), break open (*something*), dash (*into*); enter by force; invade (*a place of worship*)
اقْتَدى (بـ) emulate (*a person or something*), take example (*by somebody's achievement*)
اقْتِداء emulation
اقْتِدار ability (*to do, achieve, obtain*), capacity, capability, faculty, aptitude (*for dealing with a crisis*), power (*to accomplish something*)
اقْتِراب approach (*of an occasion*), proximity (*to something*), closeness (*to success*), nearness
~ (: دُنُوّ ، وشوك وقوع) imminence (*of disaster, etc.*)
اقْتِراح suggestion, proposition; recommendation
اقْتِراع ballot, polling, voting
~ سرّيّ secret ballot
~ غيابيّ (يمارسه المغترب) absentee ballot
~ مشترك (بين مجلسين) joint ballot
صندوق ~ ballot box
صناديق ~ polls, polling-booths
ورقة ~ ballot, ballot paper
اقْتِراف commission (*of a crime*), perpetration (*of a wrongful act*)
اقْتِرافيّ (: افتعاليّ) commissive

اقْتَرَب approach, near (*completion*), come near (*to*), draw near or close, approximate (*perfection*), be or become imminent
اقْتَرَح suggest (*an act or a policy*), propose (*a solution*); recommend (*a certain measure*)
اقْتَرَض borrow
~ (على المكشوف) overdraw (*an account*)
اقْتَرَع vote, ballot, vote by ballot, put (*motion*) to the vote
اقْتَرَف commit (*an offence*), perpetrate (*a wrongful act*)
اقْتَرَن (بشخص أو بشيء) couple (*with*), accouple (*with*), marry (*somebody*); associate (*with an idea*), link (*to or with something*)
اقْتَصَّ avenge, vindicate
~ (الأثَر) (راجع تقصَّصَ)
اقْتِصاد economy
~ (في مصروف ، حُسْن تدبير) frugality, judicious handling (*of funds, etc.*)
~ اجتماعيّ social economy
~ سياسيّ political economy
اقْتِصاديّ economical
~ (: مقتصِد ، حَسَن التدبير في إنفاقه) frugal, sparing (*person*)
عالِم ~ economist
اقْتَصَد practice economy, economize (*on expenditure, play, on somebody's time, etc.*), spend sparingly; save (*time, money, etc.*)
اقْتَضى require (*help*), necessitate (*something*), prompt (*an immediate protest*), obligate (*to do some legal act*)
(راجع استوجب)
اقْتِضاء necessity, constraint, exigency, requirement
اقْتَطف (من محرّر) excerpt, extract, adapt (*from a book*)
اقْتَفى pursue, go (*in pursuit*) after, follow (*something*); shadow (*a person to watch his movements*)
~ (أثرًا) (راجِعْ تعقَّب أثر شيء)

اقْتِفاء (أثر شيء) trailing (*a criminal, a wild animal*), following up (*something*)

اقْتَلَع (انظر اجتث)

اقْتَنى have, keep (*a horse, a mistress, etc.*), maintain

اقْتِناع satisfaction (*of a court, etc.*), conviction, belief

اقْتَنَص hunt, chase

اقْتَنَع be convinced, be satisfied (*that statement is true*)

أقْحَم thrust (*self, thing, into*), force (*something upon*), push (*oneself*) forward, intrude (*oneself into a meeting*)

~ النفس obtrude (*oneself*)

أقْدَمُ older, more ancient

~ رتبة (أو من حيث الرتبة) senior in rank, more senior

أقدمية seniority

أقْدَمَ (١) (راجع قدم)

أقْدَمَ (٢) (: أتى شأنًا) do (*something*)

~ (على جرم) commit, perpetrate

~ (على فِعْل يقتضي شجاعة : اجترأ) venture, dare (*something*); confront boldly

أقَرَّ acknowledge (*receipt of something*), admit (*an error*), confess, recognize (*somebody as a lawful heir*); allow of (*something*)

~ (معاهدة ، تدابير ، الخ ..) ratify, sanction

إقْرار declaration (*in relation to customs, currency, etc.*); affirmance

~ (: اعتراف بشأن) recognition, admission, confession (*of guilt*)

~ (معاهدة أو ما إليها) ratification

~ رئيسيّ declaration in chief

~ شخص على نفسه declaration against interest

~ مُحتضِر dying declaration

أقْرَض lend, loan, advance (*a sum of money*), impress (*money*)

أقْرَن couple; join (*between two things*)

أقْسَط be just, act fairly or equitably

أقْسَم swear, utter an oath, take an oath

أقْصى (: أبعد عن مكان) remove (*from*), move away (*from*), drive (*from*) a position, dislodge

~ (: أبعد مكانًا) farthest, remotest, most distant

~ (عناية ، تَوْق ، انتباه أو ما إلى ذلك) utmost (*care*), extreme (*caution*), greatest (*attention*), highest (*regard*)

إقْطاع (: زمن إقطاع) / **إقْطاعيّة** feudalism

إقْطاعَة (: حيازة إقطاعيّة) tenure

إقْطاعيّ feudal, feudalistic

أقْطَر drip, drop; fall in drops

أقْطَع give in fief, enfeoff

أقْعَد (: عطّل) cripple, disable

~ (عن عمل) keep or prevent from (*some activity*)

أقْفَل close, shut

~ (: أغلق بقفل) lock, bolt

~ (: رجع) return, go back

أقَلُّ (شأنًا ، أصغر) (*of*) minor (*importance, part, etc.*), less (*serious*), of less (*weight*)

~ (: أدنى) inferior (*to*), lower (*than*)

~ (مِن) less (*than three years*), under (*a certain measure or amount*)

أقْلَع (: حلّق ، طار) take off

~ (: أبحر) sail, set sail

~ (: كفّ) refrain or abstain (*from*), forbear (*doing or from doing*)

أقْلَق preoccupy, perturb, disconcert, worry, trouble, unsettle (*the mind*)

أقْلَم acclimatize (*to a new environment*), adapt (*to a situation*), adjust (*to change*)

أقَلّيَّة minority; least part (*of something*)

إقْليم territory, province; county; region, zone

~ سويسري canton

إقْليمِيّ provincial; territorial (*expansion*), regional

إقْليمِيّة provincialism, regionalism

إقْناع persuasion, persuasiveness, inducement; conviction

إقناع (: إرضاء) satisfaction (*of a court*)

أقْنَع convince, persuade, induce (*acceptance or somebody to commit or do something*), satisfy (*a court that something had taken place*); prevail (*upon a person to lend some money*)

~ (راجعْ مقنع)

أكال corrosion, abrasion

أكْبَرُ greater or larger (*in size, effect, scope, etc.*); major (*portion, disaster, effect*)

~ (سنًّا ، درجة ، من غيره) senior (*in age or rank*); senior to somebody or somebody's senior by so many years

اكْتِئاب sadness; melancholia

اكْتِتاب subscription, contribution

~ (بأسهم) underwriting (*of stock*)

اكْتَتَب contribute, subscribe (*for a number of shares or subscribe* £ 10 *to a relief fund*); underwrite (*stock of a company*), engage (*to buy stock*)

اكْتَرى hire (*a taxi*), rent (*a house*); charter (*a ship, an aeroplane*)

اكْتِراث concern (*for somebody's safety or about something*), heed (*for*), care (*about or for something*), deference (*to a superior*)

اكْتَرَث (لشأن) heed (*for*), care (*for*), feel concern (*for or about something*), show deference (*to somebody*)

اكْتِساب gain (*of some advantage*), acquirement (*of nationality*), acquisition (*of title*)

~ أصليّ original acquisition

~ مستمَدّ derivative acquisition

اكْتَسَب gain (*speed, advantage, etc.*), acquire (*possession*), achieve (*independence*); make (*a pofit, a friend, etc.*)

اكْتَسَح overwhelm (*a fortress*), overpower (*opposition*), crush (*an enemy*), overthrow (*a dictatorship*)

~ (: هجم) storm (*a position*)

اكْتِشاف discovery, ascertainment (*of facts*), finding out (*of something*)

~ (: كشف عن خفيّ) exploration (*of the unknown*)

اكْتَشَف discover, detect, ascertain or find out (*facts*), unearth (*the truth about something*)

~ (: كشف عن خفايا مجهول) explore (*an unknown region*)

اكْتَظَّ (راجع ازْدَحَم)

أكْتَع (اليد) one-armed (*person*)

~ (الأصابع) cripple-fingered, having crippled fingers

اكْتَفَى be satisfied or content (*with*), make (*a thing*) do; have one's need (*of something*)

~ (المحامي بما قدم من حجج أو ما إليها) (*counsel*) rests

اكْتَنَّ (راجعْ استتر)

اكْتَنَف attend (*an occasion*), accompany, surround, encompass, encircle, environ (*a locality*)

أكْتوبَر October

أكْثَرُ more (*than*), over or above (*a certain number*)

~ وجودًا (توافرًا) more plentiful or available

~ عددًا more numerous

(على الأكثر (*at most*

أكْثَرِيَّة (شيء : غالِبُه) majority; plurality; major part, most (*of something*), mostly, in the greater (*or greatest*) part

~ ظاهرة clear majority

~ عامّة (تفوق ما حصل عليه المنافسون جميعًا) overall majority

~ عدديّة numerical majority

~ مُطلَقة absolute majority

أكَّد ensure (*a fact or an event*), assure (*a person of something or that something shall happen*); assert (*one's guilt or that someone is guilty*)

~ (: ضمن) avouch (*for something*)

إكْرامِيّة bonus (*payment to stock- holders, etc.*); bounty (*given by government to encourage a citizen*); gratuity

~ (تُمنح لعامل) tip

إكْراه coercion, compulsion, duress; force

~ أدبيّ (أو معنويّ) moral duress

إكْراهِيّ coercive, compulsory (*compulsive*). forcible

أكْرَم (: أجلّ) esteem, revere, venerate

~ (عاملاً ، في مطعم أو محلّ عامّ) tip (*a waiter*)

أكْرَه (على شأن) compel (*somebody to do something*), coerce (*a person into accepting a thing*), constrain, force

إكْليرِكيّ clerical

إكْليروس (: كَهَنَة) clergy

أكْمَل (راجِعْ أتمّ)

أكيد certain, positive, sure

آلٌ (: أسرة ، بيت ، أقارب) house (*of 'Umar, of Tudor, etc.*), family, kindred, people

آلَ descend (*to an heir*), revert (*to the original owner*), devolve (*on or upon the vice-president*), accrue (*to the winner*); vest (*in somebody*)

الآنَ now, (*at*) the present time or moment, (*at*) the time being

~ (: حالًا) forthwith

ألانَ (: لين) soften (*resistance*), mollify (*feeling*), relax (*a muscle, a grip, discipline, etc.*)

ألَبَ (راجع حَرَّض)

ألْبَس clothe, dress

~ (: كسى) attire (*oneself in white*)

آلَة machine

~ (: أداة ، عدّة ، جهاز) instrument, implement (*of agriculture*), tool (*of trade*), mechanism (*of government*)

(آلات (*machinery*

الْتَأم heal; cicatrize, patch up

الْتِباس confusion, complication or complexity

~ (: مأزق) predicament

الْتَبَس become confused or involved, become complicated

الْتَبَس (: أشْكَلَ) become problematic

~ (: صعب ، اشتدّ) toughen

الْتَجَأ (: لجأ إلى سلوك أو تصرُّف) resort (*to force*), have recourse (*to diplomacy*)

~ (: لجأ إلى مكان) refuge (*in a cave*), take refuge, seek asylum or sanctuary (*in some coventry*)

الْتَحَق join (*army, group*)

الْتَحَم (: التأم كالجرح أو ما إليه) cicatrize

~ (: انضمّ بَعْضٌ إلى بعض ؛ تراصّ) join, cement, weld (*with other metals or things*); unite

الْتِزام obligation, bond; recognizance (*given to a magistrate*), commitment

~ أدبيّ moral obligation

~ انفراديّ several obligation

~ انفراديّ (وحيد) single or sole obligation

~ أوّليّ primary obligation

~ بدليّ alternative obligation

~ تضامُنيّ joint obligation

~ تعاقُديّ contractual obligation

~ جزائيّ penal obligation

~ حَصْريّ determinate obligation

~ شخصيّ personal obligation

~ عقاريّ real obligation

~ قَطْعيّ absolute obligation

~ مَدين debtor's bond (*or obligation, as the case may be*)

الْتِزامِيّ (: تترتّب عليه أعباء) onerous (*task*), involving an obligation

الْتَزَم undertake (*an operation*), assume (*responsibility*), put oneself under obligation (*to perform an act*), commit oneself (*to*), be dedicated (*to*), deeply concern oneself (*with*)

~ (استغلال شيء نظير أجر) lease, hold, undertake, farm (*a tax*)

الْتِصاق adhesion, adherence, cleavage; attachment

~ (عقاريّ) alluvion

~ (ملك بآخر) abuttal, abutment

(*on, upon, against*), contiguity, adjoinment or adjoining

التصق stick fast (*to*), cleave (*to*), adhere (to)

~ (بملك آخر) abut (*on, upon, against*), adjoin (*another's tenement*), lie contiguous (*to*), touch

~ (بحقّ عيني) run (*with a real title*)

التفّ (على شيء) encircle (*something*), wind (*around*), ring about, envelop, encompass; entwine (*oneself around an object*)

~ (على نفسه أو على شيء آخر) curl

~ (: تجاوز شيئًا دون أن يمرّ منه) bypass (*a point*)

~ (أناس على بعضهم) get together (*to face a problem*)

التفات (: انتباه ، اهتمام ، اكتراث ، اعتبار) attention (*to*), concern (*for*), heed (*to a warning or of what is said*), consideration (*for something or to it*)

التفت (إلى) heed (*a warning*), pay attention (*to a sign*); mind (*one's business*), attend to (*a task*), regard (*somebody's wishes, recommendations, etc.*)

~ **عَنْ** (شأن) disregard (*a complaint*)

~ **عَنْ** (: أهمل) ignore (*a prayer*), neglect (*a duty*), pay no attention (*to advice*)

التقى meet; get together

~ خصمان encounter

~ (على رأي) concur (*in opinion*)

~ (نهجان) converge (*on a point*)

(التقاء كذلك (*convergence*

التقط (راجعْ لقط)

التماس petition; application; prayer

~ جَماعيّ (مشترَك) collective petition, remonstrance

~ السنّ (: استرحام على أساس السنّ) age prayer

التمس petition (*for*), apply (*for*), pray (*forgiveness, etc.*), crave (*mercy*)

التهاب inflammation

~ الجيب (تجويف العِظام) sinusitis

~ شعبيّ bronchitis

التهاب شعبيّ شعريّ capillary bronchitis

التهب flame, blaze; flare

~ (الجلد أو ما إليه) get inflamed

التهم (راجع ابتلع)

التوى coil, twist, bend, twine, entwine; writhe (*in pain*)

~ (كالأفعى) snake

~ (: تحوّل عن نهج معيّن) deflect (*from*), deviate (*from*)

~ (: تلوّى) squirm (*like an eel*)

التواء torsion, distortion, wrenching (*of a body*)

ألجأ shelter (*somebody*), give refuge or shelter (*to*), harbour (*a criminal*), provide asylum or sanctuary (*to*)

~ (: حفز إلى شأن) prompt (*a person to act*), move, urge, press, actuate

ألحّ (راجعْ ألحف)

إلحاف importunity, insistence

ألحف solicit (*something*) pressingly, importune · (*a person to do something or with a certain request*), insist or persist, dun (*demand payment of a debt*)

ألحق (: أتبع) follow up (*with*), send or dispatch (*after*); attach (*something to another*), add, annex (*a province to another*)

~ (: أنزل) inflict (*damage upon*), cause or occasion (*loss*)

إلزامات liabilities

~ مدنيّة civil liabilities

إلزاميّ obligatory, compulsory

~ (: لا مجال فيه لتقدير) mandatory

ألزم bind (*by duty, contract, etc.*), obligate (*to observe a decree*), compel (*a person to pay or do something*), constrain (*someone to*)

ألصق stick (*a stamp*), fasten (*a label*), attach (*blame to a person or importance to something*)

أُلعوبة plaything, toy

ألغى cancel (*an engagement*), abolish (*a

practice), revoke (*an agreement*), repeal (*a law*), annul (*a marriage contract*), recall (*an order*); write off (*an item on a list*)

ألغى (: فسخ بيعًا) rescind (*a sale*)

~ (حكمًا) quash or vacate (*a judgement*); set aside

إلْغاء cancellation, revocation, repeal (*of a law*), annulment (*of marriage*), abolition (*of slavery*), recall (*of an order*); rescission (*of an act of sale*); ademption (*of a will*)

قابل للإلغاء revocable

غير قابل للإلغاء irrevocable

إلْغام (راجع دمج)

ألِف become familiar (*with*), take (*to something or somebody*), get accustomed (*to*), acquire the habit (*of walking to his office*)

ألَّف compose (*a poem, a speech; the whole of a thing*), write (*a book*); form (*a cabinet, a gang, etc.*), constitute (*a board*)

~ (بين) harmonize (*between*), infuse (*between persons*) a spirit of affection or friendliness

أُلْفة familiarity, friendliness, intimacy, affection; affinity

ألْقى cast, throw, lay down; drop (*anchor*), dump (*rubbish somewhere*); release (*a bomb*); set (*eye on something*)

~ (بضاعة من سفينة) jettison

~ (في مُشْكِلة) precipitate (*in a dilemma*)

ألَم pain, pang(s) (*of hunger*), ache (*of a tooth*); suffering (*of a child*)

~ شديد (: حزن) distress, anguish

~ (: آلام) (كألم الموت) throe(s) (*of death*)

آلَم pain; ache

~ (: أحزن) distress (*morally*)

~ (: أساء لشخص) offend (*somebody*)

ألَمَّ (: نزل بـ) befall (*somebody*), affect; happen (*to a person*)

~ بشأن (: اطّلع عليه) (راجع أحاط)

إلْمام (: علم ، معرفة) learning, knowledge, cognition

~ (: إحاطة ، وقوف على شأن) circumspection, consciousness, awareness

~ (: خبرة فنّيّة) expertness, expertise, skill

~ (: دِراية ، «معلمنيّة») know-how

ألْهى distract, divert (*from business*)

~ (: شغل) occupy, keep busy (*with*), engage

ألْهَبَ (شُعورًا أو ما إليه) inflame, set (*mob, feeling, etc.*) aflame, kindle (*curiosity, interest*)

~ (: أثار) rouse (*the masses*)

ألْهَم inspire (*patience or somebody with something*), evoke (*sacrifice*), elicit (*the truth*), educe (*courage*)

ألْواح boards, planks

الألْواح الاثْنا عَشَر the Twelve Tables

آليّ mechanical, automatic

آليّة mechanism, machine, mechanical vehicle or device

أليف (: مستأنس من حيوان وغيره) domestic, tame

أُمّ mother

~ (شركة) parent (*company*)

~ رضاع foster mother

أمَّ lead (*in prayer*) or take the lead

أمات (: قتل : جرّد من حياة) kill, deprive of life, take the life (*of somebody*)

~ (غيلة أو قصدًا) slay (*a person*)

~ (: أزهق روح حيوان أو غيره) destroy (*an animal, a plant, etc.*)

أمارَة sign, indication, mark

~ (سرّيّة للتعرّف على حقيقة شخص) sign of recognition, watchword or password

أمالَ (كِفّة) tilt, tip (*a scale, a balance, etc.*)

~ (بتأثير أو ما إليه) sway (*voters*); swing (*something to a certain side*)

~ (عن نهج) divert (*from one course to another*)

أمام before (*a person or a thing*), in front (*of*), in presence (*of*); face to face (*with*)

أمام (: وَجْه أو واجهة) front, forepart (*of something*)

~ (: طليعة) fore (*e.g. : come to the fore of a party, etc.*); foreground

~ محكمة before a court; at bar (*e.g. : the case at bar*)

إمام imam (*imaam*); leader

إمامة imamate

أماميّ frontal; anterior

إماميّات standards

أمان safety, security

~ مرور (جواز) safe-conduct

أمانة trust (*e.g. : property held in trust is itself a trust*)

~ (: وديعة) deposit

~ (: ثقة) confidence, trustworthiness

تخلّى عن ~ desert a trust

خان ~ commit a breach of trust, fail a trust

امبَراطور emperor

امبَراطوريّ imperial

أُمّة nation; body politic

أَمَة (مملوكة) slave-girl, bondwoman

امْتِثال compliance (*with a decree*), obedience (*to*), abidance (*by rules, laws, etc*); submission (*to authority*)

امْتَثَل comply (*with*), obey (*an order*), abide (*by law*); submit (*to authority*)

امْتِحان (: فحص ، اختبار) examination (*in a certain subject*), test (*of an applicant*)

~ (: تجربة) temptation; trial

~ (: محنة) ordeal

امْتَحَن (: اختبر ، فحص) examine (*a student*), test (*an applicant; a capacity*), put (*something*) to the test; try (*something*) out or try (*courage, patience, etc.*); subject to an ordeal

امْتَخَض churn, agitate violently

امْتَدّ extend (*to a certain place or extend to a certain length or scope*), range (*over a wide field*); sweep (*over an area*); lie along, stretch out, spread

امْتَدّ (: نما ، ازداد) proliferate; luxuriate, thrive

امْتِداد extension (*of a line*)

~ (: مدى) extent, range, sweep; expanse

امْتَزَج blend (*with a certain colour or material*), mix (*up with water,*); commingle (*with acquaintances, visitors, etc.*)

~ (: رافق) associate (*with thieves*)

امْتَصّ suck, drain (*moisture, or a country of its resources*); sap (*energy, vitality, etc.*), absorb

امْتِصاص suction, drainage, absorption

امْتَطى mount (*a ladder*), ride (*a horse*)

امْتِعاض dislike, resentment; distaste (*for something*), aversion (*to a person or a thing*), antipathy (*to, towards or against something or between two persons*)

أَمْتِعة effects, movables (*moveables*)

~ (مسافر ، سفر) baggage, luggage

امْتَعَض dislike, resent (*something*), have or feel antipathy or aversion (*to*)

امْتَلأ fill, become full or replete (*with something*), become fraught (*with peril*)

امْتِلاء fullness, repletion

~ (: اكتفاء أو حتّى الكفاية) satiety

~ (: عدم شغور) plenarty

امْتِلاك ownership

امتلاكيّ proprietary (*right*)

امْتَلَك own, have or hold legal title (*to*)

امْتِناع abstention (*from a certain activity*), abstinence (*from pleasures, drink, etc.*), forbearance, preclusion (*of remedy*), impossibility (*of action*)

~ (: قعود عن عمل) omission

امْتَنَع abstain (*from*), refrain (*from*), forbear (*from going into details or forbear committing an offence*)

~ (وروده ، نيله) become inaccessible, become unattainable

امتنع (: استحال) become impossible, become insuperable
~ (: أصبح ممنوعًا) be barred or forbidden or impermissible

امْتِياز (: تفوُّق) distinction, excellence (*of thing, achievement, etc.*)
~ (: رفعة) eminence
~ (: حقّ خاص) privilege
~ (خاصّ بسلطة لا تخضع لرقابة) prerogative (*of throne, judge, etc.*)
~ (لمزاولة نشاط تجاريّ أو ماليّ أو غيره يعطى من جهة عليا) franchise
~ صناعيّ patent
(راجع براءة اختراع)
~ (بتروليّ أو ما إلى ذلك) concession
~ (أسهُم على غيرها) preference
~ (حقوقيّ على مال) lien
~ حيازيّ possessory lien
~ سابق (: متقدّم) prior lien
~ ضريبة tax lien
~ عامّ general lien
~ محكوم به (: صدر به حكم) judgment lien

امْتِيازات liberties, privileges, etc.
~ أجنبيّة (يتمتّع بها أجانب بحصانات خاصّة من الولاية المحليّة) capitulations

امْتِيازِيّ preferential

أمْثَل optimum
~ (: لا يفوقه شيء) *ne plus ultra*

أمْجَد (في الألقاب) most illustrious or distinguished

أمَدَّ (: زوّد ؛ أعان ، أغاث) supply, provide; aid, succour
~ (: أطال) prolong, extend, enlarge
(راجع أمهل)
~ (: أجزل) give liberally or openhandedly

إمْدادات supplies, provisions
~ (حربيّة) ordnance

آمِر (: ينطوي على أمر) mandatory (*provision, formula, etc.*)
~ (شخص) commander, commanding (*person, authority*)

أمْر order, command; injunction (*issued by a court or a judge*), warrant; rule, precept (*of moral behaviour*)
~ (: شأن) matter
(راجع أمور)
~ مُلزم (: يقتضي تدبيرًا معيّنًا لا خيار فيه أو تقدير) mandate
~ احتباس writ of detinue
~ استرداد محتبَس writ of recaption or of replevin
~ إشْراف writ of supervisory control
~ إعدام death warrant
~ إفتتاح دعوى original writ
~ إيضاحيّ explanatory (*or speaking*) order
~ تالٍ (لاحق) junior writ
~ تحقيق writ of inquiry
~ تريُّث (أو توقُّف) stop order
~ تسليم writ of delivery
~ تفتيش search warrant
~ تنفيذ writ of execution
~ توقيف أو حبس writ of commitment
~ ثانٍ alia writ
~ ثابت standing order
~ جَلْب (أو حضور) subpoena
~ حَجْز writ of attachment, writ of sequestration
~ حضور writ of summons
~ حقّ writ of right
~ حيازة (: تسليمها) writ of possession
~ دوطة writ of dower
~ رادع (أو مانع) injunction
~ ردّ writ of restitution
~ زجريّ (رادِع) restraining order
~ طَرد (من مؤجَّر) writ of ejectment
~ عاديّ rule of course
~ عارض interlocutory order
~ فاسخ (شرطيّ) rule *nisi*
~ قائم standing order
~ قضائيّ judicial writ
~ قَطْعيّ peremptory writ, rule absolute

أمْرٌ مجلسيّ (وزاري) order in council
~ مراجعة (: إعادة نظر) writ of review
~ بمرسوم decretal writ
~ مساعدة (على تنفيذ) writ of assistance
~ منع writ of prevention
أمَرَ order, command
~ (: أوجب قانونًا أو قضائيًا) enjoin (*a person to act; a duty on somebody; on somebody something*); decree (*as a court or a judge does*); instruct (*a person to perform something*), direct
~ (: قضى) ordain (*somebody to perdition*)
امْرَأة woman, adult female
~ (: زوجة) wife
أمْرَضَ sicken; make ill
امْساك constipation, costiveness
أمْسَكَ (باليد) hold (*something*), take (*or lay*) hold (*of*); grasp, clutch; seize; retain
أمسك (: كَفَّ) cease (*doing*), abstain (*from*), forbear (*from*), desist (*from*)
~ (: منع) preclude (*somebody*), keep (*from*), hold back (*from*), withhold (*something from somebody*), restrain
أمْضى (: وَقَّع) sign one's name, subscribe (*one's*) name to (*an application*), set one's hand (*to an agreement*)
~ (: قضى ، صرف) spend (*one's leisure*), pass, while (*or wile*) away (*time*)
~ (: أنفذ) execute (*sale*), carry out, perform (*contract*)
~ (: أجاز) (راجع أجاز)
إمْضاء signature
~ (: توقيع باليد) hand, subscription
أمْعاء bowels, intestines
إمَّعَة half-witted or half-wit; (*a person*) wanting in opinion, ever adhering to another's opinion
أمْعَنَ persist (*in*), proceed deep (*into something*), carry (*act*) to excess
إمْكان possibility, feasibility (*of success*), practicability
إمْكانِيَّة potentiality, potential
~ (: بوادر) prospects (*of success*)
~ (: إمكانيّات : مصادر يُعتمد عليها في شأن) resources
أمْكَنَ be possible, be feasible or practicable
أمَلٌ hope, fond expectation
أمَّلَ hope, fondly expect, look forward (*to something*)
أمَلَّ bore, irk
أمْلى dictate (*orders, letters, etc.*)
~ (تعسُّفًا) command arbitrarily
مُمْلٍ dictator
مملى عليه (ج) amanuensis(es)
إمْلاء dictation
~ (: أمر تعسُّفيّ) arbitrary command
إمْلائيّ ministerial (*duty*), mandatory (*provision of a statute*); dictatorial (*manner*)
~ (: صادر عن مجرّد رأي خاصّ يغلب عليه الغرور ولا يقوم على برهان) dogmatic (*statement, etc.*)
أمَّمَ nationalize
آمِن safe, secure
أمَّنَ insure, underwrite (*a loss as an insurer*); secure (*arrival of provisions*), ensure (*success*)
~ حقًّا عقاريًا (من مطالبة) quiet a real title
أمْنى ejaculate (*sperm*)
إمْناء seminal ejaculation, ejaculation of sperm
إمْهار dotation
أمْهَق albino
أمْهَل respite (*from payment*), give or grant respite, reprieve (*a condemned person*)
أمْوال effects, properties, belongings
أمور matters, questions
~ مستعجَلة [قضاء] summary matters
أُمومَة maternity, motherhood
أُمومِيّ maternal (*care, etc.*)
أُمِّيّ (: يجهل القراءة والكتابة لغير عاهةٍ في عينيه) illiterate
أمير prince
أميريّ (: عائد للدولة) domanial (*land, property, etc.*)

أمين (: موضع أمانة أو اعتماد) trusty (*person*), trusted, trustworthy, dependable
~ (: حفيظ على شيء) trustee (*of a bankruptcy, a will, etc.*); keeper
~ (: مأمون الجانب) safe (*side, travel, etc.*); innocuous (*drug*)
~ (من خطر) secure (*from danger*), safe
~ سِرّ secretary
~ صندوق treasurer
~ قيود سفينة purser
~ مستودَع warehouseman, storekeeper
~ مكتبة librarian
آنٌ (: حين ، وقت ، فَصْل) time; season
آنَ (: أزف) it is time or high time (*that something was done or somebody did something*); the time has come (*for something to be done*)
أنـا I
~ نفسي ego
أنّى (: حيثما) wherever, in (*to or at*) whatever place
أنابَ delegate (*a person*), appoint (*a person*) as attorney; commission (*someone*) to act instead of another
إنابَة delegation; appointment of an attorney
~ قاصرة imperfect delegation
~ كليّة أو قاطعة perfect delegation
أنـار illuminate, shed light (*upon*), enlighten (*somebody on a subject*)
إنارَة (: إضاءة) lighting; illumination
أنـاط charge (*a person with a duty*), entrust (*someone with a responsibility*); append; attach (*importance, hope, etc.*)
أنانيّة (: إيثار الذات) selfishness; egotism
أنّب . تـأنيب rebuke, reprimand, blame
أنبَأ (راجع أخبَر)
انبَثَق (: طلع) emerge; break (*as of dawn, etc.*)
~ (: انفجر ، اندفع) spring (*from*), burst, rush
~ (: انشقّ) rend, split
~ (: صدر) issue or emanate (*from*)

انبَرى (لخصومة) (راجع تصدّى)
~ (: تـأكّل) abrade, scrape (*off*), wear away
انبَعَث arise (*from*), rise (*from*), stem (*from*), originate (*from*), emerge (*from*), come (*from*)
أُنبوب tube, pipe; duct (*for carrying electric power*)
أُنبوبيّ tubular
انتاب (راجع أصاب)
إنتاج (بلاد) production, produce, manufacture
~ فرعيّ أو عرضيّ (ينتج في سياق إنتاج شيء أساسيّ) by-product
إعادة ~ reproduction
إفراط في ~ overproduction
قوّة (أو طاقة) ~ productivity, output
انتِباه attention, care; notice (*of something*)
~ (: يقظة لخطر أو ما إليه) vigilance, attentiveness, lookout
~ لازم (قانونًا) due care, proper lookout
انتَبَه (لشأن) pay attention or be attentive (*to*), watch out, be on the watch (*for*), keep watch
~ (: اكترث لشيء ، لاحظه) take notice (*of something*); show deference (*to an old man*)
أنتَج produce, yield, bear (*fruit*)
~ (: سبب) bring about (*war*), bring forth, occasion (*something*), result in, cause
انتَحى step aside, stand (*or go*) out of the way, stay apart
انتِحار suicide, (*wilful*) self-destruction
~ (: تضحية النفس) self-immolation
انتِحاريّ suicidal; self-destructive (*act*)
انتِحال (صفة الغير) false impersonation (*of*), false representation (*of*)
~ (إنتاج الغير الفكريّ أو ما إليه) piracy
انتَحَر commit suicide, kill or destroy oneself (*wilfully*)
انتَحَل (صفة الغير أو شخصيّته) impersonate (*somebody*) falsely, pass one's self of as another

انْتحَل (: تظاهر بحال) feign (*illness*), simulate (*innocence*), represent or assume (*something*) falsely

~ (مؤلّفًا أو نتاجًا للغير) commit an act of piracy

انْتِخاب election

~ بالتزكية uncontested election

~ فَرعيّ by-election

~ مرشَّح return of a candidate

حرّيّة ~ ، حقّ ~ election franchise

مأمور ~ election officer

نتائج ~ election returns

وكيل ~ election agent

انْتِخابيّ electoral (*law, etc.*)

طعن ~ electoral objection, election contest

دائرة انتخابيّة constituency

مِنطقة انتخابيّة election district

انْتَخَب elect (*a candidate*), choose (*a chairman*)

~ بالتزكية return by uncontested election

انْتِداب delegation, appointment (*of a person*) as attorney; deputation

~ (: تفويض إدارة أو ما إليها) mandate

~ (موظّف للعمل في غير دائرته الأساسيّة) secondment

سلطة ~ ، سلطة منتدبة mandated authority

انْتَدَب delegate, depute, commission (*for some purpose*)

~ (شخصًا لعمل في غير دائرته الأساسيّة) second (*a person*)

انْتَزَع abstract (*a confession*), extricate (*a trapped object*), extract (*a tooth*), take away (*something from somebody*), strip off (*one's clothes*), remove (*doubt*); pluck (*a bud, a fruit*); detract (*from a value*)

انْتِساب affiliation (*in an organization*)

~ (: عضويّة) membership (*in an association, a club, etc.*)

~ (: صلة) attachment, relation

انْتَسب be affiliated (*to an organization*); associate (*with*); join (*a society, a club*)

~ (: اتّصل بجهة) be connected (*with*) or related (*to*)

انْتِشار spread (*of property*), spreading, diffusion (*of learning, publicity, etc.*); proliferation (*of nuclear weapons*); outbreak (*of disease, hysteria, etc.*) pervasion (*of rumours*)

انْتَشَر spread, diffuse; break out (*as of disease, violence, etc.*), pervade (*a system*)

~ (: امتدّ) extend (*to*)

انْتَصَب (: وقف ، ارتفع) stand; rise

~ (لمسؤوليّة ، خصومة ، الخ .) assume (*responsibility, litigation, etc.*), undertake

~ (: أقام نفسه) constitute (*oneself a judge of something*)

انْتَصَر (: دعا لشأن) advocate (*a policy*), plead for (*a cause*)

~ (: ظفر) triumph (*over*), carry the day, be victorious

~ (: ربح) win a victory, overcome

انْتَظَر await (*somebody or something*)

~ (: كان بالمرصاد) be in store for (*somebody*)

~ (: ارتقب) expect (*justice*)

انْتَظَم (: استوى ، استقام) become orderly or organized, fall in line (*with*); become regular or uniform

~ (راجع شمل)

انْتِعاش recovery, boom, prosperity; stimulation

انْتَعَش recover, boom, prosper, flourish

انْتَفى (: زال) be removed or eliminated, disappear, be dispelled (*as of doubt, fear, etc.*)

انْتِفاخ swelling, puffiness; distention

انْتِفاضة convulsion, jerk, spasm

~ (: هبة شعب أو ما إلى ذلك) awakening, renascence

انتِفاع enjoyment (*of property*), benefit, use, user

~ (حقّ) usufruct, estate, fee

~ احتماليّ contingent use

~ تَبَعيّ secondary use

~ متنقّل shifting use

انتفاع ناجز executed use
انْتَفَخ swell, puff up, behave in a blustering or pompous manner; distend
انْتَفَض (: ارتعد من خوف أو برد أو غيرهما) tremble, shake (*from fear*), shiver (*from cold*)
~ (كالمصاب بنوبة) convulse (*with fever, laughter, anger, etc.*)
انْتَفَع (: استفاد) benefit (*from experience*); have use of, enjoy (*a property*); utilize
انْتَقى select, choose
انْتِقائيّ selective
انْتِقال (من جهة إلى أخرى) transfer, removal (*from one direction to another*)
~ (من وَضْع إلى آخر) transition
~ (: تحوُّل من حال إلى آخر) commutation (*from one state to another*)
~ (مال من مالك إلى آخر) alienation (*of property*)
~ (: أيلولة بناء على حقّ أو ميراث أو غيره) devolution, descent
انْتِقاليّ transitional (*period*), *ad interim* (*cabinet*), provisional (*government*); caretaker (*government*)
انْتِقام revenge, retaliation (*upon an enemy*); reprisal(s)
~ (دولة من رعايا دولة أخرى) retorsion
~ إيجابيّ positive reprisal
~ خاصّ special reprisal
~ سلبيّ negative reprisal
~ عامّ general reprisal
انْتِقاميّ revengeful, vindictive, retaliatory
انْتَقَد criticize (*something or somebody*), find fault (*with*); censure
~ (: لام) blame (*somebody for something*)
انْتَقَص (شيئًا حقّه) belittle, disparage
~ (: عاب في شخص) malign (*someone*), speak ill (*of a person*), detract (*from a person's or a thing's merits*)
انْتَقَل move (*from one place to another*), remove (*to a new house*), be transferred, proceed (*to*)
انتَقَل (: تحرَّك من مكان) shift, budge
~ (: غير موضعه) change (*one's*) location or position or residence
~ (من شخص إلى آخر) change hands; devolve (*to or upon somebody*), accrue (*to*), vest (*in*), pass (*to*), be transferred (to)
~ (بالميراث أو ما إليه) descend (*to*)
انْتَقَم avenge (*an insult on someone*), revenge (*his friend's death on or upon the murderer*); retaliate upon (*an aggressor's wife and children*); take or seek vengeance (*on or upon somebody*)
انْتَكَص recant (*opinion*), repudiate, renounce (*previous assertion*)
انْتَمى relate (*to*); be akin (*to*) or connected (*with*), adhere (*to*), belong, follow, identify oneself (*with*)
انْتَهى end, come to an end, expire (*as of a term, validity, etc.*)
~ (من شيء) finish (*with something*)
~ (: أنهى ، أتمَّ) finish (*something or up something*); conclude
~ (عن شأن ، سلوك ، الخ ..) desist (*from*), cease (*doing wrong, etc.*)
انْتِهاء termination (*of something*), expiry (*of validity, period, etc.*); conclusion (*of discussion*)
انْتِهازيّ opportunist
انْتِهازيَّة opportunism
انْتِهاك violation (*of house of worship*), infraction (*of a duty, a right, etc.*), breach (*of contract*), infringement (*of patent*), transgression (*of law, etc.*)
~ ملك الغير breach of close
~ حرمة المحكمة contempt of court
انْتِهاكيّ transgressive; contemptuous (*act*)
انْتَهَر rebuke, chide, check
انْتَهَز seize (*an opportunity*), take (*an occasion*); avail oneself (*of some circumstance to do something*)

انْتَهَك violate (*a law*), profane (*a sacred thing*), break (*a rule*), commit a breach (*of order*), transgress (*a boundary*), infringe (*a copyright*)

انْتَوى (راجع عَزَم)

أُنْثى female

انْثَنى bend, flex

انْثِناء flexion

أَنْجَى deliver, rescue, save

إنْجاب (ذريّة) procreation, generation (*of children*)

إنْجاد aid, succour

~ (بحريّ) salvage

إنْجاز completion (*of some work*), accomplishment (*of a task*), achievement (*in some field of activity*); discharge

~ (عقد ، ميثاق ، وعد أو ما إلى ذلك) performance (*of contract,*), satisfaction (*of covenant, promise, etc.*)

أَنْجَب beget, procreate, sire (*a number of children*), bear children

أَنْجَد aid, succour (*a person in distress*), rescue (*a drowning man*), relieve

~ (سفينة) salvage, salve

أَنْجَز (عملًا) accomplish, complete, finish, finalize, achieve (*something*); discharge

~ (: أوفى بعقد أو عهد) perform; satisfy

انْجَلى (راجع انكشَفَ)

انْحاز lean to (*a certain faction*), incline (*in opinion or preference towards something or somebody*), align (*oneself with somebody*), take sides

انْحِدار (: هبوط) descent, fall; decline

~ (: ميل) inclination, slant

~ (: نزول) slope

~ شديد escarpment

انْحَدَر (: نزل) descend, fall or fall obliquely; glide

~ (: مال) incline, slant, slope, decline

~ (: هبط ، غطّ فجأة) sink, dip

انْحِراف deviation (*from rules*), deflection (*from a course*), digression (*from a subject of discussion*), swerve (*from a purpose*); sheer (*of course*); lapse (*from virtue*)

انْحِراف (: شذوذ خلقيّ) perversion

~ (: ضلال) aberrance, aberration

~ (صحّة) indisposition, illness

انْحَرَف deviate (*from rules*), deflect or swerve (*from a course*), diverge (*from the beaten track*); sway

~ (: تردّى في رذيلة) lapse (*into vice*), drift (*into the habit of gambling*)

انْحَسَر (راجع انكشَف)

انْحَطّ (: هبط) decline, fall, sink

~ (: ساء ، تردّى) grow worse, drifted (*towards bankruptcy*)

انْحَلّ (: ذاب) dissolve

~ (: تفكّك) deteriorate, degenerate, disintegrate, break (*as of oils when heated*)

~ (: فسد) decay, decompose

~ (: تدهور) decline

انْحِلال dissolution (*of marriage, parliament, partnership, etc.*); deterioration (*of relations*), decadence (*of morals*); degeneration or disintegration (*of a system*)

~ (: تدهور ، هبوط) decline

انْحَنى bend, incurvate, curve (*in*), cave (*in*)

انْحِناء curvature; caving in

انْحِياز alignment; inclination, bias, tendency, bent

انْخَرَط join

~ (في جنديّة) enlist

انْخِفاض (راجع هبوط)

انْخَفَض (راجع هبط)

انْدِثار (راجع انقراض)

انْدَثَر (راجع انقرض)

انْدَحَر (راجع انكسر)

انْدِفاع thrust, dash or rush (*forward*)

انْدَفَع dash, rush forward, run (*toward*), charge, thrust (*forward or toward*)

انْدِلاع outbreak (*of war*), eruption (*of hostilities, etc.*)

انْدَلَع break out, flare up, erupt

انْدَمَل heal, patch up, be cured

إنْذار warning, caution, admonition

~ بخطر alarm

~ نهائيّ ultimatum

أنْذَر warn (*somebody against something*), give warning, forewarn, caution (*a person against being careless*), admonish (*someone of a certain danger*)

~ (بسوء) portend (*evil*)

إنْزال (: تخفيض) reduction (*of price*), demotion (*of rank*)

~ (: إيقاع) infliction (*of injury*)

أنْزَل (: حطّ حِمْلًا) take down, unload (*goods*)

~ (: خفّض) reduce (*price*), lower

~ (: أوقع) inflict (*injury*), mete (*out punishment*)

~ (سفينة إلى الماء) launch (*a boat into water*)

أنْزَل (: أوْحى بشأن) reveal (*book, religion*)

انْزِلاق sliding, slip or slipping; avulsion (*of soil*)

انْزَلَق slide, slip, skid

انْزَوى withdraw into a corner, retire (*from friends*), estrange or seclude oneself (*from social engagements*), keep to oneself, keep out of sight

أنْسابٌ relatives, affines

بيان ~ genealogy, pedigree

انْسابَ (: سال ، جرى) flow, run

~ (: صدر) issue, spring

~ (: مضى سَلِسًا) move (*or proceed*) smoothly

انْساق drift; lapse (*into vice*); backslide (*from true belief*)

(انسياق) (*driftage*; *lapse*

أنْسِباء affines, in-laws

انْسِجام harmony, consistency, accordance

~ (: تناسق) concordance; co-ordination

انْسَجَم (: انتظم) fall in line or in tune (*with something*)

~ (: توافق ، ساير) be in harmony or be harmonious (*with*), adjust (*to a standard*), be concordant (*with*)

انْسَجَم (: انصبّ) pour (*forth*), flow

انْسِحاب withdrawal (*from a position or state*), retreat (*to a strategic line, or according to plan*), retirement (*from an activity*)

انْسَحَب withdraw, retreat; retire (*from an activity, a business, etc.*)

~ (إلى شيء) be drawn (*to*), be pulled or dragged (*to or into*); become attracted (*to something*)

انْسَدّ get blocked or obstructed, be plugged or closed

انْسِداد blockage, obstruction

انْسَلّ slip (*by or out without being seen*), slink (*off or away or in or out or by*), sneak (*out or in*), leave or move furtively, steal away

انْسِلاخ secession, dissociation (*from*), withdrawal (*from*)

انْسَلَخ begone, pass, go

~ (عن إقليم أو ما إلى ذلك) secede, dissociate (*oneself from a group of persons*), withdraw

انْسِياب flow

انْسِيابِيّ (من حيث الشكل) streamlined

أنْشَأ (: أسّس ، كوّن) establish, found, form, institute; promote (*a new business*)

~ (: بعث على ، خلق) give rise (*to*), create, raise

~ (: أقام) install (*something*), construct, build up

~ حقّ استعمال (: رتّبه) raise a use

إنْشاء creation, establishment, institution; incorporation (*of a legal or a political body*); development (*enterprise*)

~ (: فنّ كتابة) composition

إنْشائيّ construction(al) (*project*), structural

انْشِطار cleavage, fission

انْشَطَر cleave, split, divide, tear apart

انْشِعاب divergence, difference, disagreement, dissimilarity

إنشعاب (: تحوُّل عن نهج) deviation

انْشَعَب (: تفرّق) diverge, differ, draw apart, disagree

~ (: تحوَّل عن نهج) deviate

انْشِغال engagement (*in business, politics, etc.*)

~ (: عدم شغور) occupancy

انْشَغَل (بشأن) get busy (*with*), be engaged or engage oneself (*with*), be occupied or engrossed (*with*)

انْشَقّ split, break open, secede (*from a union*); cleave (*easily as of wood, etc.*), break apart (*or away as of a body, etc*)

~ (عن مبدإ ، حزب ، جماعة ، الخ ..) desert (*a cause*), bolt, defect

انْشِقاق division (*of a people*), dissension (*of rival groups*); schism (*of church*); secession (*from a front, a union, etc.*)

~ (: تصدُّع) cleavage, cleft, rupture

انْشقاقيّ secessionist (*tendency*), schismatic (*policy*)

أنْشوطة loop

انْصاع (لشأن) submit (*to*), obey (*something*), abide (*by rules, etc.*)

إنْصاف equity; justice

~ (: ترفّع عن الحيف) fairness, fair play

إنْصافيّ equitable

انْصَدَع (راجع انشق)

انْصِرام rupture, severance

انْصَرَف (: مضى) depart, leave; be gone, be off, « scram »

~ (إلى شأن) attend (*to one's business*), look (*after*), give care and thought (*to something*)

انْصَرَم rupture, break (*the peace, relations, etc.*)

أنْصَف redress (*a grievance*), do justice (*to a person, a cause, etc.*), act justly or equitably, be fair (*to or with somebody*); play fair (*with*); give person his due

انْصِهار fusion, melting

انْصَهَر fuse, melt, smelt

انْصِياع submission (*to*), abidance by (*law, rule, etc.*), obedience (*to*)

انْضِباط عَسْكَرِيّ (أو حربيّ) military discipline

قائد ~ provost marshal

انْضِغاط compression; squeeze

انْضَمَّ join (*a project, an undertaking, etc.*), take part (*with*); associate (*with somebody in business*); become affiliated (*to a company, a university, etc.*)

~ (إلى معاهدة) accede (*to*), adhere (*to a treaty*)

~ (في رأي إلى الغير) concur (*with*)

انْضِمام association, affiliation (*of companies, bodies, etc.*)

~ (خصوم) joinder (*of parties to a litigation*)

انْطِباع impression (*on the mind, or of a seal on a document*), effect (*produced on mind or feelings*)

انْطَبَق (على شيء) apply (*to*), be applicable (*to*)

~ (: حكم ، نظم علاقة) govern (*a case*), regulate (*a relation, etc.*)

~ (: قابل) correspond (*to something*)

انْطِلاق release (*from restrictions*), freedom (*from*)

~ (: فوهة انطلاق) exit

انْطَلَق get free, get released; get away (*from something*); escape; run wild

انْطَوى fold, coil

~ (على) involve (*a problem*), carry (*interest, expenses, etc.*), include (*trouble, fees, etc.*); lap, fold (*round*)

~ (على النفس) withdraw, withdraw (*to oneself or from society*), become aloof or reserved

انْطِواء (: اشتمال على شيء) inclusion, involvement (*of risk*)

~ (: انتشار على شيء أو امتداد فوقه) lapping, lappage or overlapping

~ (: عزلة) aloofness, detachment

~ (على النفس) retirement into oneself; introversion

انْطِوائيّ reclusive, aloof, introvert, retired, withdrawn, reserved

إنْعام honour, award

~ (هبة ، بركة) gift, blessing

(على سبيل الإنعام) (*of grace*)

أنْعام cattle, live-stock

إنْعامات honours

سِجل ~ roll of honours

قائمة ~ list of honours

انْعِدام lack (*of something*), want (*of*), absence (*of*); default (*of payment, performance, etc.*), failure

~ الاختصاص want of jurisdiction

~ الأهلية incapacity, incompetency

~ العقب default of issue

~ العوض want of consideration

انْعَدَم fail (*entirely*), be inexistent, be nonexistent

انْعِزال retirement; aloofness

~ (: عزلة) isolation

انْعِزالِيَّة isolationism

انْعَزَل isolate oneself (*from*); retire, withdraw (*from*), step aside

أَنْعَش freshen, stimulate; animate, resuscitate; boost (*trade, etc.*)

انْعَقَد (: اِنْشَدَّ) tighten (*as of rope*), become taut

~ (: آلَ إلى شخص كحكم أو قيادة أو ما إلى ذلك) devolve (*upon*), fall (*upon*), pass (*to*)

~ (ت الخصومة) arise (*as of litigation or dispute*), come about (*or into being*), be established or instituted

انْعِكاس reflexion (*reflection*)

انْعَكَس reflect, become thrown back; show

أنْعَم confer (*something*), bestow, award; bless (*with something*)

أنْعَم (النظر في شأن) scrutinize, examine (*closely*)

~ (فعلاً) do thoroughly, do well or rightly or worthily

انْغَلَق close (*at a certain hour*), shut down

~ (: انسدّ) be obstructed, get occluded (*obstruction, occlusion* (انغلاق

انْغِماس (في رذيلة أو قباحة) indulgence (*in vice*), lapse (*into bad habits*)

انْغَمَس indulge (*in*), lapse (*into*), give free course (*to drink*), partake too freely (*of something*)

~ (في دَيْن) plunge (*in debt*)

أنِفَ (: ترفَّع) disdain, regard (*thing*) beneath one's dignity, scorn (*act, idea*)

آنِف past, previous, bygone

~ الذِّكْر aforesaid, before or above mentioned

أنْف (: منخر) nose

أنفي nasal

إنْفاق (: صرف) spending, expenditure; consumption

~ (إعالة) maintenance, support (*of a family, etc.*)

انْفِتاح (في تفكير أو تعامل) extroversion, open-mindedness, opening (*to foreign thought, ideas*), (*state of being*) outward looking, outwardness

انْفِجار explosion (*of a charge*), outbreak (*of war, rebellion, etc.*), eruption (*of feeling, a volcano, etc.*), burst (*of applause, tears, laughter*); blast

~ (بعد هدوء) recrudescence

انْفَجَر explode, break out, burst out (*or into tears*), blow up, erupt, flare (up)

انْفِراد singleness

~ (في ممارسة ، استعمال ، الخ ..) having sole or exclusive (*practice, use, etc.*)

انْفِرادِيّ unilateral, separate (*use*), exclusive (*enjoyment*), solitary (*confinement*), single (*state*)

ملك ~ property in severalty

انْفِراط (: تفرُّق) dispersal, division

~ (: تصدُّع) disruption (*of a coalition*), breaking down (*of a system*)

انْفَرَج (راجع انكشف)

انْفَرَد (في عمل أو شأن) (*do*) singly or single-handedly, (*act*) separately or severally

~ (بحقّ ، استعمال ، الخ ..) have sole or exclusive

(*right, use, etc.*), be sole (*title holder, user, etc.*)

انْفَرَط — disperse, break down, disrupt, fall apart

انْفِصال — separation, detachment (*of a link*), division (*of interests, classes, etc.*); dissociation, secession (*from a group, a federation, etc.*), scission or breaking away (*of a group, province, etc.*); cleavage (*of parts*), disconnection

~ (: خروج مفصل من موضعه) — dislocation

~ عظميّ — osteodiastasis

أمْر ~ — separation order

أمر ~ قضائيّ — judicial separation

انْفِصاليّ — separatist (*group*), secessionist, schismatic

انْفِصاليّة — separatism, secession

انْفَصَل — detach (*oneself from*), split, separate (*from*), break apart, break away (*from*), dissociate (*from a party in thought, motive, etc.*), secede (*from state, union, etc.*)

انْفَضّ — disperse, dissolve

~ (البرلمان ، الاجتماع ، الخ ..) — rise

انْفَضَح — be scandalously revealed, become notorious or public knowledge, be disgracefully divulged or disclosed

انْفِعال — emotion, rage, passion

حرارة الانفعال — heat of passion

انْفَعَل — get incensed, be highly moved or excited, get impassioned

أنْفَق — spend, expend, lay out (*one's money carefully*)

~ (على : أعال) — maintain, support, aliment

انْفِلاق — cleavage, division; fission (*of nucleus, of a molecule, etc.*)

انْفَلَق — cleave, split, break apart

انْقادَ — be led by, submit (*to force*), yield (*to self-interest*), defer (*to opinion of authority*)

إنْقاذ — rescue (*from something or somebody*), delivery (*from danger*); salvage (*of property from loss*)

أنْقاض — debris; remains, ruins, wreckage

انْقَبَض (راجع انكمش ، انطوى)

أنْقَذ — save, deliver (*from some evil*), reclaim (*a person from vice*), rescue (*a drowning person*), salvage or salve (*property*); retrieve (*one's honour*)

انْقِراض (: اندثار) — extinction

انْقَرَض — become extinct, die out

~ (: انقضى أوانه) — become antiquated or archaic, become obsolete

انْقِسام — division, split, cleavage, dissension (*of opinions, etc.*); breakaway (*from a party, etc.*)

~ (عقائديّ خطير) — schism

انْقَسَم — divide (*on a certain question*), dissent (*on*); split, break away (*from*); cleave (*easily*)

أنْقَص — diminish, cut short; write off (*stock or value of goods*), curtail (*an allowance, a liberty, etc.*), detract (*from value*), undermine (*effect*)

~ من قَدْر شيء (: حطّ من قيمته) — belittle, disparage, depreciate, underrate (*an opponent*)

انْقَضّ — pounce or swoop down (*upon*); descend (*upon*), dive (*on an objective*)

انْقَضى — pass or pass away, be gone, elapse, expire (*e.g.: term, validity, etc.*)

~ (: سقط من حقّ أو ما إليه) — abate, be extinguished

انْقِضاء (: مرور) — passage, lapse (*of time*), expiry (*of a term*)

~ (: انتهاء) — termination

~ (: سقوط) — extinguishment, abatement (*of right, estate, etc.*)

انْقِطاع — discontinuance (*of a practice*), interruption; disruption or rupture (*of talks*), severance, breaking off (*of relations*); cessation

~ الحيض — menopause

~ الطمث — menelipsis, amenorrhea

انْقَطَع — cease, discontinue, break off, desist

(*from backbiting*); be ruptured (*e.g.: relations, etc.*) or severed or cut

انقطع (: وقع في مكان منقطع) be marooned (*on an island, etc.*)

انْقَلَبَ turn over, overturn, turn upside down

~ رأسًا على عقب turn heals over head, somersault

~ (قارب) capsize

~ (سافِلُه عاليًا) turn over, overturn, capsize (*as of boat*)

~ (على شخص) turn against, turn upon (*an accuser*)

إنْكار denial

~ (: تنصُّل ، نَبْذ) disavowal, disclaimer; repudiation

~ صريح flat denial

أنْكَحَ give in marriage, marry (*A to B*)

أنْكَرَ deny, gainsay (*something*), traverse (*a charge, an alleged fact, etc.*), impugn (*a statement, a quality*)

~ (: تنصَّلَ) disown, disclaim, repudiate

~ (على النفس شيئًا) abnegate (*pleasures, etc.*)

انْكِسار refraction, deflection (*from a straight path*)

انْكَسَرَ break (*in or to pieces*), be smashed or shattered

~ (: اندحر) be vanquished or crushed, be defeated

انْكِشاف disclosure (*of intentions*), exposure (*of a crime*); dismantlement

~ (أزْمة ، حال ، الخ ..) lifting (*of a crisis*), clearing up

~ (ألم ، كرب أو ما إلى ذلك) alleviation (*of suffering, distress, etc.*)

انْكَشَفَ lay open to view, be exposed or uncovered, lay (*or be revealed*), be dismantled or stripped of covering

~ (: تفرَّج ، انفرج) lift, ease, be relieved, be dispelled, be alleviated

انْكَفَأَ tilt, list, careen

انْكِماش shrinkage, contraction; recession (*of trade, business, etc.*); recoil (*from doing something*); retirement (*into oneself*)

انْكِماش عملة deflation

انْكَمَشَ shrink, contract, retract; recede, ebb; retire (*into oneself*); recoil (*from danger*)

~ [عملة] deflate

أنْمَى (: رَبَّى) cultivate (*a certain spirit*), grow, develop (*mind, body, relations, etc.*)

أُنْمُلَة fingertip

أُنْمُوذَج model (*of sacrifice*), example, prototype (*of an aircraft, a design, etc.*)

~ (لا مثيل له) paragon

أنْهَى (: أتمّ ، أكمل) end, finish, terminate, conclude, wind up (*an argument*), close (*a discussion*), complete (*a task*), finalize

~ (: أخبر) inform, intimate, relate

انْهار collapse, break down, fall (*down*), crack up (*under old age, prolonged cross-examination, etc.*)

انْهَزَمَ suffer defeat, be vanquished

(انهزاميّة (*defeatism*

أنْهَضَ rouse, wake (*somebody*) up

~ (: استنهض) prompt (*e.g.: be prompted by patriotism*), move (*someone's feelings*), stir (*up*), evoke (*a spirit of sacrifice*)

أنْهَكَ exhaust, fatigue, fag, tire; debilitate

انْهَمَكَ be absorbed (*in business*), become engrossed (*in gossip, subject, etc.*)

انْهِيار collapse, breakdown, fall

~ (تربة) avulsion

~ عصبيّ nervous breakdown, nervous exhaustion

آنِيّ [رياضيّات] simultaneous (*equation*)

أَنِيّ (: متأخّر ، بطيء) belated, slow

~ (: كثير الرفق ، حليم ، وقور) compassionate, patient, dignified

أنِيق smart, elegant; neat; graceful

أهاجَ (راجع هَيَّج)

أهان insult, treat with indignity or contempt, affront; outrage

إهانـة insult, treat with indignity or contempt, humiliation

أُهْبَة (أُنظرْ استعداد)

اهْتاج get excited, become agitated or enraged, get heated (*up*)

اهْتَدى reform, mend one's ways, recover one's good judgment, be restored to the right course

~ (إلى شأن) find out (*a solution*), light or come upon (*a remedy*)

اهْترى wear away, abrade

اهْتِراء wear, consumption (*by use*), attrition, abrasion

~ وتفزُّر wear and tear

اهْتَزّ (: ارتجّ ، رجف ، ارتعش) shake, rock; quiver, convulse, vibrate

اهْتَمّ (بشأن) take interest (*in something*), concern oneself (*with*)

~ (: اكترث لشأن) heed (*advice*), attend to (*duty*)

~ (على سبيل الاعتبار أو الاحترام) show deference (*to*)

اهْتمام attention; concern (*about, in*); interest (*in a subject*); notice (*of something*)

~ (: اعتبار) consideration (*for*), heed (*for*); deference (*e.g.: in deference to somebody*)

أهْدى present (*somebody with something*); dedicate (*a book to somebody*); give (*a sum of money to a charitable institution*)

أهْدَأ calm (*zeal, agitation*), quiet down, assuage (*passion*), passify, tranquilize

أهْدَر (: أبطل ، قوّض) nullify, demolish

~ (حقًّا) abandon, give up, throw away, disregard (*right*)

~ (كرامة) demean, abase, outrage, insult, offend (*dignity or honour*)

أهْرَق pour (*water*), shed (*blood*), cause to flow or run

آهِلٌ (: مستأنَس) (راجع أليف)

~ (بسكّان) inhabited

أهَّل (لشأن) qualify (*for*), fit (*for*), groom (*a son for a career*), prepare (*for*)

~ (رَدَّ اعتبار شخص) rehabilitate (*person*)

~ (: زَوَّج) (راجع زوَّج)

أهْل (: أقارب) relatives, kindred, folk, people

~ (منزل : سكّانه) household; inmates of a house

~ (: لائق) fit or fitted (*for*), suitable, capable (*of doing good; a capable lawyer*), eligible (*for marriage, election, etc.*), qualified (*for*), competent (*person; competent to do what is required*)

~ للحياة (: تجتمع فيه مقوّماتها) viable (*project, state, etc.*)

أهْلَك (: أباد) destroy, annihilate

~ (: هدم) demolish

أهْلِيّ (: من السكّان الأصليّين) native, indigenous

~ (: قوميّ) national

~ (: أليف) domestic (*animal*), tame

أهْلِيَّـة capacity (*for learning*), eligibility (*for membership*), qualification (*for employment, any post, etc.*)

~ إيصاء (: أهليّـة للوصيّـة) testamentary capacity

~ للحياة (بحكم توافُر مقوّماتها) viability

~ عقليّـة (: كمال إدراك) mental capacity

~ قانونيّـة legal capacity

ردّ ~ (اعتبار) rehabilitation

إهْليلَجِيّ [إنشاءات] elliptic(al)

إهْمال negligence, neglect, disregard, omission; indifference (*to orders*)

~ (واجب أو فرصة لتفادي ضرر أو ممارسة حقّ دون مبرّر) laches

~ جسيم gross negligence

~ جنائيّ criminal negligence

~ طائش (افتعاليّ) wanton negligence

~ عاديّ ordinary negligence

~ فَرعيّ collateral negligence

~ فعليّ active negligence

إهمال في حدّ ذاتِه negligence *per se*
~ مؤاخذ culpable negligence
~ متداخل (متلازم) concurrent negligence
~ متعمَّد intentional (*or deliberate*) negligence
~ متهوّر hazardous negligence
~ مساعد (ممهد) contributory negligence
~ مفتعَل wilful negligence
أهْمَل neglect (*a duty*), disregard (*rules, the safety of others, etc.*)
~ (: تجاهَل) ignore, show indifference (*to something or somebody*)
~ (: احتقر) slight (*a person*)
أهميَّة importance, significance
~ (: اعتبار) regard, consideration
~ (: وزن) weight; moment
أهْوى (بعصًا ، هراوة أو ما إليهما) whack, smite
آوى quarter (*a soldier*), harbour (*a criminal*), lodge (*a friend*)
آوى (إلى مكان) (راجع سَكَنَ ، نَزَل)
أوان time, season
في أوانه timely, seasonable, opportune
أوباش rabble, riff-raff
أوْثَق (: ربط) bind, fasten, tie (*thing to another*)
أوْج prime (*of life, youth, etc.*), acme (*of power*), summit, peak; climax (*of interest*)
~ (نقطة) (أُنظرْ نقطة الأوج)
أوْجَب obligate (*someone to pay, do, etc.*), compel (*obedience, performance*), prompt (*immediate action*), constrain (*a person to use violence, to act in some particular way*)
أوْجَد create (*hardships*), occasion, give rise (*to friction*), provide (*cash*), procure (*employment, food*), make available
أوْجَز be brief, cut short (*a speech*); curtail (*an argument, a holiday*)
~ (: اختصر ، وضع خلاصة لشيء) abridge, outline, summarize
أوْجَس (راجع خاف)

أوْجَع pain, hurt; ail
أوْجَه ، الأوْجَه (بين حقوق) superior (*title*), paramount (*right*), pre-eminent (*domain, rank, etc.*)
أوْحَى inspire (*somebody to act*), suggest (*the existence of fraud*); disclose (*a secret to a person*)
~ (الله عزّ وجلّ بشأن) reveal, inspire
(الوحي) (*revelation ; inspiration*
~ (: أشار بشأن) intimate, suggest, hint
~ (: أطْلع) reveal, disclose, make known
أوْدَى (بسمعة ، مركز ، كرامة ، الخ ..) destroy or ruin (*one's position*), prejudice (*an interest*), compromise (*a reputation by associating with rogues*)
أوْدَع deposit (*money*)
~ (كأمانة) bail (*goods*), entrust (*something for safekeeping*)
~ (في سجن ، رهن تحقيق ، الخ ..) commit (*a man to prison, a person to custody, an accused to trial, papers to court, etc.*)
~ (شكوى ، عريضة ، الخ ..) lodge, file (*complaint, petition, etc.*)
أوْرَد (: أدّى إلى) lead (*to*), conduce (*to*); precipitate (*a country into war*)
~ (في بيان أو قيد أو كتابة) give account (*of*), record, commit to writing
~ (: ذكر) mention, cite (*an example*), state (*a reason*)
أوْسَطُ mean, middle
أوْسَق load
أوْشَكَ (: دنا من حال أو شيء) near (*collapse*), be close (*to*), approach (*a state of ruin*)
~ (: أشرف على وقوع أو وضع) verge (*on bankruptcy*), be on the verge (*of*), border (*on or upon some condition*)
أوْصى (بشأن) advise (*resumption of diplomatic relations*), recommend (*compromise, a new policy*)
~ (بمنقول في وصيّة) bequeath (*a man two chairs*)

أوصى (بمال ثابت) devise (*a plot of land to somebody*)

أوْصَد (راجع أغلق)

أوْصَل convey, transmit, communicate (*a message*), carry

~ (: رافق) escort, accompany, see (*somebody to the door*)

أوْضَح explain, clarify, elucidate (*a problem*), make plain

~ (: حدّد) specify

~ (: فسّر) interpret (*law*)

أوْعَز hint, suggest, intimate, communicate something indirectly

أوْغَر embitter, exasperate, exacerbate

أوْفى satisfy (*an obligation*), settle (*an account*), pay (*a debt*), perform (*a duty*), fulfil (*a promise*)

أوْفَد delegate (*a person to attend a meeting*), depute

أوْقَد (: أشعل) kindle (*something*), set fire to (*dry wood*), light (*a fire*)

~ (: ألهب ، أنهض الشعور أو ما إليه) inflame (*popular feeling*), arouse, stir up

~ (راجع أشْعَلَ)

أوْقَر overload, load to excess

أوْقَع (خسائر ، إصابات ، الخ ..) inflict (*losses, casualties, etc.*)

~ حجزًا (على أشياء) attach (*property*), distrain (*goods*), levy a distress (*upon*)

~ (في فوضى ، أزمة) throw into (*confusion*), precipitate (*a crisis*)

~ (في أحبولة أو شرك) ensnare, entrap, trick, embroil (*in a mess*)

أوْقَف stop, stay (*execution, proceedings, etc.*); suspend (*publication, from work, etc.*), discontinue

~ (: صدّ أو منع عن عمل) estop (*from doing, enjoying, etc.*), bar (*from*)

~ (انتشار شيء أو مسيره) check (*the spread of something*), arrest (*a process, a movement*), occlude (*passage of air*)

أوْقَف (جهدًا ، مالًا أو غيره على شأن) dedicate, devote (*a fund to a certain purpose*), consecrate (*one's life to the service of God, country, etc.*)

~ (رهن التحقيق) remand on, or place under custody

~ (: أنشأ وقفًا ، ملك بسبيل الوقف) create a waqf, entail in mortmain

أوَّل (: الأوّل) first; foremost (*in rank*)

~ (من حيث الزمن) earliest (*man, civilization*)

~ درجة first class

~ وهلة (: لأول وهلة) first sight (*at first sight*), *prima facie*, first blush

~ (راجع أوّلي)

أوَّلًا بأوَّل currently, up-to-date (أوائل شهر ، سنة ، الخ .. (*early in certain month, year, etc.*

أوْلى (: صنعَ ، مَنَحَ) do, grant (*favour*), accord (*one's confidence*), give

~ (: أوصى) appoint as guardian

أوْلى more deserving, worthier (*of respect*)

من باب ~ with stronger reason, much more or much less; *a fortiori*

~ (: أحقّ) have prior or superior right

أوْلَج introduce (*something into another*), insert (*in, into, between*)

أوْلَوِيَّة priority, precedence

~ (في مرافعة) preaudience

أوَّليّ primary (*significance, meaning, education, etc.*); first (*aid*), initial (*success, process, etc.*)

~ (: أساسيّ) fundamental

~ (: رئيسيّ) staple (*food*), principal (*colour*)

~ (: ابتدائيّ) elementary (*rule, fact, etc.*); rudimentary

عدد ~ prime number

أوْمَأ (إلى) signal (*to*), make a sign or gesture (*with something*), nod; gesticulate; hint

أَوْمَض flash, glint, sparkle
أَوْهى (: أضعفُ) weaker, more feeble
أَوهى (: نال من قوّة شأن) (راجع أضعف)
أَوْهَم delude (*somebody with promises*), deceive, mislead, bluff (*somebody by pretended power, wealth, etc.*), give a false impression
أَوْهَن (راجع أضعف)
أيُّ (: كلّ) any (*person*), every
أيْ (: بعبارة أخرى) in other words, i.e. (*id est: that is to say*), namely, to wit
~ (من اثنين) either (*party, of the two*)
أيٌّ whichever, whatever, whichsoever
أيّار (مايو) May
أيّان when, whenever, whensoever
آيـة sign, portent; marvel
~ (من كتاب مقدّس) verse
إيْثار preference, favour
~ (: محاباة) favouritism
~ الغير (على النفس) altruism
~ النفس (على الغير) selfishness, egotism
إيجاب (: عرض) offer
~ (لم يكشف المعروض عليه عن رأيه فيه) pollicitation
إيجابِيّ affirmative; positive
إيجار (عقد) lease
~ (: أجرة) rent, rental
~ استمرار (يّ) perpetual lease
~ أصليّ (أساسيّ) parent lease
~ باطن sublease, underlease
~ شفويّ parol lease
إيْجاز brevity (*of speech, etc.*), conciseness, shortness (*of expression*), succinctness
~ (: اقتضاب مقالة ، بحث ، الخ ..) abridgment
بإيجاز in brief, succinctly, concisely
إيْحاء inspiration; intimation, disclosure
~ (: وحي من الله عزّ وجلّ) revelation
إيْحائِيّ suggestive, evocative
أيَّـد confirm (*a judgment*), affirm, uphold (*a verdict, a belief, etc.*), support (*a view, a motion*)
أيَّد (: ساند) sustain (*a position*), corroborate (*evidence*), back (*a deal, a person*), support, endorse (*a claim, a statement*), assent (*to a proposal*)
~ (ترشيح شخص) second (*nomination*)
~ (جانبًا) accede (*to a political party*)
إيداع deposit (*of goods, etc.*)
~ (ثقة في شخص) repose (*of confidence in somebody*)
~ (في سجن) commitment (*to prison, custody, etc.*)
(راجع وديعة)
إيـذاء injury, harm, damage (*to property, interest*); mischief (*to person, property*)
إيراد (: دخل) income (*of individual*), revenue (*of government, agency, etc.*), proceeds (*of an enterprise*), return
إيرادات (: مصادر دخل) resources
إيرادات دولة state revenue
إيراد (في قيد أو بحث أو ما إليهما) entry (*on record, entry of a transaction*), inclusion (*in a statement*), mention (*of something in a discussion*)
إيراق foliation
أيْسَرَ become well-to-do, grow wealthy or rich
أيْسَرُ (: يغلب عليه استعمال يُسْراه) left-handed
~ (سفينة) larboard side
~ (من حيث الجانب) left (*side*), left-hand side
إيصاء (بوصيّة) bequest, testamentary disposition
~ (بمال ثابت) devise
حال الإيصاء (: تَوافُر الوصيّة) testacy
إيصائِيّ testamentary, pertaining to a will
~ (: تحبيذيّ) recommendatory
إيصال receipt
~ (: توصيل) connection
~ (: إبلاغ) conduction, transmission
أيْض metabolism
إيضاح explanation, sepecification; elucidation (*of a problem*), clarification
إيضاحِيّ explanatory (*note*); declaratory (*judgment in respect of the rights of parties*); expository (*statute*)

إيعاز intimation, (*indirect*) indication or suggestion, hint (*of something*), innuendo; insinuation

إيقاع rhythm

إيقاف stay (*of execution*), stoppage (*of something*), discontinuance (*of an act*), arrestment (*of process, movement, etc.*)

~ (: صدّ عن تصرُّف أو سلوك [قانون]) estoppel

أيْقَظ (: نبّه إلى خطر أو ما إليه) alert, put (*somebody*) on the alert; warn, caution

~ (من نوم) wake (*up somebody*), rouse (*from sleep*)

أيْقَن be absolutely sure (*about*), be certain (*of something or that some event has occurred*), have no doubt(s) about (*something*)

آيِل vested (*in some person as authority, etc.*), accrued (*to person in profit, interest, etc.*)

إيلاج penetration, insertion (*in, into, between*), introduction (*of something into another*)

أيْلول (سبتمبر) September

أيْلولَة accrual (*of interest, profit, etc.*), devolution (*of authority, power*)

~ (بالميراث) descent

~ (بالردّ) reversion

إيماء ، إيماءَة (: إشارة) gesture, nod, sign, signal; hint

إيمان faith (*in a person or thing*), belief (*in a creed or a principle*)

أيْمَن (جانِب) right side, right-hand side

~ (: يغلب عليه استعمال يُمناه) right-handed

~ (سفينة) starboard side

أيـن where

أيْنما wherever, wheresoever

أيْنَع ripen, mature

أيُّها ، أيُّهُما ، أيُّهُم ، الخ .. whichever (*one chooses*), whoever (*says something*), whatever (*process is adopted*)

بـاءَ (راجع رَجَعَ)

بائس destitute, needy, indigent; distressed, wretched, miserable

بائع seller, vender (*of small wares*), vendor (*in the legal sense*)

~ (بضاعة في دكان أو ما إليه) salesman

~ جوّال أو جوّاب peddler (*pedlar*), hawker, chapman

~ جملة wholesaler

بائن (: مُطَلَّقة) divorced woman

بائنة (: ما تحمله العروس من بيت أبيها من مال أو جهاز عند زواجها) portion, dowry

~ عقارية (يوصى بها للزوج) jointure

صاحبة ~ jointress

بـاب door

~ (: بوابة) gate (*castle, wall, field, etc.*)

~ (في كتاب) chapter, title

بُؤبؤ (عين) pupil

بـاتَ sleep in (*at*), sojourn, or put up, for the night

بـاتّ (: قطعي أو قاطع) decisive, conclusive, definitive

~ (كقرار أو أمر قضائي أو ما إليهما) peremptory, absolute

~ (: نهائي) final

~ (: يقرر شأنا خطيرًا أو ينكشف عنه) crucial

باحَ disclose, divulge (*a secret*), reveal

باحَثَ discuss with (*somebody*), talk to (*person about question*)

باخِرة ship, steamer, steamship

~ خطية liner

~ معيشة tramp steamer

بـادَأَ (: بادر) take initiative (*in action, enterprise, etc.*), make first step, or move (*toward something*)

بادِئ initiator; starter

بادِئة (ترد في مطلع الكلمة لتغيير معناها) prefix (*as pre-, co-, anti-*)

بادَرَ (راجع بادأ)

بادِرة prospect, outlook

~ (: فاتحة ؛ امارة ؛ بشير أو نذير) start, opening; sign, indication; portent, presage, foreboding (*of evil or good*)

بـادل exchange, interchange, swap

~ (: قايض) barter

~ (: قابل عملا بمثله) reciprocate

بِـئر well

~ كشفية (تكشف عن وجود حقل بترول) discovery well

~ منجزة completed well

رأس ~ wellhead

بَـارَ (المعروض من بضاعة) go unsold, lack demand; slump

بـارَى compete (*with*), vie (*with... for*)

~ (في مباراة) race

بُؤرة (عنف ، فساد ، الخ ..) bed (*of violence*)

~ (: نقطة تركيز) focus; focal point

بارِجة battleship

بارَحَ (راجع غادَرَ)

بـارِد cold, cool

~ (: عديم الحس أو الشعور) emotionless, insensate

~ (: هادئ ، عديم الاكتراث) composed, calm, unruffled, imperturbed

بارد جنسيًّا (من حيث الإقبال الجنسي) frigid

حرب باردة cold war

بارَزَ combat, fight; engage in contest (*with somebody*), duel, or fight a duel (*with*)

بارِز prominent; outstanding, distinguished; salient (*feature, characteristic, etc.*)

~ (: ناتئ) in relief

بارِع skillful, adroit (*politician*), dexterous; ingenious (*thing, person, etc.*)

بارِقة glimpse, streak, ray, glimmer

بؤري focal

بُؤس destitution, indigence; wretchedness, misery

باسور hemorrhoid, pile(s)

باشَرَ practise (*profession*); exercise (*power, right, jurisdiction, etc.*); carry out, perform, assume (*work*), take up (*practice, business*)

~ (الاجراء) initiate or commence (*proceeding*)

~ (الدعوى) prosecute (*action at law*)

باطل (: ينطوي على غلط أو اجحاف) wrong, injustice

~ (: غير مشروع ، غير منصف) unlawful, unjust

~ (من إجراء أو حكم أو تصرف) void, null, invalid

باطِن sub, beneath, under, below, within

~ أرض subsoil

من الباطن (سواء أكان مستاجرًا أم مقاولًا أم غير ذلك) sub (*lessee, contractor, etc.*)

باطِني internal; latent (*heat, wealth, etc.*), hidden

~ (: جوفي : في باطن الأرض) subterranean

~ (: متصل بالبطن) abdominal

بـاع sell (*book, house, etc.*), vend (*small wares*)

~ مسكرًا للاستهلاك في المحل sell liquor by the drink

~ في مزاد sell by auction, auction off (*a thing*)

بـاعٌ span

باعِث motive, cause, inducement (*to contract, to indulge a criminal act*)

~ (: حافز) spur

~ *casus*

باعِث على حرب *casus belli*

~ (: بادئ ، منبع حركة أو فعل أو ما إليه) author

بـاغٍ outrageous (*action*), wrongful (*judgment*), oppressive (*rule*), despotic (*person, régime, method, etc.*)

باغَتَ surprise, take unawares

باقٍ ، بَقِيّة remainder (*remaining*), rest, residue, left over

~ (: جزء باق) remanent

~ (: بقية صغرى) remnant

~ (رصيد) outstanding, balance

~ (: نقد فائض على ثمن سلعة أو مستحقات) change

~ من ميعاد (أو مدة) unexpired term, etc.

باكِر early, sooner than usual

~ (النضوج أو النمو) precocious

باكورة (عمل ، جهد ، غلة) first fruits (*of work, effort*), first product

بالٍ (: رث) worn (*out*), threadbare (*suit*), tattered (*uniform*)

بالَى (راجع اهتمّ)

بالَغَ (في شأن) exaggerate, magnify, overdo, overdraw, overstate, carry to excess

بالِغ (: راشد) of age, of legal (*or full*) age

~ (: ناضج) mature

~ (: كبير من حيث السن ، لا حدث) adult

~ (تناسليًّا) viripotent

بالِغ (: بعيد الأثر) great, substantial, profound

~ الشدة grievous

~ التنافر grotesque

بالُوعة sewer

~ (: حفرة مَجارٍ) cesspit

~ (سفينة) scupper

بـان (: ظهر) seem, appear, become visible

~ (: اتضح) clear up

~ (راجع انفصل)

~ (راجع تزوج)

باهَى (راجع فَاخَرَ)

باهِظ exorbitant, grossly excessive; prohibitive (*tax, price, etc.*)

بـايَعَ (: عاهد على بَيْع) contract sale, make

an act of sale, promise to sell
بايَعَ (: عاهد على ولاء) — swear fealty (*to*)
بَـتَّ — determine, decide
بَتاتًا ، البتة (: **قطعًا**) — absolutely (*not*), never,
not in any way, (*not*) at all
بَـتَرَ — sever, disunite
~ (ساقًا ، الخ ...) — amputate
~ (عضوًا) — dismember
بَتْر — severance, amputation
بترول — petroleum, petrol, gasoline
بَـتُول — virgin
بتولية (: غشاؤها) — hymen
بَـثَّ (: نشر) — diffuse, propagate
بَـثْرة — blister, pimple, pock, pustule
~ (: جدري) — pock
بَجَّلَ (: عَظَّم) — honour, revere, venerate, regard
with respect
بَحَّ ، بُحَّ (الصوت) — hoarsen, grow hoarse
بُحاح (: خشونة الصوت) — hoarseness
بَـحَّار — seaman, sailor, mariner
~ (تجاري) — merchant seaman
بَحْت (: مجرَّد) — sheer, pure, mere
بُـحَّة — hoarseness, raucedo
بَحَثَ — discuss, argue; debate, pass (*upon issue,*
etc.)
~ (حقًّا ، ادعاء) — investigate
بَحْث — discussion, argument, debate
~ (عن شأن) — quest (*for*), search
~ (تفصيلي) — dissertation
نقاط ~ — terms of reference
بَـحْر — sea
~ حر — free sea, *mare liberum*
~ مغلق — closed sea, *mare clausum*
~ اقليمي — marginal sea
ما وراء البحر — beyond sea
بُحران (: هذيان مدمنين) — *delirium tremens*
بَحري — nautical, maritime, marine
~ (: بسبيل البحر) — sea (*travel*)
~ (حربي) — naval
بَحريّة — admiralty; navy

محكمة بَحريّة — Admiralty Court
وزير ~ (في بريطانيا) — First Lord of the Admiralty
بِحُكْم — in virtue of, by dint of (*something*)
~ الوظيفة — *ex officio*, by virtue of office
بُخار — vapour; steam
~ الفم (: نفسه الثقيل) — halitosis
~ المـاء — water vapour
بَخَرٌ (: فساد رائحة الفم) — halitosis, fetid breath
بَـخَّر — evaporate; dissipate (*a huge fortune,*
hopes, etc.); draw off in fumes
بَـخَس — disparage, depreciate; underestimate,
underrate
بَـخُلَ — be grasping or stingy, be niggardly or
close or miserly
بُـخْل (: شح) — stinginess, niggardliness, miserliness
بَـخيل — stingy (*person or act*), grasping, niggard
or niggardly, miser
بَـدا (راجع ظَهَرَ)
بَـدْء (: بداية) — beginning, commencement;
origin, inception, initiation; outset
بَدَأَ — commence (*operations, action*), begin,
initiate (*an enterprise*)
بِـدائي (في معيشة أو مستوى أو ما إلى ذلك) — primitive;
backward
~ (: ابتدائي) — of first instance
~ (: في أحط أطواره) — rudimentary (*life, etc.*)
بِـداعِي (شأن) — by reason of, on account of,
through
بَـدانَة — corpulence, obesity
بَـداهة — intuition, obviousness, plainness
~ قضائية — judicial knowledge
بـداوة — bedouin life, desert dwelling
بِدايـة (راجع بـدء)
بَـدَّدَ — squander, waste, dilapidate, dissipate
~ (مخاوف ، الخ ..) — dispel
بِدْعة — novelty, innovation
~ (في دين أو عقيدة) — heresy
بَـدَلَ (راجع أَبْدل)
بَـدَلٌ (: بديل) — substitute (*substitution*), replacement
بَـدَل (: نظير ، مقابل ، علاوة) — for (*trouble taken,*

expenses, etc.), in exchange (*for*), against, as reimbursement (*for*), in consideration (*of*), in place (*of*), as allowance (*for*)

بَدَّلَ alter, change, vary

بَدَّلَ (عملة بأخرى) exchange, convert

~ (سندات بنقد أو ما إليه) negotiate

~ من طبيعة إلى أخرى mutate, permute

بَدَلًا من instead of, in lieu (*or place*) of

بَدَلِيّ (: بديل) substitutional (*thing*), substitutionary, substitute (*person*); alternative (*member*), alternate (*chairman*)

بَدَنِي physical, bodily

بدوي bedouin, desert dweller

بَدِيل substitute, alternative; replacement; subrogate, surrogate (*person, contract, etc.*)

(راجع بدلي)

بَدِين corpulent, obese

بَديهة intuition, immediate insight

~ (رياضية) axiom

بديهي (: واضح) obvious, plain, evident, self-evident, manifest; intuitive

~ (من المسلّمات) postulate, axiomatic

بذاءة (: الفحش في الكلام) obscenity, gross indecency

بَذَرَ sow

~ (: نشر) disseminate, foment (*discord, sedition, etc.*)

بَذَّر squander, waste, spend extravagantly, scatter

بَذْرة seed

بَذَلَ give, offer or extend (*help, funds, etc.*) willingly

~ (: أنفقَ على مشروع أو ما إليه) lay out

~ (جهدًا ، مالا) exert, expend

بَذْلٌ (: عطاء) bounty, liberal giving

بِذْلة suit; dress

~ رسمية (خاصة بأناس دون غيرهم) uniform

~ سهرة evening dress

بذلك (أو بواسطته) thereby

بَذِيء scurrilous (*language*), abusive (*words*), obscene (*exposure, picture, etc.*); filthy, indecent; vulgar, gross (*sign, gesture*)

بَرَّ (: صدق ، اطاع) be truthful, obey, be dutiful

بَرّ (: يابسة) land, *terra firma*

بِرّ charity, benevolence

بَرَى taper off, diminish gradually, whittle (*down*)

بَرِئَ heal; recover, be patched up, return to a sound state

بُرْء (راجع شِفاء)

بَرَّأ acquit, clear (*from charge, etc.*), absolve (*absolution*); exculpate (*exculpation*), exonerate (*exoneration*)

بَراءَة innocence; blamelessness, guiltlessness

~ (: تبرئة) acquittal, absolution

~ (اختراع) patent, letters patent

~ اسبقية patent of precedence

~ تمليك عقاري land patent

~ سبق ، ~ اختراع أول pioneer patent

~ ذمة discharge, quittance, quitclaim

حق ~ patent right

حامل ~ patentee

أهل لبراءة (: يستأهلها) patentable

مكتب براءات patent office

سجل براءات patent rolls, patent register

بِراز (: ما يطرح من امعاء أو ما إليها) excrement

~ (من الدبر) feces

بِراز (: مبارزة) fight, combat, duel

بَراعة ingenuity, candor, skill, adroitness, expertness, knack (*for something*)

بَرّاق sparkling (*metal*), iridescent (*like a rainbow*), glittering

بَربر Berber

بَرْبَري barbarian

~ (: عمل تخريبي) vandalic, barbaric

بَرْبَرِيّة vandalism, barbarism

~ (: تخريب افتعالي) wil(l)ful destruction

بُرْج tower

~ (صغير) turret

بُرجُمة	knuckle, finger joint
بَرِحَ	leave, quit, depart
بَرَدَ	file; smooth
~ (بتكرار الاحتكاك)	abrade
بَرْد (: قَرّ)	cold
بَرَّد	cool, refrigerate
بَرْذعة (: سَرْج)	saddle
بَرَّر	justify; vindicate, show excuse
~ (: علل)	substantiate
بَرَزَ	emerge, rise
~ (: نتأ)	protrude, bulge, project (*forward*), jut or stick (*out*)
بَرَّز (راجع فاقَ)	
بَرْزَخ	isthmus
~ (: فاصل)	partition, barrier
بِرشامة	rivet
بِرْشانَة	wafer
بَرْشَمَ	rivet
بَرْشَمَة	riveting
بَرْعَمَ	bud
بُرْعُم	bud
بُرْغوث	flea, *pulex*
بَرْق	lightning
~ (: تلغراف)	telegraph
بُرْقُع	veil
بُرْقُعي	velar
بَرْقِيّة	telegram, cable
~ (سلكية)	cable, cablegram
~ (سلكية أو لاسلكية)	telegraph
بِرْكة	pool, pond
بَرَكَة	blessing, grace (*of God*)
~ (: سعادة) (راجع سعادة)	
بَرْلَمان	parliament
بَرْلَماني (: له صلة بالبرلمان)	parliamentary
بَرْلَماني (: عضو برلمان مفوه أو حاذق)	parliamentarian
برمائي	amphibian
بِرْميل	barrel
~ صغير	keg (*of brandy*), cask (*of liquor, oil, etc.*)
~ (خمور)	butt
برنامج	programme
(راجع منهج)	
بُرْهان	proof
(راجع إثبات)	
بُرْهَة	while (*as in: stay for a ~ ; a short ~*)
~ قصيرة	moment, instant
~ (: فترة عابرة)	spell
بَرْهَنَ	prove (*a fact*); establish (*truth of something*)
بروتستانت	Protestant
بروتستانتية	Protestantism
بْروتِسْتُو (راجع نكرة)	
بْروتوكول (صحائف تمهيدية)	protocol
بُرود	coolness
~ (: عدم اكتراث ، هدوء)	nonchalance, imperturbability; composure; calmness
~ جنسي	frigidity
بُروز	prominence; emergence, rise
~ (: نتوء)	protrusion, bulge, protuberance, projection
بَرِّي	wild, undomesticated
~ (: بسبيل البر أو يتصل به)	land (*travel, survey, etc.*)
بَريء	innocent, guiltless, clear (*conscience, feeling*)
بريد	post, mail
~ مسجل	registered mail
طابع ~	postage stamp
مكتب ~	post office
أرسل بالبريد	mail
جائز الارسال بالبريد	mailable
مدير مكتب ~	postmaster
طرق بريد	post roads
بريدي	postal
حوالة بريدية	postal (*or post office*) order
علامة (أو سمة) بريدية	postmark
بَريق	gloss (*of silk*), glitter (*of gold*), flash (*of lightning*), sparkle (*of diamonds*)
بَزَّ (راجع فاقَ)	
بَزْباز	nozzle, snout
بِزّة (رسمية)	uniform; distinctive (*suit, dress, etc.*)

بَزَغَ (: طلع ، لاح) rise, emerge, appear, loom, come into view

بَساطَة simplicity, plainness, naivety

بُسْتان garden

بَسْتَنَة (فن وعلم) horticulture, husbandry; gardening

بَسَرَ (راجع عجل)

بَسَطَ (: بين ، شرح) state, set forth (*or out*); expound (*argument, idea, etc.*)

~ (: مد ، نشر) extend (*influence, protection, help, etc.*), stretch forth or out (*arm, limbs, etc.*), spread (*out*), unfold (*wings, etc.*), open up; lay out

~ (: مهد ، سوّى) level (*ground, etc.*), flatten, flat (*material in course of manufacturing process*)

بَسُطَ become easy (*to do or understand*)

~ (: خف من حيث الوقع أو الشدة ، الخ ..) lighten, grow less tense or stern, relax

بَسَّطَ (: سهل ، يسر) simplify, facilitate; free (*from or rid of complications, involvement, etc.*), make simple or easy

~ (: خفف) lighten

~ (: جلى) clarify

بَسْطَة (: سعة) affluence, ease, well-being; ampleness (*of height, length, etc.*), abundance

بسيط simple, mild

~ (: طفيف) light, slight

~ (: واضح لا ينطوي على تعقد) plain (*in style, manner, appearance, etc.*), uncomplicated, unelaborate, uninvolved

~ (: لا اهمية له) insignificant, petty

~ (: ساذج) naive, unsophisticated, gullible, artless, inexperienced

بَشَرٌ mankind, humans

~ (: بشري) human

بَشَّرَ portend good, foreshow (*good tidings*), show good omen; give good news

بُشْرَى (خير) glad tidings

~ (: ما يبشر بخير) good omen

بَشَرة epidermis

بِشَرْط on condition (*that*); subject to (*compliance*); provided that (*something takes place or should occur*)

بَشَرِيّة mankind, human species

بَشِع ugly, heinous (*spectacle, act, etc.*), shockingly evil

بَشِير herald, good omen; forerunner (*of something*)

بَصَرٌ sight, eyesight

قصير البصر myopic, myope

بَصَري visual, ocular; optical, optic

بَصَق spit (*at or upon*)

بَصَلة bulb, tuber, corm

~ (بصل) onion(s)

بَصَمَ (: ختم بطرف الاصبع) ، **بَصْمَة إصبع** fingerprint

بَصِير perceptive, circumspect, having insight (*into*), shrewd (*person*); perspicacious

بَصِيرَة vision, insight, circumspection, perspicaciousness, discernment

~ (: بعد نظر) foresight

بَصِيص streak, glimpse, gleam, glimmer

~ (: أثر) trace

بُصَيْلة bulbil

بضاعَة (: بضائع) goods, merchandise, wares

~ (تاجر) stock

~ (شحنة) freight

~ استهلاكية consumer goods

~ جافة dry goods

~ لا يؤمل نفوقها dead stock

بُطء slowness, sluggishness

~ (راجع تأخير)

بِطاقة card, label, tag (*showing price*)

~ (ترشيح لأحد الأحزاب) (*election*) ticket

~ هوية (أو بطاقة ثبوتية) identity card

بطالة unemployment

بِطانة (ثوب) lining

بِطانَة (دهان)	priming
~ (شخص)	clique, entourage, narrow exclusive circle (*of a person*)
بَطرَك ، بَطْرِيَرْك	patriarch
بَطْرَكِيّة (: وظيفة البطرك أو ولايته)	patriarchate
نظام بطركي : نظام اجتماعي يسوده أبو القبيلة أو العائلة وينحصر الميراث بموجبه في عمود الذكور	patriarchy
بَطَش	deal violently and cruelly, tyrannize (*over*), play the tyrant
بَطْش	despotic behaviour, tyranny
بَطَلَ	abate, cease to be valid or effective
بُطلان	nullity, invalidity
بَطَّنَ	line
بَطْن	belly, abdomen, venter
بَطِيء	slow, inert (*action*), sluggish (*person*)
بُطَين	ventricle
بَظْر	clitoris
طَرَف ~ (: طَرْثٌ)	glans clitoris
كِبَرُ البَظْر	clitoridauxe
بَعَثَ	send, dispatch
~ (: اوفد)	delegate
~ عـلى	cause, create, bring about, conduce to, prompt, elicit, evoke
(راجع مبعوث)	
بَعْثَة	mission
~ (: منحة دراسية)	scholarship
بَعْثَرَ (فَرَّق ، نَثَر)	disperse, dissipate, scatter,
~ (مالًا)	squander
بَعَجَ	gash, cut into (*something*)
بَعْج	gash, incision
~ (داء) (راجع فتق)	
بَعْد	after, post
~ (: خلف)	behind
~ الاجهاض	postabortal
~ الزواج	postconjugal, postconnubial
~ الولادة	*postpartum*
~ الموت	*postmortem*
~ مـا	hereafter, hereunder
بُعْد	distance, extent
بُعْد (: تبايُن)	disparity, difference
~ (ج . أبعاد)	dimension(s)
~ أقصى	maximum distance; out-and-out
خط ~	line of dimension
بَعُد	move away, become remote or distant
~ (: ابتعد ، اعتزل ، اقصى النفس عن شيء)	withdraw, stay aloof, detach (*oneself from*)
بعدئذٍ ، بعد ذلك	thereafter, thereupon
بُعْديّ	dimensional
بَعْض	few (*persons, things, etc.*); some (*place, help, truth, times, etc.*); certain (*matters, things, facts, etc.*)
بَعْل (راجع زوج)	
بَعوضة	mosquito
بَعيد	far, distant, outlying (*locality, etc.*), remote, far-off, faraway
~ (: قصي ، خفي ، غير مباشر)	ulterior (*object*)
~ الاحتمال	remote
~ عن (مكان)	away from (*place*)
~ عن الحقيقة	wide of the truth
بَغَى	outrage, wrong, transgress, offend, sin
~ (: ظلم ، استبد)	aggrieve, act tyrannically or oppressively
~ (راجع فسق)	
~ (راجع طلب)	
بِغاء	prostitution
دار ~	brothel, bawdy house
بَغَتَ (راجع باغَتَ)	
بغتة (راجع فجأة)	
بَغَضَ (راجع كَرِهَ)	
بُغْض	hate, hatred; intense dislike,
بَـقَـرَ	odium, rancour
بُغْيَة (راجع قَصْد)	
بَغيض	hateful, odious
بقاء (على قيد الحياة)	survivorship (*after some event*), survival (*of the fittest*)
~ (: دوام)	permanence, continuity
بَقّال	grocer
بقالة	grocery
بقرَ	gash, slash open

بُقْعَة	blotch, spot, macula, macule
~ (: قطعة أرض)	plot (*of land*)
بَقِيَ	remain, stay; stand
بَقِيَّة	remnant, remaining part, remainder, residue
بَكَى	weep (*for person, for grief, joy, etc.*), shed tears; cry (*for nothing, ~ over spilt milk*)
بَكارَة	virginity; maidenhood
غشاؤها	hymen
بكّت (راجع وبّخ)	
بكَرَ (: خرج باكرًا)	be early (*to leave, to come, rise, etc.*), keep early hour
بِكْر (: مولود أول)	first-born, *anecius*
~ (: عذراء)	virgin
بَكَرَة	pulley, reel
بِكْرِيَّة	primogeniture
بَكَم	dumbness, muteness, aphasia
بَلَّ	wet
بِلًى وتفزُّر	wear and tear
بَلادَة	stupidity, obtuseness, idiocy
بَلاط (ـة)	tile
بلاط (: سَكَن الملك ومقر حاشيته)	court, royal palace
بَلاغ	proclamation, ordinance
~ (له قوة القانون)	edict
~ كاذب	false account
بلاغة (علم ، فصاحة)	rhetoric, elocution
بَلاهَة	moronity, amentia, imbecility
بَلْبَل	disconcert, embarrass; confuse, confound
بَلَد (: ~ ة صغيرة)	town (*township*)
~ (: بلاد)	country; realm
بَلَدِي	municipal
~ (: خاص باقليم معين)	provincial
مجلس ~	municipal council
بَلَدِيَّة	municipality
(رئيسها	(*mayor*
بَلْسَم	balm, cure
~ لكل داء	cure-all, panacea
بَلْطة	hatchet
بَلَعَ	swallow (*one's pride*), gulp down (*a gallon of beer*)
بُلْعُوم	pharynx, throat; guttur, gullet
بَلَغَ (غاية ، منزلة ، الخ ..)	attain, achieve; extend (*to*), arrive (*at*)
~ (حدًّا ، كمية ، رقمًا ، الخ..)	reach, amounts or adds up to
~ الرشد	come of age
بَلَّغ	notify, serve (*notice, summons, writ, etc., upon somebody*)
~ (: خبر ، روى ، الخ ..)	inform, give account (*of*)
~ (عن حادث ، الخ ..)	report, denounce
بَلْغَم	phlegm
بَلَّل	douse, drench
~ (بماء أو وحل)	slosh
بَلْوى (: محنة)	plight, predicament, ordeal
بِلَّور (ة)	crystal
بَلّوط	oak
بُلُوغ	attainment (*of goal, independence, etc.*), achievement (*of success, undertaking, etc.*)
~ (: وصول)	reaching
~ (رقم أو مجموع معين)	amounting or adding up (*to*)
~ (: سن الرُّشد)	full age, legal age, age of majority
~ (: سن الحلم)	puberty
بَلِيَ (: اهترى)	wear out
بِلًى وتَفَزُّر	wear and tear
بلية (راجع بَلوى)	
بَلِيد	stupid, dull
~ (بطيء الفهم)	obtuse
~ (: خامل ، لا شغل له) ، ~ (: مجرد من الذكاء ، لا رأي له)	vacuous, inane
بَلِيغ	serious, grave (*injury, etc.*), grievous
بما ان (: حيث ان)	whereas, considering that
بِمُقتَضَى ، بِمَوْجِب	in accordance with, in pursuance of, pursuant to, in virtue of, under (*a contract*), as per (*letter, order, etc.*)

بَنـى	build, construct, erect (*a wall*)
بنـاء	building, construction
بناءً علـى ...	by (*in*) virtue of, pursuant to or in pursuance of...
بَنَّـاء	builder
~ (: حرفته البناء)	mason
بنـائي	constructive
بنـت	girl; daughter (*of somebody*)
بنتُ أَخ أو أُختٍ	niece
بنتُ خالٍ أو خالةٍ	cousin (*maternal*)
بنتُ عمٍ أو عمةٍ	cousin (*paternal*)
بَنْـد	clause (*of a contract*), section (*of a treaty, etc.*), provision (*of law, agreement, etc.*)
~ (جزئيّـة)	item
~ اشتراطي	stipulation
بُنْدُقِيَـة	rifle, gun
~ صيد	shot-gun
بنْصِر	second finger
بُنُوَّة	filiation, filial affinity
بَنَـوي	filial
بُنّـي	brown, tan; maroon
بنيـان	structure, building, edifice
بُنْيَـة	constitution, physique, physical makeup; build
بهت (راجع كَلَحَ)	
بُهِت (: أُخِذ بالحجة)	be baffled, be perplexed or nonplussed
بُهْتان	falsehood, mentition
بَهْجَـة	beauty; delight
بَهَر (: ادهش وحير)	perplex, bewilder, nonplus
~ (: فاق في بهاء)	outshine; surpass (*in beauty, splendour, etc.*)
بَهَـق	leukoderma
بَهْـو	lobby (*of a hotel*), entrance, hall, vestibule (*of a large house*)
بوّاب (: حاجب)	doorkeeper, gate-keeper, janitor
بوّابَـة	gate, portal
~ (مكس)	turnpike
بواسطة	through (*an agent*), via (*some point or place*), by (*surface mail*); by means of
بواسطة (للمراسلات البريدية)	care of (*c/o*)
بَـوَّب	tabulate, classify, arrange systematically, articulate
بُوتَقَـة	crucible
بُـور	fallow
بُورْصة	bourse, money-market
~ اسهم	stock exchange
~ انتاج ، ~ بضائع	produce exchange
بُوصَلَـة	compass
اتجاه ~	compass bearing
انحراف ~	compass deviation
خطأ ~ أو بوصلي	compass error
قرص ~	compass card
مسير بوصلي	compass course
بوغاز (: مضيق بحري) (راجع مضيق)	
بُـوق	bugle, horn, megaphone
~ (لاغراض الغير)	mouthpiece
بَـوْل	urine
بَـوْلي	urinary, uric
بُوليس	police
~ حربي	military police
~ سري	secret service
نقطة ~	police post or station
بُولِيصة	policy
~ تأمين	insurance policy
~ تأمين على الحياة	life insurance policy
بِيْـئَـة	environment, ambient, milieu
~ (: محيط)	surrounding, setting
(راجع بيئي)	
بَياض	blank
على ~	in blank
بَيـان	statement; account; declaration; representation
~ (لازم لحكم أو محرَّر)	particular, datum, information, detail, specification or item of specification, designation, record, description
~ (اسباب حكم أو ما إليه)	motivation, substantiation
~ (أسماء ، مواضيع ، الخ ..)	index
~ أوضاع	representations

بَيان أسعار	quotation
~ تفسيري	schedule
~ (جزئيات) بضاعة أو أتعاب	inventory
~ حساب	statement of account
~ علاقة مديونية (في طابق افلاس)	statement of affairs
~ أوجه مطالبة	statement of claim
~ مقابل	counter-statement
~ اوجه دفاع	statement of defence
~ مكتوب ، ~ كتابي	statement in writing, record
~ وسع (في العلاقات الزوجية)	allegation of faculties
~ كاذب	false representation, misrepresentation
~ حمولة	bill of lading
~ شحن	manifest
~ تفاصيل	statement of particulars
~ وقائع (ترتكز اليه عريضة الدعوى)	memorial, statement of facts
بيانات (: معلومات ، الخ ..)	data
(جمع بيانات	(*collection of data, gathering of evidence or evidentical facts or materials*
بِيئيّ (: راجع للبيئة ، متصل بها)	environmental
~ (: مترتب على البيئة ، خاص بها أو ببلد معين)	endemic
بيئيّات (: علم طبائع الأحياء وصلتها ببيئتها)	ecology
بَيْت (: دار ، منزل)	house, residence
~ (خاص)	home
~ (: أهل منزل)	household
~ دعارة	bawdy house, house of ill fame, sporting house
~ الزوجية	conjugal or marital home
~ الطاعة	submission home, conjugal home
~ المال	public treasury
بَيَّت النيَّة (الفكر على شأن)	premeditate; think carefully
بَيْدَر	barn
بِيَدٍ غاشمة	with strong hand
بيروقراطية	bureaucracy
بَيَّض (: نسخ بخط واضح)	engross
بَيْضاوي	oval
بَيْضة	egg; ovum

بَيْطَرة	hippiatrics, hippiatry
بَيْطريّ	veterinarian
بَيْع	sale; vendition
اعادة ~	resale
أرْش ~ (راجع أرْش البيع)	
قابل للبيع	salable
~ احتيالي	fraudulent sale
~ إرادي	voluntary sale
~ انتهازي	profiteering sale
~ بخيار الرد	sale and return
~ بالدين	sale on credit
~ بشرط الاستحسان	sale on approval
~ بشرط الاسترجاع	sale with right of redemption
~ تجزئة	retail
~ تجوال	hawking
~ تصفية	clearance sale
~ تنفيذي	execution sale
~ جبري	forced sale
~ جزافي	lumping sale, sale in gross or *per aversionem*
~ جملة	wholesale
~ خاص	private sale
~ صوري	simulated sale, wash sale
~ ضريبة	tax sale
~ على علاته (: حسب العينة مهما كانت البضاعة)	as is: sale of goods by sample as is
~ على المكشوف	short sale
~ فوري ، نقدي	spot sale
~ قضائي	judicial sale
~ مشروط	conditional sale
~ مطلق	absolute sale, sale for money
~ مع العيوب (على علاته)	sale with all faults
~ مُقْسِط	fair sale
~ ناجز	executed sale
~ نقدي	cash sale
بَيْعَة (: مبايعة)	declaration of fealty
بَيَّن	state (*argument*), show (*cause*), indicate (*error*), describe (*act*), set forth (*rule*), illustrate (*procedure*), demonstrate

(*method*), manifest (*weakness*), evidence (*incapacity*)

~ (راجع أوضح)

بَيْنَ (حدين ، شخصين ، شيئين) between

~ (أشياء أو اشخاص عدة) among (st)

بيِّن (راجع واضح)

بَيِّنة evidence

~ مرئية auto-optic evidence

~ مساعدة adminicular evidence

بيِّنة مستندية documentary evidence

~ (على) دين evidence of debt

~ كتابية evidence in writing

~ اثباتية (ثبوتية) probative evidence

~ موضوعية substantive evidence

~ ظرفية circumstantial evidence

بارقة ~ scintilla of evidence

ذرة ~ shred of evidence

بينما while, meanwhile, in the meantime

تائب penitent, contrite
تائِه wandering, stray (*person, thing*)
تابَ repent, feel contrition, turn from sin
تابِع (: تبع) adjunct, appendage, appendant, appurtenant; ancillary (*force, factor*); accessory (*thing*)
~ (: خاضع) subordinate, subject, underling, inferior
~ (شخص) follower
~ (: خادم) servant, attendant
~ اقطاعي vassal
~ (كشركة بالنسبة لأخرى) subsidiary (*corporation*)
توابع (منزل من أرض محيطة به وما إليها) curtilage
تابَعَ follow up, pursue, continue
~ (: اقتفى أثر شيء) trail, track
~ (سرًّا قصد المراقبة) shadow
~ (إرسالًا أو ما إليه من نقطة إلى أخرى) relay
تأتّى arise (*from*), stem (*from negligence*), originate (*from*), derive (*from ignorance, etc.*), issue (*from*), spring (*from*), be caused (*by*), be the outcome (*of*)
تأثّر be affected or influenced (*by*), get swayed (*by*)
~ (بظرف، منظر، الخ ..) be touched or impressed (*by*)
تأثير influence, effect; bearing; impact (*on trade, prosperity, etc.*)
~ (: أثر) impression
~ (: مفعول مطلوب) efficacy
~ غالب (لأمة على أخرى) hegemony
~ باطل unlawful influence
~ غير سائغ undue influence
تــاج crown, royal crown

تاج (عمود) capital
تاجِر merchant, trader, tradesman; dealer; monger (*as in: fishmonger, ironmonger, scandalmonger*)
تاجَر trade (*in commodity*), deal (*in*), traffic (*in*)
تأجّل be adjourned (*of trial, session, meeting, etc.*), be postponed, deferred or put off (*to a future date*)
تأجيل adjournment, postponement, deferment
تــاح (راجع تهيّأ)
تأخّر retard, delay, lag, fall behind, slacken
تأخُّر delay, retardation
~ (شعب، مجتمع، الخ ..) retrogression, deterioration
تاخَمَ (: لاصق) abut, border on, butt; touch
تأخير delay, retardation, belatedness
~ (: تسويف) procrastination
~ (: تأجيل) deferment
~ باطل laches
تأخيري dilatory
تأدب (: تهذب، تحلّى بالأدب) behave oneself, be educated
~ (: تعلّم الأدب) to have a good education
~ (بأدب شخص) (راجع اقتدى)
تأديب (: تهذيب) education
~ (: قصاص) discipline
تأديبي disciplinary, punitive
تأرجَح swing, fluctuate, wabble (*from side to side*), oscillate (*between two points*)
تأرْجُح swinging, fluctuation, oscillation
تارَكَ (البيع: صالَحَ على تَرْكِهِ) compound sale renunciation, agree on waiver of sale
تاريخ history

تاريخ history writing, chronicling (*of events*)
تاريخي historic(*al*)
تاريخية historicity (*of something*)
تـأزّى (راجع استَنْكَفَ)
تـأزّم get deadlocked, reach a deadlock or a crisis, bog down, end in stalemate
تـأزُّم deadlock, stalemate, bogging down, impasse
تأسَّسَ (*be*) founded, established; (*be*) based (*on or upon*)
تأسيسي corporate (*body*), constituent (*assembly, etc.*)
تأشير endorsement
~ (هامشي بشرح أو ما إليه) notation
~ تنفيذ execution return
تأشيرة (لدخول بلد أجنبي) visa
~ (في هامش) entry, notation, mark
تـأصّل be innate, get deep-seated or inveterated
تافِـه trivial, trifling, frivolous, paltry, insignificant, nugatory (*value*)
~ (: لا يستأهل الحساب) negligible
~ (: لا جديد فيه أو طعم له) banal
تـاقَ (إلى) crave (*for*), desire, hanker (*for*)
تأقْلَم adjust; adapt, habituate oneself, get accustomed, be oriented (*to something*)
تأكّد ascertain (*something*), make certain (*of*), ensure (*some fact or state*)
تأكّل (: تآكل) wear out, get eroded or abraded
تأكُّل (: تآكل) corrosion, abrasion
تأكيد (شأن) confirmation, affirmation, assertion
~ (: ضمان) assurance; pledge; guaranty
تـالٍ subsequent, succeeding (*successive*), following, next (*person or thing*)
~ (: آخر) latter
تـألّف consist, be composed (*of*), comprise (*many races, creeds, rooms, etc.*)
تألّق shimmer, shine, glimmer, glisten, glitter
تألّم suffer (*for others' distress, suffer acutely*)
تأليف writing (*of book*), authorship
تاليًا (: فيما يلي) after, hereafter or hereinafter, herebelow, hereunder

تـامّ complete, full (*understanding*), thorough (*study*)
~ (من كل وجه) intact, whole; plenary (*confession*)
~ (: منجز) executed, concluded
تآمـر plot (*the overthrow of government*), conspire (*with*), scheme (*to do something*), intrigue (*with some person against another*)
تـآمُر plotting, conspiring, scheming, intriguing
تـآمُريّ covinous, intriguing, scheming
تأمّلَ hope, look forward to (*something*); speculate (*on fluctuation of prices*)
~ (شأنًا : أنعم فيه التفكير) reflect (*upon*)
تأمُّليّ speculative
تأميم nationalization
تأمين insurance, assurance
~ (: ضمان – دفعة ضمان وفاء) deposit, security
~ ائتماني (أو عهدي) insurance trust
~ اجتماعي social insurance
~ ارباب (أو أصحاب) العمل employers' insurance
~ من الاصابات casualty insurance
~ اقتراني co-insurance, concurrent insurance
~ بحري marine insurance
~ تبادلي (أو تعاوني) mutual insurance
~ تجاري commercial insurance
~ تواكلي أو تسلسلي (بين شركات تضمن به كل منها خسارة الأخرى) interinsurance
~ جماعي group insurance
~ من الحريق (أو ضده) fire insurance
~ حق الملكية من العيوب title insurance
~ من الحوادث accident insurance
~ ضد حوادث العمل employer's liability insurance
~ على الحياة life insurance
~ عادي على الحياة straight life insurance
~ ضد الخسارة (: تأمين الخسائر) indemnity insurance
~ من السرقة burglary insurance
~ على السيارات automobile insurance
~ شامل comprehensive coverage insurance

تأمين صناعي — industrial insurance
~ العهد (: التأمين ضد الخيانة) — fidelity insurance
~ من الأعاصير — tornado insurance
~ على الماشية — livestock insurance
~ مثنى (: تثنية التأمين) — reinsurance
~ مرتب عمري — endowment life insurance
~ مرتب مسانناة — annuity insurance
~ من المسؤولية — liability insurance
~ مغالاة — over-insurance
~ موقوت (محدد بميعاد) — term insurance
موضوع ~ — premises

تأنّى — be cautious, be steady, go slowly, take it easy
التأنّي — caution
تأنيب — reprimand, admonition
~ (شخص ذي شأن أو جهة على تصرف أو ما إليه) — censure
~ ضمير — remorse, compunction, qualm(s)
تاهَ — wander (*about*), stray
تأهّب — prepare, get ready
تأهَّلَ (راجع تزوّج)
تأهيل — qualification
~ (: رد اعتبار أو أهلية) — rehabilitation
تأويل — construction, unrestricted interpretation, deduction, inference
تأيد (من محكمة أو جهة أعلى) — be confirmed or affirmed, receive confirmation (*of authority*)
~ (: ثَبتَ) — be established
~ (بوثيقة ، واقعة ، بيِّنة) — be corroborated or substantiated (*by document, fact, evidence*)
~ (: وَجَدَ سندًا) — be supported or backed (*by some opposition members*)
تأييد — support, backing; assent (*of parliament, crown, etc.*); sanction (*of assembly*)
~ (رأي ، حكم ، الخ ...) — concurrence
~ (: تثبيت) — confirmation, affirmance
~ (بينة ، حجة ، الخ ..) — corroboration
تَباحَثَ (راجع باحَثَ)

تَبادَرَ (إلى الذهن) — occur (*esp. it ~ s or ~ red to me that etc.*), come into one's mind
تبادَل — exchange (*goods, notes*), interchange (*views*), reciprocate (*good wishes*)
تبادُل — exchange, interchange, reciprocation
~ مذكرات — exchange of notes
~ تجاري — trade (*or commercial*) exchange; truck
~ التحية أو المجاملة — reciprocation of greeting, comity, etc.
تبادُلي — reciprocal (*treatment*); mutual (*understanding, advantage, etc.*)
تبارَزَ (راجع بارَزَ)
تباشير — forerunners, precursors, heralds
~ (انتاج) — first fruits
تباعًا — respectively, consecutively, successively or in succession
تباعَدَ — recede, move away (*from*), fall back, draw apart
تباعُد — distance, divergence
~ (: نفور) — alienation, estrangement
تباين — differ, vary (*from*), be unlike or distinct (*in nature or form*)
~ (: تبدل) — change
تبايُن — difference, discrepancy, diversity, variance (*variation*); contrast; disparity (*in condition, rank, age, etc.*)
تبجَّح — boast (*of one's courage*), brag (*about*), vaunt (*own wares*)
تبجُّح — boastfulness, vaunting, bragging
تَبَحَّر (في) — acquire extensive (*or expert*) knowledge (*of*), become versed (*in art, law, etc.*)
تبخَّر — evaporate
تَبَخُّر — evaporation
تبدَّدَ (: تَفرَّق) — disperse, break up or apart, scatter; separate, dissipate
تَبَدَّل — alter, change, vary
تبديد — waste, dissipation (*of fortune, etc.*), squandering (*of good money, resources, etc.*)

تبديل alteration, change
~ (: تحوير جزئي) modification; mutation, permutation, vicissitude; subsitution (*of thing for another*)
~ (عقوبة بما دونها) commutation (*of penalty*)
~ (شيء بآخر) exchange
تبذير profligacy, dissipation, extravagance
تبرّأ (: تنصل من شأن) repudiate, disown, disavow
~ (: حُكِمَ ببراءته) (*be*) acquitted, (*be*) absolved or cleared
~ (من مسؤولية) (*be*) discharged
تبرّع contribute (*voluntarily*)
~ (: وهب) donate
تبرُّع voluntary contribution, donation
تبرعي donatory
تبرّم (: سئم ، ضَجِرَ) grumble (*at, about, over*), be tired or fed up or bored (*with*)
تبرُّؤ (: تنصل) repudiation, disavowal
تبرئة acquittal, absolution
~ الواقع (أو على أساسه) acquittal in fact
~ القانون (أو بحكمه) acquittal in law
تبريد cooling
تبرير justification, substantiation (*of cause, argument, etc.*)
تبسّط (في بَحْث) elaborate (*on a discussion*), give details (*of*), enlarge, expatiate (*on subject*)
تبصّر contemplate or ponder (*consequences*), be circumspect, be cautious
تبصُّر circumspection, insight
تبع follow, pursue (*a certain course*); succeed (*in power, title, etc.*); ensue (*from negligence*); run with (*land, estate, etc.*)
تبعة liability
~ (: مسؤولية) responsibility
تبعثر scatter, get strewn (*over surface*), disperse
تبعي incidental (*effect, image*), consequential (*offence, occurrence*); ministerial (*powers, duties*)
~ (: ملحق بشيء) collateral (*pledge, privilege, security*), accessory
تَبَعي (: خاضع لجهة) subordinate, subservient
تَبَعِيّة appurtenance, belonging
~ (: خضوع) vassalage
~ (: جنسية) nationality
تبْغ tobacco
~ تدخين smoking tobacco
~ مضغ chewing tobacco
تبقّى (راجع بَقِيَ)
تبْكِيت (ضمير أو غيره) remorse, misgiving; qualm
تبلّد be stupefied, become stupid or dull or benumbed
تبلْوَر crystallize
تبْلِيغ service (*of order, notice, papers, etc.*), notification; communication, intimation (*of event, fact*), citation.
~ (: إخبار ، شكوى) denunciation
تِبْن straw
تبنّى adopt, filiate (*natural child*)
~ (مشروعًا أو قضية) espouse (*project, cause*)
تبنٍّ ، التبني adoption, filiation
~ بسيط simple adoption
~ قانوني legal adoption
تبني الولد وهو دون الرابعة عشرة adrogation
تبني البنت وهي دون الثانية عشرة adrogation
تبني الراشد arrogation
تبهّم (راجع أَبْهَمَ)
تبوّأ (منصبًا ، عرشًا ، سلطة ، الخ ..) accede (*to office, throne, power, etc.*)
تبوُّء accession
تبيّن recognize (*an error*), perceive (*a difference*), realize (*that something has happened*), find out, spot (*enemy's position, a thief, etc.*)
~ (: تثبّت من شأن) verify (*statements, items, etc.*)
تتابع recur, follow or occur repeatedly, consecutively or in succession
تتابُع sequence, succession; repetition
تتابُعي consecutive, recurrent
تتبّع trace, trail (*a car*), track (*follow track or*

trail), study out in detail (*or step by step*), detect (*a crime*)

تَتِمَّة continuation, sequel (*of a story*)

تتويج coronation, enthronement

تثاءَبَ yawn

تثاقَلَ be disinclined (*to assist*), be reluctant, reluctate, be slow to respond

تثبَّت (من) verify, ascertain (*some fact*)

تثبُّت ، تثبيت verification, ascertainment

تثبيتُ نسبٍ (: إقرار ببنوة) legitimation

~ (في موضع) stabilizing (*or stabilization*), fixing, riveting

تَثْبيتة fixture

تَثْمير investment

~ تربصي speculation

تَثْمين valuation or evaluation, pricing, price fixing

~ (: تقدير) appraisal, appraisement

تَثْنِية secondment

~ (حجز أو احتباس) recaption

تِجارة commerce, trade; traffic (*in contraband, white slaves, etc.*)

~ أجنبية (خارجية) foreign commerce

~ تقسيط tally trade

~ داخلية (محلية) domestic commerce

~ رقيق slave-trade

~ ساحلية coasting trade

تِجاري commercial, mercantile

تجانَسَ harmonize (*with*), be consistent or uniform; fit in (*with*), be homogeneous

تجانُس homogeneity, homogeny, harmony, uniformity

تُجاه toward or towards, in the direction of

~ (: قُبالة) opposite, facing, in front of, vis-a-vis

تجاهَلَ ignore; neglect; overlook, disregard

تجاهُل ignoring, neglect, disregard

تجاوَبَ respond (*to*), show favourable reaction (*to*); reciprocate (*with*)

تجاوُب response; reciprocity

تجاوَزَ exceed, surpass, overstep (*orders, powers*), override, transgress; transcend (*reason, belief, expectation, etc.*)

تجاوَزَ (عن : تغاضى) overlook; disregard, connive at

~ (عن : اغفل) leave out

~ الحد المعقول في فعل overdo

تجاوُز excess, transcendence, transgression

~ اختصاص excess of jurisdiction

~ صلاحيات excess of powers

~ (: إغفال) oversight, inadvertence

تجاوُزيّ excessive, transgressive

تجدَّد be renewed or restored to a former state

~ (: أدخلت عليه تجديدات) undergo renovation or be renovated

~ (: تكرر) recur, happen repeatedly

تجدُّد renewal; restoration to former state; renovation; recurrence, repetition

تجديد renewal, novation or renovation, rehabilitation, resuscitation, restoration to original state, innovation, regeneration

~ (دعوى) revival (*of suit*)

تجديدي innovative (*remedy, method, etc.*)

تجرَّدَ to be free (*from*) or unaffected (*by*); act without bias or prejudice, be objective (*in judgment*)

~ (لشأن دون غيره) devote (*oneself to something*), dedicate or consecrate oneself (*to*)

تجرُّد objectivity or objectiveness (*of outlook*); neutrality, freedom from bias or prejudice

~ (لغاية) devotion (*to*), dedication (*to duty*), consecration

تجريب trial, test

~ (: خبرة) experience

تجريبي experimental, trial (*run, deal, etc.*), pilot (*scheme, exercise*)

~ (: يقوم على خبرة وتجريب) experiential

تجريد divestment (*of right*), divestiture (*of title*), despoliation (*of belongings*)

~ (: حرمان) deprivation or privation (*of food, shelter, etc.*)

تجريم — incrimination, inculpation
تجريمي — incriminating, inculpating
تجزّأ — split, divide, break away (*or up*)
تجزئة — division, partition, apportionment
~ (دعوى) — splitting (*cause of action*)
~ [تجارة] — retail
بائع بالتجزئة — retailer
سعر ~ — retail price
تَجَسَّدَ — be embodied (*in*)
تجسَّس — spy (*on*), stag, watch secretly or surreptitiously
~ (بمسجلات تدسّ في الجدران أو الخطوط الهاتفيّة) — bug
تَجَسُّس — espionage, spying, espial
~ (بسبيل الجدران أو الخطوط الهاتفية) — bugging
تجشَّم — suffer, incur (*hardships*), meet (*with*), encounter (*difficulties*)
تجعَّدَ — wrinkle; writhe, crease, crimp
تجعُّد — wrinkle, wrinkling, line (*a face*), furrow; writhing; creasing, crimping
تجعيدة — wrinkle, crinkle
~ (: ثلم) — furrow
تجفيف — desiccation, drying (*up*)
~ (كلي من السوائل) — dehydration
~ (تربة ، ازالة مياه) — drainage
تجلَّط — coagulate; curdle, clot
تجلُّط — coagulation; curdling, clotting or clottage
~ الدم — thrombokinesis
تجَمَّد (: أصبح جامدًا) — solidify
~ (من البرد) — freeze
تجَمَّعَ — gather, assemble, congregate, rally (*as of army, company, etc.*), flock (*to*), troop (*up*)
~ (من شيء) — accumulate, collect
تجمُّع — gathering, assemblage, congregation, accumulation, collection
تجَمْهَرَ — crowd, congregate, gather
تجَمْهُر — crowding, congregation, gathering, assemblage

تجميع — compilation (*of data*); collection; gleaning (*of material left over*); assemblage (*of parts*), collocation (*of words*), cumulation (*of money*)
تَجَنَّى — be unfair or unjust (*to*)
~ (: رمى بجناية) — incriminate, impute a crime (*to someone*)
تَجَنَّبَ — avoid, avert (*vice, failure*); eschew (*action, hard work*), shun (*food*), keep clear (*of something*)
تَجَنَّدَ — enlist, join the army (*or air force or navy*)
تجنَّس — naturalize, adopt citizenship
تجنُّس — naturalization; indenization
تجنيح (سفينة وما إليها) — stranding (*of ship*), running aground
تَجْنِيد — enlistment, levy, draft
~ (: تعبئة) — mobilization
~ اجباري — conscription
تجهيز — equipment, outfit (*outfitting*); furnishing; provision
تجهيل (باسم) — misnomer, misrepresentation, concealment of identity
تَجْوال (في أرض لبيان حدودها) — perambulation
تجوّف — cave in, incurvate
تجوّلَ — walk about, make the round (*of*), tour; perambulate
~ (لوعظ أو قضاء بين الناس أو غيره) — itinerate
منع تجوُّل — curfew
تَجويف — cavity, cavitation, hollow
~ (: جيب) — pocket
تجيير (ورقة ، الخ ..) — endorsement
(راجع تظهير)
تَحاتّ — corrosion, abrasion (*of metal, stone, etc.*)
تحاشٍ — avoidance
تحاشى — avoid, shun (*speech*), avert (*collision*), eschew (*food*)
تحاشَى (راجع تَجَنَّبَ)
تحاصَّ — divide (*thing*) into shares
تحاكَّ — come into friction, rub (*against something*)
تحاكَمَ (إلى) (راجع احتكم (إلى))

تحالَفَ ally (*oneself to or with somebody*)

تحامَلَ assail (*person, view*); make an onslaught (*on*); bombard (*somebody with criticism*)

~ (: ظَلَمَ ، كلَّف فوق الطاقة) be unfair (*to*), overburden

~ (ليغيظ) badger (*person*), harass

تحايَل (على مشكلة ، قانون ، الخ ..) circumvent, check (*or defeat*) by ingenuity

تحايُلي guileful, surreptitious, deceptive, ingenious, crafty, wily, sly

تحبيذ preference, recommendation, advocacy

تحبيذي recommendatory

تحْت below, under, beneath

~ (: دون ، من حيث القيمة أو ما إليها) inferior

~ الأرض underground, subterranean

تحَجَّر petrify, become stony

~ (: مات من حيث الاحساس) deaden

تَحَدٍّ ، التحدّي challenge, defiance

تحَـدّى challenge, call in question, defy (*orders, etc.*), throw down the gauntlet (*to somebody*)

تحَـدَّر descend, pass (*to heir, successor, etc.*); move down, sink

تحديد definition, specification, limitation; delimitation, determination

~ (: وضْع حدود) making or setting a boundary

~ (: اتّصال بحد) bordering on, adjoining

~ النسل birth control

تحـذير warning, *caveat*, caution; admonition (*against something*), admonishment

سبق ~ forewarning

تحرٍّ investigation; detection (*of crime*), inquiry; inquest

بوليس ~ detective

تَحَرّى inquire (*about*), ask, investigate (*matter*), make search, or investigation, (*for*)

تَحَرَّر become free, be liberated or set at liberty

~ (من قَيْد أو ما إلى ذلك) be emancipated (*from power of pater familias, political restraint, control, etc.*)

~ (: تَخَلَّص من أعباء) rid oneself (*of burden, trouble, etc.*)

تحرَّز guard against (*something*), secure, make (*thing*) safe, take precautions

تَحَرَّش meddle (*with*), interfere (*in*); molest (*somebody*), provoke, pick up quarrel (*with somebody*); tamper (*with*)

تَحَرَّك move, stir, bustle (*about*)

تَحرير writing

~ (: خطاب) letter

تَحْرير (من حكم ، قيد ، الخ ...) liberation, emancipation, enfranchisement

تَحريري literal (*error*), written (*words*), (*evidence*) in writing

تحريرًا في ... made (*or drawn*) this (*day, etc...*)

تَحريف misrepresentation (*of statements*), twisting (*of facts*)

تحريك الدعوى setting action in motion, revival of action, prosecution of suit

تحريم proscription, banning (*of something*), prohibition, forbidding; interdiction (*of some action*), declaration (*of something*) as taboo or anathema; setting apart (*thing*) as accursed

تحريمي proscriptive

تَحَزَّبَ create, or divide into parties, follow a party line or system, become a party-liner, take one side (*rather than the other of a question*)

تحسَّبَ (: حاول معرفة شأن) seek to learn or to know (*about*), search into, inquire (راجع اكتفى)

تحَسَّس sense (*trouble, danger*), feel; probe (*one's way in darkness*)

تحسين betterment, amelioration

~ (علاقات سيئة بين دولتين أو أكثر) détente

تحشية (بين أسطر) interlineation

تحشير (كتابة بين أسطر) interlineation

تحصيل collection; levy (*of taxes, fees, etc.*)

~ (ايجارات ، ثمرات ، الخ ..) perception; acquisition (*of funds*), obtainment (*of credit*)

تحْضير preparation
تحضيري preparatory
تَحَطَّم break to pieces, be wrecked or destroyed, be smashed or shattered
تحَفَّظَ take precaution or care, guard (*against*), have reservation(s) (*against*)
~ (: توقّى) (راجع تَوَقّى)
~ (: حفظ غيبًا) (راجع استظهر)
تحفُّظ reserve, reservation(s); reticence
تحفظي (اجراء) preventive, protective (*measure, custody, etc.*), precautionary; security (*process*)
~ (: محافظ ، حذِر ، معتدل) conservative, cautious, moderate
تحقّق (: اصبح حقيقة) materialize, be realized
~ (من أمر) ascertain (*thing, fact*), recognize, identify
تحقُّق materialization, realization; ascertainment (*of fact*), recognition (*of error*), identification (*of person*)
تحقير contempt (*to rules*), disdain (*as in: regard with* ~), scorn, affront, despite
~ (شعائر) profanity, irreverence
تحقيق inquiry, investigation; inquest (*by coroner or grand jury*); inquisition
~ بحكم الوظيفة inquiry of office
~ وصايا probate of wills
~ سري (في قضية زوجية أو ما إليها) private examination
تَحَكّر (بضاعة) (راجع احتكر)
تحكّم (في شيء) control, exercise directing (*or restraining*) influence (*over something*)
~ (في شيء للاستغلال) harness
تَحَكُّمي arbitrary; capricious (*orders, wishes*)
تَحْكيم arbitration
~ اجباري compulsory arbitration
~ خياري voluntary arbitration
شرط ~ arbitration clause
تحلّب seep, ooze (*out*), percolate (*through something*), permeate (*through*), exude (*through pores, etc.*)
تحلُّب seepage, percolation, permeation, exudation
تحَلّل dissolve, break up; decompose
تحلُّل dissolution; decomposition
تحليل analysis, identification or separation (*of ingredients*), breaking down (*of elements*)
~ (: إعطاء صفة الشرعية لشأن) legitimation, legalization
تحليلي analytic, analytical; clinical (*opinion, death, etc.*)
تحَمَّس (لشأن) enthuse (*over*), show enthusiasm or zeal, warm up to (*cause, scheme, etc.*)
تحَمَّل (مسؤولية أو ما إليها) bear, shoulder, assume (*responsibility, etc.*), support
~ (مصاريف ، نفقات ، الخ ..) meet, incur (*expenses, charges, etc.*), sustain
~ (: احتمل مشاق ، آلامًا أو ما إليها) endure, suffer
تحَمُّل assumption, incurrence, endurance, sufferance
تحميل loading, lading
~ (: مهنة وسطاء الشحن) stevedoring
~ فوق الطاقة overloading, overburdening
تحوّط take precaution (*against*), take advance care (*for*)
تحوُّط precaution, advance care
تحَوَّلَ (من موضع) move, shift
~ (من شيء إلى آخر) turn into (*gold*), be transformed
~ عن اتجاه change course
~ إلى switch (*to the sugar business*), change over
تحَوُّل transformation; transition
~ (خارق للطبيعة في شكل شيء) metamorphism, metamorphosis
~ (عنصري) transmutation
تحوير alteration, change; commutation (*of penalty to lesser*)
~ تعاقبي processing
تحويل transfer, remittance (*money, etc.*); assignment (*of property in trust, etc.*)

تحويل (: تبديل اتجاه ، تحول) diversion, conversion, deviation, deflection
~ مصرفي bank transfer
(راجع تحول)
تحيّـة salute, greeting; regard(s)
تَحَيَّرَ be puzzled or confused or perplexed (*over, about, problem, etc.*), be at a loss (*what to do*), be uncertain (*as to action or choice*), be in a quandary or a dilemma
تحَيَّزَ side (*with*), incline (*to*), be biased (*in favour of*), show partiality (*toward*), favour (*person or thing*)
تحيُّز partiality, tendentiousness, predilection, inclination; prejudice or bias (*in favour of person or thing*)
تحَيَّن await (*a fitting occasion*), abide (*one's time*)
تخابَرَ communicate (*with*), exchange information, correspond (*with*)
تخاصم quarrel, wrangle, dispute (*deal heatedly*)
~ (أمام القضاء) litigate (*before judiciary*), engage in litigation
~ (بسبيل الكلام الحادّ) altercate, engage in altercation
تخالَطَ intermix (*with*)
~ (: خالط) associate (*with*)
تخالَفَ (راجع اختلَفَ)
تخبّط (شيئا : وطئه بشدة) stamp (*with foot*), trample heavily
~ (: تصرف على غير هدى) blunder, move (*or act*) blindly, flounder (*in mud, in ignorance, etc.*)
تخديد furrowing, grooving
تخدير (بمادة طبية) anaesthetization
~ (بمخدرات أو ما إليها) stupefaction
تخرَّج (في معهد ، جامعة ، الخ ..) graduate (*from*)
تخرُّج (بشهادة علمية) graduation
تَخَرَّصَ (راجع كذبَ)
تخريب destruction, devastation
~ مفتعل sabotage, wilful destruction

أعمال تخريب acts of sabotage
تخريبي destructive
تخزين warehousing, stocking, storing
تخشَّنَ toughen oneself (*or become toughened*), harden, indurate, become inured (*to hardship*), practice hard life
تخصَّص (في فن ، علم ، الخ ..) specialize (*in*)
تخصُّص specialization
تخصيص (شيء لشأن) appropriation, allocation, allotment, assignation
~ (: ذكر الشيء باسمه ، تحديده عيناً) particularization, specification
تَخَطَّى overstep (*powers*), sidestep, outstep, exceed (*limits, instructions*)
تخطيط planning, designing, drawing or laying out a plan
تَخطيطيّ systematic, planned (*economy, measure, etc.*); graphic(al)
تخفيض reduction, cut (*in price, etc.*), rebate (*of tax*), deduction (*of sum, amount, etc.*), abatement (*of costs*)
~ رتبة أو درجة demotion
تخفيف attenuation (*of crime*), remission (*of penalty*); relief (*of pain*)
تخلّى (عن) abandon, relinquish, renounce; surrender (*power*), waive (*right*)
~ (عن نهج) fall away (*from*)
تخَلْخَل (: اهتز) shake
~ (: اهتز بعنف) rock
تَخَلَّص escape (*from responsibility*), save oneself (*from liability, disaster, etc.*), get rid, or rid oneself (*of person*)
تخلّف (في عمل ، أداء ، مسير ، الخ ..) fall behind, drag or lag (*behind*), slacken, become retarded
~ عن حضور fail to appear, absent oneself
~ (عن فعل) fail (*to do*)
~ (عن واجب) default
تخلُّف (عن حضور محاكمة ، الخ ..) non-appearance, contumacy

تَخلَّل fall between or in the course (*of something*), interpenetrate, permeate (*layers of earth*); (*of programme*) have intervals (*of*); be punctuated (*with protests, applause*)

التخلّي (عن شأن) relinquishment, renunciation, surrender, waiver

تخلِيَة (سبيل) release, discharge (*of prisoner*)

~ (: قهر على إخلاء عقار) ejectment

امر ~ ejectment order, order to quit

قاهر على ~ ejector

تخلِيص clearing (*clearance*)

تُخمَة (: عسر هضم) dyspepsia; indigestion

تخمَّرَ ferment

تخَمُّر fermentation

تخميد [هندسة] amortization

تخمين appraisal, appraisement

~ (: تقدير) estimate

~ (: حدس) conjecture, surmise, guesswork

تخَوَّف (من) fear or dread (*something*), anticipate (*something*) with dread, have apprehensions (*about*) or be apprehensive (*of*), have forebodings (*about*); suspect (*something displeasing*)

تُخُوم abuttals (*of land*), metes

تخوين mistrust; want of confidence

تخيَّرَ choose, elect, opt (*for*)

تخيُّر choice, election, option

تخيَّل imagine, fancy; conceive (*the death of the sovereign or of something*), compass (*a plot*)

تخيُّل imagination; conception, compassing

~ (ما لا وجود له) illusion, fantasy

تداخَلَ interfere (*in*)

~ (: اقحم النفس) intrude

~ (بين طرفين) intervene; interpose

~ (جزء من عقار في آخر) lap, overlap

~ (الشيء مع غيره : اختلَطَ) be confused, involved or mixed up (*with*)

~ (من حيث الصلة) interrelate

تداخُل interference

~ (: إقحام النفس) intrusion

~ (بين أطراف نزاع) intervention

~ (شيء مع غيره : اختلاطه أو التباسه) confusion, involvement

~ (من حيث الصلة) interrelation

تداركَ (: لَحِق ، اتبع) overtake, catch up with

~ نقصًا make up for deficiency

~ بعناية attend to; exercise due care

~ باصلاح set right or straight, rectify, correct, remedy

(لا يستطاع تداركه (irretrievable, irreparable

تَداوى get treated, receive medical treatment or care

تَداعَى bring a lawsuit or action (*before the judiciary*), sue (*someone*), litigate (*in a court of law*)

~ (: انهار) collapse, give way, fall into partial ruin

تداوَلَ (في شأن) confer, deliberate (*how thing might be done, upon or over thing*)

~ (كمبيالة ، ورقة مالية ، الخ ..) negotiate, float, circulate

(راجع متداول)

تداوُل (في شأن) deliberation

~ (كمبيالة ، ورقة ، سند ، الخ ..) negotiation, circulation

التداوي treatment, medical treatment or care

تداين (راجع استدان)

تدبَّر (شأنًا) weigh, contemplate (*something*), take stock (*of*), meditate (*on or upon*), ponder (*over*), reflect (*upon*)

تدبير measure, remedy

~ (: حل) solution

~ (سوء) plot

تدجيل imposture; humbug, fraud, charlatanism

تدَحْرَج roll (*down or over*), tumble (*down*); topple

تدخَّل intervene (*in lawsuit, affair, etc.*), interfere (*in*), intercede (*on behalf of another*), interpose

تدخَّل (ليوفق) — mediate
~ (: تطفل) — intrude
~ (فيما لا يعنيه) — break in, intermeddle
تَدَخُّل — intervention, interference, interposition
~ تطفلي — intrusion
~ (للحلول محل الغير في حق أو واجب) — intromission
~ باطل — vicious intromission
~ اختصامي — intervention to join defendant
~ دفاعي — intervention on defendant's side
~ هجومي — intervention on plaintiff's (*or complainant's*) side
~ لازم — necessary intromission
تدرَّب — train (*on some target*), practise (*shooting*); receive training (*in some art or activity*)
تدرَّج — escalate; gradate (*from a state to another*)
~ (في تغيير أو تقدم ، الخ ..) — graduate
تدرُّج — esclation, progression; gradation
~ (: مذهب اشتراكي) — gradualism
تدرُّجي — graduated, progressive
تَدَرُّن — tuberculosis
~ بقري — bovine tuberculosis
~ جلدي — tuberculoderm
~ خفيف — attenuated tuberculosis
~ رئويّ — pulmonary tuberculosis
~ ليفي — tuberculofibrosis
مصح ~ — tuberculosarium
مصاب بالتدرن — tubercular
تدريب — training, practice; apprenticeship
تحت التدريب (شخص) — trainee; apprentice
تدريجي — gradual, by degrees, step by step
تدريس — teaching, tuition, instruction
تدفَّق — gush (*out*), issue or flow (*out*) copiously; outflow
تدفُّق — effusion, gushing out, copious flow (*of supplies, etc.*), influx
تَدَلَّى — hang or overhang; hang loosely, dangle, droop (*from branch, mouth, etc.*)
تَدْليس — fraud, deception, defraudation
تدنَّأ (: أصبح دنيئًا) — debase (*oneself*), degrade or demean (*oneself*)

تَدَنَّى (: دنا رويدًا) — approach slowly; become closer or nearer (*to*)
تَدَنَّس — be defiled (*as of a shrine*), be desecrated,
~ (الثوب) — be soiled or dirtied
تدنَّستِ السمعة — be stained, sullied or blemished
التَدَنِّي (في قيمة أو غيرها) — depreciation
تدني النقد — depreciation of currency
تَدْنيس — defilement (*of a place of worship*), desecration, profanation (*of sacred name*), violation of sanctity
تدَهْوَرَ — fall, sink; slide down suddenly; slump; deteriorate (*as of relation, etc.*)
تدوير — endorsement
تدوين — recording (*of data*), taking record (*of*), putting on record, entry (*on record*)
تدويني (كبعض الأحكام وما إليها) — of record
تديَّن — religionize, show religious zeal
~ (: استدان) — borrow (*money*), run into debt
~ (: اتخذ كدين ؛ اتخذ لنفسه دينًا) — take, treat (*something*) as a religion; follow or adopt a religion
تَدَيُّن — religiosity; devotion (*to a particular faith*)
المبالغة في التدين — religionism
تذاكَرَ (في شأن) — deliberate (*on*), discuss (*subject*)
تذبْذَبَ — oscillate, swing
تذبذُب — oscillation, swinging
تذرَّع — pretend (*ignorance*), plead (*poverty*), allege, feign (*sickness*)
تَذْرِيَة [هندسة] — atomization
تذكار — remembrance, commemoration
~ (: ما يُذكِّر) — memento, souvenir
تذكّر — remember, recall (*a fact*), recollect (*an event*)
تذْكِرة — reminder
~ (: بطاقة السفر) — ticket
تذمَّر — grumble (*at, about or over*), complain (*against treatment, of or about something*)
تراءى (: نظر في شيء) — look or gaze (*at, on, upon or into mirror*)

تراءى (القوم : رأى بعضهم بعضاً) see (*one another*)
~ (لشخص : ظهر له ، تصور) appear, seem; imagine, fancy (*something*)
تُراب dust, earth
~ (: تُربة ، أرض) soil, ground, land
ترابَطَ correlate, interconnect
~ (: انحصر في موقع) remain clogged or confined, get obstructed
ترابُط correlation, interconnection, connection
تُراث heritage; legacy; patrimony
تراجَعَ withdraw, retire, fall back, back, recede (*from position*)
~ (في قول ، وعد ، عمل ، الخ ..) recant, retract, back down, back out (*of undertaking, promise, etc.*)
تراجُع withdrawal, recession; recantation, retraction, backing out
تَراخٍ delay; negligence; lack of diligence, laxity, slackness
تَراخى delay; neglect; lack diligence, be lax or slack
ترادَفَ (: تتابع) follow consecutively or in succession
ترادُف (: تتابع) consecution
~ (: تطابق معاني المفردات) synonymity
تَرَأَّس preside (*over*), chair (*a meeting*) or take the chair, head (*delegation, etc.*); lead
تراشَقَ (بتُهَم ، شتائم) indulge in recrimination, exchange abuse, hurl (*charges and countercharges against each other*)
تَراصٌّ compactness, compression
تراضٍ (: توافق) accord, agreement, harmony
ترافَعَ plead (*before a court*), argue (*a case*)
~ من جديد replead
~ موضوعياً plead to the merits
تراكَبَ overlap (*one another*), lap; extend over (*and cover*), imbricate
تراكُب overlapping, apposition; imbrication (*of leaves, scales, etc.*)
تَراكَمَ accumulate, pile or build up; agglomerate

تَراكُم accumulation, piling up, agglomeration
ترامَى extend (*to considerable length*), range (*to a certain point, over a great area*)
ترامَزَ communicate by symbols or cipher (*or ciphering*)
ترامُز ciphering
تَرَاهن (راجع راهن)
تراوَح (بين مقدار وآخر) range (*from one sum or thing to another*), vary (*between*)
تُرْبَة soil, earth
~ مالحة saline soil
~ سفلية sub-soil
تَرَبَّص (راجع تَرَصَّد)
تَرْبِيَة education, breeding (*of livestock, humans, etc.*), raising, upbringing, rearing, nurture (*of child*), training (*in good habits*)
~ دواجن stock raising
تَرْبيع square, squaring
تربيعي square, quadratic
ترتَّب (على فِعْل أو حق أو شأن) attend, follow, ensue (*from*), issue (*from*), be incident (*to*)
~ (على : لَزِم) be charged (*with*), be bound or obligated or required or expected (*to*), be under a duty (*to*)
~ (: ثَبَتَ دون حركة) stand or hold fast, be firm or motionless
~ (: انتصب) stand upright, stand erect or vertical
ترتيب arrangement, order, organization, regulation (*of payment, subsidy, etc.*)
~ (ارباب ديون ، الخ ..) ranking (*of creditors, etc.*)
~ معاكس (أو عكسي) inverse order
تَرَجَّى implore, entreat, beg, solicit
تَرْجاف (: اضطراب) perturbation, disorder, disturbance
ترجَّلَ dismount (*from a horse*), alight (*from a car*)
تَرْجَمَ interpret (*a speech*), translate (*a book*)
~ حرفيًّا . ترجمة حرفية metaphrase

ترجمـة translation, interpretation

تَرَخَّص hold (*or act or treat*) cheaply, be cheap or mean, compromise (*dignity, right, etc.*)

ترخيص authorization (*to do something*), licence (*to drive a vehicle*), permit, leave

~ بابوي (يجيز ما لا تجيزه الكنيسة) indult

تَرَدَّى fall (*into error, debt, etc.*), sink (*into degradation*), lapse (*into vice*)

تـردَّد (في شأن) hesitate, falter, waver, recoil (*from*), shrink (*from act*)

~ (على مكان) frequent, resort to (*a place*) often, visit often

تـردُّد hesitancy, hesitation, indecision; frequentation

تُرْس shield, scutum

تَرَسانة (راجع مستودع أسلحة)

ترسَّب sediment, deposit, settle; precipitate

ترسُّب sedimentation, deposit; precipitation

تَرَشَّح (: تقدَّم لانتخاب) run (*for membership, presidency*), seek election

ترشيح candidature, candidacy

ترصَّد lie in wait (*for some person*), await (*somebody*); ambush (*an enemy force*), waylay (*person*)

ترصيد balancing, funding (*a debt*)

~ حسابات balancing of accounts

~ دوري rests

تَرْضِيَة compromise; appeasement

تُرْعَة channel, canal, duct, watercourse

~ اصطناعية sluice-way, artificial channel

تَـرَفٌ luxury, sumptuousness; extravagance, self-indulgence

ترفَّع disdain (*to do, doing, something*), scorn

~ (: احتقر) contemn, despise

ترفُّع (عن الصغائر) disdain, scorn

ترفَّق (بـ) act gently, treat (*somebody or something*) kindly, delicately or softly

ترفيع (إلى درجة أعلى) promotion; rise

تَرْقُوَة clavicle, clavicula

تَرْقُوِيّ cleidal

تَرْقِيَة promotion, rise; elevation

تَرَكَ leave (*school, society; mark or effect on something*)

~ (: غادر ، انتقل) depart (*town*), quit, remove, move (*from place to another*)

~ (: تخلَّى عن ، هَجَر) abandon, relinquish

~ (واجبًا) omit (*duty*)

~ (: خَلَفَ) bequeath

~ (: عَهِد بشأن) entrust (*matter, management to somebody*)

تَرْك (: مغادرة ، انتقال) departure, removal

~ (: تخلٍّ ، تنازُل ، هَجْر) relinquishment abandonment, desertion

~ (: قعود عن واجب) omission

~ (: عدم استعمال) disuse

تَرَكَّب consist (*of*), be composed or made up (*of certain elements, parts, etc.*)

تَـرِكة inheritance, estate; succession

~ شاغرة vacant estate or succession

تركيب (: إقامة ، نصب) installation, setting up, mounting (*something*)

~ (: تكوين ، بناء) structure (*of building, human body, etc.*), make up, construction

تركيبة fixture, installation

تركيز concentration; focusing

تَرَمُّل widowhood, viduity

ترميم rehabilitation, repair

~ كلي overhaul

ترنَّحَ (من أذى أو سكر أو غيره) wobble, reel, sway, stagger

تَرَهَّل sag, droop, become flaccid or flabby

ترهُّل sagging, flaccidity, flabbiness

تَرَوَّى be cautious (*in deciding*), do, or act cautiously, be careful, avoid rashness, do little by little

(راجع تَمَهَّل)

ترويج circulation (*of rumours, false notes, etc.*), floating (*of enterprise, bills, etc.*), emission (*of paper currency*)

ترياق — theriac, antidote, antitoxin

تريّث (: أبطأ) — slow, tarry, linger

تزاحم (في مكان) — crowd (*upon a thing or into a place*), throng (*a hall, a passage*)

~ (: التقى من حقوق على شيء واحد) — overlap

~ (من ديون أو حقوق) — be treated pari passu, be dealt with or satisfied without preference

تزاحُم — thronging; lapping, lappage

تزامَن — be simultaneous or synchronous

تزامُن — simultaneousness, synchronism

تزامُني — simultaneous, synchronous

تزاوَج — intermarry

تزاوُج (بين أقربين) — intermarriage, endogamy

تزايَد — increase, grow, mount, build up, augment, multiply

تزايُد — increase, gowth, augmentation

(راجع تزيد)

تزَحْزَحَ — shift, budge, move

تزَعْزَعَ — shake; quaver

~ (: اضطرب) — totter, wobble

تزكية — nomination (*for elective office*)

(انتخاب بالتزكية — (*uncontested election*

تزلّف — seek favour (*with*), fawn (*upon*)

تزَمَّت — fanaticise, be fanatic (*in outlook*), be excessively conservative

تزَمُّت — zealotry, fanaticism, fanatical devotion, excessive conservatism

تزوّج — marry, wed, take as wife (*or spouse*)

تزَوَّد — furnish or supply oneself, make provision (*for the future*)

تزويد — supply, provision

~ (: تعزيز) — reinforcement

تزوير — falsification, forgery

تزَيَّد — supererogate

تزَيُّد — surplusage, supererogation, superfluousness

تزَيُّدي — supererogatory, uncalled for

تزييف — forgery, falsification

تزيين — embellishment; decoration; stimulating portrayal (*of consequence, act, etc.*)

تساءَل — ask oneself; wonder about (*cause of disaster*)

تسامَحَ — be tolerant (*with*), tolerate, be indulgent (*with somebody*)

~ (: اعذر ، اغضى) — excuse, overlook (*a fault*)

~ (: صفح) — condone

تسامُح — indulgence, toleration or tolerance

~ (: لين) — lenity

~ (: صَفْح) — condonation

تسانَدَ (من أدلّة أو أسباب) — be consistent or coherent, be interdependent, be complementary

~ (: استند إلى) — rely or depend (*upon*)

تسانُد (أدلّة ، أسباب) — consistency, coherence (*of evidence, grounds*), interdependence, reciprocal support

تساهَلَ — make concession (*to*), concede, be tolerant or indulgent or lenient (*with*)

تساهُل — toleration (*tolerance*); indulgence

~ (لتسوية وسط بين أغراض شتى) — compromise

تسبَّب (: سبب) — cause (*a disaster*), occasion (*a crisis*), bring about, create (*malcontent*), give rise to (*difficulties, problems, etc.*)

~ (عن) — be caused (*by*), arise (*from*), stem, issue or emerge (*from*), be occasioned (*by*)

تَسبيب (: بيان أسباب) — grounding (*of a decision or judgment*), substantiation (*of action*), motivation (*of a decree*)

~ (: تعليل) — justification

~ (: بعث على شأن) — creation or creating, causation, causing, giving rise (*to*), occasioning

تسجيل — registration, enrollment, entry (*on record*); recording

~ الأراضي — land registration

تسَرَّبَ — leak, escape; infiltrate; find way to (*or into*), become known, seep (*through*)

تسَرُّب (من شيء) — leakage; seepage; escape

تسرُّب (إلى شيء) — infiltration

تسرُّبِيَّة — permeability

تسريح (عمال أو موظفين) — laying off (*of workmen*), dismissal, discharge

~ (جند) — demobilization, disbanding

تسعيرة — quota, quotation; tariff

تسَفَّه — use abusive language, use scurrilous words; be irreverent (*to employer, superior*)

تسقيف — roofing

تسَكَّع — loaf, idle (*around*)

تسَكُّع — sloth, indolence, loafing, idleness

تسَلَّح — arm, take up arms

تسَلُّح — arming

(سباق تسلح — *arms race*)

تسَلسَل — follow in sequence or succession, be arranged in series or in serial order

تسَلسُل — concatenation, succession, sequence or order (*of events, etc.*)

تسَلسُلي — serial or seriated; consecutive, chain (*reaction, collision*)

تَسَلَّط — oppress, deal arbitrarily or despotically, be overbearing, use domineering methods

~ (: تولى سُلطة) — exercise authority (*power or dominion*) over

تسلَّف — borrow (*something from somebody*), overdraw (*by bill or cheque*), take an advance

تسلَّق — climb (*up a pole*), ascend (*a flight of stairs, a mountain*); mount (*a ladder*), scale (*a summit*)

تسلَّلَ — infiltrate (*through the army*), penetrate (*into, through, to*), permeate (*through, among*), sneak (*into an assembly*)

تسلَّم — receive; recover (*one's property*), take over (*management, presidency, etc.*)

~ مجرمًا — extradite, obtain the extradition (*of*)

~ مسروقات — reset

تسلُّم — receipt, recovery

تسليف — lending, loaning

تسليم — delivery, handing over, surrender; consignment; remission (*of property, etc.*)

~ رمزي — symbolic delivery

~ باليد — delivery by hand

~ مجرمين — extradition

تسَمَّم — get poisoned; be envenomed

تسَمُّم — poisoning, toxication

~ كحولي — alcoholism

~ الدم — toxemia

~ باللحم — creatotoxism

تَسَنَّى (راجع امْكَنَ)

تسَوُّس — cariosity, decay

تسَوَّل — beg (*food, money*), solicit charity

تسَوُّل — begging, mendicancy or mendicity, solicitation of alms

تسْوِيَة — settlement; balancing (*of account*), squaring (*up*); resolution (*of point, matter, etc.*)

~ سطح — levelling, planing

~ دين (بسبيل الصلح الواقي) — composition of debt

~ تساهل (متبادل بين طرفين) — compromise

تَسْويف — procrastination; delay

تَسْويفي — dilatory, procrastinatory

تسييب — abandonment; relinquishment; desertion

تشاءَمَ — be pessimist or pessimistic, anticipate the worst, be gloomy

تشاؤم — pessimism

تشابَكَ — get involved or entangled or entwined; interlace (*as of branches, threads, etc.*), interweave

تشابَه — resemble (*each other*), be similar (*of habits, things, persons*), akin; be parallel (*with*)

تشابُه — likeness, resemblance, similarity or similitude, affinity (*between languages, plants, races, etc.*); parallelism (*between two instances*)

~ (لاغراض القياس) — analogy

~ إلى حد المطابقة — identity

تشاجر (بسبيل الكلام) — quarrel, wrangle, brawl

تشاجر (: تقاتل) fight
~ (على تافه) squabble
تشارطَ stipulate, bind oneself (*to obligation*), make a binding condition
تشارَكَ enter into partnership, become partners
تشاوَرَ (مع) take counsel (*with*), consult (*with*)
تشاوُر consultation, deliberation
تَشَبَّث (راجع تَمَسَّك)
تشَبَّعَ become saturated
تشَبُّع saturation; satiety; fullness
تَشَبَّهَ follow or take as pattern or model, follow the example (*of*), copy (*somebody*)
تشبيه comparison, use of analogy
~ [بيان] simile
تشتَّت disperse, scatter, break up
تشَتُّت dispersion
~ (شعب) diaspora
تشتيت (راجع تشتت)
تَشَجَّعَ take heart, be encouraged; be emboldened, take courage
تشجيع encouragement
~ (على فعل سوء أوما إليه) incitement or incitation (*to some action*)
تشحيط (سفينة) stranding, running aground
تشخيص (مرض) diagnosis, prognosis
~ (: استدلال على شخص) identification
~ بعد الوفاة paragnosis
~ عن بعد telognosis
اختصاصي ~ diagnostician
تشديد aggravation (*of crime*), intensification of pressure, enhancement (*of attraction*)
تشرَّد wander around continuously, take to vagrancy, become a vagabond; play the vagabond
تشرُّد vagrancy
تشريح (الجثث لمعرفة سبب الوفاة) autopsy, post-mortem examination, dissection
~ (علم) anatomy
~ الأحياء vivisection
تشريحي anatomic, anatomical

تشريع (: وضع قوانين) legislation
~ (: قانون وضعي) legislation, act, statute
~ (استدراكي (يصحح تشريعًا قائمًا) remedial legislation
~ برلماني parliamentary legislation; statute
تشريعات عامة general legislation, statutes at large
تشريعي legislative
~ (: نُظِّمَ أو صدر به تشريع) statutory
مجلس ~ legislative assembly, legislature
تشريفات ceremonies
كبير ~ master of ceremonies
تشرين الأول (اكتوبر) October
تشرين الثاني (نوفمبر) November
تشعَّبَ branch, ramify, diverge, furcate
تشعُّب ramification, divergence, furcation
تشكَّك (راجع شك)
تشكَّل (: نشأ ، تكوَّن) be formed, be established (*by charter*)
~ (: تألف) be constituted (*of 5 members*), be composed (*of words and dashes*), be made up (*of spare parts*)
تشكيل formation (*of troops, areoplanes, ideas*); structure (*of a body*)
~ درجيّ [عسكرية ، طيران ، بحرية] echelon
تشليح robbery (*on a highway*); despoliation (*or despoilment of a shrine*), denudation (*of trees of their leaves*)
تشَنَّج contract involuntarily
تشَنُّج spasm, convulsion, (*involuntary*) contraction (*of muscle*)
~ شعبي bronchial spasm
~ قلبي cardiospasm
~ وقتي (: مَعَص) cramp
تشهير defamation, libel; slander
تشهيري defamatory, libelous; slanderous
~ في حد ذاته defamatory *per se*
تشَوَّهَ (من حيث المنظر) be disfigured or defaced; be deformed
~ (: فسد) be spoiled, impaired or damaged
تشَوُّه deformity, disfigurement, impairment
تشويش interruption, disturbance, confusion

(*as in: everything was in ~*), disarray (*: troops were in ~*)
تشويه (جسدي) mutilation, disfigurement, deformity; mayhem
~ (: قلب حقيقة ، واقع ، الخ ..) distortion (*of truth, fact, etc.*)
تصادَم be in collision (*with*), collide (*against*), clash (*against, with*)
تصادُم collision, impact, clash
~ بحري abordage
تصاعَدَ rise, ascend
~ (: تعاظم ، تزايد) escalate
تصاعُد escalation; ascent
تصاعُديّ progressive (*as of tax*)
تصافَقَ (البائع والمشتري) strike (*bargain, sale, etc.*), conclude (*deal*)
تصالَحَ be reconciled (*to, with*), make it up (*with*), patch up (*quarrel*), come to terms (*with person, company*), make peace (*with*)
تصحيح correction, rectification (*of method, instrument, course*); corrigendum (*of faults, mistakes*); amendment (*of error in a legal document*)
تصدَّى intercept (*an enemy force*); interfere (*with*)
~ (لحيازة باعتداء أو غيره) molest
~ (لخصومة) assume, undertake
تصدَّع cleave, split, divide
تصدُّع cleft, fissure, crevice (*in a wall*)
~ (: انشطار) cleavage
~ (: انقسام) division
~ (بعيد الأثر في عقائد أو ما إليها) schism
تَصَدَّقَ (: اعطى صَدَقَة) give alms, give charity, be liberal to the poor,
~ (: تأيَّد) be confirmed (*as of judgment, by court above*), be affirmed, be sustained
~ (: توثَّق) be authenticated (*as of certificate, act, title, etc.*)
تصديق (رواية ، واقع) credence, belief
تصديق (: مصادقة على شأن) confirmation (*of judgment*), recognition (*of a status*)
~ (برلمان على لائحة ، معاهدة ، الخ ..) sanction as in: (*sanction of bill by parliament*); ratification (*of a treaty*)
تصرَّف dispose of (*funds*); assign (*personal property*)
~ (بملكية) alienate, convey, transfer (*title, etc.*)
تصَرُّف disposal; assignment (*of title*), alienation, conveyance, transfer; practice (*as in: bad ~*), disposition (*of article, property, etc.*)
~ (: سلوك) conduct, behaviour, comportment
~ موارب (معوج) sharp practice
تصْرِيح (: اذن ، ترخيص ، شهادة ابحار أو ما إليها) permit or permission, leave, licence, clearance (*given to ship*)
~ مرور pass
~ (: بيان) declaration, announcement
~ (: اقوال) averment (*of a witness*)
تصعيد escalation (*of resistance, hostilities, cold war, etc.*)
تصَفَّح (كتابًا) run over or through, look into (*a book*), leaf through (*a book*); skim through (*a report*)
تصْفِيَة liquidation, winding up; clearance
~ (: تنقية) purification, refinement
~ تركة settlement of estate
تصَلَّب (: أصبح صلبًا) harden, toughen; become rigid or firm, solidify
~ (في رأي ، موقف أو ما إليه) become intransigent or irreconcilable, be uncompromising or adamant
تصَلُّب hardening (*of an artery*), rigidity, firmness, induration (*of feeling, will, etc.*)
~ (في موقف أو رأي أو ما إلى ذلك) intransigence, irreconcilability, inflexibility
~ الأوردة venosclerosis
~ الشرايين arteriosclerosis

تصميم — determination, resolve
~ (: رسم) — plan
~ (نية : عقدها على أذى ، سبق تفكير) — intent, malice; premeditation
سبق ~ — malice aforethought
تصنَّع — pretend (*sincerity*), feign (*sickness*), sham (*piety*), simulate (*innocence*)
تصنُّع — pretence, display, make-believe, simulation
تصنيع — industrialization, state of being industrialized
تصنيف — classification, rating (*of goods, hotels*), grouping (*of scientific discoveries, species, etc.*)
تصَوَّر — imagine, fancy (*an absurdity*), figure, visualize (*a scene*), conceive (*an idea or a plan or of some event*), compass (*the King's death*)
تصَوُّر — imagination, visualization; conception
تصويب (: تسديد) — taking aim, aim, aiming, pointing of (*a weapon at*)
(راجع تصحيح)
تصويت — vote, voting
حق ~ — franchise, right to vote, suffrage
تصوير — photography (*as art*); portrayal (*of situation, thing, etc.*); representation (*of facts, theories, etc.*)
تصويري — illustrative
~ (: فوتوغرافي) — photographic
تصَيَّد — fish, catch, trap or entrap, capture
تضاءَلَ — dwindle, diminish, shrink (*as of dominion, influence, etc.*), decrease (*in volume, effect, measure, etc.*)
تضارَبَ — conflict, clash
~ (: تباين) — vary, disagree
تضارُب — conflict, inconsistence, discordance, repugnancy
تضاريس — indentations
تضاعَفَ — double, increase twofold or by leaps and bounds
تضاعَفَ (: تكاثر) — proliferate
تضافَرَ — combine, consolidate; coalesce (*as of states, parties, etc.*)
تضافُر — solidarity, consolidation, combination
تضامَنَ — combine, hold together, bring into close association, unite; sympathize (*with party, community, person*)
تضامُن — solidarity, unity; sympathy (*with strikers, protesters, etc.*)
تضامُني — joint (*venture*); sympathetic (*demonstration*)
تضايَق — be annoyed (*by noise, children, nuisance, et.*), be inconvenienced or discommoded, be harassed
تَضْحية — sacrifice
تضَخَّم — swell, distend (*by pressure*), inflate (*as of currency*)
تضخُّم — inflation
تضرَّر — suffer injury or damage, be put to disadvantage, suffer harm or detriment
تضرَّع — pray, make supplication, implore, request earnestly
(راجع توسَّل)
تضَعْضَع (: خضع) — submit, yield
~ (: ضعف ، اضمحل) — wane, dwindle; become debilitated, decline
تضمَّن — include, contain, involve (*expenses, difficulties*)
تضمين [كهرباء] — modulation
تضمينات — liabilities, damages
~ جزائية — vindicative damages
~ مدنية — civil liabilities
~ مشروطة — stipulated damages
تضييع — loss, waste; dissipation (*of wealth*)
~ (حق بمخالفة قانونية) — forfeiture
تضييق (مدى أو نطاق) — narrowing (*of scope*), lessening of width (*or breadth*); constriction (*of outlook*)
~ (: قيد) — restriction (*on trade*), restraint (*on liberty*), limitation

تضييق (الخناق على شيء) — closing in (*on enemy*)

تطابَق — be identical (*with*) or essentially the same; be entirely analogous or parallel; be congruent (*as of two or more things*)

تطابُق — identity; congruence

تطاوَل — assail (*somebody with insults*), assault; abuse (*a superior*), revile (*at*), rail (*at*); affront (*somebody*), be haughty or insolent (*to*), have the boldness

تَطَبَّب — practice medicine without proper knowledge

~ (راجع تداوى)

تطبَّع — get accustomed or habituated (*to*), acclimatize, adjust (*to a certain way of life, conduct, etc.*)

تطبيق — application (*of rule*), administration (*of law, etc.*)

~ (: تنفيذ) — implementation

تطبيقي — applied; practical

تطرَّف — take extreme position or view, be immoderate or excessive

تطرُّف — extremism, immoderation, excess

تَطَرَّق — proceed (*to discuss subject or deal with problem*), move or go on (*to crux of question*)

تطعَّم (بنباتٍ آخر) — be grafted (*in, into, on, upon, together*)

~ (بامصال واقية) — be vaccinated (*against small-pox*), be inoculated (*against cholera with modified virus*)

تطعيم (نوع نبات بآخر) — grafting

~ (بامصال ضد الأمراض) — vaccination, inoculation

تطفّل — parasitize (*on*), intrude (*upon*)

تطفُّل — parasitism, sycophancy; intrusion

تطلَّب — require, demand

~ (: اقتضى) — necessitate

تطلّع (إلى) — look forward to, anticipate, expect

تطهير — purification, disinfection; purgation or expurgation

تطوَّر — evolve

تطوَّر (: نما) — develop

تطوُّر — evolution; development

تطورات (موقف) — developments

تطوَّع — volunteer

تطوُّعًا — voluntarily, willingly

تطوُّعي — voluntary

تطويق (: احاطة بشيء من كل جانب) — circumvallation, surrounding, encircling

~ (: حصار) — investing (*an enemy*)

~ (ناحية : عزلها بطوق) — cordoning off (*of a locality*)

تَطَيَّر — augur evil omen

تظاهَر (بحال) — pretend (*piety*), feign (*sickness*), sham (*a faint*), simulate (*virtue*)

تظاهَر (: قام بمظاهرة) — demonstrate (*against something*), hold a demonstration or a protest march

~ (بغير واقع) — dissemble, give false impression

تظاهُر — pretence, display, make-believe, simulation

تَظَلَّم — complain, bring a complaint (*against decision, person*), submit a grievance

تظهير (: تجيير) — endorsement or indorsement

~ حصري (مانع من التداول) — restrictive endorsement

~ خاص — special endorsement

~ شاذ — irregular endorsement

~ شرطي — conditional endorsement

~ عادي — regular endorsement

~ على بياض — blank endorsement

~ كامل — full endorsement

~ مشروط — qualified endorsement

~ مجاملة (أو تفضل) — accommodation endorsement

تعادَى (راجع عادى)

تعادَل — tie (*with*), equal, be at par (*with*)

تعادُل — parity, equality

تعارَض — conflict (*with*), be incompatible or inconsistent (*with*), contradict (*person or thing*), stand opposed (*to*), disagree (*with*)

تعارَف — know or get to know (*person*), be acquainted (*with*), have knowledge (*of*)

تعارَف (: شخَّص) recognize, identify (*offender*)

تعارك (: تقاتل) (راجع اقتتل)

تعاريج indentations, undulations

تعاشَرَ cohabit (*as husband and wife*), live with

~ (: صاحب ، رافق ، اختلط) associate, make friends (*with*), mix (*with*)

تعـاطٍ practice, use, exercise

تعـاطَى practise (*underhand methods, medicine, etc.*), deal (*with*), trade or traffic (*in*); use (*liquors, narcotics, etc.*), exercise (*an authority*)

~ (: تناول) consume, drink, use, take

تعاطَفَ sympathize (*with each other*), be in sympathy (*intellectually*), commiserate (*with*), favour; support

تعاطُف sympathy, favour; support

تعاظَم grow, increase (*in size, intensity, etc.*), multiply, augment, swell, mount; escalate (*in intensity*)

تعاظُم increase, multiplication, augmentation; escalation, proliferation (*by rapid reproduction*)

~ (بفعل الطبيعة) accretion

تعافَى recover (*from illness*), regain health

~ (الجرح) heal

تعاقَب alternate; succeed by turns

تعاقُب sequence, succession, alternation

تعاقُبيّ successive

تعاقَدَ contract, make a contract, enter into (*or conclude*) a contract

تعاقُديّ contractual

تعالَجَ be treated, receive medical treatment (*in hospital*)

~ (: تعاطى الدواء) take, or be given, medicine

تعامَى be blind (*to*), blind oneself (*to fact, logic, etc.*)

تعامَلَ deal (*with*); transact (*business with person*)

تعامُل dealing, transaction

~ جزافي speculation

تعاهَدَ agree (*to observe or perform something*), promise or engage (*to do or refrain from doing*)

تعاوَن cooperate (*for good, with colleague*), collaborate (*with enemy, in detriment of one's country*)

تعايَشَ coexist

تعايُشٌ coexistence

تعِبَ tire (*of working*), weary (*of monotony*), become weary, be fatigued or fagged

تَعَبٌ fatigue, tiredness,, weariness (*from exertion*)

تعبئة mobilization (*of force, resources, etc.*); enlistment

~ (: تملئة) filling (*of receptacle*), charging (*of battery*)

تعبير expression, language (*of contract, treaty, etc.*); term

~ (: عبارة) phrase

تعثَّر (في مشية ، الخ ..) stagger, wabble, totter, tumble, stumble, trip, proceed trippingly or haltingly

~ في كلام stammer

تَعَجَّب wonder (*at somebody's insolence, how he passed test, to find you alive*), be surprised or amazed (*at something, to etc.*)

تعجَّل anticipate (*events*), expedite (*procedure*); rush a bargain, push or impel forward with speed; precipitate

تعجيل acceleration, expedition, precipitation

تعدّى assault, assail, attack

~ (على عقار ، امتياز ، حق ، شخص ، الخ ..) invade, trespass, encroach upon

~ (على حق طبع ، اختراع ، علامة تجارية ، الخ ..) infringe (*copyright, patent, trademark, etc.*)

(راجع تجاوز)

~ (على حقوق تجارية للغير) interlope

~ (: لحق بشيء وتجاوزه) overtake

تَعداد (سكان ، الخ ..) census or census taking; enumeration

تعدَّد be several, become manifold

تعدُّد plurality (*of offices*), pluralism (*of functions, etc.*); multiplicity

~ الزوجات polygamy

~ الأزواج polyandry

التَعَدي assault (*on persons*), attack, trespass on property, invasion, encroachment, infringement (*of copyright*)

~ على الأشخاص trespass to person

~ القصدي على الأشخاص intentional trespass to person

~ بلا قصد على الأشخاص unintentional trespass to person

~ الدائم permanent trespass

~ المستمر continuing trespass

المتعدي trespasser, infringer (*of copyright, patent, trademark, etc.*)

تَعْدِيَة overtaking

تعديل amendment (*of legislation, provision*), modification (*of penalty, condition, sense*)

تَعْدين mining

تعذَّب suffer, sustain anguish, endure pain

تَعَذَّر (: احْتَجَّ لنفسه ، أبدى عذرًا) plead (*illness*), show excuse, apologize

~ (: صَعُبَ ، امتنع) be hard or difficult (*to do, overcome*), be impossible, be utterly impracticable or incapable (*of being, occurring, etc.*)

~ تداركه (من ضرر أو ما إليه) (*of damage and the like*) be irreparable

تعذيب infliction of suffering, torture

تعرَّج meander

~ (: تموج) undulate

تعرَّض لِـ (: واجه) encounter or counter, meet with, find oneself up against, confront

~ (لداء ، الخ ..) contract, suffer

~ (: تناول بشرح أو كلام) deal with

~ (: اعترض) intercept (*person, etc., on the way*); obstruct

تعرَّض (لغير أو لحيازة) challenge (*person*); molest (*possession*)

~ (: تدخل ، تطفل ، حشر النفس) intrude

تعرُّض (: مواجهة) encounter (*with difficulties*); interception (*of enemy on his way*), obstruction

~ (: تحد) challenge (*of title*)

~ (لحيازة أو ما إليها) molestation (*of possession*)

~ (: حشر النفس) intrusion (*into, upon*)

تَعَرَّف (على شيء : شخصه ، ميزه) identify, recognize, acquaint oneself (*with*)

~ (على شخص : اصبح من معارفه) make somebody's acquaintance, strike up an acquaintance (*with*)

تعرُّف identification, recognition

تعريض (: تلميح لا تصريح) insinuation, innuendo; implication, oblique hint

~ (لحرارة ، خطر أو ما إليه) exposure

تعريف definition

~ (على شيء أو شخص) acquainting, making familiar

تعزير [شريعة] chastisement, discipline

تَعَزَّى be comforted, be consoled, console or solace (*oneself with work*), find solace (*in religion*)

تعِس ، تعيس ill-fated, unfortunate, infelicitous

تَعَسَّر (راجع عَسُرَ)

تعسَّف act arbitrarily or abusively; oppress

تعسُّف oppression, arbitrariness, abuse

تعسُّفي arbitrary, abusive, high-handed

تعصَّب fanaticize

~ (لشأن أو ضده) be biased (*towards or against*)

تعصُّب fanaticism, bigotry, bias, predisposition

تعطَّل become inoperative or inapplicable; break down (*as of a car*), fail (*as in: power failed twice*), be disabled (*suffer disability*)

~ (: توقف) stand still

تعطيل inoperation, interruption, disablement, break-down, failure

تعطيل (: عرقلة ، توقف) interruption, discontinuance, suspension
~ (: تأخير) delay
~ (: اقفال) closure (*of business, etc.*)
~ (بسبب اجازة أو ما إليها) vacationing
~ (منفعه عضو) mayhem
ساعات ~ nonworking hours
تعفَّف (عن فعل) disdain (*indulgence in a certain act*)
~ (: امتنع) abstain
تعفُّف disdain, abstinence
تعفّن decay, decompose; perish, putrefy
تعفُّن decay, decomposition, putrefaction
تعقَّب detect (*crime, etc*), pursue, go in pursuit (*after*), follow; chase (*somebody*)
~ (اثر شيء) trace, trail (*or follow trail*), track
~ (شيئًا وعثر عليه) track down
تَعَقُّب detection, pursuit
~ الجرائم detection of crime
~ مجرمين pursuit of criminals
~ مستمر hot pursuit
تعقَّد become knotty, complicated, entangled or complex
تعقُّد knottiness, deadlock, complexity, intricacy
تعقّل act judiciously or prudently; sober up
تعقُّل prudence, good judgement
تعقيم sterilization, extermination of living microorganisms; rendering sterile
تعلّة pretext; excuse, justification
تعلّق relate (*to*), deal (*with*); cling (*to*), adhere (*to principle, etc.*), get attached (*to*)
~ (على شرط) be conditional (*on cash payment, immediate performance, etc.*)
~ (ولم يُفْصَل فيه أو يُنَفَّذ) be suspended (*as of judgment*); be pendant (*or pending*)
تعلُّق adherence, attachment; connection, correlation
~ (: تعليق) adjournment (*of business, session, etc.*), suspension

تعلُّق مودة fondness, affection, fidelity
~ (دعوى) pendency (*of cause*)
~ الخصومة *lis pendens*
تَعَلَّل plead (*inexperience*), offer as excuse or justification, advance as motive or argument, provide as pretext
تعلّم learn, acquire knowledge
تعليب canning
تعليق hanging (*on a pole*), suspension (*on wires*), suspending
~ (جلسة) adjournment
~ (أمل ، اهمية على شأن) attachment
~ (برأي) commentary, comment; expression of opinion (*on event, book, matter, etc.*)
تعليل (راجع تسبيب)
تعليم education; instruction, culture
~ (خصوصًا ما كان منه بأجر معلوم) tuition
~ (من تعاليم دين ، مذهب ، الخ..) tenet, dogma
~ (: وضع علامة) marking
تعليمات instructions, directives
تعليميّ educational; instructional or instructive, cultural
~ (وترفيهي) didactic
تَعَمَّد do, or commit, deliberately or intentionally or wilfully
~ (: قَبِلَ المعمودية) be baptised
~ (: تَطَهَّر) be purified or cleansed, be purged (*of sin*)
~ (من جراثيم) be disinfected
تَعَمَّق do (*report, study, survey, etc.*) in depth, go deep (*into something*), make a profound (*inquiry into, or study of, something*)
تعمير reclamation, development
تعميم generalization
~ (كتاب، منشور ، الخ ..) circular (*letter, publication, notice*)
تعهَّد promise; engage (*to supply, observe or do something*)
~ (: ضمن) pledge, warrant

تعهُّد promise; warranty, pledge
~ (يقدم لجهة قضائية بالتزام شيء معين) recognizance
~ شفوي parol promise
~ صوري fictitious promise
~ ضمني implied (*or implicit*) promise
~ متبادل mutual promise
~ مجرد (لا يترتب عليه عوض) naked promise
تَعَهُّدِي promissory
تعوَّد (على شأن) get accustomed, accustom or habituate oneself, take to
~ على مكروه inure
تَعَوُّد habituation, inurement
تعويض compensation, indemnification, indemnity (*for damages*)
~ (عن خسائر حرب بين دولة وأخرى) reparation
~ عمال workmen's compensation
تعويضي compensatory
تَعَيَّبَ (راجع عَيَّب)
تعيس (راجع تَعِس)
تَعَيَّشَ earn one's living or livelihood (*by begging, fortune-telling*), live (*on art, wife's earnings, etc.*)
تَعَيَّن be binding, be imperative,
~ (على شخص) (*person*) has, is bound or is obligated (*to act*), must (*satisfy condition*)
~ (في وظيفة) be appointed (*governor, in post, to office*)
تعيين appointment; designation
~ (: تحديد) specification
~ (: تشخيص) identification
تغاضَى (عن) connive (*at*), disregard (*an error*), overlook (*a fault*)
التَّغاضي (عن شيء) connivance, disregard
تَغَافَلَ omit, neglect, overlook (*point, proceeding*)
تغايَرَ (راجع اخْتَلَفَ)
تَغذِيَة feeding, alimentation; nourishment; nutrition, feed (*gear, switch, etc.*)
~ (فرن) charging

تَغَرَّب expatriate (*oneself*), leave one's native country
تغرير seduction, beguilement
تغَضَّن (راجع تجعد)
تَغَطَّى cover oneself, keep or get covered
~ (راجع توارى)
تغطية coverage
~ (في الشؤون المالية) backing
~ (في مبايعة) hedging
~ (: وضع غطاء) capping
تغلَّب (على) overcome, prevail over; master (*something*); overwhelm
~ (: صد) beat off
تَغَلْغَل (: تَوَغَّل) push deep (*into something*), thrust or penetrate far (*into enemy territory*), pervade (*system, society, etc.*)
~ (راجع انتَشَرَ)
تغليف plating; covering, wrapping
~ بئر casing
تغَيَّا intend, mean
تغيَّب absent (*oneself*), keep (*oneself*) away
تغيير change, alteration; modification, commutation (*of punishment, etc.*), mutation, vicissitude
~ (مجرى نهر ، عقيدة ، الخ ..) conversion
~ (شيء بآخر) substitution
تغييري ambulatory, revocable, subject to change, etc.
تفاءَلَ augur well, see good omen or foreboding (*in thing, act, etc.*); take bright view (*of*), be optimistic, anticipate the best, be cheerful
تفاؤل good augury; seeing good omen; optimism
تفاحَشَ utter obscene language, commit obscenity or gross indecency
تفادٍ avoidance, evasion; escape
تفادَى avoid, evade; escape, shun or eschew (*responsibility, etc.*), sidestep (*issue, decision, etc.*)

تفاضُلي preferential, discriminate (*treatment*)
تفاعَلَ react
~ (: تجاوب مع مؤثر خارجي) respond
تفاعُل reaction
~ (: تجاوُب) response
تفاقَمَ get aggravated or more serious, worsen; be intensified or sharpened
تفاقُم aggravation, worsening; tension
تفانى sacrifice oneself, devote oneself entirely, give wholehearted (*love, service, care, etc.*)
تفاهَة insignificance, triviality, frivolity; banality (*of speech*)
تفاهُم understanding, rapport
~ (اتفاقي بين دول) *entente*
~ ودي *entente cordiale*
تفاوَتَ vary, differ, be uneven or discrepant (*in judgment, treatment, etc.*)
تفاوُت diversity, disparity, variance, discrepancy
تفاوَضَ negotiate (*with*), confer (*with a view to reach agreement*)
تفتَّتَ crumble; disintegrate
تفتُّت crumbling; disintegration
تفتَّحَ unfold, spread out, blossom; develop
~ (على الغير في فِكْر أو نَظَر) open up (*to new ideas*), open (*on the rest of the world*), be outward-looking
تفتَّقَ (: انفلق ، تشقق) break apart, tear, split, rend, lacerate, cleave
تفتيش inspection; search; visit
~ دقيق rummage, thorough search
أمر ~ search warrant
حق ~ right of search, visitation (*for inspection of ship, etc.*)
تفجَّرَ erupt, burst, gush out, explode
~ (: ظهر) emerge
تفجُّر (راجع انفجار)
تفحَّصَ examine closely, scrutinize (*a petition*)
تفحُّص scrutiny, close investigation
تفرَّجَ (راجع انكشف)

تفرَّسَ eye (*person*), watch (*applicant*) sharply,
~ (راجع توَسَّم)
تفرَّعَ branch, shoot (*out*), fork
~ (: تشَعَّب ، امتد) ramify, extend
~ (: صَدَر) issue, stem (*from*)
(تفرعات) (appurtenances, appendages
تفرَّغَ (لشأن) devote oneself entirely (*to research*), work full time on, engage in wholly
~ (عن) (راجع تصرَّف)
تفرُّغ (راجع تصرُّف)
تفرَّقَ disperse, scatter
~ (: انشطر) divide
تفرُّق dispersion or dispersal, division
تفريز [هندسة] milling
تفريغ discharge, unloading
~ (بضاعة) stevedoring
وكلاء ~ stevedoring agents
تفزَّرَ burst, break open (*or apart*), bust
تفسير interpretation (*of law, etc.*); construction
~ (: ايضاح) explanation, elucidation, clarification
~ (علم) exegesis, semantics, semantical rules
~ تضييق close interpretation
~ توسع extensive interpretation
~ طليق free or unrestricted interpretation
~ قانوني legal (*or authentic*) interpretation
~ مغرض prejudiced interpretation, tendentious, biased
~ (كتاب مقدس) exegesis, exposition
تفسيري explanatory, descriptive, declaratory, expository; constructive
تفشَّى permeate (*through a people as new ideas, etc.*), become rife, be widespread
تفصيل (: إسهاب) detail, elaboration (*of something*), enlargement (*of a report*), working out in detail; detailed description (*of an event*), full relation (*of a fact*)
تفصيلي detailed, in detail, in full, particularized (*report, etc.*)

تَفَضُّلاً (: على سبيل التفضل) of grace

تفضيل preference, favouring (*of person or thing before another*)

تَفَقَّدَ inspect, look closely (*into*)

~ (شيئًا : طلبه عند غيبته) miss (*thing or person*)

تَفَكَّرَ reflect (*on*), meditate (*on, upon*), think (*something over*), weigh (*matter*) mentally, ponder (*question or on or upon*)

تفكَّكَ (: انفك) unfasten, get detached or disengaged

~ (: انحل) break apart

~ (: هَزُلَ ، اضطرب) wane, dwindle; fall, or be thrown, into disorder or disarray

تفكير thinking, reflection, contemplation, meditation; thought

سبق ~ aforethought, premeditation

تفلَّجَ cleave, split

تفلُّج cleft, split, fissure

تَفِهَ (راجع تافه)

تَفَهَّمَ (راجع فَهِمَ)

تفوَّقَ excel, prevail, predominate; distinguish-oneself; overcome (*hardship*), conquer (*habit*)

تفوُّق superiority, preeminence, predominance; distinction

~ (: رجحان) preponderance (*of evidence, etc.*)

تفوَّهَ utter, pronounce

تفوُّه utterance, expression

تَفْويض mandate, authorization (*to act*), power, warrant (*to arrest*), commission (*conferring power*)

~ (: توكيل) procuration

تقابَلَ meet (*with*), face (*something*); confront, encounter (*an adversary*)

تقاتَلَ (راجع اقتتل)

تقادَمَ become old, become obsolete or antiquated (*as of weapons, machinery, gadgets, etc.*)

~ (الحق) become subject to limitations or prescription, be lost by limitations or acquired by prescription

تقادُم prescription, limitations

خاضع لاحكام التقادم prescribable, subject to provisions or to the law of limitations

قابل للتقادم prescriptive

تقارَبَ approach, tend to move toward, move closer or nearer, converge (on)

تقارُب affinity; closeness, approximation; convergence

~ بين الدول *détente*

تَقاسَمَ divide (*right, obligation, property*), apportion, partition; share (*right, etc. between them*)

تقاصَّ (في دَيْن) make a setoff (*between debts, claims, etc.*)

تقاضَى charge, receive or demand (*as fee, etc.*)

~ (: لجأ للقضاء) litigate, bring action or lawsuit (*before court*), resort to the judiciary

تقاطَعَ cross, intersect

تقاطُع intersection

تقاعَدَ retire, withdraw from service

تقاعُد retirement; pension

احال على ~ retire on pension, pension off

تقاعدي pensionable

متقاعد retired; emeritus

تقايَضَ exchange goods (*skills, services, etc.*), trade by exchange, barter (*thing for another*),

تقايل (بيعًا : فَسَخَه) (راجع فَسَخَ)

تقبَّلَ accept; receive

~ (: اجاز) admit, allow

تَقْتير parsimony, stint

تقدَّمَ (: سبق) precede, take precedence or priority (*over*), come before or ahead

~ (: سار قدمًا ، نهض) advance, progress, develop; make headway, move ahead

~ (: خطا) proceed, go (*or move*) forward

تقدُّم advance (*advancement*), development, progress

~ (على طريق) headway (*of ship, procession*)

تقْدِمَة introduction, preface

تقدِمَة (: هدية) gift, present, donation
تَـقَـدُّمي progressive
تقدير estimate (*estimation*), appraisal calculation, rating, assessment
~ (: اعتراف بفضل ، قيمة ، الخ ..) appreciation, esteem, regard
~ (قيمة) (راجع تقييم)
~ (: اجتهاد) discretion
تقديرات (نفقات مشروع ، ميزانية ، الخ ..) estimates
تقديري discretionary
تقديم presentation or presentment
~ (عريضة ، رأي ، الخ ..) submission
~ (دعوى) bringing or filing of (*action*)
تقَرَّب (إلى) seek favour (*with*); fawn (*on*); make overtures or approaches (*to*); approach
تقَرَّح ulcerate
تقرُّح ulceration, elcosis
~ الأذن othelcosis
~ سرطاني carcinelcosis
تَـقَـرَّر be decided, be determined or resolved
تقريـب approximation, harmonization (*between different view points, etc.*)
تقريبًا approximately, nearly, almost, practically, more or less
تقريبيّ approximate, approximative
تقريـر determination (*of question*), decision (*of matter*), settlement (*of dispute*)
~ (: قرار) resolution; report (*made on trip*)
~ (: ما يقوله القاضي في الجلسة على سبيل بسط مبدأ أو قانون أو رأي ولا يكون له تأثير في حكمه) dictum
~ مصير self-determination
~ اضافي additional report, side report
~ بمعذرة صحية ، ~ مرضي (طبي) sick report
تَـقَـسَّـط be apportioned, be divided into, or paid by, installments
تقسيم partition, division
~ (إلى حصص أو ما إليها) apportionment
تقَشَّر peel; scale
تقشَّف practise austerity or extreme economy, toughen; lead a Spartan life; lead a simple life
تقشُّف austerity, extreme economy, ascetic practice
تقصَّى search or examine thoroughly, scrutinize or investigate closely, find out
تقـصَّـدَ (راجع قَصَدَ)
~ (شخصًا) kill (*person*) on the spot
تقصَّصَ (آثار أقدام ، الخ ..) track, trail, follow path or track, trace (*footsteps*)
التقصِّي thorough examination, search or scrutiny
تقصير (دون واجب : قعود عنه) omission, laches (*as in performance of duty or assertion of right, privilege, etc.*)
~ (عن حد لازم أو في اصول أو مقتضيات) shortcoming
~ (في فحص ، فشل دون شأن ، عجز) failure
~ (: عدم كفاية) deficiency, insufficiency, inadequacy
~ (: عيب) defect
تقصيري omissive; defective
~ (: ينطوي على تقصير جنائي) culpable (*act, homicide, etc.*)
(مسئولية تقصيرية omissive responsibility)
تقطير distillation
معمل ~ distillery
تقلَّب oscillate, fluctuate, vacillate, variate
تقلُّب oscillation (*of belief or between two theories*), fluctuation (*of temperature, prices*), vacillation (*between options*), vicissitude (*of fortune, nature, circumstances, etc.*)
تقلُّبي oscillatory (*as of prices*), capricious (*tendencies*)
تَـقَـلَّـدَ wear (*sword, pearl, necklace*)
~ (: تولَّى) take charge (*of management*), accede (*to leadership*)
تقَـلَّـص contract, shrink
تقلُّص contraction, shrinkage
تقلقَل shake, tremble, totter, wobble, rock

تقليد imitation
~ (هزلي) mimicry
~ (: مزيف ، كعملة أو ما إليها) counterfeit (*coin, etc.*)
~ (منصب) investiture, installation (*in office, etc.*)
~ (: عرف ، معتقد أو عمل متوارث) tradition
تَقَمَّصَ (شخصية الغير) impersonate (*someone*)
~ (كالروح جسدًا آخر) incarnate (*in*), transmigrate (*into*)
تَقَنَّع wear a mask, mask oneself, disguise oneself (*with false moustache*)
تَقْنِي technological
تَقْنِية canalling, canalization
تِقنيَة (: أصول التطبيق العلمي) technology
تَقْنين codification
تقهقَرَ recede, retrogress; withdraw, fall back, retrocede
تقهقُر recession, retrogression, retrocession
تَقَوَّى strengthen, harden, toughen
تَقَوَّتَ subsist (*on*), feed (*on*)
تقوّسَ arch
~ (كالقبة إلى أعلى) hog
تَقَوَّضَ (راجع انهار)
تَقَوَّمَ be rectified or corrected, be righted or straightened; be adjusted
تقويم (سلوك ، خلق) rectification
~ (النقد : تثبيته) valorization
~ (: حساب الزمن) calendar
~ شمسي (غريغوري) Gregorian calendar
~ قيصري Julian calendar
~ هلالي lunar calendar
تُقًى piety, righteousness, godliness
تقي pious, devout (*Catholic, Moslem, etc.*), godly, righteous, religious
تقيأ vomit, disgorge contents of stomach (*from the mouth*)
تقيَّح suppurate
تقيُّح suppuration
تقييد restraint, restriction; limitation; curb (*on trade, movement, etc.*)

تقييم evaluation, appraisal or appraisement
~ (الأراضي) plottage
تَكاثَرَ increase, augment, grow; multiply, proliferate (*as the military use of the atom*)
تكاثُر increase, augmentation, growth; multiplication, proliferation
تكاسَلَ idle, laze, be lazy, be indolent or slothful, sit in laziness or indolence
تكافؤ (: تساوٍ ، تعادل) parity, equality, equivalence; balance (*of power*), equilibrium, balance, equipoise
~ [كيمياء] valence, valency
~ كمي quantivalence
تكاليف expenses, costs, outlay (*of running a firm*)
~ (نفقات) رأسمالية capital outlay
~ ادارة عامة (راجع نفقات ادارة)
تكامَلَ become full or complete
تكامُل fullness, completion
~ [رياضيات] integration
~ مزدوج double integration
تَكَبَّدَ incur (*expenses*), suffer (*hardships*); sustain (*loss*)
تَكَبَّرَ be arrogant, be proud or haughty or overbearing or vainglorious
تكتَّل consolidate, combine
~ (كأحزاب أو دول) coalesce, confederate
~ (: تكدس) accumulate, agglomerate, amass
تكتُّل consolidation, combination, confederation
تكتَّم be silent or reticent (*about something*), be secretive
تكتُّم reticence, secrecy, silence
تكتيف [هندسة] bracing
تكدَّر take offence (*at something*), be sore (*about*)
تكدَّس accumulate, pile up
تكذيب falsification, belying (*thing or person*)
تكرار repetition; iteration (*of statements, facts, etc.*)

تكرار (معاد) — reiteration
تكراري — repetitive, repetitious
تكرَّم — be generous
~ (: تَلَطَّف) — be kind or gracious
~ (في عطاء) — be liberal (*in giving*), be openhanded
تكرير — refining, purification
~ مزدوج — double refining
تكريم — doing honour (*to person or thing*), honouring
تكريمًا لِ — in honour (*of person or thing*)
تكعيبي — cubic
تكفَّل — vouch (*for*)
~ (: الزم النفس بشأن) — bind oneself (*to*)
~ (: تولى ، تحمل) — undertake; bear, sustain
(بالتكافل والتضامن — (*jointly and severally*
تكفير — atonement, expiation, retribution, propitiation
تكلَّس — calcify
تكلُّس — calcification
تكلَّف — suffer (*hardship*), bear (*expenses, etc.*); inconvenience oneself by some act
~ (في سلوك) — behave affectedly; feign (*generosity*), pretend
تكلُّف (مشاق أو ما إليها) — sufferance, painstaking, endurance (*of hardships, etc.*)
~ (: تصنع) — affectation
تكْلِفَة — cost
~ (: مشقة) — hardship, inconvenience
دفتر ~ — cost-book
سعر ~ — cost price
تكاليف معيشة — cost of living
تكلَّم — speak, talk, make oral address
تكليف — request; call
~ (: عبء ، مشقة) — charge, hardship
(راجع تكلفة)
~ (بحكم الأمر) — instruction, mandate
~ (كحق ارتفاق على ملك لآخر) — servitude
~ بحضور — summons, citation, subpoena
تكميليّ — complementary or complemental; suppletory

تكنولوجيا [فنيات] — technology
تكَهَّن — foretell (*unknown future*), divine, prognosticate, prophesy
تكوَّن — consist (*of*), be composed or constituted (*of*)
تكوين — formation, formulation
~ (: تنمية) — development (*of personality*)
~ (: خلقة ، خليقة ، نشوء) — creation, genesis, initiation, origin
تكييف (: وصف قانوني) — characterization
~ (: ملاءمة ، تحوير لمسايرة وضع أو شأن معين) — conditioning, adaptation (*to a certain condition,*), modification, adjustment
تَلّ — hill
~ (صغير) — down
~ (من رمل) — dune
تلا (: تبِع) — follow (*a storm*), succeed (*something, to the throne*), ensue (*from a certain point*)
~ (: قرأ ، سرد) — read, recite, relate (*a story, a fact*)
تَلاحَق — follow in succession or successively
تلاحَم — be blended or fused, be merged or integrated
تلازَم — run concurrently
تلازُم — concurrence, contemporaneity
تلاشى (: اضمحل) — wane, dwindle, diminish
~ (: زال ، اختفى) — vanish, disappear
تلاصَق — cleave, cohere, stick or hold fast
تلاعَب — doctor (*goods*), rig (*elections*), manipulate (*prices*)
تلاعُب — rigging, manipulation
تلاقى (راجع التقى)
تلامَس — touch, contact
~ (: اتصل بعضه ببعض) — adjoin
تلامُس — contact, touch, contiguity (*between two boundaries*)
تَلَبَّدَ — be felted, snarl, become a tangled mass (*as of threads, hairs, etc.*), be enmeshed, be matted

تلبَّد (كضباب أو ما إليه) thicken (*as of mist*)
تلبَّس (بفعل) caught in the very act
~ (بجرم) caught *flagrante delicto*
(متلبس) (*in the act*
تلبية responsiveness; sympathy (*with*)
تلخيص summing up, summarizing; condensation, putting in précis form
تلدين annealing
تلصَّص (: تجسس على شؤون الغير) spy on, watch secretly
~ (بمعدات تُحشى في خطوط تلفونية أو جدران) bug
~ (: أصبح لصًّا) take to larceny, become a thief
تلصُّص spying; stealth, furtiveness
تلصُّصي furtive
تلطَّخَ (راجع تلوَّثَ)
تلعْثَم stammer, speak haltingly, stutter
تلغراف telegraph, cable
~ ناسخ ticker
تلِف deteriorate, decay, perish; get damaged
تلَفٌ deterioration, decay, damage
عرضة للتلف perishable
تلفون telephone
تلقّى receive; take (*punishment, etc.*); welcome (*guest, visitor, etc.*)
تلقاء (نفسه أو نفسها) of office (*ex officio*)
من ~ نفسه *ex officio*, of its own initiative, *motu proprio*
تِلقائي automatic, spontaneous
~ (: طوعي) voluntary
تِلقائيًّا automatically, spontaneously, voluntarily
تلقيح inoculation, vaccination
~ (تناسلي) impregnation, fecundation
~ غير مباشر (: غير طبيعي ، اصطناعي) artificial insemination
تلكَّأ halt, do something haltingly; dawdle, dally; linger, loiter
تلمَّس sense (*trouble*), feel (*pulse of somebody*); probe (*one's way in a dark passage*)
تلميح innuendo, insinuation, hinting, implication, indirect intimation
تلميح (: إيحاء) suggestion
تلميذ student, pupil, scholar
~ عسكري cadet
~ في جامعة undergraduate
~ في صناعة apprentice
تلوَّى (راجع التوى)
تلوَّث become polluted or contaminated (*as of air, water, etc.*)
~ (: تَلَطَّخَ) be stained, be sullied or tainted
تلوُّث pollution (*of air, etc.*), contamination (*of water, food*)
تلوُّم (: لوم على تصرف) admonition, reproof; censure
تلويث contamination, pollution
~ (: تدنيس شيء طاهر) defilement
تلويح insinuation, inuuendo
تماثَل resemble, be similar or akin; be parallel or analogous
~ (لشفاء) be about to recover, draw near recovery, be regaining health
تماثُل likeness, similarity or similitude, resemblance; analogy (*to, with, between*)
~ (: تطابق شكلي) symmetry
تمادٍ intemperance, immoderate indulgence
تمادَى transcend limits, indulge oneself to excess; give free rein (*to*)
تمارَضَ malinger, pretend to be ill, feign sickness
تماسٌّ (: تلامس) touch, contact, contiguity
تماسَك cohere, cleave, stick, hold fast, adhere
~ (: تجمع على هيئة كرة) conglomerate
تماسُك cohesion, adhesion, consistency; conglomeration; resolute unity (*between provinces, states, etc.*)
تمالَك (نفسه) restrain (*oneself*), check, control; bridle (*one's passions*)
تمام completion, conclusion (*of discussion*); consummation (*of marriage*); fullness (*of payment*)
تماوَتَ feign death, pretend to be dead

تمتَّع enjoy (*something*), take satisfaction or pleasure (*in*); have for one's benefit or use
تمتُّع enjoyment
تَمْتَم murmur
تَمَثَّلَ (لشخص : بدا لَهُ) seem, appear, be manifested (*as false, impending death, ill-intentioned, etc.*)
~ (بشيء : ساقَهُ مثلاً) cite as example
~ (: انعكس في شيء) be manifested or reflected (*in*), be shown or readily perceived (*in*)
~ (راجع تشبَّه)
تمثيل (: قيام شخص مقام آخر) representation
~ (سينمائي ، مسرحي) acting
~ (لا واقع) dramatization
تمثيلي dramatic, theatrical, melodramatic
تمحيص (: تصفية من شوائب) purgation (*of defects*), purification
~ (: اختبار) trial, test, investigation, examination
تمخَّض (: تحرَّك) move
تمخَّضَت (: جاءها المخاض) have pains of birth
تَمَدَّدَ expand, distend, extend; dilate (*in the heat*)
تَمَدُّد expansion, distention, extension, dilation; elongation
تَمَدَّنَ become civilized, become refined,
~ (: أخَذَ بحياة المدن) take up (*or take to*) urban life
تمديد (أجل) prorogation, extension, enlargement
تمَرَّد mutiny (*used mainly of soldiers against officers*); disobey (*orders*), rebel (*against discipline*)
تمرُّد mutiny, insubordination, insurrection, rising against authority; disobedience
تمرُّدي mutinous; insubordinate
(راجع متمرد)
تمَرَّسَ (بِـ) master, become skilled (*in*), acquire proficiency (*in*)

تَمَرْكَزَ consolidate (*one's*) position
~ (في مكان : احتلَّه) be stationed (*in town, fortress, etc.*), occupy
تمرَّن train, exercise
~ على محاماة (تحت اشراف محام آخر) devil
تمريض nursing (*work, profession*)
تمرين (راجع مران)
~ على محاماة devilling
(راجع محام)
تمزَّق break or come apart, get torn, be torn asunder, rupture
تمسَّك adhere, maintain (*a point*), stick (*to*), invoke (*a law, etc.*), plead (*law, cause, etc.*), insist (*on motions submitted*)
تمسُّك adherence; invocation (*of law, principle, etc.*)
تمشَّى conform (*to rules*), abide by (*law*), be in harmony or agreement (*with*), agree with; adapt (*oneself to custom, etc.*)
تمطَّط distend, expand; swell
تمطُّط distension, expansion
تَمَعَّن deliberate (*how question might be resolved, what to do*), contemplate or think over carefully
تمكَّن (من شأن) be able (*to fight, write, etc.*)
~ (: تغلب على شيء ، أصابه أو قبض عليه) overcome, seize, capture, grasp
~ (من فن ، لغة أو ما إلى ذلك) master
تَمَلَّص dodge, evade, escape, elude
تَمَلُّص dodgery, evasion (*of duty, etc.*), escape (*from*), elusion
تَمَلَّقَ fawn (*on or upon*), adulate (*somebody*), flatter (*person*) falsely, seek undue favour (*with superior*)
تملَّك own, hold as property, appropriate (*land, other's ideas, etc.*)
تَمَلْمَلَ toss about (*from side to side*), fidget, be restless
تمليك investment with ownership, enfeoffment
تمَّم complete, complement (*a plan*)
~ (راجع أتمَّ)

تمنى wish, desire
تمنَّع resist; reluctate (*at or against some act*)
تمنُّع resistance; reluctance
تَمَهَّلَ ease up, go easy, do (*or proceed*) softly or gently, slow down (*as of driving*), take (*thing*) quietly
تمهيد preparation, paving of way (*for*); preface (*to theme, book, etc.*)
تمهيدي preliminary, preparatory, prefatory, introductory; provisional
~ (: عارض ، يصدر تمهيدًا لاجراء أو قرار نهائي) interlocutory (*measure, decree, etc.*)
تمهين apprenticeship
تمَوَّج wave, undulate
تموُّجي undulatory, wavy
تموز (يوليو) July
تَمَوَّلَ be in funds, acquire funds or financial resources
تموين (تموينات) supply (*supplies*), provision
~ (: تعزيز) reinforcement
تمويه watering (*of shares*); simulation (*of facts*), misrepresentation (*of events*)
~ (: اخفاء معدات حربية عن عدو) camouflage
تمَيَّز be distinguished (*by or for*), be remarkable (*for durability, immobility, etc.*)
تمييز discernment, distinction, differentiation; discrimination (*racial, etc.*); reason, discretion
(سن التمييز *age of discretion*)
~ عنصري racial discrimination
تمييزي discriminatory (*treatment, law, etc.*)
تناثَر disperse, break up, be shattered or scattered, get strewn (*all over the place*)
تناجَى hold secret counsel (*with*)
تنازَعَ dispute; wrangle; quarrel; litigate (*right, matter, question, etc.*)
~ (قانونان أو أكثر) conflict
تنازُع dispute, conflict; struggle
~ (: جدل للتمرين) disputation
تنازَلَ assign (*title to another*), forego, relinquish (*privilege*), abandon; waive (*privilege, right, etc.*), renounce; assign (*property, contract, etc.*)
تنازَل (: نزل عن حق أو غيره) compromise (*right*) or on (*claim, demand, etc.*)
~ (دون مقامه على سبيل التواضع) deign, condescend
~ (على سبيل التساهل) concede
~ (عن عرش ، سلطة ، الخ ..) abdicate
تنازُل abandonment, relinquishment, waiver
~ (عن مال ، حق ، الخ ..) assignment, making over (*to*)
~ (عن رأي ، نقطة ، الخ ..) concession
~ (عن سلطة ، عرش ، إلخ..) abdication
~ (: نزول أو تخلٍّ عن حق بسبيل التساهل) compromise, concession, surrender
تَناسَى feign or pretend forgetfulness
تناسُب symmetry (*of parts*), proportion (*to time, height, etc.*)
تناسَخَ nullify, repeal or cancel (*each other or be repealed or cancelled reciprocally*)
تَناسَقَ fall in line (*with*), become co-ordinate or uniform, become consistent or be brought to common action (*with*)
تناسَلَ procreate, propagate, reproduce
تناسُل procreation, propagation, reproduction
تناسُلي procreative, propagative; genital (*organ, etc.*)
~ venereal
مرض ~ venereal disease
تنافَى conflict or be in conflict (*with*), offend (*against*), transgress (*moral or divine law*), be inconsistent (*with*)
تنافَرَ (مع) conflict or come into conflict (*with*), clash, disagree or vary (*with*), disharmonize
تنافُر conflict, inconsistence, disharmony, discord, discordance; repugnancy, repulsion
~ (: عدم تكافؤ) disparity
تنافُس competition (*on contract, position, etc.*), rivalry (*between factions*)

تنافُسي competitive
تناقَصَ diminish, decrease; dwindle, taper (*off*)
تناقُص diminution, decrease
تناقَضَ be inconsistent (*with*), contradict (*person or thing*)
تنافُض inconsistence, contradiction, conflict
~ (راجع تنافر)
تَناوَبَ take turns, alternate (*in chairmanship, duty etc.*)
تناوَلَ take, receive (*message*), collect (*letter from post office, salary, etc.*)
تَنَبَّأ divine (*what the future has in store*), prophesy, forecast (*the weather*), foresee, prognosticate (*through signs, symptoms, etc.*), foretell, predict (*plentiful rainfall or that there will be a snow storm*)
تَنَبَّهَ pay attention or be attentive (*to*), be conscious or aware (*of*), be mindful (*of*), be on one's guard (*against*)
تنبيه notice (*notification*), intimation
~ (: تحذير من شأن) caution, admonition, warning
~ وجيز المدة ، ~ مختصر short notice
~ إخلاء notice to quit
~ سابق premonition
تنجيم (: تنبؤ بتأثير النجوم في حياة البشر) astrology
تنحّى retire, resign; step aside or down
~ (عن سلطة ، مركز رفيع أو ما إلى ذلك) abdicate (*power, office, throne, etc.*)
تَنْحِيَة removal (*from position*), dismissal (*from office, etc.*)
تَنَزَّهَ (: ترفع) disdain (*to do*), scorn (*telling lies*)
~ (: خرج لنزهة) go for an outing; take an excursion or a pleasure ramble
تنزيل reduction (*of price*), deduction, rebate (*: ticket was issued at a ~*), discount (*as in : goods were sold at a ~*)
تنزيه regarding infallible or faultless or impeccable

تنزيه (النفس عن تهمة أو جريمة) purgation
تنسيب recommendation(s), submission(s)
بناء على ~ (جهة) acting on submissions(*made by,etc.*)
تنسيق coordination, harmonization
تنشيط recreation, revitalization, resuscitation, activation
تنصَّر turn Christian, embrace Christianity
تَنَصَّلَ disclaim (*a relationship*), disavow (*any share in the enterprise*), deny (*one's faith*), renounce, repudiate (*one's name*), traverse (*an argument, a point*)
~ (: رجع في تصريح ، وعد ، كلام ، الخ ..) recant
تَنَصُّل disclaimer, disavowal, denial, repudiation, renunciation; traverse
تَنْصيب appointment (*in post*), installation (*in office, etc.*), investiture; institution, inauguration (*of a president*)
تَنْصيف bisection
تنظيم organization, regulation
~ (: ترتيب) arrangement
~ (سند التزام ، كفالة ، الخ ..) execution (*of bond, bail, etc.*)
تنظيمي regulatory (*provision, measure, etc.*)
تنفَّسَ breathe
تنفُّس breathing, respiration; respiratory (*organ*)
تنفيذ execution (*of judgment*), implementation (*of contract, regulation, etc.*), enforcement (*of rules, etc.*), carrying out
~ تـال junior execution
تنفيذي executive; self-executing (*judgment*); ministerial (*duty*)
حكم ~ (حائز للصفة التنفيذية) self-executing judgment
تنقَّبَ (: بالغ في البحث عن شأن) ransack, search thoroughly
~ (: شد نقابًا على وجهه) disguise oneself, masquerade; veil (*one's face*)
تنقَّص (: بخس) belittle, depreciate (*effort*), disparage (*value*), underrate (*power, effect, etc.*)

تنقّل — commute (*from place to another*), move, shift, change position

~ (من مكان إلى آخر دون هدف) — ramble

~ (على عجل من مكان إلى آخر) — scurry

تنقُّلية — mobility

تنقيب (عن معادن أو غيرها) — prospecting (*for gold*), exploration (*for minerals, relics, etc.*)

تَنْقيح — revision, correction

تنكّر — disguise, mask (*face*)

~ لـ (: انقلب على ، غير معاملة شخص ، أخذ يسيء إليه) — reverse one's attitude or position toward

تَنَهّد — sigh, suspire

تنوّعَ — vary, variate

~ (: اختلف) — change, differ

تنوير — enlightenment

~ (: ايضاح ، جلاء) — elucidation

~ (في أصول دينية أو اخلاقية) — edification

تنويع — diversification, variation, variegation

تنويم — inducement of sleep, putting to sleep

~ مغناطيسي — hypnosis, hypnotism

تَهاتَرَ — exchange false charges, engage in recrimination

تهافتَ — pursue desperately (*or wholeheartedly*), crave for (*or seek*) too anxiously

~ (: تتابع) — follow (*in succession*)

~ (: سقط ؛ تداعى) — fall (*dead*); collapse

~ (: تناقض) — be inconsistent or incoherent

تهافُت — inconsistence, incoherence

تَهاوَنَ (راجع استهان)

~ (: تساهل) — be complacent, be tolerant (*toward*), indulge (*child*), give way (*to*), yield (*to desire of others*)

تهتّكَ — act immorally or dissolutely

تهتُّك — immorality, debauchery

تهجّم (على) — assail, insult, affront (*somebody*)

~ (بكلام مقذع) — rail (*at*); excoriate

تهجُّم — invective, vituperation

تهدّدَ — threaten (*security*), menace (*peace, person, etc.*)

تَهدّم — fall down (*or to pieces*), dilapidate (*as of an old structure*), collapse

تهديد — threat, menace

تهذيب — refinement (*of character*), cultivation (*of a style of writing*), education

~ (ديني أو ادبي بسبيل التعليم) — edification

تهرّب — elude, escape; shun (*responsibility, etc.*), eschew (*action*), evade, keep clear (*of*)

تهَرُّب — escape, evasion, elusion

تهرُّبي — elusive, evasive

تهريب — smuggling

~ أسلحة — gun running

تهريج — buffoonery, clownishness

تهكّمَ — treat sarcastically or ironically

~ (: استهزأ) — taunt (*a person*)

(راجع استهزأ)

تَهْلُكَة — ruin, danger, peril

تهمة — accusation, charge; impeachment (*of public official*)

~ (من عِدة في لائحة اتهام) — count, charge

تَهَوّرَ — act (*do, behave*) rashly, be impetuous, act recklessly or indiscreetly

تَهَوُّر — rashness, impetuosity, recklessness, indiscretion, folly

تهوية — ventilation, air circulation

تهويل — alarmism, needless raising of alarm

تهويم — drowsiness

تهيّأ — prepare, make ready (*for action*)

~ (: تاحَ ، امْكَنَ) — have the possibility, be readily available or realizable, become possible, provide (*chance, opportunity*)

تهيّب — be timorous or timid, shy (*from*), be frightened, be apprehensive

تَهَيّجَ — become incensed or impassioned or enraged (*as in argument, quarrel, etc.*), be heated or inflamed; become agitated or excited

تهييج — agitation, incitement, excitement, stirring commotion

تـوّاً — forthwith, immediately, presently

تواتَر follow in succession, occur consecutively; recur
تواتُر sequence, succession
~ (: تكرُّر) repetition, frequency
تواجَهَ (راجع تقابل)
تـوارَى go or keep out of sight, disappear, vanish, conceal oneself; hide (*from debtors*)
توارَث (راجع ورث)
توارُث succession, inheritance; tradition (*generation after generation*)
توارُد الأفكار ، ~ الخواطر telepathy
تـوازَنَ balance, even up (*with something*)
تـوازُن equilibrium, equilibration; balance, stability, harmony
~ (: استواء) evenness, equability
~ قوى balance of power
تواصَلَ continue
~ (: امتدَّ ، لم يَنْقطِع) extend (*as of possession*), last, endure (*uninterrupted*), persist (*as of nuisance*)
تواضَعَ be humble or humble oneself, be modest, bring oneself low
تَـواطأَ conspire, plot; act collusively or in collusion (*with somebody*)
تواطُؤ collusion, conspiring, secret arrangement
تَـواطُؤيّ collusive
تواعَـدَ promise (*each other*), exchange promises
توافَدَ come (*to*), rally (*to*), arrive (*to, at, in*)
توافَرَ (من ربح أو نصيب أو عوائد ، الخ ..) accrue (*from trade, work, etc.*)
~ (: وُجد) be found, obtainable, available or present, exist; arise
~ (: وُجد بوفرة) abound, be plentiful
توافَـقَ (مع) suit, agree (*with*), fit (*in*)
~ (راجع اتفق)
توافُق harmony, accord; consistency
تواقَـت occur at the same time, exist simultaneously or contemporaneously
تواقُـت concurrence, simultaneity

تـوالٍ succession (*of seasons, acts, etc.*), sequence (*of events*)
~ (: الواحد يلي الآخر) alternation
توالي (أحداث أو ما إليها : تتابع وقوعها) recurrence
على التوالي successively, consecutively
على التوالي (: على الولاء : كلٌّ ما يَخُصُّه) respectively
تـوالى recur, follow successively, occur repeatedly; alternate (*in office, chairmanship, etc.*)
توالَـدَ reproduce, procreate, propagate
توالُـد reproduction, procreation, propagation; proliferation
توالَـف harmonize, agree, blend; mingle intimately
تـوْأَم twin(s)
توانَى slacken, lag, delay; do reluctantly
~ (: قَصَّر ، اهمل) fail (*in performance of duty*), fall short (*in*); neglect (*payment*)
تَـوْبة penitence, repentance, compunction, penance
توبيـخ reprimand, reproof
~ (ضمير) remorse, qualm(s), compunction
توتَّـر get strained, reach a deadlock
توتُّـر tension, strain, stress, deadlock, tautness
توثَّـق be reinforced or strengthened; get stabilized or established on firm or solid basis
~ (لدى محرر عقود أو كاتب عدل) be authenticated
توثيـق (: اثبات صحة سند أو ما إليه) authentication
~ (لدى كاتب عدل أو محرر عقود) notarization
~ (: تعزيز ، تشديد) reinforcement, strengthening
~ (: تسجيل) registration
توثيقي notarial
تَـوَّج crown, enthrone
تَـوَجَّسَ be apprehensive (*about*), fear (*consequence*)
~ (خوفًا) feel frightened
توَجَّـه proceed, pursue a course (*of*), head (*north, straight for ruin*)
~ (إلى) address oneself (*to*)

توجيه direction, address, instruction, directive
~ ، توجيهات (ارشاد ، الخ ..) guidance, directions, instructions, directives
توجيهي directive, ministerial
توَحَّشَ become wild, act (*or behave*) beastly (*: as becomes a beast*)
توحُّش bestiality, brutality
~ (جنسي) depravity, sadism
توحشي depraved, heinous, abominable
توحَّم (تْ) crave or have a craving (*for*)
توحيد unification; consolidation
~ دين funding (*debt*)
~ (مذهب) (راجع وحدانية)
تَوَدَّدَ court (*somebody's*) favour, gain (*one's*) way into favour, fawn (*on*)
~ (إلى) wheedle, coax
تورَّط get embroiled or tangled (*in offence*), be in a predicament, find oneself in a fix or a quandary
تورَّمَ swell; bulge
تورُّم swelling, turgidity, turgor, tumidity
~ (: ورم) tumour
تَوْرِيَة (في البديع) equivocation, punning; innuendo
توزَّع be distributed, be apportioned, be divided (*between parties, beneficiaries, etc.*)
توزيع distribution
~ (حصص أو جعالات) apportionment, dispensation (*with allotments, etc.*)
~ (ربائح أسهم) declaration of dividends
توسَّخ (راجع اتَّسَخَ)
توسَّط mediate (*between*), intermediate; intercede, interpose (*between parties*)
توسُّط mediation, intermediation; intercession
تَوَسَّع expand, reach out (*to additional territory, etc.*)
~ (: امتد) extend, stretch, distend, enlarge, increase (*extent, scope, etc.*)
تَوَسُّع expansion, enlargement
تَوسُّع (اقليمي – كسياسة) expansionism
~ (: تجاوز الحجم العادي في الامتداد) dilatation
توسَّل implore, entreat, pray, beseech; solicit (*a person for something*), supplicate
توسُّل entreaty, prayer, supplication; solicitation
تَوَسَّم anticipate (*good*), augur (*well*), have (*good*) expectation, find (*person or thing*) promising
توسيع widening or broadening; enlargement
~ (: مد نطاق) dilation; expansion, extension
توَصَّلَ attain (*object*), reach, achieve (*high position*)
توصية recommendation; advice, counsel
~ (بوصية) bequest, devise (*by will*)
~ (لتزويد بضاعة) order
توصيل connection, linkage
~ (عمل) joinery (*work*)
توصيلة connection, link, connecting structure
توضيح (راجع ايضاح)
توطِئة (لشأن) prelude, paver (*for something*)
~ (لفعل) adminiculum (*adminicular*)
توطَّد be established or strengthened
~ (: انتشر) prevail
توطَّن settle (*somewhere or in a certain place*), establish home or residence
توطُّن settlement, establishment of home or residence
توظَّفَ be employed, find employment, be engaged in service
توظيف employment, appointment, placement
~ (: تثمير رأسمال ، الخ ..) investment (*of capital, talent*)
توعَّد menace, threaten
توَعَّك be indisposed, suffer disorder
توعُّك disorder, ailment, indisposition
توْعية raising consciousness or awareness (*to*); awakening (*to some fact*)
تَوَغَّل deepen, penetrate (*go, or drive*) or probe deep (*into something*)
تَوَفَّرَ (راجع توافر)
تَوَفَّق (راجع نجح)

تُوفِّي die; expire
~ قبل شخص predecease certain person
توفير saving; frugality
توفيق conciliation (*reconciliation*)
~ وسط (قائم على تساهل) compromise
تَوَقٍّ (: تحوط) precaution, protection; circumspection
توقّى exercise or take care, be careful, use caution or circumspection
توقّع anticipate, foresee (*a disaster*), expect, look forward to; contemplate (*a good harvest*)
توقُّع anticipation, expectation; contemplation
توقّف cease, stop, desist (*from*), discontinue, come to an end
~ (: اعتمد) depend, rely
توقُّف discontinuance, cessation (*of hostilities, etc.*), interruption
~ (عن دفع ديون – اعسار) insolvency
توقيع (: امضاء) signature, subscription; hand
~ اوتوغرافي sign manual
توقيف (: تقييد حرية رهن تحقيق أو ما إليه) detention, custody
تَوَكَّأَ lean (*upon, against*), support oneself (*on*)
تَوَكَّدَ become sure or confirmed or positive, become certain or ascertained (*as in: ascertained as aforesaid*), become thoroughly established
تَوَكَّل trust (*in*), put one's trust (*in*); rely (*upon*)
توكيد assurance
~ (كلمة أو حرف أو ما إلى ذلك في كتابة أو كلام) emphasis
توكيدي assuring (*promise, words, etc.*); emphatic
توكيل power of attorney, proxy; procuration; retainer (*for prosecution of action*)
~ عام general retainer
~ خاص special retainer
تولٍّ assumption, accession; tenure (*of office, etc.*)
تولّى assume, undertake (*authority, performance, etc.*); take charge; accede (*to leadership, power, etc.*); run, handle (*affair, problem, etc.*), keep
تولّى turn (*from a sight*), turn aside or away (*from*)
~ (شأناً) take charge (*of*), undertake (*some business*)
~ (: حَكَم) govern, rule, take reins of (*government, management, etc.*)
تولّد originate (*from*), derive (*from*), issue (*from*), emanate, stem (*from*), spring (*from*)
تولُّد origin (*origination*), generation (*of power, etc.*); derivation
~ ذاتي autogeny
توليد (: انتاج) generation, production, generating (*plant*)
~ (: قبالة وما اتصل بها) obstetrics, midwifery
توَهَّج glow, flare
توهُّج glow, flare
توَهَّم imagine, delude oneself
توَهُّم imagination, delusion, false impression
تيّار current
~ (في أرجاء بناء) draft
~ جوفي undercurrent
تيسّر be available or possible, be obtainable or realizable
تيقّظ (: تنبّه لشأن) (راجع تَنَبَّه)
~ (: صحا من نوم) awaken
تيل ، كتّان linen
تيمّن augur well, see good omen in things, etc.; be optimistic (*about an event or thing*)
تيمُّن good augury, seeing good omen in things, etc...; optimism
تيّه (: ضيّع) mislead willfully, lead to perdition or lead astray, delude
~ (النفس : حيّرها ، اهلكها) puzzle, bewilder; ruin
تِيه dispersion; diaspora

ثائر	rebel, insurgent (*troops*), mutineer (*used chiefly of soldiers*)
ثابَ	revert, return to or recover (*one's senses, etc.*), repent
~ (الناس : جاءوا تباعًا)	come consecutively or successively
ثابِت	proved, established; affirmed (*in position*), confirmed (*principle*), constant (*star*), permanent (*service*), firm (*belief*), stable (*price*), fixed (*rate*); steady (*progress*); standing (*orders, etc.*), static (*current*), stationary (*body*)
~ (الجأش)	steadfast
~ (: غير منقول)	immovable, real (*property, etc.*)
شبه ~ (من مال)	quasi realty
ثأر	revenge (*for*), avenge (*one's honour*); retaliate (*injury, insult, etc.*)
ثأرٌ	revenge; feud
ثأر (ثأرات) دم	blood feud, vendetta
ثارَ	rebel (*against authority*), revolt, mutiny, cast off allegiance, subvert (*established government*)
~ (كبركان)	erupt
ثاقِب	piercing, penetrating
~ الفكر	shrewd (*person*)
ثالوث	trinity
~ مقدس	Holy Trinity, the Trinity
ثانوي	secondary, of subordinate position or less importance, accessory (*part*)
ثانية	second
ثبات	firmness, steadfastness; solidity; stability
ثَبَتَ	be proved or established, be confirmed
~ للمحكمة ان ...	court is satisfied that...
ثَبَتَ (لألم ، امتحان ، الخ..)	endure, stand (*pain, test, etc.*)
ثبَّت	affirm, confirm (*judgement, fears, etc.*), stabilize, consolidate (*position*), fix or rivet (*in place*), make firm, fasten
~ (سعرًا منعًا له من التأرجح)	peg (*a price*)
ثَبَّط	dishearten, discourage, deter (*an effort*), inhibit (*person, action, etc.*), frustrate (*exertion, effort*), defeat (*expectation*)
~ (: عَوَّق ، أخَّر)	thwart, block, detain, delay
ثُبوتي	probative (*evidence, facts, etc.*) confirmatory (*statements*), corroborative or corroboratory (*material, documents, etc.*)
ثخانة	thickness
ثَخين	thick
~ (شخص)	heavily built
ثَدْي	breast, mamma
الثدييات (: ذوات الثدي)	Mammalia
ثرى	earth, soil, ground
ثَراء	wealth, riches, opulence (*of vegetation*)
ثَرْثار	talkative, garrulous (*person, etc.*); verbose (*style*)
ثَرْثَرَة	verbosity, talkativeness, verbiage; logorrhea
ثَرْوَة	fortune, wealth; patrimony
ثَريّ	wealthy, rich; well-to-do; prosperous
ثَغَرَ	perforate (*a sheet of iron*), pierce, make a hole (*in*), make a breach (*in the lines*)
ثَغْر (: ميناء)	port, habour; haven
ثُغْرَة	aperture, gap, cleft, fissure, opening, yawn, hole
~ (في علاقات)	breach, rupture

ثُغرة (: عيب ، نقطة ضعف ، مأخذ) flaw
~ (: فراغ) interstice, blank
~ (: فوهة) orifice
~ (: مخرج) outlet
~ ذات غطاء scuttle
ثُفْل dreg(s), sediment
ثِقاب (عود) match (*stick*)
ثَقَّابة (: آلة للثقب) drill
~ صخور drifter
ثَقافَة culture; education, intellectual development
~ (: تعليم) instruction
ثقافي cultural, educational
ثَقَبَ bore, perforate, pierce; puncture
~ (سفينة) scuttle
ثَقْب hole, bore, burrow (*in ground*); puncture
~ ذو غطاء scuttle
ثِقَة credit, faith; trust
~ (: تصديق ، اعتماد) credibility
~ بالنفس self-confidence, self-esteem
ثقّفَ educate
~ (: علّم) instruct, teach
ثَقّلَ weigh down (*thing*), render (*task*) heavy or oppressive
~ (: حَمَّل فوق الطاقة) overburden
ثَقُلَ (من حيث الوزن او الوقْع) be heavy, weigh heavily (*on*), become burdensome
~ (: رجَحَ) preponderate (*over*)
~ (: ضَعُفَ كالسمع او ما اليه) become hard of hearing
ثِقَل weight
~ (: ضغط ، عبء) pressure, burden
~ (: جاذبية) gravity
ثقيل heavy, weighty
~ (الاعباء) ponderous, cumbersome, onerous
~ (على النفس) deep, profound, serious (*loss, etc.*)
~ (: صعب) laborious, difficult; oppressive (*duty, rule, etc.*)
~ السمع hard of hearing
ثَكِلَ (راجع : فَقَدَ)

ثُكْنَة (لإيواء عساكر) barrack
ثُلاثي triple, of three members or sides or units
~ (الاطراف) tripartite
ثَلَبَ (راجع : عابَ)
ثَلَمَ indent, notch, nick
ثَلْم ، ثُلْمة breach, rupture, puncture; furrow; indentation
~ (: فجوة) gap, rut
~ (كرقم ٧) notch
ثُمالة dregs
ثُماني octagonal, eight-sided
ثَمَّرَ invest (*capital*)
~ (: كثر ، نمى) cultivate; develop
ثَمْراءُ fruitful, productive
ثَمَرَة (ثمار) fruit(s)
~ (: عقب ، خلف) offspring, progeny
ثَمِلَ (راجع سكِرَ)
ثَمِلٌ inebriate, drunk
ثَمَنٌ price
~ (: قيمة ، سعر) worth; cost
~ صحيح (في بيع تحدوه نية سليمة) prime cost
~ عادل (او عدل) fair or just price
~ شيء على ارضه *loco* price
ثَمَّنَ price
~ (: قيم) evaluate, appraise
ثُمَير (: مبيض النبات) carpel, pistil cell
ثَمين valuable, precious, of high price or great worth or value
ثَنى (: حنى) bend, curve
~ (: عن نهج إلى آخر) divert, turn (*in a new direction*)
~ (: حول او صد عن غاية) dissuade, deter (*from some act*)
~ (: اخضع ، ارغم) subdue
ثَنّى (: ايد) second; support
~ (: جعل من الشيء اثنين) duplicate
ثناء praise, commendation; compliment
ثُنائي bilateral (*contract, agreement, etc.*), bipartite (*treaty, contract, etc.*); dual (*nationality, personality, control*)

ثُـنائية duality

ثَـنية pleat, fold, ply (*of cloth*)

~ (عطفة) curve, bend, turn

ثـَوَاب reward

ثـَوَّب (راجع كافأ)

ثـَورة revolution, rebellion, revolt, uprising; insurgence or mutiny (*of troops mainly*); insurrection (*against government or authority*)

ثـَوري revolutionary, rebellious, mutinous, riotous

ثِـياب clothes, clothing

~ (: كساء) apparel

ثـَيِّـب (: امرأة متزوجة) married woman, *feme covert*

~ (: امرأة فقدت زوجها بموت او طلاق) widow, divorced

ج

جاء (: أتى) come
~ (: حلّ) come upon, visit
~ بشأن bring, bring forth
~ (: تلا) succeed, follow
~ (: لاح من وراء شيء) emerge
~ (: حصل) occur, happen
جائحة disaster, calamity, catastrophe
~ (: بلوى ، ضائقة) distress
~ (فجائية كحرب او زلزال) cataclysm
~ وباء او ما اليه pandemic
جائر unfair, wrongful, unjust, inequitable
جائز permissible, allowable, admissible
~ (: ممكن ، محتمل) possible, probable
~ (: مباح) licit
غير ~ impermissible
جائزة prize (*won at a contest*)
~ (: مكافأة) reward (*for courage*)
جابَ (: قطع سيرًا) walk across (*the country*), cross (*a continent*), traverse (*the globe*)
~ (: طاف) rove (*the moors*), roam (*the earth or about the earth*)
جَابٍ ، الجابي collector (*of taxes, credits, etc.*)
جابي ضرائب tax-collector, tallager
جابَهَ confront (*an adversary*), counter (*difficulties*); encounter, face; contend (*with problems, difficulties, etc.*)
~ (بشيء او بشخص) bring face to face (*with*)
جُؤجُؤ (سفينة : مقدمتها) bow, stern, prow
جاحِد unbeliever
~ (بالله عز وجل) atheist
جاحِظ العينين exophthalmic
جادَ (راجع تَكَرَّم)
جادَلَ argue (*about, in favour of idea, etc.*); contend, debate, reason
جادَّة road, way; street
جاذَبَ dispute (*with person about matter, right, etc.*), contend (*with somebody for thing*); wrangle (*about*)
جاذِبيّة gravity or gravitation; pull, attraction
جـارٍ ، الجاري current; running
جارٌ (: مجاور) neighbour(*ing*)
جارَ wrong (*person*), treat unfairly, encroach (*on other's property*); deviate (*from the right way*), stray
جارى (: وافق في شأن) concur (*with*)
جارِح offensive (*gesture*), abusive (*words, etc.*), wounding (*of feeling*); poignant, incisive
~ (ماديًّا) traumatic
~ (طير او ما اليه) rapacious, (*bird*) of prey; predatory
جارِف sweeping; comprehensive (*reform, change etc.*); devastating, ravaging, pandemic (*disease, disaster, etc.*)
~ (: جَرّاف) dredger
جارية servant; slave girl
جازَ be permissible or allowable
~ (: امكن ، كان محتملًا) be possible, be probable
~ (: كان مباحًا) be licit
جازى remunerate (*for service, etc.*), reward (*for favour, distinction, bravery, etc.*)
جازَفَ (بـ) risk, stake (*one's money, career, etc.*), hazard, endanger; jeopardize (*one's reputation*)
جازِم positive, sure, categorical
جاسِئ hard, callous; rigid

جاسوس spy, secret agent
جاسوسية espionage
جاشَ (: غلى) boil
~ (: غلى برفق) simmer
جاعَ be hungry, suffer hunger
جافٌّ (: ناشف) dry (*dock, mouth, etc.*); arid, parched (*land, earth*); dried, desiccated or dehydrated (*fruit, meat, etc.*)
جافى treat (*someone*) with disaffection, be unfriendly or hostile (*to*), break with (*somebody*)
~ (: عصى) disobey
جالَ (: طاف) travel (*walk, go*) around, go round, make the round (*of*), make one's rounds
~ (لغير هدف) ramble, stroll, roam
~ (في حدود ليفتشها) perambulate
~ (في ذهن) occur (*to one's mind*)
جامِد (: جماد) inanimate, inactive
~ (: لا يتصف بنمو او حياة او حركة) inert, stagnate, motionless, dead, sluggish; unresponsive
~ (: معدم الحركة) solid, rigid
~ (: متجمد) frozen, frigid
~ (: جمودي) passive
جامَعَ copulate with, know sexually (*or carnally*), have sexual intercourse with; cover (*female*)
جامِع sweeping, comprehensive, inclusive (*of...*)
~ (راجع مسجد)
جامعة university
~ (: عصبة) league
جامعي (: متخرج) university graduate; academic
جامَلَ be nice (*to somebody*), treat nicely, treat punctiliously, treat ceremoniously; be courteous or treat courteously; treat considerately or with deference
جانٍ ، الجاني culprit, wrongdoer, offender
~ (: ارتكب جناية) felon
جانَى charge with a delict or a crime
جانَبَ agree with, concur, side (with), take sides (*with*), take (*somebody's*) side; run concurrently (*with as parallel lines*)
جانَبَ (: فارق ، خالف) fall away from, disagree with
جانِب (شيء) side
~ (: وجه) facet, aspect, phase
~ (: جزء) part, portion, sector, section
~ (: جهة نسب) line (*paternal, etc.*)
~ (: جناح) flank
~ مدني (من محكمة) plea (*or civil*) side
~ جنائي criminal side
~ الذكور (من اسرة) spear side or male line (*of family*)
جانبًا aside
جنبًا إلى جنب side by side, (*in*) juxtaposition, abreast
جانبي lateral; side (*effect, etc.*), peripheral (*act, procedure*)
جانبية profile
جانِح devious, errant; delinquent; misdemeanant
جانَسَ homogenize
~ (: وفق بين اشياء) harmonize, reconcile
جاه dignity, high standing (*or rank*), eminence
جاهَدَ fight (*holy war, somebody, etc., for certain cause*)
~ (: أجهد النّفس في سبيل شأن) strive hard
جاهَرَ profess (*a view*), avow (*a faith*), reveal or declare openly
جاهِل ignorant, illiterate, unlettered
~ (بشأن) ignorant (*of something*)
جاوَبَ answer, reply; respond
جاوَرَ neighbour, border
~ (: لامس) adjoin
جاوَزَ exceed (*the limit*); surpass; transcend
~ (شيئًا متحركًا بعد ان لحق به) overtake
جَبَّ (عقوبة او ما اليها) absorb (*penalty*), engross, incorporate
~ (راجع قَطَع)
~ (راجع غَلَبَ)
جبَى collect, raise (*taxes*), gather

جَبان coward, recreant, craven, cowardly (*act, etc.*)
جِباية levy; imposition (*of tax, etc.*)
~ (: تحصيل) collection (*of an assessment*)
جَبَرَ repair (*damage, injury*), mend (*relations*), remedy, right, restore (*to sound state, etc.*), make good (*a loss*), offset (*adversity*)
~ (: قَهَرَ على شأن) (راجع أجْبَرَ)
جبروت overwhelming might (*or power*), grandeur, omnipotence (*as of God*), tyranny (*as of despotic ruler*)
جَبْري (راجع اجباري)
جِبْس gypsum
جَبَلَ (: خَلَقَ) create
~ (: طَبَعَ) inure (*person to hardship, patience*), habituate, accustom (*to*)
جِبْلة (: خِلقة ، طبيعة) natural disposition or constitution, nature; idiosyncrasy
جَبُنَ cower, cringe, shrink in fear
جُبْن cowardice, faint-heartedness, recreancy
جَبْهَة front
~ (: واجهة) frontage
~ (: مقدمة) vanguard
~ (: جبين) forehead
جَبين front, forehead
جَثَّ (راجع اجتث)
جُثّة corpse, cadaver, body
~ انسان corpse, cadaver
~ حيوان carcass
جَثَم lay heavily (*upon*), oppress, sit (*upon*), perch (*upon*), ride or ride on
جثمان body, remains
جَحَدَ deny (*the truth or existence of something*), negate, disbelieve, reject, disown
جُحْر lair (*of a jackal*), burrow
~ (فساد) den, bed (*of corruption, vice, etc.*)
جَحَظَ protrude, bulge
جُحود negation (*of*), disbelief (*in something*)
~ (نعمة) ingratitude

جُحود (بالله عز وجل) atheism
جَدّ grandfather; ancestor
~ لأب paternal grandfather
~ لأم maternal grandfather
~ اول primogenitor or avus
~ ثانٍ proavus
~ ثالث abavus
~ رابع atavus
~ خامس tritavus
~ سادس tritavi-pater
~ سابع proavi-atavus
جدة grandmother
جَدَّ endeavour, exert oneself, strive (*to achieve success, etc.*)
جِدّ diligence, self-exertion, industry
جِدار wall
~ فاصل (مشترك) party-wall
~ بحري water-gage
جداري mural
جَدارة proficiency, aptitude, capability
~ (: استحقاق) merit
جِدال argument, argumentation
~ (: بحث) debate, discussion
جَدُبَ وجَدْب (راجع محل)
جَدَّد renew (*agreement*), renovate, modernize (*a building*); revive (*law-suit, etc.*); rehabilitate; resuscitate (*vigour*), restore to freshness
~ (من حيث الهيئة) redecorate (*house, etc.*); refurbish
جُدَري smallpox, variola
جَدَعَ lop off (*a branch*), cut off, amputate (*an arm, a leg*)
جَدَّف blaspheme (*the name of God*), revile (*at*), swear
~ (: حرك الماء بالمجداف) row, scull
جَدَلٌ argument, argumentation, contention
~ (: بحث) debate, discussion
~ (لتدريب الطلبة) mooting
علم الجدل polemics

جَدَلَ entwine, interlace, interweave
جَدْلة splice; strand
جَدَلي argumentative; debatable; polemic(*al*), moot (*point, etc.*), contentious (*point, theory*)
جَدْوى avail, benefit, advantage
جَدْوَل (١) table, roll (*of advocates, experts, etc.*), list (*of names, cases, etc.*); inventory, schedule
~ اعمال agenda
~ تأمين actuarial table
~ ضريبة tax roll
~ قضايا cause list, trial docket
~ محاكمات trial list
~ ميقاتي timetable
جَدْوَل (ماء) (٢) brook, creek
جِدِّي serious (*in act, conduct, etc.*)
~ (من حيث الوزن أو الأهمّية) weighty, momentous
~ (: ذو شأن ، يستأهل الاعتبار) substantial
جَدِيد new, fresh
~ (: مستحدث ، فريد ، لا مثيل له) novel, original
مجدداً newly, *de novo*
جَدِير meritorious (*act, conduct*), capable (*person*), apt (*scholar*), fit (*for leadership*)
~ (: خليق ، قمين) befits, becomes, behooves (*one to behave properly*)
جَذّاب attractive (*dress*), charming person, engaging (*habits*)
جُذام leprosy
جُذامي leprous, leprotic
جَذَبَ attract, draw (*forth*); pull; engage (*attention*)
جَذْب attraction, pull
جَذر (راجع اجْتَثَّ)
جَذْر root, radicle, radix
~ (: اصل ، منبع) origin; source
~ تربيعي square root
جَذْريّ radical
~ (: اساسي) basic; fundamental

جِذْع trunk, stem; torso
جَذَّفَ (: قطع) cut, chip;chop; hew
~ (بمجذاف قارب) row
جُذْمور stump, stub
جَرّ (: الجر) traction; towage
~ (: نقل) transportation
~ (: سحب) haulage
جَرَّ tow (*a damaged vehicle*), draw (*a boat out of a river*), drag (*a weight*), haul (*logs*), trail (*a sham cannon*); evoke (*rumours*), elicit (*a response*), bring forth or produce (*trouble*), educe (*misunderstanding*)
جَرُؤ dare, venture (*to say, do, face, etc.*), have the courage (*to*)
جَرَى run; occur (*twice, on a certain date*), happen (*to somebody*), befall (*person*), take place (*on, in, at*)
~ به العمل be in practice, in use or force, customary
~ (: سال) flow
جِراب pouch, bag
~ (ملبوس) stocking, sock
جَرّاح (طبيب) surgeon
~ اسنان dental surgeon
~ اعصاب neurosurgeon
جِراحَة (عامة) surgery
~ اسنان dental surgery; dentosurgery
~ تقويم plastic surgery
~ قلب cardiosurgery
جِراحي surgical
جَرّارَة tractor
جِرايَة ration, fixed allowance
جَرَب (داء) scabies, psoriasis
جَرَّب try, test (*endurance*), prove, check (*accuracy, safety, etc.*) attempt, endeavour (*to act, do, etc.*), strive (*to score a point*)
~ (: اختبر معدنًا او ما اليه) assay
جُرْثومَة germ, microorganism

جُرْثومي germinal
جَرَح wound, cut
~ في جناحٍ wing
جَرَّحَ vilify, cast aspersions on, denounce (*a thing*) unworthy
~ (: لم يَقْبَل) reject
جُرْح wound, cut, laceration
~ (بليغ : عميق وطويل) gash
~ (سقمي) trauma
~ رضي contused wound
~ قاطع incised wound
جُرْحي traumatic
جَرَدَ (موجودات) take stock (*of assets*)
الجرد stock-taking, inventory
جَرَّد divest, deprive of, strip (*a person of his property*), despoil (*a merchant of his customers*), denude
~ من حيازة dispossess
~ من سلاح disarm
جَرْداء bare, bleak (*landscape*), barren (*land*), arid (*zone*)
جَرَس bell
~ (طبق) gong
~ انذار alarm bell
~ نداء call bell
جُرْعَة dose (*of medicine*), dosage, potion (*of poison*)
جَرَفَ scoop, sweep (*all prizes*), carry (*away*), clear (*off or away*); wash (*out or up*)
~ (بمجرفة) shovel
جَرْف wash (*of waves, rains, etc.*); avulsion
~ سيل (: مواد يجرفها الماء) drift-stuff
~ (: أتربة يُعقِبها سيل) alluvium
جِرْم hull, body
~ (سماوي) (*heavenly*) body
جُرْم crime; offence, delict
~ جنائي criminal offence
~ واحد (: مجرمية واحدة) *par delictum*
~ مماثل (: في وضع جُرمي مماثل) *pari delicto*
~ سياسي state (*or political*) offence
جُرْم عقوبته الإعدام capital offence
جَرَّم incriminate, inculpate
جُرْمي criminal
~ (افتعالي) commissive, deliberate
جُرْن barn
جَرِيء bold, daring, intrepid, fearless
~ (في قول) outspoken, forthright
جَرَيان flow, influx (*into*), stream (*of a liquid*)
~ (دم) circulation
جَريح wounded, injured
جَريدَة newspaper
~ رسمية official gazette
جَريرة (: ذَنْب ، جناية) offence, crime, delict
جَريمة crime, grave offence
~ ضد الطبيعة crime against nature
~ كبرى high crime
~ مخلة بالشرف offence involving moral turpitude
جَزَّ clip, shear (*wool*)
جُزء portion, part, fraction (*of a second*), division; segment (*of a circle*), component part
~ (: كسرة ، قطعة) piece
~ لا يتجزأ integral part, part and parcel (*of plan, body, enterprise*)
~ (: قسم) section
جَزى (راجع كافأ)
جَزَّأ partition (*property*), divide, split; apportion
~ الجزء subdivide
جَزاء reward (*for service*), recompense
~ (: عقاب) punishment; penalty
~ (: عقوبة دولية تفرض لتأديب او ما اليه) sanction
جَزائي punitive, penal (*clause*); vindicatory (*damages*)
جَزّار butcher, meat dealer, slaughterer of animals
جُزافًا (: دون تقدير) haphazardly offhandedly, casually
~ (: دون تصميم او قاعدة ، عرضًا) at random,

randomly, desultorily

جُزافًا (: بسبيل الصدفة) accidentally, by chance (*rather than by design*)

جُزافي hazardous, risky; aleatory (*contracts, etc.*)

~ (: بلا كيل) (راجع بيع)

جُزْئي partial, in part

~ (: بسيط) petty (*offence, theft, etc.*)

~ (اختصاص) summary (*jurisdiction*)

جُزْئيّة item, detail, particular

~ منطقية postulate

جَزْر ebb, low tide; reflux

جَزَر (: ذَبَحَ) slaughter (*cattle, etc.*)

جَزَعَ (راجع قطع)

جَزِع be taken by anguish or compassion; get startled or alarmed

~ (: نفد صبره) lose patience or endurance

~ (: فزع) panic

جَزَعٌ fear, alarm; anguish; compassion

جَزَفَ (: باع جزافًا) sell haphazardly

جَزَمَ be certain or positive; be perfectly sure

~ (جزمًا ينطوي على غرور) be cocksure

~ (: أكد) assure (*occurrence of a fact*)

جُزَيء particle, molecule

جزية tribute

~ (: خراج ارض) land tax

جَزيرَة island; isle (*of a certain name*)

~ صغيرة islet

~ صغيرة (محاذية لساحل) holm

جَسَّ feel (*pulse*)

جَسامَة gravity (*of responsibility*); seriousness (*of crime*)

~ (: ضخامة جسم) corpulence

جَسَدٌ body, corpus (*as in corpus pro corpore: body for body*)

جَسَّدَ embody (*ideas, principles, etc.*), incorporate (*legislation, things, groups in one body*), incarnate (*spirit*)

جَسَدي bodily, physical, corporal (*exigencies, needs*)

جَسَرَ (راجع جرُؤ)

جِسْر bridge

رَأس ~ bridgehead

جِسْم body

~ ميت (: جثة) (راجع جثة)

~ سفينة hull

جُسْماني bodily, physical; corporeal

جَسور (: شجاع) daring, fearless, bold, courageous, venturous

جَسيم serious (*harm, illness, loss, error, etc.*), grave, grievous (*harm*); gross (*negligence, etc.*); severe; great

جَشِعَ be greedy, be avaricious or avid or over-acquisitive, covet (*another's property*)

جَشَع greed, avarice, avidity

جِص gypsum

جُعالَة wage, allowance, stipend

~ (: مكافأة ، أجرة) remuneration (*for service*)

~ (راجع رشوة)

جَعَّد curl, crinkle, furrow, produce wrinkles or grooves or lines

جَعْدَة wrinkle, line (*in a face*); furrow; crease (*on a piece of cloth*)

جَعَل make, create, render (*harmless*); fashion (*in certain form*); place (*in position*)

~ (: خصص ، أعطى) assign (*a share*), allocate, give

جُغْرافي geographic(al)

جُغْرافيا geography

جَفَّ (: نشف) dry (*up*), become dry or desiccated

جَفاف drought, aridity, prolonged dryness, want of rain, waterlessness

جَفَّف (: نشف) dry or dry (*thing*) up, drain (*soil, etc.*); dehydrate (*fruit, food, etc.*)

~ exsiccate or desiccate

~ (: ازال الرطوبة من جسم) dehumidify

جَفَل shy, start suddenly aside (*with fright*); be timid (*of*), shrink (*from an act in alarm*), lack courage

جَفْن eyelid, lid

جُلّ (: معظم) most (*of something*), the greater part (*of*), the majority (*of members, people, etc.*)

جَلَى (: ارتَحَلَ) move (*from*), depart (*place, town*), clear away (*from*)
~ (: صَقَلَ ، ازال صدأً ، رواسبَ ، الخ..) polish, burnish, scrape, remove (*rust, etc.*)
~ (: وَضَحَ) clarify (*significance*), clear up (*as of situation*), become clear or evident or manifest
جَلا (عن مكان) depart, quit, leave, clear out (*of a place*), withdraw (*from*); evacuate (*a town*); decamp
جَلَّاد executioner, headsman, deathman; hangman
جَلالَة majesty, *majestas*
جَلَبَ bring, fetch (*price, etc.*), procure, obtain
~ (: جر ، انتج ، سبب) incur, draw; produce; cause
~ لمحاكمة arraign, bring to trial
جَلَبَة din, tumult, clamour, racket, uproar
جَلجلة boom (*of cannon*), clap (*of thunder*), peel (*of bells*)
جَلَّخ whet, sharpen (*by rubbing*)
جِلْد skin, leather (*for shoes*), hide (*for commercial purposes*)
~ ضأن sheepskin
~ (غزال) (راجع رِقّ)
~ لميع patent leather
جَلَدَ flagellate, whip, lash, flog
~ (بعصا او حزمة عصي) birch
جَلْد flagellation, whipping, flogging; birching
عامود الجلد whipping post
جَلْدُ عميرة masturbation, self-abuse
جَلْدَة lash
جَلَسَ sit
~ (: التأم) convene, meet
جَلْسَة session, sitting, hearing (*of court, etc.*); meeting
~ (غير عادية) convention (*of parliament*)
~ افتتاحية ، ~ تأسيسية statutory meeting
~ سرية closed or secret session
~ محكمة (بكامل هيئتها) sitting in banc or in bank

جَلْسَة غرفة مشورة sitting in camera
جُلْطَة heart attack, thrombosis
~ (: خثرة دم) clot (*of blood*), thrombus
جَلْفَطَ [بحرية] caulk
جَلْفَطَة caulking
جُلْمُود boulder, rock
جُلُوس (عيد) regnal (*day*)
جَلِيّ clear, manifest, evident
~ (: لا يلابسه شك) unequivocal
جَلِيد ice
جَلِيدِي glacial; ice (*age*)
دَلَاة جليدية icicle
عائمة جليدية iceberg
جَمٌّ (راجع كثير)
جِمَاع coition or coitus, copulation, sexual intercourse, carnal knowledge
~ (بين الحيوانات) mating
جَماعَة group
~ (: زمرة ، طائفة) company, community
~ (: حشد) multitude
~ عمال gang, company of workers
جَماعِي ، جَمْعِي collective, communal
جَماعِيّة (مشايعة) collectivism
جُمْجُمَة skull, cranium
جَمَحَ bolt (*as of a horse*), break from or run out of control, become unruly; disobey
جَمَدَ freeze, congeal; solidify
~ (: تخثر) coagulate
~ (وضع ، مفاوضة) reach deadlock, stalemate or impasse
جَمَّدَ freeze, congeal
~ (سائلًا) solidify
~ (اموالًا ، الخ ..) freeze (*assets, credits, etc.*)
جُمْرُك (جمارك) custom(*s*)
جَمَعَ gather, collect; amass or hoard (*money, food, etc.*); pick up (*pieces, threads, etc.*); group (*items, men, things, etc.*); convene, assemble, convoke; rally (*friends, one's strength, etc.*); summon,

muster (*scattered forces*), raise (*money, contributions, etc.*)

جمَعَ (بين أكثر من وظيفة) pluralize, hold more than one office

~ (خيوط دليل) piece or join together

~ (شيئًا إلى آخر ، ضم) add or add up, join, combine

~ (بين اشخاص أو اشياء) couple (*persons or things*)

جَمْع (: جماعة) assemblage, gathering (*of people*), congregation (*of saints*)

~ (: لمّ ، ضم) gathering, collection; addition (*of numbers, etc.*), acquisition (*of wealth, titles*)

~ (بين وظيفتين او اكثر) pluralism, holding more than one office

~ (صيغة) plural

~ ثوري riot or riotous assembly

~ جرائم joinder of offences

جَمَّع compile (*data*), collocate (*words*), assemble (*persons*), cumulate (*provisions*), amass (*gold*)

جَمْعًا وأفرادًا all and singular, collectively and severally

جَمْعِيّة society, association; assembly; college (*of cardinals, etc.*)

~ خيرية charitable (*or benevolent*) association

~ محامين (نقابة) bar association

~ محاماة (رجال قانون) law society, association of jurists

~ محاماة معتمدة بانكلترا Inns of Court

جَمْعِيّة عُمُومِيّة general assembly

جَمَلَ integrate (*parts into a whole*), embody (*in one volume*), incorporate, combine (*forces*)

~ (: جمع) sum up, add up; aggregate

جَمَّل embellish, beautify

~ (: زيَّن) adorn, decorate

جُمْلَة sentence

~ (: عبارة) phrase

~ (: عدة) several, a number (*of things, persons, etc.*)

جُمْلَةً (: كليًّا) entirely, wholly, totally; en bloc, wholesale

جَمْهَر (راجع جَمَع)

جُمْهُور public, crowd, throng (*of people*), multitude, assemblage

~ (: حشد غير مشروع) rout

~ (علماء) consensus (*of scientists, experts, authorities, etc.*), majority

~ (الناس : اشرافهم) nobility, notables

جُمْهوري republican

جُمْهُوريّة republic; commonwealth (*of nations*)

جُمُود inaction, inactivity, passiveness (*to influence, change, etc.*)

~ (: خمول) inertness

~ (مُفاوضات ، وَضْع ، الخ ..) stalemate

~ جنسي frigidity, anaphrodisia

~ (مناخ) frigidness

~ (: طبيعة الجماد) solidity

جَميع all (*things, persons, etc*), the whole (*class, people, etc. or of something*), entire

جُنَّ (: زال عَقْلُهُ) become mad or insane, be demented

جَنَى (: كسب) earn, reap, obtain,

~ (: جَمَع ، قَطَف) collect, pick, harvest

~ (: اقترف) perpetrate, commit

~ (: جر) bring (*upon*), elicit, draw forth

جَنائزي funereal, funeral (*march, etc.*)

جِنائي criminal, penal, culpable

جَنابَة (: نجاسة) uncleanness, ritual (*uncleanness or*) impurity

جَناح wing

~ (: جانب) flank

~ (في مستشفى ، سجن ، مدرسة ، الخ..) ward

~ (في فندق) suite

~ (لسكن في دار) lodging(s)

~ (تابع او ملحق بمبنى) annex, wing

جِنازة funeral

جِناس simili, prolonged metaphor, pun

جِنايَة felony, serious crime, delict

جَنْب (راجع جانب)

جنبًا إلى جنب	side by side, (*in*) juxtaposition, abreast
جُنُب	ceremonially unclean
جَنَّبَ	keep (*person or thing*) away (*from*), save (*from*), spare (*person, pain, bother, etc.*)
جَنَّة (: فردوس ، جنة عدن)	paradise, garden of Eden
جِنَّة (راجع جنون)	
جَنَحَ	lean (*to*), bend, tend, resort or have recourse (*to*)
~ (القارب ، جنحت السفينة)	get stranded, run aground
~ (: اصاب الجناح : جرحه)	wing
~ (: مال)	list, careen
جَنَّح	wing, fit with wings
~ (: نسب إلى الغير ذنبًا)	inculpate, incriminate
جُنْحَة	misdemeanour
جَنَّدَ	enlist, recruit, enrol in armed forces, draft (*men into the army*), levy
~ (اجباريًّا)	conscript
جُنْدِي (جندية)	soldier, enlisted man (*or woman*)
~ (غر)	recruit
جُنْدِيَّة (الجندية)	military function or life, army
جِنْس (: عرق)	race, genus
~ (ذكر او انثى)	sex
جَنَّس	naturalize, confer citizenship (*upon*); denize
جِنْسِي	sexual; venereal (*disease, etc.*)
جِنْسِيَّة	nationality; citizenship
جنوب (جهة)	south
جُنُوح	leaning or tendency (*to*), having recourse (*to*); stranding (*of ship*), running aground
~ (إلى اجرام)	delinquency
جُنُون	insanity, madness
~ أدبي	moral insanity
~ إرادي	volitional insanity
~ بالجثث	necrophilism
~ جزئي	partial insanity
~ جنسي	nymphomania
جُنُون الخيال	paranoia
~ ديني (: جنون بالدين)	sebastomania
~ سفلس	syphilitic insanity
~ بالسم (: اقبال جنوني على تعاطي المخدرات السامة)	toxicomania
~ شهوة القتل	androphonomania
~ عابر	*mania transitoria*
~ عاطفي (: تبل)	emotional insanity
~ العظمة	megalomania
~ قانوني	legal insanity
~ القتل	homicidal mania
~ كحولي	methomania
~ معاود	recurrent insanity
~ معتاد	habitual insanity
~ مفيق	lunacy
~ وضع	puerperal insanity
~ الولادة	congenital insanity
جَنِين	foetus (*fetus*)
~ (: رُشَيْم ، مُضْغة)	embryo
جُنَيْنَة (راجع حديقة)	
جُنَيْه	pound
جهاد	holy war
جِهار	open (*act, disobedience*), manifest (*defiance*), notorious (*obscenity*)
جِهاز	instrument, tool, implement, machinery (*of government, etc.*), agency; outfit; set
~ (لتشغيل شيء ، عدة)	gear
~ (مكان ، سفينة)	furnishing
~ عروس	paraphernalia
~ اختبار	tester
~ (هضم ، تنفس ، الخ ..)	tract
جِهة (: مرجع ، هيئة)	body, authority, department, agency (*concerned*); party
~ (: اتجاه ، صوب)	direction, bearing
~ (: مصدر)	quarter; source
~ (: جوار)	vicinity, vicinage
جَهَدَ (النّفس)	exert (*oneself*), overburden
~ (راجع تَعِبَ)	
~ (راجع اضعف)	
جُهْد	effort, endeavour, exertion

جُهْد (: وسع ، إمكانية) potential, capacity

جَهَرَ (الامر او به : اعلنه) declare, do (*act*) openly

~ (بالصوت) raise (*one's voice*)

~ بالكلام speak up loudly

جَهْر (: علن ، علني) open, overt, manifest

جَهْرًا ، جِهَارًا openly, in the open, publicly, frankly, overtly

جَهَرٌ (: عدم الرؤية اثناء النهار) dayblindness

جَهَّز equip (*troops*), fit out (*fit person out with arms*), furnish, provide (*students with books*), stock (*shop with goods*)

~ (سفينة) rig

جَهْل ignorance, absence (*or want*) of knowledge; unfamiliarity or unacquaintance (*with*), unawareness (*of fact*)

~ (: أمية) illiteracy

~ إرادي voluntary ignorance

~ غير إرادي involuntary ignorance

~ مؤاخذ (خطأي) culpable ignorance

جَهِل to be ignorant of, be unfamiliar or unacquainted (*with*), have no knowledge of, fail to know (*a fact*)

جَهَّل (بشأن) obscure identity or nature (*of person or thing*), misrepresent (*a fact*), misname (*a party*), conceal identity (*of an object*), use equivocal terms or descriptions, render unclear or ambiguous

جَهُمَ scowl, frown

جَهيض abortive (*trial, coup, etc.*)

جَوّ atmosphere

~ (: فَضاء) space

~ (: فضاء جوي) air space

جَوي atmospheric(*al*); meteorological

جَوَاب reply, answer; response

~ المدعى عليه (او المتهم) plea

~ مكتوب بابوي rescript

جَوَّاب (راجع جوّال)

جَوَّاد (راجع خيِّر)

جِوار neighbourhood, precincts (*of a sacred place*), vicinage, vicinity

جَواز admissibility, permissibility

~ سفر passport, travel document

جَوازي permissive

~ (: خياري) facultative; optional

جَوَّال roving; ambulatory; itinerant

جوت jute

جوخ broadcloth

جَوْدَة excellence, goodness

جَور injustice, inequity; oppression

جَوَّز (راجع أجاز)

جُوع hunger

~ (: خواء) inanition

~ (مهلك) starvation

جَوَّع starve, deprive of nourishment

جَوْف interior, cavity

~ (: بطن) belly

~ سفينة hold

جَوَّفَ hollow, hollow (*out*)

جَوْفي subterranean, underground (*water, flow, etc.*)

جَوْلَة rambling, excursion, tour

~ (في سيارة) ride

جَومائية (طائرة) seaplane, hydroplane

جَوْهَر (شيء) substance, essence; element

~ (: غاية اللباب ، خلاصة شيء) quintessence (*of virtue*)

~ جريمة *corpus delicti*

جَوْهَرَة jewel, gem

جوهري (: جواهرجي) jeweller

مجوهرات jewelry, jewellery

جَوْهَري material, substantial, relevant (*to discussion, subject, etc.*); intrinsic

~ (: ضروري) essential; substantive

~ (: جذري) radical

جَوِّي atmospheric (*al*), meteorological

جَيْب pocket

~ (: تجويف) sinus

(التهاب الجيب (*sinusitis*

جَيِّد (: حسن) good; well

جيِّد (: لا بأس به من حيث الكمية أو القوة) considerable
جِير lime
جَيَّر endorse or indorse
مُجَيِّر endorser
مُجَيَّرله endorsee
جَيْش army, armed forces; (*the*) military; soldiery

جَيْش شعبي militia
~ نظامي regular army
جَيَّش (الجيوش : جمعها) levy, raise (*armies*)
جيفة carrion
جِيُودِيسِيا geodesy
جِيُوفيزيقِيا geophysics
جِيُولوجِيا geology

ح

حائر confused, perplexed, puzzled

~ (بين امرين) wavering; undecided

~ (: متردد) hesitant

~ (: في حيرة) in a dilemma or a predicament

حائز holder, possessor, occupier; tenant

~ سليم النية possessor *bona fide*

~ سيِّئ النية possessor *mala fide*

~ مطلق الحيازة tenant in fee

~ مؤبد الحيازة tenant in fee simple

~ من حائز اوسط tenant of the demesne

حائض menstruant

حائط wall

~ مشترك party-wall; common wall

حائك weaver

~ (تهمة ، شكوى او ما إلى ذلك) framer, fabricator, contriver

حائل impediment, obstruction, hindrance

~ (: حاجز) barrier

~ (بين دولة واخرى) buffer

حابى favour, treat with partiality, show unfair bias towards...

محاباة favouritism

حابس (مال موضوع مطالبة) sequestrator, distrainor (*or distrainer*) (*of goods*)

حاثٌّ incentive; stimulative

حاجّ (: جادل) argue, contend, join issue (*with*), dispute (*point, matter or with a person or about something*)

حاجب door-keeper, porter, janitor, usher

~ (العين) brow, eyebrow

حاجة need, necessity, exigency, want

حاجز (شخصًا : طالبه بترك المخاصمة) demand renunciation of litigation

حاجز bar, barrier

~ (: عائق) obstruction

~ (لتفتيش ، مراقبة ، الخ ..) check or control post

حادٌّ sharp (*point*), keen, edged (*object*); acute (*pain, etc.*), intense; angular, abrupt (*curve, ascent, etc.*)

~ (: لاذع) caustic (*tongue, etc.*)

~ المزاج hot-tempered, irascible; choleric

~ (من انحدار او ما اليه) steep

حادَ digress, deviate, diverge, depart (*from point, subject, etc.*)

~ (: ضلّ) stray

حادَّ (: اشترك في حد مع الغير) border (*on*), be bounded (*by*), abut (*on*), be contiguous (*as of estates, tenements, etc.*)

حادث (: حادثة) event, accident, incident

~ (من سلسلة حوادث) episode

حادَثَ speak, talk (*to*), converse (*with*)

حاذَى lie along, adjoin; be close to, stand beside

حاذَرَ (راجع حَذَّرَ)

حاذِق skilful (*person*), dexterous or dextrous, clever (*at typing, arithmetic*), deft (*hands*)

حارَ (راجع تحيَّر)

حارّ hot

حارَبَ wage war, war, make war (*against*)

حارَة quarter; locality

حارِس guard, watchman (*as in: night watchman*), watch, guardian angel, custodian (*of enemy property*); keeper (*: park-keeper, goal-keeper*); warden (*: prison warden*); receiver

~ قضائي official receiver, syndic

حارِق burning (*rays*), scathing, scalding, scorching (*heat*), searing (*sun*)

حازَ hold, possess, be in possession (*of a house*), have (*a book*), occupy (*the enemy's capital*)
~ (: استولى على) seize (*something*)
حازم stringent (*measures*), strict (*discipline*), stern (*ruler*), austere (*practices*)
حاسِب accountant; calculator
~ (راجع محاسب)
~ تأمين actuary
حاسَبَ (: ناقش الحساب) call in question, call to account, oppugn
~ (: حاكم على سوء تصرف ، الخ ..) impeach
حاسّة sense; feeling
حاسِم decisive (*battle*), definitive (*ruling*), conclusive (*evidence*), peremptory (*decree, provision*), crucial (*moment*)
حاشِيَة margin, foot (*of a page*); footnote; marginal note; postil, *addendum*; fringe (*of a forest*)
~ (: ملاحظة في اعقاب خطاب توضع بعد التوقيع) postscript, *postscriptum* (*p.s.*)
~ (: مرافقون – من خدم واتباع) retinue, entourage; train (*: president's train*)
~ (: حد) border
حاصَّ share (*capital, enterprise*), have a portion in (*estate*)
حاصَرَ besiege, lay siege (*to a castle, etc.*); beleaguer
~ (: طوّق) encircle, hem in, surround
~ (بحرًا) blockade
حاصِل product, resultant, composite effect
~ ثانوي by-product
~ (قسمة حسابية) quotient
حاصِلات proceeds, fruits; products
حاضَ menstruate, undergo menstruation
حاضَرَ lecture, discourse
حاضِر present, time being; now
~ (: حاليّ) immediate (*heir, action*)
~ (الاستيفاء – من دين وغيره) callable
حاضِرة city, metropolis

حاضِن guardian for nurture
حاضِنة female guardian (*for nurture*)
~ (: مُرَبِّية) (*child*) nurse, nanny
حاطَ (: حفظ) keep (*something from harm*), watch over
~ (راجع أحاط)
حافّة brink (*of war*), verge (*of disaster*), brim (*of a bowl*), edge (*of eternity*), border (*of a lake*), rim (*of a cup*)
حافِر hoof, ungula
حافِز incentive (*to action*), motive (*force*), impulse; inducement (*to contract*)
~ (: منشط) stimulus
~ (: دافع) spur (*of poverty*)
~ (: قوة دافعة) impetus (*to trade*)
حافَظَ (على) preserve, keep; carry on or keep up (*business*), continue; keep in repair; uphold, sustain (*principle, promise, word, etc.*)
~ (راجع حفظ)
~ على قانون observe, keep, abide by law, comply with law
حافِظ keeper, warden, guardian
حافِظة (مستندات) docket
~ (: ذاكرة) memory
حافِل great (*gathering, congregation*)
~ (: ممتلئ) full, crowded
حاكَ (مؤامرة ، مكيدة) weave, hatch
~ (تهمة ، شكوى ، واقعة ، الخ ..) frame up, contrive, fabricate, trump up (*a charge*)
حاكّ (: مادة حاكة) abrasive
حاكَى resemble; simulate, feign, imitate; copy (*a style*)
~ (: قلد سطحيًا) mimic
حاكِم governor
~ (: جالس على عرش) regnant
~ (: سيد أمة) prince
~ مهيمن ruling governor
~ (بمعنى قاض) judge
~ صلح magistrate

حاكِم مطلق	autocrat
حاكَمَ	try, examine judicially
~ (البرلمان احد كبار المسؤولين)	impeach
حاكورة	croft
حالَ (راجع أحال)	
~ (دون شأن)	obstruct, prevent; forestall; intercept
حالٌ (: الحال)	(*the*) present, time being, now, (*this*) instant
~ (: وضع)	state, condition, rate (*as in: at any* ~), status (*: personal* ~)
~ راهنة	*status quo*
~ سابق	*status quo ante*
~ ما قبل الحرب	*status quo ante bellum*
حالاً	immediately, forthwith, presently
حالة	condition, state (*of person or thing*); event (*of emergency, strike*), instance
~ (راجع حال)	
حالَف	ally oneself; combine (*with*)
حالك	extremely dark or black, pitch-black or pitch-dark
حاليّ	immediate, instant
حاليًا (: حالاً)	at present, currently, now; forthwith
حامَ	loiter, stand around, circulate, hover
حامِض	acid, sour
~ (: حادّ)	tart, caustic
حامِل – **حاملة** (: ناقل)	bearer, carrier, conveyor
~ (بيده ، حائز على)	holder
~ (: امرأة حامل)	with child, expectant (*mother*), gravid, pregnant
~ كمبيالة	holder of bill of exchange
~ سليم النية	holder in due course
~ على سبيل العوض	holder for value
حامِيَة	garrison
حانَ	arrive, come; take place
حانَة	tavern, public house, tippling house
حانِث	perjurer, one guilty of perjury
~ (: ينطوي على حنث)	perjurious
حانُوت	shop, store
حانوت (: مركز تجارة)	emporium
حانوتيّ	undertaker, funeral manager
حاوَرَ	argue (*about something*), dispute (*point with somebody*), wrangle; answer
حاوَلَ	try, attempt
~ (: اجتهد)	endeavour
حاوٍ ، الحاوي	snake-charmer
حايَدَ	quit or renounce (*dispute*)
~ (: جانبَ)	keep away (*from*) or clear (*of*), avoid
حَبَا	endow (*with*), give, bestow (*something upon somebody*)
~ (: زحف)	creep, crawl (*on hands and knees*)
~ (راجع قرُب)	
حَبَّبَ	endear (*person or thing to…*)
حَبَّة	grain (*of sand, salt, rice, etc.*), granule
(حبيي	(*granular*
حَبَّذَ	recommend, commend
~ (: استنسب)	consider appropriate or fit
~ (: دعا لشأن ، حث عليه)	advocate
~ (: آثر)	prefer
حَبْر	prelate
حِبْر	ink
حَبَس	detain, jail (*gaol*), imprison, intern (*in a camp*), confine or keep in confinement
~ (اموالا ، الخ ... لضمان وفاء)	distrain
~ عن جريان	obturate
~ (ملكًا على جهة)	entail (*property on charitable institution*), give (*property in waqf tail to heirs, etc.*)
حَبْس	detention, detainment, confinement; custody
~ (: سجن)	imprisonment
~ انفرادي (عزلة)	solitary confinement
~ تحفظي (او وقائي)	protective custody
~ مع الشغل	penal servitude
~ رأس المال (تعطيله او شله)	locking-up of capital
أمر ~	order of commitment
حُبْسَة	aphasia, loss of faculty of speech, anepia

حَبِطَ fail, end in failure, be foiled or frustrated,
~ (راجع فَسَدَ)

حَبَكَ concoct (*plot, charge*), make up (*story*); perfect

حَبِلَ become pregnant, become with child

حَبَّلَ impregnate, fecundate

حَبْل rope, cord, line

حُبْلَى pregnant, with child, gravid, expectant mother

حُبِّيّ amicable (*relations*), friendly

حبيس prisoner

حتّى until, till

~ يثبت العكس until the contrary is proved

~ (: لكي) so that, in order to (*or that*)

~ (: ايضًا) even, too (*as in his friends too betrayed him*)

حُتات detritus, debris

حِتار (: طرف ، إطار) rim, frame

حَتْف (: هلاك ، موت) doom, death, ruin

حَتَم (راجع اوجَبَ)

حَتْمِيّ peremptory (*order*), imperative measure

~ (: قطعي) absolute; mandatory, obligatory (*act, duty, etc.*), irrevocable (*order*)

~ (: لا مفر منه) inevitable

حَتْمِيَّة irrevocability

حَثَّ induce (*some act or omission*), urge (*action*), prompt (*sacrifice*)

~ (: شجع ، شوق) encourage, abet

~ (: حرَّض) instigate, incite (*rebellion, etc.*)

~ (: همز) prod

حُثالة offal, rubbish, refuse, junk, trash

حَثيث (: سريع) speedy, rapid, fast

~ (: مستمر في ثبات) steady, unfaltering

حِجاب veil

~ (: قناع) mask

~ (واق : درع) shield

حِجامة cupping

حَجَبَ veil, conceal (*view, person*), obscure (*light*), cloud, mask (*one's feelings*), occlude (*warm air, vision, etc.*), obviate (*liability*)

حَجَبَ (من ميراث) screen (*from inheritance*), exclude (*person from an advantage*)

حُجّة evidence, title; proof, argument

~ (بمعنى جواب على اتهام) plea

~ ملكية muniment, evidence of title, title deed

~ قانونية legal title

~ حصر إرث deed of limitation of succession

حِجّة pilgrimage

حَجَرَ interdict (*a person*); restrain (*liberty of action*)

~ لأغراض الصحة العامة quarantine, put in quarantine

حَجْر interdiction

~ بحري embargo

~ بحري عدواني (يمنع سفن العدو من الحركة) hostile embargo

~ صحي quarantine

حَجَرٌ stone, (*piece of*) rock

~ جيري (كلسي) limestone

~ رمل sandstone

~ شحذ whetting stone

~ صوان flint stone

~ غرين siltstone

حَجَّرَ petrify

~ (: امات) deaden

حُجْرة room, chamber

~ (سفينة) berth

حَجَزَ (: احتبس ، ضبط) detain, place under custody, distrain, impound (*copies of newspaper, book, passport*); seize

~ (: أوقع حجزًا) attach (*salary*), levy a distress upon, take (*property*) in execution

~ ما للمدين لدى الغير garnish

~ (مكانًا في محل عام او ناقلة عامة او ما اليهما) reserve, make or have a reservation

~ عن (: منع) preclude or bar (*from*)

حَجْز attachment, seizure, distress, sequestration (*of property, etc.*), pounding (*of beasts, books, etc.*), impounding or impoundment (*of chattels*)

حَجْز ما للمدين لدى الغير	garnishment
~ (: حبس)	custody, detention
~ على الاشخاص	attachment on persons
~ على المال	attachment on property
أمر ~	writ of attachment, sequestration, etc.
حَجَمَ	cup, treat by cupping, let blood
حُجِّيَّة	conclusiveness, determinative effect
حَدَّ (: كان حداً لشيء ، حاذى)	border, adjoin; be contiguous (*with*)
~ (: اتخذ حداً لملك او ما اليه)	delimit (*property, land, frontier, etc.*), fix boundary or limits (*of ground, zone*)
~ (: نال من شأن شيء او قيمته)	derogate, detract, impair
~ (: خفف من وقع شيء او قوته)	mitigate, extenuate, modify, curtail (*freedom, etc.*)
~ (: لبس السواد ، راعى مستلزمات الحداد على فقيد)	mourn (*somebody*), wear mourning, be in mourning
~ (راجع شحذ)	
حَدّ	barrier, frontier, border; boundary; mete, confine, margin
~ (: نهاية ؛ دائرة او محيط)	limit; ambit (*of influence, of activity, etc.*)
~ (: مستوى)	level, standard
~ (: طرف ، نصل)	fringe, edge
~ (: عقوبة)	doctrinal punishment
~ (تقرره الشريعة الاسلامية في شأن)	doctrinal provision
~ اعلى (لأسعار ، اجور ، الخ ..)	ceiling
~ أدنى	minimum
~ أقصى	maximum
~ الذهب (في المعاملات النقدية)	specie point
~ السماح	go-limit
حَداثة (سن ، الخ ..)	infancy, minority
~ طبيعية (لا يسأل فيها الصغير عما يفعل)	natural infancy
حِداد	mourning
حَدّاد	blacksmith
حِدادة	smithery, smithing
حَدَبَة	hump, hunch; mound (*of earth or stones*)
حِدَة (: على ~)	apart, separately, by itself (*or herself or himself*), alone, exclusively
حِدَّة (: مضاء)	keenness (*of sight*), acuity (*visual, etc.*), sharpness (*of intelligence*)
~ (: انفعال ، غضب)	anger, ire, indignation; fury, rage
~ (: شدة)	severity
~ (طبع)	temper, passion
~ (مزاج)	nervousness, irascibility
حَدَثَ	occur, happen, take place
حَدَثٌ (: صغير)	minor, infant, juvenile
~ (: حديث السن)	young (*person*), of tender years
حَدَثٌ (راجع حادث)	
حَدَّثَ (: كلم)	speak, talk
~ (: سرد)	relate, recount
حَدَّدَ	fix, define, set, determine, settle
~ (: وضع حدود شيء)	delimit
~ (: حصر)	limit, restrain
~ (: أبان حدود شيء ، وصفه ، الخ ..)	outline, define, specify
~ (موقع شيء)	locate
حَدَرَ (راجع نَزَل)	
حَدَسَ (في شأن)	conjecture, surmise, guess or make a guess (*about thing or person*), think
حَدْس (: تخمين)	conjecture, surmise, supposition, guesswork
حَدَقَ	look fixedly, gaze (*at*)
~ (راجع احاط : لاذ بشأن)	
حدوث	occurrence, happening
حَدِّيّ	marginal, limitative
خطوط حدِّية (لتمييز مواقع امتياز او غير ذلك)	grid lines
حَديث	talk, speech
~ (في موضوع ، كلمة ، خطبة)	address
~ (: محادثة)	conversation
~ (عن نبي ، مصلح ، الخ ..)	traditions; saying
~ (: جديد)	new, fresh; novel; modern
~ عهد (بشأن)	novice
~ عهد بولادة	newborn (*child, etc.*), nascent (*state*)

حَديد iron

تماسيح الحديد pig iron

ركاز الحديد ، خام الحديد iron ore

حَديد مُلَيَّف (مطروق) wrought iron

حَديقة garden

~ عامة public garden, park

حَذَا emulate, copy, do likewise

حِذَاء (: أمام) facing (*a person*), in front of

~ (: نَعْل) shoes

حَذافِير minutiae, minor details

بحذافير شيء a certain thing entirely

حَذَّر warn, caution

~ (: نبه) admonish

حَذَر cautiousness, watchfulness, vigilance, circumspection

حَذَرَ (شيءٍ) in terror (*or for fear*) of (*something*)

حَذِرَ be wary (*of thing, person*), be circumspect or cautious

حَذِرٌ cautious, circumspect, watchful, vigilant, wary, on guard, careful

حَذَفَ delete, exscind, exclude, leave or strike out

حَذْف deletion, exclusion

حَذَقَ master (*profession*), gain thorough knowledge or understanding (*of*), become proficient or skilled (*in*), be skilled (*in*) or expert (*at*)

حِذْق tact, dexterity, ingenuity, skill, expertness; know-how; knack; mastery (*of certain work, profession, etc.*), thorough knowledge (*of*), proficiency (*in*)

حَذْو example, model

حَذِيَّة booty share

~ (: عطية) gift

حُرّ free

~ (: منطلق التفكير) liberal, open-minded

حِرابة [شريعة] armed robbery, banditry, brigandage

حَراج fixing (*or adjudication*) of price

~ (: عمولة الحراج) factorage

حَرارة heat

حَراري caloric, calorific, thermal

حِراسة watch, vigil; guardianship, custodianship (*of property*), custody, wardship

~ قضائية receivership

امر ~ قضائية receiving order

حَرَام sinful, unlawful

~ (: ممنوع) banned, forbidden

~ (: مقيت ، عليه لعنة) anathema, execrable; taboo, accursed

حَرَبَ rob, commit armed robbery

حَرْب war; warfare; hostility (*hostilities*)

قواعدها او نظمها articles of war, rules of war

~ اعصاب (للقضاء على معنويات العدو) war of nerves

~ باردة (: عدوان بغير السلاح ووسائل الحرب المادية) cold war

~ خصوصية (بين افراد او عائلات) private war

~ شاملة total war

~ صليبية crusade

~ عامة public war

~ كيميائية chemical warfare

~ مدنية او اهلية (بين أجزاء او أحزاب الوطن الواحد) civil war

~ نظامية solemn war

حَرْبَة (للقتال) lance

~ (لصيد الفيل او غير ذلك) harpoon

حَرْبِيّ bellicose, warlike, belligerent, militant

حِرَّة thirst

حَرَثَ plough

~ (القارب) (راجع شحط)

الحَرْث (: زَرْع) crop, tillage, plants grown, land under cultivation

حَرِج (: ضيق) narrow, strait

~ (: محرج) embarrassing (*situation*); critical (*situation, moment*)

حَرَجٌ offence, sin

~ (: حَرَجة ، موضع كثير الشجر) thicket, wood

~ (: لوم) blame

حَرَّجَ afforest, convert into forest

حَرَّرَ (١) write, make (*contract, etc.*), reduce to writing, draw (*up agreement, will*

etc.); edit (*book, paper, etc.*)

حَرَّر (٢) (من القيد او ما اليه) liberate, emancipate, free, affranchise (*from servitude, obligation, etc.*)

حُرِّر (من عقد او اتفاق او ما اليه) made, drawn (*on a certain date*)

حَرَزَ secure, make safe, keep safe, seal, preserve

حَرَّز secure, secure under seal, lock securely, make fast, fasten up, fasten with a seal

~ (: خَتَمَ بالشمع الاحمر) seal with red wax

حِرْز safe, place of security, secure receptacle

حَرَسَ guard, protect, escort, watch over; keep vigil

حَرَسٌ watch, guard, vigil

~ ليلي night watch

~ وطني auxiliary army

حَرَّش (بين اناس) stir (*someone against another*), incite (*ill feeling between persons*)

حُرْش forest, wood; wooded land

حَرِصَ be keen (*on*), be eager (*to achieve or do something*), be anxious (*to*); take good care (*of*), insist

حِرْص conscientiousness, keenness, eagerness, care, insistence (on)

~ (على واجب : اجتهاد) diligence

~ (: اقتصاد) economy

~ (: تبصر) circumspection

حَرَّضَ instigate, abet (*rebellion*), incite (*insubordination*), goad (*to action*); encourage (*laziness*)

حَرَفَ (: أمالَ عن خط ، صرفَ عن ، أبْعَدَ) deviate, turn (*something*) aside (*from a set course*), remove (*from*)

حَرَّف distort (*the truth*), misrepresent (*statements*), twist (*fact*), pervert (*a sense, a provision*)

حَرْف letter

حروف طباعة print

~ (ساكن) consonant letter

حَرْف لين vowel letter

~ (: حافة) edge, rim, ridge

حرفًا حرفًا وكلمة كلمة *verbatim ac litteratim*

حِرْفَة occupation, profession, craft, trade, mystery

حَرْفي literal, *ad verbum*, *verbatim*

حَرَق burn, set on fire; sear (*leaves, plants, etc.*)

~ (: صلى) scorch

حَرْق burn, burning, setting on fire

~ (بشرٍ ، ميتٍ) cremation

حَرَّك move, stir, set in motion, actuate (*person to act*), impel, drive, motivate, prompt, spur; revive (*action*), arouse or rouse (*ill feeling*)

~ الدعوى revive action, set action in motion, prosecute

حَرَكة movement, motion; stir

~ سير traffic

~ مرور traffic

حَرَمَ deny, abnegate (*self, etc.*); refuse (*a person food*)

~ (: جرَّد) deprive

~ من ميراث disinherit

~ (من حق نتيجة حكم او غيره) interdict

حَرَمٌ holy precinct, sanctum

~ جامعي campus

حَرَّم proscribe, forbid, prohibit, ban (*gambling*), anathematize (*divorce*), execrate, declare (*something*) taboo

حِرمان privation, abnegation

~ من حماية القانون proscription

~ من ميراث disinheritance

~ (من حقوق نتيجة حكم) interdiction

حُرْمة inviolability, sanctity; dignity, profound reverence

حَرِيّ (راجع خَليق)

حُرِّيَّة freedom, liberty

~ التعاقد freedom of contract

~ جوب الكرة liberty of the globe

~ من الخوف freedom from fear

حرِّيَّة دينية religious liberty
~ سياسية political liberty
~ شخصية personal liberty
~ الصحافة liberty of the press
~ الضمير freedom of conscience
~ طبيعية natural liberty
~ العقيدة freedom of belief
~ القول freedom of speech
~ مدنية civil liberty
الحرية من الفقر freedom from want
حَرير silk
حَريز safe, secure (*from theft*)
حَريص conscientious, careful, painstaking, prudent, anxious, keen (*on detail*), eager, intensely desirous
~ (: مقتصد) thrifty
~ (: حذر) circumspect
حَريق burning, setting on fire
~ عمد arson
~ المنازل المأهولة ليلًا وعمدًا arson of the first degree
~ المباني ليلًا وعمدًا arson of the second degree
(غير ما ذكر من الحريق الجرمي (*arson of the third degree*
حَريم harem (*:women of a household*), women's partition in a Muslim household
حَزَّ sever, cut
~ (: فل ، حفر) indent, engrave
~ (: شحذ) sharpen
~ (في النفس : آلمها) be piercingly touching, be poignant or painful
حِزام belt
~ (: نطاق جلد او غيره) girdle, girth
~ بحري (: مياه اقليمية) marine belt
حِزْب party
~ (: جماعة) group; faction
خطة ~ party line
حَزَّبَ divide (*or group or organize*) into parties
~ (شخصًا : حمله على الانضمام إلى حزب) take (*person*) into one's party
حِزبِيّ partisan, party (*action, policy, etc.*), factional

حِزبيَّة partisanship
حَزَمَ (في حقيبة) pack
~ (: شد وثاق شيء) tighten, make taut
~ (: قرر ، ضبط) resolve, control, check
حَزْم stringency; austerity, sternness
حُزْمَة bundle, faggot, package; sheaf (*of wheat*), fascicle
حَزَنَ (: غَمَّ) grieve (*somebody*), distress; depress
حَزِن (: اكتأب) sorrow (*over*), deplore (*loss*), bemoan, keenly regret (*something*)
حُزْن grief, sorrow
حزيران (يونيو) June
حَسَّ (راجع أحسّ)
حِسّ sense, feeling, perception
~ (: ادراك) gumption
حِساب (: محاسبة) account, accounting (*of rights, wrongs, etc.*)
~ (علم) arithmetic
~ (: عد ، إحصاء) computation
~ اسمي (صوري) nominal account
~ ايداع (ودائع) deposit account
~ التغاير [رياضيات] calculus of variation
~ التفاضل [رياضيات] differential calculus
~ التفاضل والتكامل calculus
~ التكامل integral calculus
~ توفير saving(s) account
~ دائن credit account
~ ذو فائدة bearing-interest account
~ جار current account, running account
~ سياسي (يتعلق بايرادات الأمة وثرواتها) political arithmetic
~ غير شخصي impersonal account
~ غير مقيم non-resident account
~ متبادل mutual account
~ مدفوع settled account
~ مستفيد payee account
~ مكشوف overdrawn account
~ معدوم (لا يؤمل استيفاؤه) dead account
~ مفتوح open account
~ مقبول stated account

حِساب مقدم — rendered account
~ مقفل — closed account
كشف ~ — statement of account
على الحساب — on account
يوم الحساب — day of reckoning
حَسّاس — sensitive
~ (: شديد الاحساس) — hypersensitive; sensible (*to pain*)
حَسّاسِيَّة — sensitivity
~ (: رد فعل من مظاهره العطس او غيره) — allergy
حَسَبَ — count, compute, calculate; enumerate, add up, reckon up, include in reckoning
حَسِبَ (: ظن) — think, regard, consider, suppose
حَسَبٌ — ancestry, honourable lineage or descent
حَسَبَ (: كما أو بموجب) — as, according
~ (راجع وَفق)
حُسبان — reckoning, contemplation, calculation, consideration
حِسْبَة (في الشريعة) — (*voluntary*) control, soliciting good and advising against evil
حِسبيّ (: يتصل باثبات الوصايا) — probate (*action, matter*)
حَسَدَ — envy (*somebody*), feel envy (*at or taward*)
حَسَدٌ — envy
حَسَرَ (: كشف) — uncover, unveil
حَسْرَة — regret, sorrow; remorse
حَسَم — decide, determine (*a question*), settle, conclude (*a dispute*), resolve (*a controversy*)
حَسَنٌ (راجع جيد)
حَسَّنَ — improve, ameliorate, better
حِسِّيّ — tangible, palpable, perceptible
~ (: مادي) — corporeal, corporal, physical
~ (: يتصل بالحواس) — sensory; sensuous
حَشا — fill (*up*); charge (*firearm, etc.*)
~ (كلمات في محرر كامل العبارة) — interpolate
~ (بحيث لم يدع فراغًا) — cram (*with something*)
~ (فراغًا ليقطع نزيفًا) — tampon
حَشَدَ (: جمع) — rally, muster (*troops*), mobilize (*volunteers*)

حَشْد — rally (*as in : political ~*), crowd (*of people*), throng, multitude (*of persons*)
~ ثوري (مشاغب) — riotous assembly
~ شغب — rout
حَشَر — crowd (*in*), press close, force or push; interpolate (*words in document, deed, instrument, etc.*), cram (*thing into, or down, something*)
~ (نفسه) — intrude, thrust (*oneself*) in
حَشَرة — insect
حَشْرَجة — (*death*) rattle
حِشْمة — pudency, decency, sense of propriety, shame or modesty
حَشْو (: زيادة عن حاجة) — prolixity, redundancy
حَشْوَة — filling, pad, stuffing
حَشِيش (: عشب) — grass, herb, herbage
~ (مخدر) — hashish, dried tender parts of hemp; mooter; marijuana
حَصًى — pebbles
~ رصف — macadam
حَصاة — calculus
~ (: حِكْمة ، رأي راجح) — wisdom, good judgment
~ برازية — stercolith
~ بولية — urolith
~ صفراوية — gallstone, chololith
~ العين — ophthalmolith
~ مثانية — cystolith
~ معوية — enterolith
~ الوريد — phlebolith
حِصاد — harvest
حِصار — siege
~ (بحري) — blockade; embargo
~ بسيط (يتولاه القائد البحري على مسؤوليته الخاصة وحسب تقديره) — simple blockade
~ ورقي (غير نافذ بحكم ضعف القوات القائمة به) — paper blockade
حِصان — horse; steed
~ (ذكر كامل النمو) — stallion
~ (انثى) — mare
حَصانة — immunity; privilege; impunity (*from*

penalty, injury, etc.)

حَصانة (: اعفاء) — exemption

~ من الملاحقة القضائية — immunity from suit

~ من الاختصاص المحلي — extraterritoriality or exterritoriality

~ من القبض — privilege from arrest

حصانات — immunities, liberties

حَصْباء — gravel, grit

حَصْبَة — measles

حِصّة — share, portion, lot

~ (: حق في) — interest

~ تأسيسية — share of corporate stock

~ (نسبية) — quota

~ رأسمالية (في غَلَّة مال مثمر) (راجع سهم) — working interest

بالحصة — pro quota

حصحص — become manifest or evident or plain (*as of right*)

حَصَد — reap, harvest, gather in (*a crop*)

~ (: حش) — mow

حَصَرَ — confine, limit, restrict (*effect*), restrain (*scope*); tie (*right, etc.*); qualify (*membership*)

~ (: طوّق) — close in (*on*)

~ (سعر اسهم) — peg

~ (: قدّر) — assess, define, determine

~ (: عدّ) — count, number, ascertain, take stock of

حَصْر إرث — certification of succession, defining of heirs to estate

حَصْر النفس — alibi

حَصْريّ — restrictive, limitative

حَصَلَ — happen, occur, fall or befall, take place, come to pass, transpire, develop

~ على — obtain, receive, attain, acquire, realize

~ على قرض ، الخ .. — negotiate loan, etc.

~ على عدد من اصوات — poll so many votes

حَصَّلَ — collect, receive; raise, exact (*tax, excise, fee, etc.*)

حِصْن — fort, fortress, fortification; citadel

حَصَّنَ — fortify, reinforce, secure (*position against attack, etc.*)

حُصول (: وقوع) — occurrence, happening, incidence

~ (على شيء) — acquirement, attainment; acquisition; perception, realization (*of profits, etc.*)

حَصَويّ — calculary

حَصَوِيّة — calculosis

حَصِيلة — yield, produce, proceeds

حَصِين — fortified, secure

~ (من عدوى ، دعوى ، سم ، الخ ..) — immune (*from contagion, suit, poison, etc.*)

~ (: لا ينتهك) — inviolable

حَضّ — urge (*punctuality, discipline*), instigate (*insubordination*), incite (*workers to strike*), abet (*crime*), encourage (*compassion, exercise, corruption*)

حَضارة — urban (*or town or village*) life

~ (: مدنيّة) — civilization

حَضَانة — tutelage; guardianship or custody (*of infant*) for nurture; nurture, fostering (*of child*)

دار ~ — nursery (*house, school*)

حَضَرَ — attend, be present (*at*), appear (*in court*), make an appearance; report (*to certain place, etc.*)

حَضَّر — prepare, ready (*self or thing for operation*); make ready; equip (*with what is appropriate or necessary*); groom (*for some occasion*)

~ (: مدن) — civilize

حَضَر — urban population

حَضْرَة — presence, before (*king, beggar, etc.*)

حَضَريّ — urban

حَضَنَ — embrace, hug, take into one's arms or care; cradle, foster (*a child*), nurture, nurse (*a newly born*)

حَضْن — embrace

حِضْن — lap

حُضور — presence, attendance; appearance (*in court, etc.*)

~ اختياري — optional appearance

~ بالذات (شخصي) — corporeal appearance

حضور (الشخص قبل إعلانه بالدعوى) gratis appearance
~ بالمحامي appearance by counsel
~ بالوكالة appearance by attorney
حُضوريّ (: وجاهي) in presence
حَضيض (نقطة) (راجع نقطة الحضيض)
حَطّ (من مكانة) degrade, disparage, belittle, undermine (*capability*)
~ (من قيمة) depreciate, debase (*value*)
~ (من رتبة ، درجة ، الخ .. : انزلها) demote
~ (: هبط ، نزل) alight, land, descend
حُطام (سفينة) flotsam, wreck or wreckage (*of ship, cargo, etc.*)
~ (: بقايا شيء متهدم) debris
~ غارق sunken wreck
حَطَّم break, wreck (*ship, train, future, etc.*), smash, shatter, ruin
حَطيطة (: خصم ، حسم) discount
حَظّ fortune, luck; chance
حَظَرَ ban (*certain publications*), forbid, prohibit (*smoking*)
حَظْر prohibition, ban
~ بحري embargo
فَرَضَ حَظْرًا على place an embargo on
رَفَعَ حَظْرًا lift embargo
حُظوة (: مكانة ، مَنْزِلة) favour, position of favour, benignant (*or kindly*) regard, esteem
حَظي have (*or enjoy*) a position of regard or esteem, be in (*somebody's*) good graces
حظيرة shed, shelter, repair shop; hut, shack
~ سيارات ، الخ .. garage
حَفّ (: لابس) surround, attend, accompany
حَفائر (: حفريات) excavations
حَفّار digger (*for ore*), engraver (*upon wood*)
حَفّارة excavator, graver
~ آبار drill
حفاوة generous (*or warm or cordial*) reception
حَفَر dig, drill, bore (*for water, oil*), excavate (*for antiquities*)
~ بئرًا sink a well or drill, etc.
~ (شارة ، اسمًا ، رسمًا ، الخ ..) engrave, inscribe (*on stone, metal, etc.*)
حَفَر (على خشب أو معدن) engrave (*figures upon wood or metal*)
حَفْر digging, drilling, boring (*of hole, well*), excavating
~ (: نحت ، نقش) engraving (*on stone*), inscription (*of signs, letters, etc.*)
حُفْرة pit, ditch, rut; hole
~ مكشوفة gutter
~ قاذورات (باطنية) cesspool
حَفْريّات (راجع حفائر)
حَفَزَ spur, stimulate, urge (*person to act*), move
حَفِظَ keep (*something*), have custody (*of property, book, seal*)
~ (: حافظ) maintain (*condition, attitude, etc.*), preserve (*from harm*), conserve, save (*energy, etc.*)
~ (قضية) leave (*case*) on file
~ (من أذى) protect, guard (*thing*) against, keep safe
~ (: تعلم) learn
~ غيبًا memorize, learn by heart
حِفْظ safekeeping (*of a document, trust, etc.*); preservation (*of health, good relations*), conservation (*of energy*)
~ (قضية) set processus
حَفَلَ heed (*instruction, advice, etc.*), take heed (*of*), take notice (*of*), give regard or pay attention (*to*)
حَفْل (: جَمْع) gathering, assembly, congregation
~ (: احتفال ، حفلة) celebration, ceremony (*as of marriage*), festival (*as of song*), party or reception (*in honour of thing or person*)
حَفْلة (راجع حَفْل : احتفال)
حَفو (راجع حفاوة)
حَفِي (: احتفى بشخص) receive warmly and generously, entertain, give cordial welcome (*to*)

حَفِي (: مشى حافيًا) — walk barefooted, go unshod
حَفيد(ة) — grandchild, grandson (*granddaughter*)
حَفير — excavation, digging, ditch, trench
حَفيظة — rancour, grudge, prejudice
حَفيف — murmur
حَقّ — right; truth; franchise (*as in: voting* ~); title, interest; liberty, due
~ الخلوة — right of privacy
~ الدفاع القانوني — benefit of counsel, right of legal defence
~ استثنائي — exclusive right
~ استطراق (او مرور) — right of way
~ افتكاك الرهن — right of redemption
~ انتفاع — usufruct, estate (*in land, etc.*), title
~ اولي — primary right
~ تأليف ، ملكية أدبية — copyright
~ تَداعٍ (: اقامة الدعوى) — right to sue, right of action
~ تفتيش — right of search
~ ثانوي — secondary right
~ جوار (او مجاورة) — right of contiguity
~ حيازة مُكسِبة او تقادم — title by adverse possession or prescription
~ سياسي — political right
~ شخصي — personal right
~ طبيعي — natural right
~ عام — common right
~ عقاري — fee, real (*right*)
~ قانوني — legal right or title
~ قرينة — presumptive title
~ كلفة — onerous title
~ مدني — civil right
~ مسجل — record title
~ مطلق — absolute right
~ مقيد او مشروط — qualified or conditional right
~ ملكية — title or right of property
~ ملكية ادبية (راجع حق تأليف عاليًا)
~ معيب — imperfect title
~ منجز (او كامل) — perfect title or right
~ ميراثي — title by descent
حَقّ نسبي — relative right
~ نهري — riparian right
~ ورقي (اجوف) — paper title
حقوق وواجبات — rights and liabilities or duties
شبه ~ انتفاع — quasi usufruct
صاحب ~ الانتفاع — usufructuary
على سبيل الحق — of right
في حق خصم — against a party
حِقْبَة — epoch, era, period
حَقَدَ — have a grudge (*against somebody*), bear malice (*to*), cherish ill will (*towards*)
حِقْد — grudge, rancour; malice; ill feeling, resentment, spite
حَقَّرَ — insult, affront, hold (*somebody*) in contempt, demean (*others*), scorn
~ (شعائر ، الخ ..) — profane
حُقْرِيَّة — scorn, disdain, contempt, despite (*for person or thing*)
حَقَّقَ — investigate, inquire into (*something*), ascertain; verify (*a fact*)
~ ربحًا — realize
~ (شيئًا او مع شخص) — examine (*thing or person*)
~ (رغبة) — gratify (*wish*)
~ (: اكدَّ شأنًا) — ensure (*quality, success, etc.*)
حَقْلٌ — field, cultivated plot
حَقَنَ — inject, inoculate; infuse or instill (*fresh courage into somebody*)
حُقْنَة — clyster, enema
حَقُود — rancourous, spiteful
حقوق (علم) — jurisprudence, law (*as in: to read law*)
~ (: الدار : مرافقها) — offices
حُقوقي — jurist, jurisconsult, juristic (*matter, point, etc.*), jural (*relations*), droitural
حَقِيبَة — suit, portmanteau, bag
~ دبلماسية — diplomatic pouch or bag
حَقير (: لا يستحق التفاتاً ، لا قيمة له) — insignificant, negligible, unimportant
~ (: جدير بالاحتقار ، رخيص) — contemptible, despicable, cheap
حَقيقَة — truth, reality, verity

حقيقة ثابتة — axiom
~ واضحة — truism, obvious truth
حَقيقي — real, rightful (*heir, owner, etc.*), true
~ (: فعلي) — actual
~ (: اصلي ، غير مصطنع) — genuine, authentic
~ (: صادق) — truthful
حَكَّ — scrape, scratch, rub lightly (*to relieve an itching*)
حَكٌّ (جسم بآخر يترتب عليه الاهتراء) — attrition
حَكَى (: قص ، سرد) — recount, narrate, relate
حِكاية — story, tale
حَكَرَ (: احتكر) — monopolize
حُكْرٌ (: ما يحتكر) — monopoly, monopolized commodity
حِكْرٌ — hikr, ground rent, (*cropper's*) determined portion of seasonable cereals or vegetables
حِكْر عمري — life-land
حَكَمَ — govern, rule; sentence (*to detention, imprisonment, fine, etc.*)
~ (: قرَّر) — decide, determine, resolve, settle (*point, issue, etc.*)
~ (في شأن) — judge (*a certain conduct*), pronounce (*on the constitutionality of a law*), pass on or upon (*an issue*)
حَكَمٌ — arbiter, arbitrator, referee, umpire
حَكَم مُحكَّمين (يختاره المحكمون عند الحاجة) — umpire
حُكْم — judgment, adjudication, decision; sentence (*of imprisonment*), award (*in arbitration, etc.*)
~ (: قرار محكمة ، قانون) — ruling, rule
~ (ملك او غيره) — reign (*of monarch, etc.*)
~ (مادة – نص) — provision
~ اجنبي — foreign judgment
~ اجتزائي (يقضي بتنفيذ جزء من العقوبة المحكوم بها وتعليق الجزء الآخر) — split sentence
~ افلاس (: شهر افلاس) — adjudication of bankruptcy
~ انقطاع خصومة — judgment of discontinuance of litigation
~ اتفاقي — consent judgment
~ تأبيد — life sentence

حُكْم تبعي — junior judgment
~ تخييري — alternative judgment or sentence
~ تمهيدي (راجع حكم عارض)
~ حائز للصفة التنفيذية — self-executing judgment
~ داخلي — home rule
~ ذاتي — self-government, autonomy
~ سكوتي — judgment by *nil dicit*
~ عارض او تمهيدي — interlocutory judgment
~ عرفي — martial law
~ غيابي — default judgment or judgment by default or judgment in absentia
~ قانون — rule of law
~ كف عن الملاحقة — judgment of *nolle prosequi*
~ محلي — domestic judgment
~ مشروط — conditional judgment
~ مشمول بالنفاذ — self- executing judgment
~ معلق — suspended sentence
~ موضوعي — judgment on merits
~ نهائي — final judgment
~ واجب التنفيذ — executory judgment, judgment carrying execution
~ مُقيِّد للحرية — custodial sentence
~ (من احكام مستقرة لدين او عقيدة) — canon(s) (*of religion, doctrine, etc.*)
~ (: قرار محكمين) — arbitral, or arbitration, award
بحكم (: استنادًا إلى) — by virtue of, in virtue of
حَكَّمَ (إرادة ، رأيًا) — impose (*one's will, or opinion, on others*), be arbitrary or high-handed about one's opinion
~ (: عيَّن حَكَمًا) — appoint as arbitrator
~ (: اطلق يد شخص في شأن) — give (*person*) arbitrary or absolute powers, regard as arbiter
حِكْمَة — wisdom, sagacity
~ (: تعقل) — prudence
حُكمِيّ — constructive, virtual (*ruler, victory*), assumed
~ (: واجب الطاعة) — ministerial (*order, instruction*)
حُكومَة — government
~ ائتلافية — coalition government

حُكومة اتحادية	federal government
~ اقلية	oligarchy
~ جمهورية	republican government
~ دينية (ثيوقراطية)	theocracy
~ رجل واحد او فرد	monocracy, dictatorship
~ رجلين	dinarchy
~ سباعية	heptarchy
~ شرعية	government *de jure*
~ الطبقة الغنية (الاثرياء)	plutocracy
~ عسكرية	stratocracy
~ غوغاء	ochlocracy
~ قومية	national government
~ واقع (او الامر الواقع)	government *de facto*
~ (ملكية) مطلقة	autocracy
حُكوميّ	governmental, statal
شبه ~	parastatal
حَكيم (شخص ؛ شيء)	wise (*person*), sage; sagacious, judicious (*act, remedy*), prudent (*measure, precaution*), perceptive (*evaluation, counsel*)
حَلّ	solution, remedy; dissolution (*of assembly, parliament, etc.*), dismissal
~ (: فك شيء)	undoing (*of a knot*)
~ (: انحلال)	disintegration, decomposition
~ وسط (: مهاودة)	compromise
حَلَّ	occur, befall, take place, fall (*on a certain date*)
~ (: استحق اداؤه)	fall due, mature, become payable
~ (مجلسًا ، الخ ..)	dissolve
~ (: نتج كفائدة)	accrue
~ (محل الغير في عقد او غيره)	subrogate, substitute (*a creditor*)
~ (محل شيء آخر)	supplant, replace
~ (مشكلا ، عقدة ، لغزًا ، الخ ..)	solve or resolve; untie, unravel, unfasten, unknot, undo, unriddle
~ (: نزل في مكان)	stay (*at a place*), put up, reside, lodge, abide
~ (: اذاب)	dissolve (*a solid*)
حَلَّ شيفرة	decode, decipher
~ (: جاز)	be permissible, be allowed or allowable
حُلّ	lawful time, time permitting certain act
حِلّ	lawful, licit, permissible
حَلال	lawful
~ (فعل شيء)	permissible, permitted, allowable
حَلَزونيّ	spiral
حَلْس (راجع عَهْد ، ميثاق)	
حِلْسُ الارض (: قنها ، تابعها)	serf, villein or villein regardant
حَلْف ، حِلْف ، حَلِف	oath, juration, oathtaking
حَلَفَ	take oath, be sworn in, swear (*an oath*); adjure
~ (على اطراح شيء)	abjure
حَلْف (: يمين)	oath
~ كاذب	perjury
حِلْف	alliance; confederation (*of nations, states, etc.*)
حَلَّف	swear (*a person*), put (*someone*) on oath
~ (شخصًا ليتولى منصبًا)	swear in a person (*to assume office*)
~ (: لَقَّنَ يمينًا)	administer an oath (*to a witness*)
حَلْق (: بلعوم)	throat, gullet, pharynx
(حلقي)	(*cricoid*)
حِلْق (: خاتم الملك)	king's (*or sovereign's*) seal
حَلَّق	soar, fly aloft
حَلْقَة	link; circlet, ring
~ حابكة [هندسة]	circlip
~ دراسية	symposium, seminar
حُلْقوم (راجع حلق)	
حَلْقِيّ	annular
حَلَكَ	darken, grow darker, blacken
حَلَّل	analyse (*soil*), examine (*something*) minutely, resolve (*a question into its elements*), break down (*matter*)
~ (: جعل مشروعًا – اضفى عليه صفة المشروعية)	legalize, legitimize, legitimate
~ (: اجاز)	allow, permit; consent (*to*)

حَلَمَ dream
حُلْم dream
~ يقظة daydream
حُلُم adolescence, puberty
حَلَمَة (ثدي) nipple
~ ثدي حيوان teat
حُلْوان *adiratus*
حُلول (في العقود والالتزامات) subrogation, substitution
~ اتفاقي conventional subrogation
~ قانوني legal subrogation
~ (دين او ما اليه) maturity, payability, due date (*of payment, performance, etc.*), dueness
~ (: حدوث) occurrence
حَلْيٌ او حُلِيّ (راجع مصاغ)
حلية ornament
~ (راجع مصاغ)
حَليل (: زوج) husband
حَليم patient, indulgent, forbearing, self-possessed, tempered, possessed of equanimity
حَمٌ (: من الاحماء) in-law
~ (: والد الزوج او الزوجة) father-in-law
حَمَى protect (*against storms*), safeguard, defend, shield (*from heat*)
حُمَّى fever; temperature
~ الدريس (القش) hay-fever
~ راجعة (ناكسة) relapsing fever
~ قرمزية scarlatina, scarlet fever
~ نفاس puerperal fever
حَماة mother-in-law
حَمْأة mire, mirky mire, filthy mud
حَماسَة (: تحمس لشأن) enthusiasm, fervour (*in advancing cause*), ardent zeal; zest
حَمَّال porter
حِمالة porterage
حِمايَة protection, safeguard, defence
حَمِدَ praise, laud, extol, commend
حَمَّس enthuse (*others*)
~ (: جرّأ) embolden

حَمَّس (: هزَّ، حرَّك) stir up
~ (: شجع) encourage
حَمَّص roast, torrefy
حَمَّضَ go sour
حمضيات citrus fruits
حمُقَ، حَمِق be foolish or rash or indiscreet, be stupid
حُمْق foolishness, rashness, indiscretion, stupidity
حَمَل carry, bear; shoulder, sustain
~ (على شأن) induce, incline, actuate, impinge, motivate
~ على فعل (بالملاينة او الاطراء اوما إليه) cajole, coax (*into doing a wrongful act*)
~ (: استغرق) take, last
~ (: تحمل) endure, suffer
~ (على) assail, attack
~ (: اوصل) (راجع أوصل)
حملت (طفلا) conceive (*a child*)
حَمْل (١) gestation or uterogestation, pregnancy
حَمْل (٢) (حرارة) convection
حَمَّل load; clear on board
~ (: عبأ) burden, encumber (*with debts, taxes, etc.*); charge
حِمْل (: عبء) burden, load; weight (*to be supported*); charge (*on state, tax-payer, etc.*)
~ آجر pay load
حَمْلة campaign; drive
الحَمُو father-in-law
حُمُولَة load, cargo
~ سفينة بالاطنان tonnage
~ خاضعة للضريبة (مغلة) pay load
~ صافية net tonnage
~ قائمة gross tonnage
حَمِيَ heat or heat up, grow (*or become*) hot
حَميد praiseworthy, commendable, laudable
حَميم intimate, very close (*friend*)
حَنَّ (: اشتاق) yearn (*for*), pine (*for*)
حَنَى bend, incurvate, incurve, cause to cave in

حنا — bend (*back*), curve (*line*), cave (*sheet*) in
~ (: عَطَف) — have (*or feel*) compassion or tenderness (*for infant*), be disposed to pity or sympathy
حِناك — pillory
حنان (: رِقَّة ، عَطْف) — compassion, tenderness, sympathy, sympathetic response, affection
حَنِثَ — perjure oneself, forswear oneself, swear falsely
حِنْثٌ — perjury, false swearing
حَنْجَرَة — larynx
حَنْجَرِيّ — laryngeal
حَنَّطَ — embalm
حِنْطَة — wheat (*hard or soft*)
حنق (راجع اغتاظ ، غضب)
حَنَق (راجع غيظ ، غضب)
حَنَك — jaw, palate
حُنْكَة — astuteness, shrewdness, experienced insight
حَنَكِيّ — palatal
حَنِيَّة — bend, curve, curvature
~ حادة — hairpin bend
حَوَى (: احتوى ، شمل ، ضم) — contain, comprise, enclose, include, comprehend
حَوّاتة — whaler, whaleboat
حِوار — dialogue, conversation
حَواري — disciple
الحَواشي (في صلات القرابة) — collateral relatives
الاصول الحواشي — collateral ancestors
حَوالَة — draft, written order of payment
~ واجبة الدفع عند الاطلاع — sight draft
حَوْب (راجع ذنب)
حُوت — whale
حَوَّرَ (: غير ، بدَّل ، حوَّل) — alter, change, commute; mutate, twist (*sense, rule, etc.*)
حَور (شجر) — poplar
حَوْزَة (راجع حِيازة)
حُوشي (من كلام) — odd (*term*), obscure, highly uncommon
حَوْض — basin
~ (صغير) — tub
~ (سفن) — dock
~ (: برْكة) — pool (*for swimming, etc.*), pond (*for fish, irrigation, etc.*)
~ جاف — dry dock
~ [تشريح] — pelvis
(حوضي) — (*pelvic*
حَوَّط (: احاط بحائط) — wall, immure, enclose with a wall
حَوْك (مؤآمرة ، تهمة ، الخ ..) — framing-up, machination, fabrication
حَوْل (: سنة) — year
حولي — yearling (*lamb, etc.*), from year to year, annual
حَوْلَ (: فيما يتعلق بشأن) — around; on, in respect of, regarding (*something*)
حَوَل (العين) — squint
حَوَّلَ — transfer, remit (*funds, etc.*); assign (*ownership, right, interest, etc.*); convert (*course, monies, etc.*), divert; deviate, deflect, change or alter
~ (من موضع إلى آخر) — shift; move
~ (اسهمًا إلى نقد) — realize
~ عن اتجاه — divert, detract, turn (*thing from*)
~ (من شكل إلى آخر) — transform
حَيٌّ — alive, live (*stock, ammunition, etc.*), in being
~ (: يتحرك) — quick (*child, mud*)
اشياء (منقولات) حية — quick chattels
حَيٌّ (: جهة سكنى) — quarter; district
~ قذر مكتظ — slum
حَيَّا — salute, give salutations, greet, give expressions of kind regards
حَياء — pudency, sense of shame, feeling of decorum of propriety, modesty
افراط في الحياء — prudery
حَياة — life; liveliness
~ (: روح) — spirit, animation
حِياد — neutrality

حياد مسلح — armed neutrality
حِياديّ — neutral, uncommitted
~ (: على حدة ، منفصل) — detached
حِيازَة — possession; occupation; seisin, hand
~ (: استيلاء) — seizure
~ إيجارية — tenancy
~ اقطاعية (ترتبط بخدمات معينة) — socage
~ اقطاعية حرة (تتبعها خدمات مشرفة) — free socage
~ دنيئة (وضيعة) — villein socage, villenage
~ تقديرية — constructive possession
~ حكمية — derivative possession
~ شاغرة — vacant possession
~ عارضة — casual possession
~ عارية — naked possession
~ فعلية — seisin in deed (*or fact*), actual seisin or possession
~ مادية — corporal possession
~ مدنية — civil possession
~ مناهضة — adverse possession
~ مُسْقِطة — extinctive prescription
~ مكسبة — acquisitive prescription
حِيازيّ — possessory (*action, etc.*)
حِياكة — weaving
حِيال — in the face (*of*), in front (*of*), given (*certain fact, circumstance, etc.*)
حَيَّة — snake, adder, viper, serpent
حَيْثُ — where, wherever
~ إنَّ — whereas, since, having regard (*to fact, point, circumstance*)
حَيْثُما — wherever, where
حَيْثِيَّات (مستند ، حكم ، الخ ..) — recital, recitals
حَيْد — ridge
~ بحري — reef
حَيَّر — bewilder, perplex, embarrass, discomfit, puzzle, confuse, confound
حَيران (راجع حائر)

حَيْرَة — predicament, dilemma; perplexity, embarrassment, plight; quandary; jam, indecision
حَيِّز — space; area (*: floor area, parking area*)
حَيْض — menstruation; menses, menstruous flow; period
حَيْضِيّ — menstrual
حَيْطَة — precaution, safeguard
~ (: سبق عناية او تحوط) — advance care
حَيْف — injustice, inequity, unfairness
حِيلَة — trick, ruse, artifice, wile, cunning, tact
~ (: خدعة ، احبولة) — stratagem; ingenuity, contrivance
~ (: احتيال) — trickery, cunning
ذو ~ — tactful, resourceful
حَيْلولَة — prevention (*of worse consequences*), forestalling (*monopoly, peril, adverse effect*)
~ (: اعتراض) — interception
حِين — time, hour, date; epoch
حتى هذا الحين — heretofor, hitherto, till or until this time
~ (: متى) — when
حَيَوان — animal; beast
~ متوحش — wild animal
حَيَواني — animal (*vitality, nature, kingdom, etc.*)
~ (: جسدي ، همجي) — carnal (*desire*), brute, brutal (*force*)
حُيُود — deviation; divergence or departure (*from a certain line, policy, etc.*); deflection (*of an indicator, or from a certain direction*)
حَيَوِيّ — vital, of the utmost importance, essential or most essential
حَيَوِيَّة — vitality

خ

خائِر debilitated, impotent, weak

خائِـف afraid, fearful, apprehensive

خائِل proud, arrogant, haughty

خائِـن (خائنة) traitor (*traitress*), quisling; faithless or unfaithful, disloyal, turncoat

~ (: لا عهد له) perfidious

خابَ fail, fall short (*of mark, success, purpose, etc.*)

خابَر inform, communicate with

خابُور key

خاتَلَ deceive, cheat, chicane, trick, double-cross, cozen

خاتَم (: حَلْقة معدنية او ما اليها) ring

~ (تُبصَم به المحررات) seal (*of state*), stamp

~ (: آخر) last, seal (*of prophets*), final (*thing or person*)

خاتمة (كتاب) end, conclusion (*of book*)

خادَعَ (راجع خدع)

خادِع deceptive, illusory, delusive

خادِم servant; attendant

~ (عقار : مرتفق به) servient (*estate*)

خارَ (راجع ضَعُف)

خارِج out, outside, beyond, without (*as in: from ~*), outgoing (*mail, etc.*)

~ (شيء ، مكان ، الخ ..) exterior

~ (: موجود خارج منزل ، بلد ، الخ ..) abroad

~ (عن بحث ، موضوع ، نقطة ، الخ ..) beside, wide of, foreign to

~ (عن حزب ، مذهب ، الخ ..) renegade

~ عن السلطة القانونية او الاختصاص او النظام *ultra vires*

~ عن قانون against the law, illegal, outlaw

خارجي external, outer; foreign; extrinsic

(طالب) خارجي في معهد day boy or student

خارجِيّـة (وزارة) ministry of (*or for*) foreign affairs, foreign ministry

~ (في المملكة المتحدة) Foreign Office

~ (في الولايات المتحدة) State Department (*of foreign affairs*)

خارِطَة map

~ (بيانيّة) chart

~ (مساحية) cartogram

خارِق extraordinary, exceptional; remarkable (*beauty, stupidity, etc.*)

~ (: متناهي الغرابة) weird, fantastic

~ للقانون (شخص) law violator, law breaker

خارِق الطَّبيعَة supernatural; unearthly

خازِن storekeeper, warehouseman

خازُوق stake, spike, spile

(أعدم بخازوق (*impale*

خاسِـر loser, loss-making (*concern, business, etc.*)

خاصّ (: خصوصي) special (*law, provision, etc.*), particular; private (*car*); exclusive (*shop, privilege, etc.*)

خاص وعام high and low

خاصَّة (: خاصية ، ميزة) characteristic, property, distinctive trait, peculiarity

~ (مجتمع ، حاشية) exclusive circle, retinue (*of dignitary*)

~ ملكية royal household

ناظر ~ ملكية chamberlain of royal household

خاصِـرَة flank

خاصَم dispute (*in, about*), quarrel, antagonize (*others*), evoke hostility (*of*)

~ (لسبب تافه) vitiligate

خاصِّيَّة (راجع خاصة)

خاضَ plunge, wade (*in or into*); thrust (*oneself into*), engage in (*vain discourse*)

خاضِع subject to, liable (*to inspection, control, etc.*)

~ للضريبة taxable, assessable, subject to tax, etc.

خاطَ sew

خاطِئ erroneous (*procedure*), mistaken (*opinion*), wrong, incorrect

خاطَب speak to, address (*somebody*), make oral address (*to*)

خاطَرَ (بـ) endanger, risk, jeopardize, stake (*life, fortune, etc.*)

خاطِر idea, thought, mind, conception

سريع الخاطر quick-witted, present or alert of mind

سرعة الخاطر quick-wittedness, presence of mind

خافَ fear (*something*), be apprehensive or afraid (*of*), take fright (*at something or somebody*)

خافِت faint (*voice*), dim (*light*)

خال (راجع ظَنَّ)

خالٍ (: شاغر) vacant

~ (: مجرَّد) void (*of sympathy*)

~ (من اعباء ، مشاغل ، الخ ..) clear, free

~ مِن ضريبة clear of tax

الخال (: أخو الوالدة) (*maternal*) uncle

خالَة (*maternal*) aunt

خالَجَ (: خامَرَ) have premonition of (*evil, failure, etc.*), have a sense of (*preoccupation, tranquility*), entertain (*suspicions about thing or person*)

خالَصَ settle (*debt*), even or square (*an account*)

خالِص whole, clear (*title, right, etc.*), pure, candid, genuine

~ (لشخص او لجهة دون الغير) exclusive

~ (: مدفوع الرسم او الاجرة ، الخ ..) paid; franc

خالَطَ mix with (*persons, etc.*), associate with, fraternize (*with*); mingle (*with*)

خالَفَ contravene, infringe, violate (*law, regulations, etc.*); act in violation (*of something*); vary (*with*), depart (*from a line of conduct*), be at variance (*with a custom*); take issue (*with an opinion*), disagree (*with*), differ, dissent, contradict (*a theory*)

خامٌ raw (*material*), crude (*petroleum, oil, etc.*), ore (*: iron ore*)

خامِد extinct (*volcano*), extinguished, quenched (*hope, life, etc.*)

خامَرَ (راجع خَالَجَ)

خامِل idle, lazy, indolent

~ (: سقيم ، معدوم النشاط للعمل) listless, languid; inert

خانَ betray, be unfaithful, fail trust

خانٌ (: فندق) inn

خانَة (آحاد او عشرات او ما إلى ذلك) digit's place

خَبَا fade (*of light, hope, effect, etc.*), dim

~ (: ذبل) wither

خَبَّأَ hide, conceal

~ (: دفن ، أخفى) bury, secrete

خَبَال mental alienation, craze, insanity

خَبَرَ test, try

خَبِرَ learn, find out, understand, comprehend

خَبَّرَ (راجع اخبر)

خَبَر (: نبأ) news, item of news

~ (في النحو : مسنَد) predicate

خِبْرَة (: تجريب) experience, expert opinion

~ (: المام) knowledge, know-how

~ (: المام في يتوافر للخبير) expertise (*e.g.: technical expertise*), expertness

خَبَط beat, strike, thump (*with a fist*), stamp (*the ground*) or stamp (*one's foot*) down

خَبَلٌ (راجع خبال)

خَبيث wicked, malignant, evil, nefarious, pernicious (*disease, habit, etc.*), malicious (*remarks*)

~ الرائحة او الطعم rancid

خَبير expert; learned (*in jurisprudence*), informed, connoisseur (*of*)

خبير حسابات تأمين actuary
~ ضرائب assessor
~ فحص معادن assayer
~ في شؤون الدولة (الحكومة) statist
ختام conclusion, end, termination (*of work*)
ختاميّ final, conclusive (*inquiry*)
~ (: أخير) last (*concession*, ~ *of the line*)
ختان ، ختانة circumcision
خَتَرَ (راجع غدر)
خَتَلَ (راجع خدع)
خَتَمَ (: انهى) conclude with a gesture, close (*a discussion*), end, bring to a close; wind up (*a speech, a deal*)
~ (: طبع بخاتم) stamp, seal
خَتْم seal, stamp
~ (: امضاء) sign manual
خَتَنَ (راجع طَهَّرَ)
خُثَارة curd
خَثَرَ coagulate, curdle (*: as milk often does*), clot (*: clotted blood, cream, etc.*)
خَجِل (راجع استحيا)
خَجِلٌ (راجع حياء)
خَدَّ (الارض) break land into ridges, furrow (*a groove*), make a ridge
خَدٌّ cheek
خِداع (: احتيال) deceit or deception, artifice, trickery, chicanery
~ (: نصب) duplicity, double-dealing
~ (: حيلة للتملص من شأن) subterfuge
خَدَّاع (: محتال ، نصاب) deceiver, swindler, cheat, double-dealer
خَدِرَ become numb
~ (بتأثير مخدّر) be stupefied (*with narcotics*)
~ (بتأثير كلوروفورم او ما اليه) be anaesthetized
خَدَرَ (: استتر) veil or conceal (*oneself*), screen (*oneself*)
~ (بمكان : لزمه) stay at or keep to (*a place*)
خِدْر (: ستْر) veil, screen, cover
خَدَّرَ (١) drug, stupefy, besot, dope
خَدَّرَ (٢) (: ستر) veil, screen, conceal, cover

خَدَشَ scratch, scrape
~ (شعور الغير) hurt, wound or offend (*others' feelings*), outrage (*morality*), affront
~ حياءه offend (*or outrage*) one's sense of shame, offend modesty
خَدَعَ (: احتال ، نصب) deceive, swindle, cheat, hoodwink, chicane; delude (*somebody with promises*), beguile; jockey, trick; double-cross or double-deal
~ ليستدرج decoy
خُدْعَة trick
~ (حيلة) عسكرية stratagem
خَدَمَ serve, work for
خَدَّمَ employ (*a person*), hire (*a person to do a job*), take (*somebody*) into (*one's*) service
خِدْمَة service, employment or employ
~ (: شغل ، عمل) work
خِدْن lover, paramour
خَديعة (راجع خدعة)
خَذَلَ fail (*oneself, others, etc.*), let down (*friend, country, etc.*), defeat (*expectation, hope*); abandon, desert; disappoint
خِذْلان failure, defeat, disappointment, betrayal (*in moment of need*)
خَرَّ (: سَقَطَ) fall (*wounded, dead, on one's knees, etc.*), drop (*from somewhere, unconscious*)
خَراب destruction, ruin
~ (: هلاك) doom
~ (في آلة : عطل) breakdown, failure
خَرَاج land-tax, duty
~ (: عُشر) tithe
~ (: جزية) tribute
خُرَاج abscess
خُرافَة myth, legend
خَرَّبَ destroy, ruin; ravage (*a city*), lay waste (*the whole countryside*)
~ (افتعالا : أتى اعمالا غايتها تعطيل نظام أو عمل أو غيره) sabotage (*system, work*)

خَرَجَ	go out or away, exit, be out or abroad; leave (*place, office, etc.*), move out (*of a flat*), quit (*the game*)
~ (: ظهر)	emerge
~ (عن نهج ، مبدأ)	dissent (*from*), defect, desert
خَرَّجَ (: قهَر على خروج)	evict, force to quit
~ (: ربط ضريبة على ارض)	levy duty or tax (*on*)
~ (دليلاً)	reveal, produce, find out (*evidence of truth, etc.*)
خَرْج (: انتاج)	output, production
خُرْدَة (: فتات او مخلفات اشياء)	scrap
~ (سوق ، بيع)	rummage (*market, sale*)
~ (: خردوات ، متنوعات)	sundry (*sundries*), miscellaneous articles of dress, etc.
خَرْدل	mustard
حبة ~	mustard seed
خَرِسَ	be (*or remain*) mute or speechless (*before court, during discussion, etc.*)
خَرَسانَة	concrete
خَرَص (: كَذَبَ ، ظَنَّ)	lie, conjecture
خَرَطَ	lathe; cut, shape, fashion (*a mould out of something*)
خُرْطُوم (فيل ، برغوث او ما إلى ذلك)	trunk
~ (لنقل سائل)	hose
خَرِفَ	become senile (*from old age*), dote, become feeble-minded or infirm of mind
خَرَفٌ	dotage; senility
خَرِفٌ ، خَرْفان	senile, dotard
خَرَقَ	break (*law*), violate, infringe, transgress (*agreement, bounds of decency, etc.*)
~ (: ثقب)	pierce, puncture
~ (سفينة ليغرقها)	scuttle
خَرْق	breach, violation, infringement, infraction, transgression
خُرق (راجع حمق)	
خَرَمَ	punch, puncture
خُرُوج	exit, egress (*from country*), departure (*from*), going out (*of somewhere*)
~ (: اتجاه خروج)	way out
~ عن قاعدة او اصول مرعية	irregularity
خَرُوف (خراف)	sheep
~ مخصي	wether
خِرِّيج	(*university*) graduate
خَرِيطَة (راجع خارطة)	
خَرِيف	autumn, fall
خَزَّان	tank; reservoir
~ (ذخيرة)	magazine
خِزانَة (مال)	treasury
~ عامة	public treasury
~ (: دولاب وغيره لحفظ الاشياء)	cabinet, wardrobe, closet, locker, cupboard
~ (حديد ، خزنة)	safe
خَزَعَ	chop up (*into pieces*), cut, quarter
خَزْعَة	lameness in one leg
خَزَف . خَزَفِيّ	ceramic
خَزَنَ	store, warehouse, stock, lay away, accumulate (*provisions*)
~ (في مكان سري)	stash
~ (: جمع وخبأ مخافة قلة او خلافًا لقانون)	hoard
خَزْن	storage
خَزِيَ (راجع استحى)	
خِزْيٌ	shame, humiliation, disgrace
خَزِين (: مخزون)	stored; storage
خَزِينَة	treasury
~ (من فولاذ لحفظ النقود والمواد الثمينة)	safe
خَسارَة	loss
~ لا تعوَّض	irreparable loss
خَسائر بحرية	average loss
خَساسة ، خِسّة	meanness, vileness, sordidness
خَسِرَ	lose (*a fortune*), forfeit (*right by default*), suffer loss, be deprived (*of something or somebody*)
خَسَّرَ	cause, or incur loss (*to someone*), suffer (*him*) to lose (*a fortune*)
~ (: اهلك)	destroy
خَسَفَ	eclipse (*as of moon*), obscure or extinguish (*brilliance, etc.*)
~ (: ذَلَّ ، قهَرَ)	humiliate, bring low, oppress
خُسُوف (القمر)	eclipse
خَسِيس	mean, base, sordid, ignoble, vile

خَشَب (: اخشاب) wood; timber, lumber
~ احمر redwood
~ بلوط oak
~ بندق hazel
~ التنوب spruce
~ الدردار elm wood
~ راتنجي spruce
~ زان beech
~ زيزفون basswood
خَشَبي woody, ligneous
خَشَعَ stand in submission, humiliate oneself (*before*), stand (*sit, etc.*) in reverence
~ (راجع غَضّ)
خَشِن rough (*surface*), unpolished, urefined (*person*); rustic, unsophisticated, coarse (*character*); hard
~ (من حيث المعيشة) austere, given to hardship
~ (في سلوك ، معاملة ، الخ ..) rude, vulgar, violent, rowdy
~ (اجراء ، تصرف ، الخ ..) drastic, harsh
خَشَّن roughen; harden, toughen, inure (*oneself to hardships*)
خَشِيَ fear, apprehend; shrink from; dread (*something*)
خَصَّ belong (*to*), appertain, pertain
~ (: اتصل او تعلق بـ) concern, relate; affect, involve
~ (: اختص الغير بشأن) give exclusively or wholly, treat with exclusive (*regard, care, etc.*)
خَصَى castrate, emasculate
خِصام quarrel, litigation, active dispute or disputation
خِصْب fertility, fecundity; fruitfulness
خَصِب fertile
~ (: كثير الانجاب ، وافر التوالد) prolific, fecund
~ (: مثمر) fruitful
خَصْر waist
خَصَّص allocate, appropriate (*funds for a project*), allot, ear-mark

خَصْلَة (: ميزة) characteristic, quality, attribute
خُصْلَة strand
~ (: عنقود) bunch, cluster (*of something*)
خَصْم (١) adversary, party (*to legal dispute*), litigant, suitor, opponent, antagonist; enemy, foe
~ اسمي nominal party
~ مقابل adversary (*or opposite*) party
خَصْم (٢) (: حَسم) discount, deduction
~ (من مبلغ واجب الاداء او ثمن تذكرة او غير ذلك) rebate
~ (: احتباس جزء مما وجب أداؤه) recoupment
خَصَم (من مبلغ) deduct (*from sum*), rebate, discount (*bill, commercial paper, etc.*)
~ (على سبيل المقاصة) recoup(e)
خُصوصي private (*property, etc.*); special, exclusive
خُصُوم (في نزاع قضائي) parties, litigants
~ (من اصول) liabilities
~ احتمالية (عرضية) contingent liabilities
~ احتياطية (تؤدى حين التصفية) reserve liabilities
~ استمرارية floating liabilities
خَصُوم querulous, peevish, irritable
خُصُومَة dispute, litigation (*in court, etc.*); antagonism
خَصِيّ eunuch, castrate, emasculate
خُصْيَة testicle, testis
خَضَب ، خَضَّب tinge (*with blood, etc.*)
خُضْرَة vegetable, green
خَضَعَ yield, submit, surrender, succumb (*to force*); be subject to (*restrictions*); obey, comply (*with order, law, etc.*), abide by (*rules*)
خُضُوع submission, yielding, surrender
خَطّ (راجع كتب)
خَطّ line; stripe or streak
~ (: كتابة) writing
~ حدي grid line
~ حديدي railway, railroad
~ سفر route
~ عوم ، ~ وسق أو حمولة قصوى load line

خطّ يد	handwriting
~ قطري	diagonal
~ زوال	meridian
~ طول	longitude
~ عرض	latitude
~ محيطي	outline, perimeter
خَطّ استواء	equator
خَطا	step, tread (*solid ground, over something*), stride or take a stride, walk
~ (: تقدم)	advance, make headway, proceed
خَطأ	error, mistake, culpa, fault, blunder, wrong, slip, lapse
(على خطأ	(*at fault*
خطئي	culpable (*offence*), blamable (*act*), censurable (*conduct*)
خِطاب (١) (: رسالة)	letter, message
~ (من قديس)	epistle
~ استدراجي	decoy letter
~ استدعاء	letter of recall
~ اشعار	letter of advice
~ اعتماد (دبلماسي : تعريف)	letter of credence letter of credentials
~ إعادة اعتماد (دبلماسي)	letter of recredentials *lettres de récréance*
~ اعتماد (مالي)	letter of credit
~ تنازل	letter of renunciation
~ مفتوح (يوجه بسبيل الاحتجاج)	open letter
خِطاب (٢) (: خطبة)	address, speech
~ (افتتاح او افتتاحي)	inaugural address
خَطّاط	engrosser, sign-writer
خُطّاف	hook
خَطَبَ (في جماعة)	speak, deliver (*or make*) a speech, address (*assembly*), make a formal address (*to assembly*), harangue (*assembly*)
~ (لزواج)	affiance, betroth, get engaged (*to*)
خُطْبَة	speech; discourse; address; oration
~ (دينية)	sermon
~ (اولى لنائب برلماني جديد)	maiden speech
~ (فاتحتها او مقدمتها)	exordium
خُطْبَة (خاتمتها)	peroration
خِطْبَة ، خُطُوبَة (زواج)	engagement, espousals, despousation
خُطّة	plan, design, scheme
~ (لإيقاع بعدو : احبولة)	stratagem
خَطَرَ	occur (*to one*), come to mind, cross (*one's*) mind
خَطِر	dangerous, perilous, hazardous; risky (*deal*)
~ (: تَخُفُّهُ المخاطر)	precarious (*living*)
~ في حد ذاته	dangerous *per se*
خَطَر	danger, peril, jeopardy, risk
~ مستحدث	créated risk
خَطَّطَ	plan, chart, lay out or draw a plan, design
~ (حدودًا او ما اليها)	demarcate (*boundaries, etc.*)
خَطَفَ (شخصًا)	abduct, kidnap
~ (شيئًا : التقطه بخفة)	snatch, grab (*off*)
~ طائرة	hijack (*an aircraft*)
خَطْف (اشخاص)	abduction, kidnapping
~ بالقوة مع احتباس المخطوف	kidnapping
خَطِل (: اخطأ)	err
~ (: اضطرب)	fall into confusion
خَطْم	muzzle, snout
خُطْوَة	step, pace, stride; footstep
خُطُورَة (: خطر)	danger, peril, risk
~ (موقف ، اجراء ، الخ ..)	gravity, seriousness
خَطّيّ	in writing, written (*agreement, promise, etc.*)
~ (: تخطيطي)	graphic (al)
~ (: يتصل بفن الخط)	calligraphic
~ (: يتبع او يسير على خط معين)	lineal, linear
خَطِيب	speaker; orator
~ بليغ	eloquent (*public*) speaker
~ لزواج	fiancé
خَطيبة لزواج	fiancée, betrothed
خَطِير	serious (*fault*), grave or grievous (*harm*), severe (*injury*), gross (*negligence*); momentous (*declaration, decision, etc.*)
خَفَّ	lighten, become lighter (*as of work, weight, etc.*), be simpler or easier

خَفَّ إلى شأن (: اسرع اليه) hasten (*to arms*), move swiftly; rush to (*something*)

خفى (راجع خَفي)

خفاء unknown

خِفارَة ، خَفَر vigil, watch, guard

خَفَتَ diminish, lessen, fade, grow faint (*as of sound*), dim (*as of light*), lower (*voice, etc.*)

خِفَّة lightness, levity (*of person*)

~ (: بساطة) simplicity

~ حركة nimbleness, agility

~ يد prestidigitation, sleight of hand

~ (: قابلية للعَوْم) buoyancy

خَفَشٌ day blindness, brachymetropia

خَفَضَ reduce, decrease (*price*), diminish (*pressure*), depress (*rate*), lower (*voice*)

خَفَّضَ reduce, lower, rebate (*sum*); diminish, write off (*value of goods*)

~ قيمة عملة devaluate currency, debase currency

خَفَّفَ lighten (*a burden*); mitigate (*liability*), attenuate or extenuate (*guilt*), remit (*a penalty*); relax (*a grip*), relent (*an effort*), slacken (*a pace*); rebate (*force*), reduce, diminish, slake

~ (من حدة شعور) mollify (*feeling, anger, etc.*)

~ (ألماً) assuage (*pain*), relieve, ease, alleviate; lessen (*suffering*)

خَفَقَ beat, flicker; palpitate

خَفَقان (قلب او ما اليه) palpitation

خَفِيّ unknown

~ (: مخفي) withheld, concealed, disguised, hidden

~ (: آخر ، بعيد الغور) ulterior

~ (: ينطوي على غموض) occult, abstruse

خِفْيَة secretly, clandestinely; furtively

خَفير guard, watchman, watch

خَفيف light, mild (*punishment, pain, etc.*)

~ (: طفيف ، بسيط) slight, simple

~ (: سهل) easy

~ (الحركة) nimble (*of movement, etc.*), agile

خفيف اليد sleight-of-hand

خَلَّى leave (*a mark*), abandon (*relations*), quit (*work*), renounce (*a title*)

خلا ، خِلاف except, save (*something or somebody*), other (*than*)

خَلا (من) be without, be free or clear (*of*), be empty (*of*)

~ (راجع شَغَرَ)

خَلاء waste (*as of land*), uninhabited (*region*), desolate (*place*)

~ (: على الطبيعة) wilderness, wild (*spot*)

خَلّاب illusory, deceptive

خِلاسِيّ mulatto

خَلاص deliverance, redemption, escape (*from punishment, danger*)

خُلاصَة abstract (*of judgment*), summary, syllabus, synopsis (*of a book*), résumé, epitome (*of a speech*), brief (*of defence*), digest; gist (*of discussion*)

~ دعوى abstract of record (*or action*)

~ تاريخ حق عقاري brief of title

خَلاعَة immorality, indecency, debauchery

خِلاف difference, variance (*of opinion*), divergence, inconsistency (*of provisions*), discrepancy

خِلافَة (اسلامية) caliphate

~ [مواريث] succession

خَلّاق creative

خِلال through (*the year*); within (*a certain period*)

~ (: أثناء) in the course (*of an event*)

خَلَبَ delude, deceive, mislead

~ (: فَتَنَ) infatuate, charm

خَلَّة (راجع خصلة)

خَلَجان convulsion, spasm

خَلْخال anklet

خُلْد (: يعيش في الانفاق الرملية) mole

خُلْسَةً furtively, stealthily, slyly

خَلَص (بنتيجة) conclude, deduce, draw conclusion, etc.

خَلَّصَ save, redeem, deliver, rid (*oneself of a trouble*)
~ من آلام ، اعباء ، الخ .. relieve
~ (بضاعة ، الخ .. من جمرك) clear
تخليص clearing, clearance
خَلَطَ (اشياء) mix, admix, blend (*good sorts with bad*), merge
~ (بين اشياء) confuse (*thing with another*), muddle (*matters*) up
~ (مَعْدِنًا بآخر) alloy
خِلْط (راجع نغل)
~ (راجع احمق)
خَلَعَ depose (*ruler, sovereign, etc.*), dethrone (*monarch*); remove from high position, dislodge
~ (امرأته) divorce (*one's wife*) for consideration
~ (ولده) disavow (*one's child*)
~ (: انتزع بعنف) rip
~ (لباسًا) doff
خُلْع divorce (*of wife*) for consideration (*payable by her*)
خُلْعة option of divorce (*for consideration*)
~ divorce
خَلَفَ leave, let
~ (في حق ، منصب ، الخ ..) succeed; replace
خَلَفٌ (: عَقِبٌ) successor, issue (*male or female*); descendant, offspring
~ خاص singular successor
~ عام universal successor
~ (: اجيال عاقبة) posterity
(خلفًا لِـ (*in succession to*
خَلَّفَ install as successor
~ (ولدًا) beget, procreate
خَلْف behind, back, rear, posterior
~ سفينة (: نحو خلفها) astern
خَلْفي hind, posterior; backward (*position*), reverse (*side of a coin*)
خلفية background
خَلَقَ create, bring into being; originate, produce (*difficulties, trouble, etc.*)
خَلَقَ (: صنع) make
خَلْق creation
خَلِقَ (راجع بَلِيَ)
خُلُق character
خَلُقَ (بـِ) become, suit, befit (*person to fight, behave, etc.*), behoove
خِلْقَة (راجع فِطْرة)
~ (راجع هيئة : شكل ، مظهر)
خُلُقي (: أدبي) moral, ethical
خِلْقي congenital (*fear of snakes*); inherent
خَلَل fault; trouble, disorder, malfunction
~ (: حاجة إلى اصلاح) disrepair
خُلُوّ vacuity, vacancy
~ (من استعمال او سريان ، شغور) abeyance (*of title, thing in obeyance*)
خِلْو (: خالٍ) free (*from burden*), unoccupied; empty
خَلْوَة solitary spot, secluded or isolated place
خُلُود immortality, eternity
خَلِيَّة cell
~ (نحل) beehive
خَلِيج gulf, bay
~ صغير cove
خَلِيط mixture, medley, hotchpotch (*of laws, regulations, etc.*); blend
~ معدني alloy
خَلِيع licentious, immoral, indecorous (*behaviour*), indecent
~ (صور ، منشورات ، الخ ..) pornographic
خَلِيفَة (الله على الارض مثلاً) vicegerent
~ (: حاكم المسلمين سياسيًّا وروحانيًّا) caliph
~ (في حق ، منصب ، ميراث او ما إلى ذلك) successor
خَلِيقَة creation
~ (: مخلوقات) creatures (*of God*)
خَلِيل (: عشيق) lover, paramour
خَلِيلَة mistress, paramour
خِمار (: ستر) veil, cover
خَمَّارَة (راجع حانة)
خُماسي (الشكل) pentagonal
~ (الاطراف) quinquepartite

خَمِجَ rot, decay
~ (اللحم : انتن) putrefy
~ (: فتر ، تعب) weaken, be debilitated, tire
الخَمَج rot, decay; putrefaction; weakness, debility, fatigue
خَمَدَ fizzle (*out*), die (*out*), become extinct
خَمْر wine, port, fermented beverage
خَمَّرَ ، تَخَمَّرَ ferment
خَمَنَ conjecture, surmise
خَمَّنَ (: قدَّر) appraise, estimate, rate (*a value*), evaluate
~ (: حدَسَ) conjecture, surmise
خُمول idleness, indolence, listlessness, sloth
خَمِيرَة yeast, barm
خَنَث gynandry, hermaphroditism, intersexuality
خُنْثَى ، خُنْثِي gynandrous, androgynous; hermaphrodite
خِنْجَر ، خَنْجَر (ذو حدين) dagger, stabbing-weapon
خَنْدَق trench, gutter
~ (: أخدود) deep furrow
خِنْزِير swine, pig, hog
~ بري wild boar, wild swine
خِنْصَر little finger
خَنَقَ suffocate, choke; strangle, stifle, smother (*freedom*), throttle (*a thief, trade, etc.*)
~ (ليعدم تنفيذًا لحكم) garrote, garrotte
الخَنْق (: عقوبة الاعدام خنقًا) garrotting
خَواء inanition, emptiness
~ (: جوع) hunger
خَوارِج defectors, apostates
خُوذَة helmet
خوري (*Christian*) priest
خَوْزَق (لتعذيب او عقوبة) impale
خَوَّف frighten, intimidate, daunt; alarm, scare
خَوْف fear, dread, fright, trepidation, alarm
~ (: ذعر) panic
مخاوف apprehensions
خَوَّلَ authorize, empower, entitle (*person to act, use, etc.*)

خَوَّنَ distrust, mistrust (*somebody*), have no faith (*in*)
خِيار option, choice, selection, election
~ (راجع خيرة)
~ ذاتي (: تقرير مصير) self-determination
~ شراء call option
خِياري optional, facultative
خَيال (: ظِل) shadow
~ (: صورة لشيء تعكسها مرآة او ما اليها) image
~ (: غير حقيقة ؛ وهم) fiction, fancy, fantasy; illusion
~ (: قدرة العقل على التصور) imagination
~ (: طيف) apparition
خَيالي imaginary (*scheme*), fanciful (*writer, idea*), fantastic (*story, profits, prices, etc.*); fictitious (*personality, association, etc.*)
~ (: احتيالي ، كمشروع ، شركة ، الخ ..) bubble (*enterprise, company, etc.*)
~ (: خادع) illusory (*promise, hope, etc.*)
خِيانَة treason, teachery; perfidy, betrayal, disloyalty
~ استدلالية constructive treason
~ صغرى petit treason
~ عظمى high treason
~ زوجية infidelity
كتمان الخيانة misprision of treason
خَيَّبَ fail, defeat (*hope, promise*), disappoint (*expectation*); foil, frustrate (*purpose*)
خَيْبَة failure, frustration, defeat
~ (امل) disappointment (*of hope, expectation, etc.*)
خَيْر good (*of the community*), well-being
~ (: نفع) benefit
~ (: صلاح ، ازدهار) prosperity, welfare
خَيِّر (: كريم) generous, bountiful, munificent; liberal, openhanded
خِيرَة (شيء) prime, pick (*of something*), choice, first in excellence
خَيْرِيّ charitable

خيْريّ (: تصدقي ، للصدقات) eleemosynary

خَيْش burlap, hessian, canvas

خَيْشوم gill (*of a fish*)

خَيْط thread, filament, string; streak (*of light, etc.*)

~ صوف خالص worsted

~ مبروم yarn

خَيَّل (على : وَجَّه التهمة إلى الغير) accuse, charge (*somebody*), level or direct accusation (*to*)

خَيَّم (: نصب خيمة ، خيامًا ، الخ ..) pitch tent (*or tents*)

~ (: أقام بمكان) encamp

~ (: انتشر ، غطى) diffuse, spread, enfold, envelop

خَيْمَة tent

د

داء disease, sickness, illness, affection, (*of the ear, throat, etc.*), ailment, malady

دائِر indirect, roundabout (*route*), circuitous; circular (*system*)

دائرة department (*of state, government, etc.*); division; circuit

~ (: نطاق) precinct; sphere (*of influence*)

~ (: شكل مستدير ، حلقة) circle, ring

~ اختصاص area of jurisdiction

~ انتخابية constituency

~ جذرية [هندسة] dedendum circle

~ قضائية circuit

~ قطبية جنوبية antarctic circle

~ قطبية شمالية arctic circle

دائم ، (: مستمر ، خالد) perpetual, permanent, continual or continuons, persistent, unceasing

~ (: ثابت) constant

دائـن creditor

~ تنفيذي ، ~ منفذ execution creditor, executor creditor, attaching creditor

~ مرتهن mortgagee

~ مضمون secured creditor

~ مفرد الامتياز (: ذو امتياز واحد) single creditor

~ ملحاف (: دائم المطالبة) dun

~ ذو امتياز (يحمل امتيازًا على اموال المدين) lien creditor, lienor

~ ممتاز preferred creditor

دائنون متضامنون joint creditors

دأبَ persist (*in causing trouble*), strive (*to*), exert (*oneself for some goal*)

دأبٌ (*abiding*) habit, practice, custom, wont

دابَّةٌ beast, animal, moving creature

داجِن domestic, tame

دواجِن livestock, domestic animals

داحِس (: داحوس) whitlow

داخَلَ be taken (*by fear*), entertain (*doubt*), feel or have (*fears, etc.*)

~ (ميعادٌ ميعادًا آخر : جريا معًا) run or act concurrently

داخِل in, inside, within

~ (مكان) interior, inner part

نحو الداخل inward, inwardly

دواخل (بلاد – المواقع النائية فيها) hinterland, remote localities

داخِلي internal (*affair, strife, etc.*), domestic *consumption*), home (*trade, relations, news*); inland

~ (: ذاتي) intrinsic, inherent

حرب داخلية (أو اهلية) civil war

وزارة الداخلية ministry of interior

(طالب) ~ في معهد boarder

~ (: نحو الداخل) inward (*flow, movement, etc.*)

دارٌ house; building

~ (: سكن) abode

~ اصلاحية house of correction

~ قمار (لعب) gaming house

~ فجور ، دعارة bawdy house, brothel, house of ill fame

~ مقاصة clearing house

دارَ (: لفَّ) revolve, gyrate; wheel (*round something*), circle (*the Earth*)

~ (: ارتكز في بحث أو ما إليه) centre

~ (: تناول ، عالج) deal, treat, have to do (*with*)

~ على turn upon (*an accuser*)

دارَى appease, cajole, wheedle (*somebody*

for one's own ends)

دارج current, common, familiar

~ (من كلام) common parlance, colloquial (*Arabic*)

داسَ tread (*on*), step (*on*), trample (*feelings*, ~ *on somebody's feet*), overrun, run over (*a cat*), stamp (*on something and crush it*)

داعٍ motive, cause, reason

~ لحرب *casus belli*

الداعي (إلى شأن) caller, crier

داعَبَ toy with (*idea, etc.*), dally, play with

داعِر lewd (*pictures, words, etc.*), lascivious, libidinous (*behaviour*), obscene (*exposure*), lecher, debauchee

داعرة prostitute, harlot

داعِيَة (لمبدأ ، شأن ، الخ ..) proponent, advocate

دافِع motive; inducement, impulse, spur, incentive

~ (: قوة دافعة) impetus

~ (لمبلغ من المال) payer, payor

~ (: صاد) repellent

~ أساسي mainspring, chief or most powerful motive

دافَعَ (عن) defend; protect, ward off (*attack, etc.*); vindicate (*a claim*)

داكِن dark; deep (*blue, green, etc.*)

دالَ (: انقلب) turn against

~ (: آل إلى ، خَضَعَ) fall to, devolve

~ (راجع زال)

دالٌّ indicative (*of good will*), suggestive (*of fraud*), significative

~ (: له صفة الدليل) evidentiary, demonstrative

دالة (على شخص) favour (*with person*), daring

~ (رياضيات) function

دالِيّ (: خاصّ باتساع الشرايين) varicose

دالِيَة (الدوالي : علة اتساع الشرايين) varicosity, varix

~ ملتحمة varicula

دالِيَة (: شجرة كرم) vine

دامَ last (*a lifetime*), remain, endure, survive (*a century*), continue, persist

دامِع teary, tearful (*eyes*)

دامِغ cogent (*argument*), irrefragable (*statement*), conclusive (*proof*), overpowering, demolishing (*evidence, etc.*), decisive, categorical

~ (: مقنع) convincing

دانَ (١) (: عليه دين) owe, be indebted to, be in somebody's debt

~ (: اقرض) lend, loan, advance money

دانَ (٢) (: اعتقد ، تبع عقيدة أو دين) profess, own as one's faith, believe (*in*); convict, condemn

دانٍ (: قريب) impending, imminent; near, at hand, close (*to*)

دانى (راجع قارَبَ)

داهَمَ raid (*a private house*), make a raid on, surprise (*an assembly*), descend suddenly upon (*persons, premises, etc.*)

~ (: واجه ، لقي ، الخ.. بمحض الصدفة) run against

~ (قطارًا ، سيارة ، مارة ، الخ.. قصد السلب) hold up

داهِية shrewd, astute, wily, foxy, canny, sly, cunning

داوَى medicate, treat

~ (: عالج) cure, remedy

داوَل circulate; negotiate (*a bill*)

دايَن lend, loan

دَبّابة tank

دَبَّر devise, design, contrive, hatch (*a plot, etc.*), mastermind (*a scheme*)

~ لسوء plot; frame up

~ لفحشاء procure

دُبْر ، دُبُر (: مؤخرة) posterior, bottom, buttocks

دَبَغ (جلودًا) tan

دَبْغ (: دباغة) tanning

دِبلُماسة diplomacy

دِبلُماسي diplomatic

تمثيل ~ diplomatic representation

سلك ~ diplomatic corps

طرق دبلماسية diplomatic channels

دِبْلُوم diploma; charter (*given by university, etc. to exercise an activity*)

دبُّوس pin
~ (: هراوة) club
دَجَّال imposter, quack; empiric. charlatan
دَجَلٌ imposture, humbug, fraud, charlatanry
دَجَّن tame, domesticate
~ (حصانًا: طبعه) break in
دَحْرَج roll (*a barrel, a loop, etc.*), turn over and over, cause to revolve; topple
دَحَضَ refute, disprove, confute, rebut (*argument*); falsify (*statement*)
دُخان smoke, fume
دَخَلَ enter, penetrate
~ (: نفذ، اخترق) pierce
~ (ليلتمس أو يكتشف) probe (*ground*)
~ (في معاهدة او اتفاق: انضم) accede to
~ عنوة break into, enter by force (*or the use of force*)
~ (في دين أو ما إليه) embrace, adopt
دَخْل (: ايراد) income
~ خاضع للضريبة taxable income
~ (: ايرادات) revenue
دُخْلة (: ليلة زفاف) marriage night ceremony
دَخَّن smoke; fume
~ (مكانًا للقضاء على حشرات أو ما إليها) fumigate
دُخول entry (*into a country*), entrance, ingress or access; inflow (*of goods*); admission (*of foreigners*)
~ مكرر regress
~ (زواج) consummation (*of marriage*)
دَخيل intruder, interloper
دَرأ ward (*off*), repel, avert (*something*), parry (*off*), fend off (*a blow*), obviate (*an impending crisis*), guard against (*a pest*), prevent (*a fatal accident*)
دَرَى (راجع عَلِمَ)
دَرابْزين railing, rail
دَرَّاجَةٌ bicycle
~ نارية motorcycle
دراسة study (*of a certain subject*), reading (*history, law, etc.*).

دراهم (: نقود) money, cash
دِراية know-how, expertness, dexterity, skill
دَرَّبَ train (*somebody in shooting*), instruct (*a person how to do his work*)
دَرْب way, road, route
~ (سابلة، ماشية) drove-road
دُرَّة gem
دَرَجَ proceed along, practice, carry on
~ (: صعد، رقي) rise, ascend; progress, advance
~ (: طوى – ثوبًا، كتابًا، الخ..) fold up, close
~ (على – عادة، سياسة) be used or accustomed (*to*), take (*to*), practice (*policy, old method*)
دُرْجٌ drawer, till
دَرَجٌ stair(s), stairway, staircase, flight of stairs.
(قائمة درج (*newel*
دَرَجة grade, degree; class; category, rate
~ (: رتبة) rank
~ تقاضٍ stage of litigation
دَرْزَة seam
دَرَسَ study, read (*law, for honours, etc.*), pursue a course of study
~ (قضية، موضوعًا) examine, peruse, consider thoroughly
~ (حبوبًا) thresh
دَرَّسَ teach, instruct, school, tutor
دِرْع (: قميص معدن للوقاية) armour
~ (: تصفيح، طبقة واقية) armature
دَرَقِيَّة (: الغدة الدرقية) thyroid
دَرَك (راجع شُرْطة)
دَرَنَة tubercle, nodule
~ [نبات] tuber
(تدرُّن (*tuberosity*
دَرَنِيّ tubercular, tuberculous
دُرَيْنَة tuberculum
دَسَّ intrigue, plot knavishly
دِسام stopper; plug
دُسْتور constitution
دُستوريّ constitutional
دستورية (: مراعاة الدستور) constitutionality, conformity with the constitution

دَسَم	fat
دَسِم	fatty, adipose
دَسِيسَة	plot, conspiracy, intrigue, covert plotting for evil
دشَّنَ	consecrate (*a church*), inaugurate (*place, thing*)
دَعـا	call, invite; summon (*membres to a meeting*), cite (*person to appear in court*); convene, convoke (*assembly, parliament, etc.*)
~ (لمبدأ ، فكرة ، الخ..)	advocate, recommend publicly, speak in favour of
~ (الله عز وجل أو إليه)	invoke, pray (*God*), make devout supplication (*to*)
دُعـاء	prayer; supplication
دُعابَة	playfulness, play
~ (فاسقة)	amorous play, dallying
دَعارة (: فسق)	lechery, prostitution, debauchery
دار ~	brothel, sporting house
دِعامة	stay, support
~ (اساسية أو رئيسية)	mainstay
~ (: سند)	backing
دِعاية	publicity, advertising, propaganda
دَعَم	sustain, support, confirm, corroborate (*evidence, statement, etc.*)
~ (لبناء جدار أو قارب أو ما إلى ذلك)	shore
دِعْمَة (بناء)	shore, support
دَعوى	case, lawsuit, action (*at law*), cause, instance
~ حقوقية (استرداد ملكية)	droitural action
~ حيازة	possessory action
~ مقابلة	cross-action
~ الإثراء بلا سبب	action of illicit enrichment; *actio de in rem verso*
~ ادارية	administrative action
~ استرداد عروض محتبسة	replevin
~ افراج شخصي	personal replevin
~ استيفاء دين	action in debt or assumpsit
~ تعاقدية ، ~ على عقد	*actio ex contractu,* action on contract
دَعوى تنقلية	transitory action
~ توقيع حجر	action for attachment or poinding
~ جبر خسارة	remedial action
~ جزائية ، ~ جنائية	penal or criminal action, action *ex delicto*
~ خيار العيب في البيع	*actio empti*
~ دستورية	constitutional action
~ شخصية	personal action, *actio in personam*
~ شرفية	*actio honoraria*
~ عقارية ، ~ عينية	real action, *actio in rem*
~ فسخ بيع	redhibitory action, rescissory action
~ مدنية	civil action
~ محاسبة	action for accounting
~ نظامية أو تشريعية	statutory action
~ وضع يد	action for seisin or action for poinding
بدعوى فلان	at the suit of; at the instance of
دَعْوَة	invitation, call, solicitation (*to a principle, belief, etc.*)
~ سماوية	divine message or tidings, inspired communication
~ (لحضور في محكمة)	citation, summons; convocation (*of assembly, etc.*)
~ (إلى مبدأ ، رأي ، الخ..)	advocacy
دعوتية (ورقة بدء الإجراء)	adjournment
دَعِيّ	adopted child
دَغَل (: ادغال)	jungle
دِفاع	defence
~ (مرافعة)	pleading
~ (: جواب أو عذر لدفع تهمة)	plea
~ قاطع	peremptory defence
~ كاذب	sham defence
~ موضوعي أو جوهري	meritorious defence, defence of merits
~ عن النفس	self-defence
دِفاعِيّ	defensive
~ (لحماية شيء)	protective (*skin*)
دَفَّة (سفينة)	rudder
~ (حكم)	helm

دَفّة (نافذة) shutter
دَفتَر book, register
~ استاذ ledger
~ استاذ المبيعات sales ledger
~ استاذ المراجعات check ledger
~ استاذ المستهلكات consumable ledger
~ تسجيل register
~ الحساب الجاري passbook
~ ضبط minute book
~ مخزن stock book
~ مسودة waste-book
~ يومية journal
~ يومية (بحريّ) log book
~ يومية المبيعات sales day book, sales journal book
دَفَعَ (١) (: أدى) pay, defray (*sum long overdue*), quit (*debt, etc.*); disburse, foot (*account, bill, etc.*); discharge
~ (: اذًى ، شرًا ، الخ..) obviate
~ مقدّمًا prepay, pay in advance
~ بالاختصاص raise a plea to the jurisdiction (*of a court*)
~ (: دحض : اجاب على شيء بما يبطل أثره) rebut
~ (بـ : اعترض) take exception (*to jurisdiction, etc.*)
~ (: صدّ) ward (*off*), repulse, fend (*off*), repel
~ (: اقحم) thrust
~ عينًا pay in kind
دَفَع (٢) (على تصرف ، سلوك ، الخ..) prompt, incite, motivate, instigate, spur on (*a person*)
دُفِع paid; discharged, settled
~ زائدًا paid in excess
~ مع الاحتجاج paid under protest
دَفْع (: أداء) payment; discharge, settlement
~ (: وفاء) satisfaction
~ عند التسليم cash on delivery
~ (: قوة) thrust
واجب الدفع payable
الدفع عينًا payment in kind
الدفع نقدًا payment in cash
دَفْع (: اعتراض) – (ج. دفوع) exception(s), rebuttal
~ (: جواب أو حجة المدعى عليه) plea
~ بعدم اختصاص plea to jurisdiction
دُفْعَة payment, disbursement
~ اولية (: مبدئية) down payment
~ جزئية part payment
~ كلية (مبرئة) full payment
~ معجلة advance payment
~ (: مجموعة من شيء) batch
~ واحدة (دون تدرُّج) at one and the same time; wholesale (*dispatch, immigration, etc.*)
دَفَقَ gush (*out*), issue or flow copiously
(دافق) (*effusive*
دَفْق flow, flux
دَفَنَ bury, inter, earth or commit to earth; entomb or tomb
~ (: ستر ، غطى) cover up
دَفْن burial, interment
دَفين buried; submerged, latent; concealed, hidden (*treasure*)
دَقّ break; crush, pound (*a nail*)
~ (: اصبح دقيقًا) be subtle or minute, become fine or thin
~ (: قرع) knock, rap (*on a door*), beat
دقائق (موضوع) technicalities; details
~ (: حذافير) minutiae
دِقّة punctiliousness, precision, exactness, scrupulousness, over-attention to detail
دَقْع abject poverty
دَقَّق scrutinize, examine closely; scan (*a writing*)
~ (حسابًا) audit (*an account*)
دَقيق (من حيث الفرق) subtle, slender, tenuous
~ (من حيث الحجم أو المادة) fine, very thin
~ (في سلوك أو تصرف) punctilious, precise, exact, scrupulous, over- attentive to detail, specific
~ (طعام) flour

دَكّ (: ضرب بقوة)	pound
~ (: سحق)	crush, stem
~ (: هدم ، قوض)	raze
دُكَّان	shop; store
صاحب ~	shop-keeper
دكاني	shop-keeper, shop proprietor
دُكتور	doctor (Dr.)
~ (راجع طبيب)	
دُكتوراه (شهادة علمية)	doctorate
دكَن	darken, grow dark
دَلّ	indicate, imply, signify, show, manifest, point (*out, to*), stand for (*refusal*)
دَلّى	dip, immerse
دَلاة جليدية	icicle
دَلالة	indication; significance, purport
~ (: مهمة المرشد أو اجرته)	pilotage
دِلالة (: اجرة الدلال أو حِرفَتُه)	brokerage
دَلّس	defraud, deceive, cheat, cozen
~ (: كتَم) (راجع كتَم)	
دلَف (: نهض بحمل أو ما إليه)	shoulder, rise
~ (: مشى ببطء)	lag, loiter, walk slowly
~ (إلى شيء: أسرع)	hasten, scurry, scuttle, scamper
~ ([عامية] : نزّ ، سالَ)	leak, percolate, seep
دَلَك	rub; massage
دَلّلَ (: أقام الدليل)	substantiate, prove, demonstrate, establish (*by proof, evidence, etc.*)
~ (: افرط في الترفيه)	pamper, coddle, indulge (*oneself or others*) in, spoil
دَلْو	bail, bucket
دَليل (١)	evidence; proof
~ (: أمارة ، اشارة)	indication
~ افتراضي (قائم على قرينة)	presumptive evidence
~ قاطع	conclusive evidence
~ مساند	corroborating or corroborative evidence
~ مستندي	documentary evidence
دَليل (٢) (: كتيب يسرد ارشادات خاصة تتصل بشأن)	manual
دَليل (يؤدي إلى الكشف عن شأن)	clue
دليل (٣)	guide
~ (تلفون)	directory
~ (: فهرس أو جدول أسماء أو ما إليها)	index
دَم	blood
~ مختلط	mixed blood
~ واحد (آصرة قربى)	full blood
بدم بارد (: بتعمد وسبق اصرار)	in cold blood
نصف ~ (: قرابة بين أخوة لأحد الأبوين فقط)	half-blood
دمار (راجع خراب)	
دِماغ	brain
دَمِث	gentle, courteous, kind
دمَج	amalgamate (*concerns*), merge (*companies*), integrate (*parts into a whole*); unite
~ (بسبيل الصهر والصب في قالب واحد)	interfuse
دَمْجٌ	amalgamation, merger, integration; union; interfusion
دَمَّر	destroy, wreck (*a system*), devastate by (*war*), lay waste, ravage (*a factory*)
دَمَعَ	tear, shed tears
دَمْع	tears
دَمَغَ (١)	stamp, impress, imprint (*on, upon*)
دَمَغَ (٢)	overcome, demolish (*argument, evidence, etc.*), rebut (*evidence*)
دَمْغة	(*revenue*) stamp
~ الذهب	hallmark
دَمِل (راجع شُفي)	
دُمَّل	abscess, furuncle, boil
دَمَويٌّ	sanguine, sanguinary, bloody (*battle*)
دُمْيَة	toy, plaything, dummy
دَميم (: بشع ؛ حقير)	ugly; contemptible, mean
دَنا	near, draw near, approach; impend (*as of danger*)
دَنّى (راجع قَرَّب)	
دَنَّس	defile, profane, desecrate, violate the sanctity (*of*)
~ (: لوَّث)	pollute, contaminate
دَنَسٌ	dirt, filth, foulness
~ (راجع رِجس)	

دُنُـوّ proximity, nearness, closeness; approach
~ (خطر ، اجل ، الخ..) imminence
دَنِيء (: سافل ، حقير) mean, servile, scoundrel, contemptible, vile; knave
~ (بين المحامين : يتعاطى اعمالاً حقيرة) pettifogger
دنيا (الدنيا) (*the*) world
حياة ~ mortal life
دُنْيَوِيّ temporal; secular, lay (*person, duty*), mundane (*affairs*), worldly (*interests*), earthly
دَهاء astuteness; ingenuity, foxiness, cunning; wiliness
~ (: جودة الرأي) shrewdness
دَهْر (: زمن لا حصر لطوله) aeon
~ (: أوان ، عصر) age, epoch
دَهَش (راجع ادهش وحَيَّرَ)
دِهْلِيز alley, long corridor or passageway
دَهَمَ (راجع داهَمَ)
دَهْماء rabble, mob
دَهَن (راجع طلى)
دُهْن fat
~ (: مادة دهنية تفرزها غدد الجلد) sebum
دُهْني fatty (*substance*)
دَوَى resound, produce a sonorous sound, boom
دَوِيّ boom or booming sound (*of thunder, guns, etc.*), resounding
دَواء medicine, medicament, drug (*to treat disease*)
~ (: علاج) cure, remedy
دُوار dizziness, vertigo, giddiness
~ البحر seasickness
دَوام permanence, continuity, endurance
~ (على قيد الحياة) survival, survivorship
دُوَّامة (مائية أو هوائية) whirl, whirlwind, whirlpool, eddy
دَوَّخ stun, daze; stupefy
دُودَة worm, vermis
~ خيطية threadworm
~ دبوسية pinworm
~ سوطية whipworm

دُودَة شريطية tapeworm
دُودِيّ vermicular
دَوَّر (ورقة مالية) (راجع ظهّر)
دَوْر (: طابق في عمارة) storey, floor
دَوْر turn (*: by ~ , somebody's~*); part (*in a plot*), role
~ (في مناوبة عمل) shift
~ ليلي أو نهاري night or day shift
دَوَران rotation, circulation, revolution
دَوَرانيّ rotational, rotative; circuitous
دَوْرَة round, cycle
~ (انعقاد) term, session
~ تدريب course
~ (قضائية) نظامية stated term
دَوْرِيّ rotative, alternative, circular; periodic, periodical (*publication, issue, etc.*)
دَوْرِيّة patrolman (*patrolmen*), patrol
أعمال ~ patrol duty
دُوسيه dossier, file
دُوطَـة dowry, dot
~ (تقديمها) dotation
دَوَّل internationalize
تدويل internationalization
دَوْلَة state; country; polity
~ محايدة neutral state
~ مستقلة independent state
~ مستقلة ذات سيادة independent sovereign state
~ موفدة sending state
~ موفد إليها receiving state
~ نقابية corporate state
~ واقية ، مصد (بين دولتين متعاديتين) buffer state
دَوَّن record (*minutes*), register, enter (*a note*); inscribe, commit to record, commit to writing, register
~ (ملاحظة) make a note
دُونَ (: بدون) without, less
~ (: اقل) below, under, less
~ اخلال (بـ) without prejudice (*to*)
~ استعداد (: ارتجالاً) off hand, extemporaneously; impromptu

دُونَ تحفظ without reserve
~ حق الرجوع without recourse
~ سعر المساواة below par
~ (شخص أو شيء : ضده ، امامه) against, before, in the face of (*peril, loss, resistance*)
دَوِيّ (راجع دَوَى)
دُوَيْري [رياضيات] cycloid(al)
دِيانَـة religion, faith
دِيباجَـة preamble
~ (: مقدمة) introduction
~ (تشريع ، كتاب ، الخ ..) preamble, preface, introduction
دِيَـة blood money
دَيْدَبان sentry, sentinel
~ (: حرس) watch, vigil
دَيْـر monastery, convent, abbey, cloister
~ للراهبات nunnery, cloister
ديسمـبر December
ديمقراطية democracy
~ جماعية pluralistic democracy
~ شعبية popular democracy
~ مطلقة absolute democracy
~ نيابية representative democracy
دَيْـن debt
~ احتيالي fraudulent debt
~ ارتهاني hypothecary debt
~ بسيط small debt
~ العقد البسيط debt by simple contract
~ تاوٍ (: هالك ، لا يرجى تحصيله) ، ~ ضمار (معدوم) bad debt
~ بفائدة (: ذو غلة) active debt
دَيْن بلا فائدة passive debt
~ تحت اليد ، ~ حاضر (: يحل اداؤه عند الطلب) liquid debt
~ سائر floating debt
~ شرف debt of honour
~ قضائي legal debt
~ موحد funded debt
~ موثوق (مؤكد الأداء) good debt
~ عام national debt
~ عقاري land debt, mortgage debt
~ يائس desperate debt
~ تعاقدي ، ~ سندي specialty debt
~ لعب ، ~ قمار play debt
~ متأخر delinquent debt
~ مسجل debt of record
~ مضمون secured debt, specialty debt
~ مضمون برهن عقاري mortgage debt
بالدين on credit, on tick
دِيـن religion, faith
دَيِّـن (: متدين) religious, devout (*Catholic, Muslim etc.*)
~ (: ورع) pious
دِيْنَـة debt, loan
دَيْنُونـة judgment (*day*)
دِينيّ religious, spiritual
دِيـوان department
~ (: سجِلّ) record, register
~ ملكي royal cabinet
دَيُّوث (: زوج فاسقة مع الغير) cuckold
~ (: قوَّاد) panderer, procurer
دَيُّـوثة (: قوَّادة) panderess

ذ

ذابَ dissolve (*in a liquid*), melt (*by heat*)

~ (: ذوبان الثلج) thaw

ذات self, ego, same

~ التاريخ same date, (*of*) even date

~ الشيء *idem*, the same

~ (: نحو) to, toward (*right, left*)

~ اليد of property, of living means

~ (: وجيه) notable, eminent (*person*)

ذاتيّ inherent, intrinsic (*value, etc.*); inborn, innate; natural

~ التناقض (: يناقض ذاته) self-contradicting

~ الحركة automotive, self-moving

~ الحكم self-governing

~ الوضوح (: يوضح ذاته) self-evident

ذاع spread (*from person to another*), be revealed or divulged, become common knowledge

ذاق taste

~ (: جرَّب) experience, undergo (*much suffering*), try (*certain food*)

ذاكِرَة memory, recollection

~ قانونية (: الزمن الذي تعيه الذاكرة قانونًا – عشرون سنة) legal memory

من الذاكرة (: دون استعداد) offhand

ذاهِل forgetful, oblivious, inadvertent, absent-minded

ذَبَّ defend, protect, safeguard (*one's valued objects*)

ذُباح angina pectoris

ذَبَح cut throat (*kill by throat-cutting*), slaughter (*an animal*); slay

ذَبْذَب oscillate, totter, waver (*between*)

ذَبْذَبَة oscillation, frequency

ذبذبة بائدة (متضائلة) damped oscillation

ذَبُلَ languish, droop, sink

ذبيح slain

ذبيحة (من ماشية) slaughtered (*cattle*)

ذَخِيرَة ammunition, munition

ذَرّى winnow (*grain*), break up, separate

ذِراع arm; lever

~ بحر arm of sea

~ ضابط brake lever

طول (بعد ، مدى) ~ arm's length

ذرة maize, corn

ذَرّة (: جوهرٌ فرد) atom; particle (*of dust*)

~ (: الجزء الأصغر من شيء) molecule

محطم ~ atom smasher

ذَرَعَ pace (*a room*)

~ (: قاس بالذراع) measure by arm's length

ذَرَف shed, pour forth

ذُرْوَة peak, summit; apex; acme, pinnacle; climax, culmination

~ القانون *apex juris*

ذرّي atomic; minute, infinitely small, infinitesimal

قمين ~ atomic pile

ذُرّي cast by descent, restricted to issue or descendants

ذُرِّيـة issue, descendants (*from a common ancestor*), children, offspring, heirs of the body, progeny

ذَرِّيّة atomicity

ذَريعَة pretext, pretence, ostensible motive, excuse

ذَعَر frighten, alarm, cause to panic

ذُعْـر panic, fright, sudden mass fear, alarm, trepidation

ذُعِرَ to panic, be taken by fright or fear, shy in alarm, boggle

ذكا (: اشتد) intensify, be enhanced or heightened or aggravated

~ (راجع انتشر)

ذكّى kindle; inflame, rouse

ذكاء intelligence; shrewdness, mental acuteness

ذَكَرَ state, mention; name

مذكور mentioned, stated, recorded

مذكور آنفًا aforesaid, aforestated, aforementioned, hereinbefore mentioned

مذكور تاليًا (: فيما يلي) hereunder, hereinafter mentioned

ذَكَرٌ male

~ (: عضو تناسل) penis, phallus

ذَكَّرَ remind, bring or recall to memory, refresh memory, cause to think (*of*)

ذِكْرى memory

~ سنوية anniversary

ذِكْرَيات reminiscences, recollections

ذَكِيّ intelligent; shrewd

~ (: حصيف الرأي) astute

ذَلَّ (راجع رغم)

ذُلّ ، ذِلة humiliation, mortification

ذَلَّل overcome (*obstacle*), conquer (*difficulty*), subdue (*habit, passions, nature*)

~ (: صَيَّر ذليلًا) humble (*enemy*)

ذلول meek, submissive

ذليل lowly, undignified, contemptible, cringing

ذَمَّ vilify, malign, slander (*a colleague*)

ذِمَّة (: عَهْد ، أمان ، حِفْظ) pledge, promise, undertaking to answer for payment, guarantee, responsibility; trust, protection

~ (مالية ، مديونية) financial assets or estate, debit position or account

~ (: ذِمام ، شرف ، ضمير) word (*as in: a man of his word*), honour or honesty, conscience or conscientiousness

في ذِمَّة owing against (*someone*), be indebted (*in the sum of...*)

ذِمِّي Dhimmi, non-Muslim subject enjoying protection of Muslim state

ذَنْب guilt, sin

~ (: هفوة) fault; error

ذَنَبٌ tail

ذَنَّب incriminate, find guilty

ذَهَبٌ gold

حد الذهب specie point, gold standard

سندات ذهب gold bonds

شرط الذهب gold clause

ظهير ذهب gold backing

قاعدة السبائك (: سبائك الذهب) gold bullion standard

قاعدة صرف الذهب gold exchange standard

ذَهَبَ go, be gone, leave

~ (: امتد) reach, extend

~ (: غرق) sink (*to bottom*)

~ (: انقضى ، انصرف) be spent

~ (: اتخذ رأيًا ، موقفًا ، الخ..) take certain view, position, etc.

ذَهَّب (: طلى بالذهب) gild

ذَهَلَ (عن) forget, omit or neglect inadvertently, overlook, leave out (*a vital point*)

ذَهِلَ ، ذُهِلَ be baffled, startled, perplexed or confounded

ذِهْن (: عقل) mind, intellect, mental capacity

~ (: ذاكرة) memory, recollection

ذِهْنِيّ mental; intellectual

ذُهول inadvertence, carelessness, absence of mind, heedlessness, inobservance

ذو (: صاحب) of, having, gifted with

ذَوَى fade, wither

ذَوَّب dissolve, melt

ذَوَبان dissolution (*of salt*), melting (*of a mineral*), thaw (*of snow*)

ذَوْق (: حسنة) taste, good taste, decorum, propriety

ذَيَّل affix, attach (*one's name, signature, etc.*)

~ بتوقيع undersign

ذَيْل tail; label; end (*of page, list, string, column, etc.*), foot (*of page, margin, etc.*)

~ (: عقب ، أعقاب) trail, aftermath

ذَيْل خطاب postscript (*p.s. : post-scriptum*)

~ وثيقة rider

~ وصية codicil

ر

رَأَى see, perceive, sight (*person, error, etc.*)

~ (في ذهنه ، تصوَّر) envisage (*a plan, a matter from a certain view point*)

~ (: نظر قضية) hear, try (*action*)

~ (: تبين) recognize (*that many candidates lacked proper qualifications*), visualize

رائجٌ marketable, merchantable, salable; in wide demand

رائحَة smell, scent, odour

~ (طيبة) perfume, fragrance

~ (كريهة) stench

رائِد pilot, guide, leader, pioneer (*project, etc.*)

~ (: مبعوث) emissary

~ (عسكري) major

~ فضاء astronaut

رِئاسَة (مجلس ، دولة أو ما إلى ذلك) presidency

~ (جلسة أو اجتماع : تَرَؤُّس ذلك) chairmanship

~ (: مكتب رئيسي) head office

مقر ~ headquarter, (*chief*) administrative centre

رأب heal (*rift*), mend (*rent, split, etc.*)

رابَ be in doubt (*about*), be suspicious (*of*), cause (*or give*) suspicion, fill with misgiving

رابٌّ (: زوج الأم) step-father, foster-father

رابَى deal in interest, lend money at interest, deal in usury

رابَّةٌ (: زوجة الأب بالنسبة لولده من زواج سابق) step-mother, foster-mother

رابِطٌ binding (*factor*), conjunctive (*word, means*), consolidating (*effect*)

رابِطَة link, tie, bond, ligature or ligament; union

رابطة fraternity; guild

رابِيَة down, hillock

رِئَة lung

راتِب (: أجر ، جعالة) salary, stipend; pay; remuneration; annuity

~ استمراري perpetual annuity

~ عمري (*life*) annuity

~ عمري مؤجل deferred annuity

راتِينْج resin

راتِينْجي resinous

راجَ prevail, predominate

~ (: نفق) sell well, be marketable, be in wide demand

راجَحَ (: رجح على) outweigh (*all other evidence*), preponderate

راجِح (من حجة: غالب) preponderant (*evidence*), predominant or prevalent (*view, custom, etc.*)

~ (: متزن ، حكيم) judicious, wise, sagacious

راجَعَ revise, review, reexamine, examine and verify

~ (: رجع إلى) consult, refer (*to*), have recourse to

~ (كتابًا أو ما إليه في سرعة) run over

~ (حسابًا) audit (*account*)

مراجعة revision; review; preview; consultation; recourse

راجِلٌ (: يسير على رجليه) pedestrian, walker

راحَة comfort, ease, rest; contentment, relief

~ (اليد) palm

راحِلة (من الجمال) travel-worthy camel

رادَ (مكانًا) frequent (*place, etc.*)

~ (: طلب) seek, aim at

رادَ (: جاب)	explore (*space, desert, etc.*)
رادِعٌ	deterrent, inhibitory (*influence, provision, etc.*), disincentive (*penalty*)
~ (أدبي)	scruple
رَأَسَ	make (*someone*) chairman or president, chair (*a person*), appoint (*him*) president
رأس	head; caput
~ (: نتوء قاري)	cape
~ (: طرف)	point, tip
~ (شكل)	vertex
على الرأس (: على أساس العدد)	per capita
(رؤوس أقلام)	(*headnotes*
رأسًا	point-blank; directly
راسِخ	firm (*belief*), steadfast (*gaze*), constant (*devotion*), well-founded (*fact*), solid (*ground, foundation*), fast (*as in: stake is ~ in the ground, ship was found ~ aground*), confirmed (*view*)
~ (: متأصِّل)	deep-rooted, inveterate, deep-seated
راسَلَ	correspond, communicate by letter
رأسمال	capital, principal; fund
~ أساسي	stock capital
~ تجاري	trading capital
~ تحت الطلب	capital on call
~ ثابت	fixed capital
~ صادر	issued capital
~ عائم (متداول)	floating capital
~ عامل	working capital
~ غير مطلوب التغطية	uncalled capital
~ متداول	circulating (*or floating*) capital
~ مجاز ، ~ مصرح به ، ~ معتمد	authorized capital
~ مدفوع	paid-up capital
~ مكتتب	subscribed capital
~ مكتوم	undisclosed capital
~ مساهم	share capital, capital stock
~ مشترك	joint-stock
رأسي	vertical, perpendicular
~ (: على الرأس الواحد)	per capita (*tax*)
راشِد	of age or of full age; adult
الرّاشي (: مقدم الرشوة)	briber
راضٍ (بشأن)	consenting (*wife, adult, etc.*). consentient (*partner*); assenting
~ (بحكم سكوت)	acquiescing
~ (: قانع)	satisfied, complacent, content
راضَى (: استرضى)	appease; satisfy; pacify
راعٍ (لكنيسة ، لحشد أو اجتماع ديني)	pastor
~ (لمشروع ، عمل أو غيره : يتعهده بعطف أو معاملة أو تشجيع)	patron, sponsor
~ (لماشية : اغنام وغيرها)	shepherd
~ لأبقار	cowboy
~ (: محافظ على عهد ، حرمة ، الخ..)	loyal, faithful, adherent (*to*), watchful (*of*)
راعَى	observe, keep, abide by
~ (: اهتم بشيء ، التفت إليه)	pay deference (*to*)
~ (واجبًا : أداه)	perform (*duty*)
~ (: أكرم)	favour
راغَ	prevaricate, dodge, elude (*duty*)
رأفـة	clemency, lenity; ruth; mercy, compassion; pity
رافِد	tributary; stream
~ (: نائب ملك)	viceroy
رافَعَ	argue, plead
رافِع (أثقال : ونش)	crane
~ (ذراع)	lever
رافِعَة (أشخاص)	lift, elevator
رافَقَ	accompany, attend (*a crisis*), associate (*with*), consort (*with thieves*)
راقَ	(راجع أعجب)
راقَبَ (: ضبط)	control (*movements*), check (*instruments*)
~ (: لاحظ)	watch
~ (: لاحظ ليوجه عند الحاجة)	supervise
~ (منشورات أو محررات)	censor
راكِب	rider
~ (: مسافر)	passenger
راكِد	still (*water, etc.*), motionless
رام	(راجع طَلَبَ)
راهب	monk
راهبة	nun

راهَقَ reach adolescence or puberty, be adolescent or pubescent
راهَنَ bet (*on a horse, that something will occur*)
~ (: اعطى كرهان) wager (*one pound on a horse, or ~ somebody a pound that something will occur*), stake (*one's fortune, name, future, etc.*)
راهِن (١) (: مدين) mortgagor, pawnor
راهِن (٢) (: حالي ، حاضر) actual (*situation*), present, current (*issue, figures*), existing (*relations*)
راهِن (٣) (: مرتهن) mortgagee, pawnee
راوَدَ seduce, entice
راوَضَ wheedle, coax (*somebody into accepting, doing, etc.*)
راوَغَ (: خادَعَ) beguile, sly, trick, fox, dupe
رؤوف most compassionate
رَأيٌ opinion, view, viewpoint, concept (*of a situation*)
~ معارض (منشق) dissenting opinion
~ مؤيد concurring opinion
رَايَة flag, banner (*of liberty*), standard (*of revolt*), ensign
~ (حرب) pennon
رُؤيـا dream; vision
رُؤيَة (: مدى امكان الرؤية) visibility, condition of clearness of atmosphere
~ (: بصر ، ابصار) vision, sight
~ دعوى hearing of case
رَئيس president, head (*of state, assembly, etc.*) chief (*of section*)
~ (جلسة) chairman
~ (جامعة ، كلية ، الخ..) chancellor, dean (*of faculty, etc.*)
~ أساقفة archbishop
~ جلسة (بين قضاة) presiding judge
~ ديني primate
~ شمامسة archdeacon
~ عمال foreman, chargehand, ganger
~ عمال عامل working foreman

رئيس فخري honorary president or chairman
~ مراسم chief of protocol
~ ميناء harbourmaster
~ مستشارين (في محكمة عليا) chief justice
~ وزراء prime minister, premier
رَئيسِيّ principal, chief, main, prime (*factor, element, etc.*), head (*office*)
~ (في الدليل) primary; cardinal (*point, number, virtue*)
~ (: أساسي من مواد غذاء) staple
~ (مفتاح أو ما إليه) master (*key, switch*)
اَلرَبّ (: الله عز وجل) (*Lord*) God
رَبّ (بلاد ، بيت ، أسرة : سيد ، زوج) lord (*the king*), master (*of household*), head of family, husband
~ عَمَل employer
~ عمل (في عقد مقاولة) owner
رَبَّى raise (*children*), breed (*calves*), rear (*men, animals, etc.*), bring up
~ (: هذّب) educate, bring up
~ (: نمى ، غذّى ، الخ..) cultivate, foster, nurture, nourish, instill, infuse (*courage*)
رِبـا lending with interest, usury, danism
~ (: فائِدة دَيْن) interest
رَبَأ disdain (*to cheat*), regard (*thing*) beneath one
رَبَا exceed, be more than, be upward (*of*)
رِباط (: صلة) tie, link (*between interests*)
~ (بين مصالح ، شعوب ، الخ..) bond (*of union, friendship, etc.*), ligament
~ (مادي) strap, band, ligature
~ (حذاء أو ما إليه) lace
رُباعِي quadripartite, quadrilateral (*guarantee*)
~ (: كل ثلاثة أشهر) quarterly
~ (الأطراف) quadripartite
رُبّان (سفينة) shipmaster, captain
~ (سفينة صغيرة) skipper
رَبِحَ gain, profit, win
رِبْح profit, gain, advantage

رِبْح اجمالي — gross profit
~ انتهازي — profiteering
~ تأميلي أو خيالي ، ربح نظري — paper profit
~ صاف — clear or net profit
~ متوسط (بين فترتين) — mesne profit
~ مغالاة — profiteering
رَبَضَ — waylay (*someone*), ambush
رَبَط — tie (*up*), fasten (*up*), bind
~ (: وصل) — connect, link
~ (بين شيئين) — correlate
~ (: ضم ، عزز) — join, consolidate
~ بكفالة — bind over
~ (ضريبة على إيراد) — assess, rate
~ (سفينة) — moor (*ship*)
(مربط سفن — (*mooring*
رَبْط (شيء بآخر) — linking, correlating or correlation
~ (بعقد أو التزام) — binding
رُبْع — a quarter, a fourth part (*of quantity, measure, time, etc.*)
رَبَّع — square (*a figure, a building*), make rectangular
رَبَكَ (راجع أربك)
رُبَّما — perhaps, maybe; possibly; perchance
رَبْو (علة) — asthma
~ الرجي (حساسية) — allergic asthma
~ شعبي — bronchial asthma
~ قلبي — cardiac asthma
رَبْوَة — hill
~ (: مُرْتَفَع) — height, rising ground
رِبَوِي (دين ، معاملة ، الخ..) ، رِباوِي
usurious
رَبيب — foster-child, step-child
رَبيحة (اسهم ، حصص ، الخ..) — dividend
رَبيع — spring
~ (عمر ، حياة ، الخ..) — prime (*of age, life, etc.*)
رَتَبَ — stand firm or motionless, stand upright
رَتَّبَ — arrange, set in order, organize; adjust; marshal (*persons, troops, etc.*); systematize (*action according to a certain plan*)

رَتَّبَ (ارتفاقًا ، التزامًا ، حقًّا أو ما إليه) — raise, impose, entail
~ (علاوة ، شرطًا) — charge, set, place
~ (في قائمة حسب الدرجة) — collocate
اخذ ترتيبًا (ترتيبات) لشأن — take steps, make arrangements (*for something*)
رُتْبَة — rank; grade, official standing
أقدم ~ — senior in rank
~ (شرف ، جدارة) — order (*of merit, etc.*)
رَتَع — pasture in fertile grassland, graze in rich pastures
رَتَقَ — mend, repair, patch up
رَتَل — column (*of cars*), train
رَتيب — unvarying (*business, measures, etc.*); routine (*work*)
رَثَّ (: بَلِيَ) — wear out, become shabby or seedy
رَثى — eulogise, elegize
~ (لشيء) (راجع شفق)
رِثاء — tribute, encomium, eulogy
رَجَّ — jar, shake violently, jolt
رَجا — hope
~ (: التمس) — beg (*something*), pray (*for admission*)
~ (: خاف شيئًا) — fear (*a thing*), have apprehension (*of failure*)
رَجاء — hope, expectancy, expectation, prospect; trust (*in something*)
~ (: توقع ، احتمال) — prospect (*of success*), anticipation
رَجَّة — jolt, shock, jar
~ جسدية — physical shock
~ عقلية — mental shock
رَجَحَ (على) — outweigh, preponderate (*over*), overbalance (*the opposite side*)
رَجَّحَ (: جعل شيئًا يرجح على آخر) — weight the scale (*against a party*), cause to outweigh, give preponderance to
~ (شيئًا دون آخر) — give greater weight (*to something*), find (*a thing*) more probable or likely
رَجَحان — preponderance, weight (*of evidence*), superiority in weight

رَجَحان (: ارجحية نجاح ، عدد ، الخ..) — odds (*are in your favour*); advantage

رِجْز — punishment, penalty

رِجْس — defilement, uncleanness, foul act, abomination

رَجُسَ — become defiled or unclean (*as of a thing sacred*), become evil

رَجَعَ — return, revert (*to theme, discussion, etc.*)

~ (في كلمة ، وعد ، الخ.. : تراجع أو تخلى عن ..) — back down, back out, retract (*one's promise, word, etc.*), recant, go back (*on an earlier obligation*)

~ (على شخص في ضرر) — have remedy over (*against a person for injury suffered*), have recourse against (*an employer*)

~ (: راجع) — consult, refer to, have recourse to

رَجْعِي (من حيث الأثر) — retroactive or retrospective (*law, order, etc.*)

~ (: يتمسك بسياسة غابرة) — reactionary

رَجُل — man, adult male

رَجِلَ — walk, go on foot

رِجْل (: ساق) — leg

رَجَمَ (بحجارة) — stone

~ حتى الموت — lapidate, pelt to death

الرَّجْم (: الاعدام بسبيل الرجم) — lapidation

رُجوع — return, reversion; recovery (*to previous position*)

~ (: لجوء) — recourse (*to violence, law, etc.*)

~ (في كلمة ، عهد ، الخ..) — recantation, retraction, backing down or out

~ (في وصية) — ademption

حق ~ — right of recourse

دون (حق) الرجوع — without recourse

رَجُوعِي (: يعود إلى سابق وضعه) — resilient

رَجُوعِيَّة — resilience, resiliency

رُجُولَة ، رُجُولِيَّة — manhood, virility, masculinity

رَحى — press, grinding stone

رَحَابَة (راجع سعة)

رَحّال (رُحَّل) — rover, roamer, nomad(s) (*nomadic*); roving, roaming, wandering (*traveller*)

رَحْبٌ — roomy, spacious (*house*), expansive (*field*), extensive

رَحَلَ — decamp, depart (*from*)

رَحَّلَ (حسابًا ، قيدًا أو ما إلى ذلك) — bring (*or carry*) forward; post (*an entry*)

رِحْلَة (: سفرة) — trip, journey, passage (*from one place to another*)

~ بحرية — voyage

~ بحرية سياحية — cruise

~ جوية ، ~ طيران — flight

رَحِمَ — have mercy or compassion (*upon*); pity (*the poor*)

رَحِم — womb, uterus

~ (قرابة) — kinship, relationship, kindred of blood

(رحمي) — (*matrical*

رَحْمان — merciful

رَحْمَة — mercy, clemency; compassion; ruth, charity

رَحَوِيَّة — capstan

رَحِيم — compassionate, merciful

رَخاء — affluence, profusion, well-being

رُخام — marble

رَخَّصَ — license; authorize, permit

~ (الثمن) — cheapen, make cheap, reduce price

رُخْصَة — licence

~ (: تخويل) — authorization

رَخْوٌ (راجع لين)

رَخِيص — cheap, inexpensive; bargain (*coat, sale, etc.*)

~ (: يسير الاستمالة بالمال) — venal (*person*)

~ (: حقير) — contemptible

رَدَّ (: اجاب) — reply, answer, respond

~ (: رفض) — reject, turn down, decline

~ (ليدحض حجة أو غيرها) — rebut (*argument*)

~ (: أعاد) — return, restore, retort (*an insult*), restitute or make restitution

~ (أهلية ، اعتبار) — rehabilitate

~ (إلى وظيفة ، مركز ، الخ ..) — reinstate

~ (دعوى) — dismiss, quash, set aside

~ تهمة (: رمى متهمًا بتهمة) — recriminate

رَدَّ إلى وطن — repatriate
~ (مدفوعًا من مال) — refund
~ (: صَدَّ) — repel (*aggression*), beat off (*attack*), drive back, repulse (*enemy*)
~ قاضيًا (عن حكم) — recuse judge
~ معروفًا — repay
رَدٌّ (: الرد) — reply, answer
~ (: تلبية) — response
~ (: زائد من تركة) — reversion, remainder (*of estate*)
~ (المدعي على جواب المدعى عليه) — replication
~ (: دحض حجة ، الخ ..) — rebuttal
~ بيع — redemption
~ (من رسوم مدفوعة بسبيل الغلط) — drawback
~ عالٍ (من رئيس دولة ، حاكم ، الخ..) — rescript
~ على خطاب عرش — address to the crown
~ فعل — reaction
~ القاضي (عن حكم) — recusal, recusance or recusation
~ (مدفوع من مال إلى صاحبه) — refund (*or refundment*)
حق ~ البيع — right of redemption
رداء — garment, dress, attire, gown
رَدَّى — precipitate (*into war*), hurl, throw down
رِدَّة (: ارتداد عن دين ، عقيدة ، الخ..) — apostasy
رَدَّد — reiterate, repeat (*again and again*)
رَدَعَ — deter (*from*), check, restrain, inhibit (*a person from something*)
الرَّدْع — deterrence, inhibition, restraint
رِدْف (: مؤخرة) — posterior, buttocks
~ حيوان — rump
رَدَمَ — fill up (*ditch*), cover up
رَدْهَة — hall, lobby (*of parliament house, station, etc.*), vestibule (*in building, train*)
رَدِّي (في المنفعة) — residuary
رَدِيء — bad, evil, faulty, disagreeable, unfit, foul, of poor quality
~ (جو أو ما إليه) — insalubrious
رَدِيف — reservist
رَذَّ (: سقط رذاذًا كالمطر الرقيق) — drizzle, sprinkle
رَذاذ — drizzle, fine misty rain; mist

رَذِيلَة — vice; wickedness
رَزَأَ — afflict (*with calamity, loss*), distress
رَزَحَ (راجع تَعِبَ)
رِزْق — livelihood, source of living, provision (*of life*), benefits in money or kind, sustenance
~ (: مطر) — rain, rainfall
رَزَقَ — provide (*sustenance, livelihood, need*), send, give (*food, aid, peace of mind, etc.*)
رِزْمَة — parcel, package
رَزِين (: رصين ؛ وقور ؛ ثقيل) — sedate, grave, serious; dignified; weighty
رَسَا — be secured firmly
~ في قاع — settle, sink (*to bottom*), deposit
~ (القارب) — ride anchor, lie at anchor
~ (البيع) — be adjudicated (*in favour of a bidder*)
رِسَالَة — message
~ (: خطاب) — letter
~ (: خطاب محلي) — drop-letter
~ (لدرجة علميّة) — dissertation, thesis
~ (رسمية انيقة العبارة ؛ رسالة انجيلية في طقوس العبادات) — epistle
رَسَّام — painter (*in oil, etc.*), sketcher; draftsman or draughtsman
رَسَبَ (في قاع) — deposit, settle, sink (*to bottom*), precipitate
~ (راجع رواسب)
~ (: اخفق ، سقط) — fail (*test*)
رَسَخَ — be impressed (*on or upon*), get stabilized, become well established, be fixed firmly; stick (*to something*), hold fast
رُسْغ (: معصم) — wrist, wrist joint, carpus
رَسَمَ — draw, sketch, paint (*a landscape, a nude*)
~ (خطة ، طريقًا) — plan, design, chart (*a course*)
~ (: امر بمرسوم أو غيره) — decree, ordain; command, enjoin
رَسْم — fee, charge; rate, duty
~ احراش — forestage
~ ارساء — anchorage, dock dues
~ استخراج الصابورة — ballastage

رَسْم اضافي	surcharge
~ بريد	postage
~ بياني	diagram, graph
~ تخطيطي (مجمل)	sketch
~ تعادل	countervailing duty
~ تمغة	stamp duty
~ جلود	pellage
~ حراسة	wardage
~ خزن (بضائع)	housage
~ مرور أو عبور	toll traverse
~ معديات	ferriage
~ مجمل (راجع رسم تخطيطي)	
~ منائر	beaconage
خاضع للرسم	dutiable; ratable; subject to duty, fee, etc.
رَسْمَل	capitalize (*a profit*)
رَسْمَلَة الدَّيْن (: تحويره إلى رأسمال ذي فائدة)	funding (*of debt*)
رَسْمِي	official, solemn (*duty*), authentic (*signature*)
رَسَنٌ (الدابة)	rein
رَسَنَ (الدابة : شدها بالرسن)	rein (*a horse*)
رُسُوٌّ	anchoring, docking, casting anchor
~ (بيع أو مزاد)	adjudication (*of sale or auction*)
رُسُوخ (: ثبات على حال)	stability, firmness; constancy, immutability
رَسُول	messenger
~ (دبلماسي : مبعوث)	emissary, envoy
رسولي	apostolic
قاصد ~	apostolic delegate
رُسُوم	fees (*payable for services*), charges, dues (*: harbour ~*), rates (*: postage ~*), duties (*on tobacco*)
رَشَّ	spray (*trees with insecticide*), sprinkle (*water on something ; ~ floor, face, etc. with powder*)
رَشَا	bribe, buy over (*an official*)
رَشَحَ	percolate, permeate, ooze, seep, filter through
~ (: سال)	leak
رَشْح	percolation, permeation, leakage
رَشَّح	nominate (*a friend*), propose (*for election, appointment, etc.*)
رُشْد (سن)	majority, full age
رَشِدَ (راجع اهتدى)	
رَشَقَ	hurl (*abuse at somebody*), heave, fling
~ (: رمى)	throw
رَشْوَة	bribe, bribery, graft, hush-money
رُشَيِّتَة (: وصفة طبية)	prescription
رُشَيْم (راجع جنين)	
رَصَّ (بضاعة ، احكم التعبئة)	stow, pack or fill compactly
الرَّص	stowage, compact packing
رَصَاص	lead
(الرمي بالرصاص	(*shooting*
(الموت رمياً بالرصاص	(*death by shooting or by a firing squad*
رَصَاصَة	bullet
~ (: خرطوشة)	cartridge
رَصَاصي	leaden
رَصْد	allocation, appropriation, dedication (*of efforts to an enterprise*)
رَصَد	allocate (*a share*), appropriate (*funds for a project*), allot, earmark, dedicate (*efforts*); apply (*one's energies to business*)
~ (: ترصَّدَ)	waylay, lie in wait
~ (: راقب)	observe, watch
رَصَفَ (ارضية ، طريقاً ، الخ..)	floor, pave
رَصْف ، مواد ~	flooring
رَصِيد	balance; remainder, residue
~ (مال حاضر أو مدَّخر يعوَّل عليه)	fund
~ صاف (بعد اداء مصروفات)	net balance
~ غير مدفوع	arrearage
~ له وعليه	balances and obligations
~ مدين	balance due
~ وفاء (: إيراد مرصد لتغطية فوائد دين ثُمَّ اصله تدريجياً)	sinking fund
~ باليد	balance in hand
رَصِيعة	insignia

رَصِيف (مائي) — jetty, pier
~ (بحري) — dock, quay, wharf
~ مشاة — foot-path, side-walk
على الرصيف — ex ship
رَضَّ ، رَضْرَضَ — batter, bruise
~ (: طحن) — grind
رَضٌّ — contusion, bruise
رِضًا (: قناعة ، ارتياح بشأن) — satisfaction, contentment, fulfilment, gratification; favour
~ (: قبول) — consent, assent, acquiescence (*in a lot*)
~ سكوتي — tacit consent, sufferance
سنّ الرضاء ، سِنُّ الرِّضاء — age of consent
رِضائي — consensual (*deal, sale, action, etc.*)
رِضاع — suckling, breast-feeding; lactation
رَضَّة — bruise, contusion
~ (: سقم جسدي يحدثه جرح) — trauma
رَضَخَ — yield, succumb (*to reason*), submit (*to authority*)
~ (: انقاد لشأن) — resign (*oneself to poverty*)
رَضَعَ — suckle; nurse at (*breast*)
رُضُوخ — submission
~ (: انقياد لشأن) — resignation (*to some fact*)
رَضِيَ — consent, assent (*to*), accede (*to*)
~ (بحكم سكوته) — acquiesce
~ (: قنع) — be satisfied or complacent (*about*)
رَضِّي — traumatic
رَضِيع — suckling, nursling
~ (: غير مفطوم) — unweaned
رَطْبٌ — damp, humid (*weather*), moist (*wind*), slightly wet
~ (: لَيِّن ، غض) — soft, tender
رَطَّبَ — dampen, moisten, humidify
رَطْل (انكليزي) — pound
رَطَمَ — bump (*against*), dash (*against*), knock violently, collide (*against*)
رُطُوبَة — moisture, humidity
رَعَى (ماشية أو غيرها) — shepherd; pasture, graze
~ (: تعهد برعاية) — guide, watch over
~ (: حفظ عهدًا ، حرمة ، الخ..) — keep, adhere to, be loyal or faithful (*to*)

رَعَى (مشروعًا ، مصلحة) — patronize, sponsor
رَعَاع — rabble, riff-raff, mob
رِعايَة — care, solicitude, hovering attentiveness
~ (صغير) — wardship
رُعْب — dread, phobia, fear, awe
رَعَّبَ — scare, put to fear
رُعْبوب (: جبان) — coward, cowardly
رُعْبُون — earnest, earnest money, hand money
~ ضمان — security deposit
رَعْد — thunder
صوت ~ — thunderclap
رَعَد — thunder
رِعْدَة — shudder, tremble, quiver
رَعَش ، رَعْشَة — tremble, quiver, shake, shiver (*from cold*)
رَعَص (راجع ارتعد)
رَعْن — insolation, heatstroke
رُعُونَة — foolishness, imprudence, rashness, indiscretion
رَعَوِيَّة — nationality, national status
رَعِيَّة (: احد رعايا) — national, subject
رَعِيل — small group (*of pioneers, etc.*)
رَغا — foam, lather (*as soap*)
~ (: ازبد) — froth
~ (: صَوَّتَ وضجَّ) — make a noisy confusion
رَغام — dust
رَغِبَ — desire (*food*), wish, long for (*a rest*)
رَغَّبَ — induce, persuade, stimulate (*desire, appetite, etc.*), provide incentive, allure, entice
رَغْبَة — desire, wish, longing; object of desire
رَغَد — affluence, comfortable living, abundance
رُغْم (: رغمًا عنه) — against one's will, in spite of, by compulsion or coercion
~ (راجع مُراغمة)
رَغِمَ (: اذلَّ ، ذلَّ) — humble, abase, be reduced to humiliation, subject to compulsion
رَغْوَة — foam
~ (صابون) — lather

رَغوة (: زبد) foam
رَفّ shelf
~ (: امتداد ناتئ من سطح) ledge
رَفَّ blink (*as of an eye*), twitch, wink; throb (*as of heart*), palpitate
رَفَأَ mend (*breach*), darn (*garment*)
رفاء seam
رُفات remains
رَفاهِية opulence; affluence, plenty; welfare
رِفْد (: نصيب) portion, share
~ (: قدح ضَخْم) large goblet
~ (: عطاء) gift
رَفَسَ kick, thrust with the foot
رَفَضَ refuse, reject; decline
~ (القاضي اعتراضًا) overrule (*an objection*)
رَفَعَ lift, raise, elevate; hoist (*flag, etc.*)
~ (: علّى) heighten, intensify
~ (: زاد) boost (*value, reputation, force, etc.*)
~ (دعوى) bring (*action*), file, prefer, lodge
~ (جلسة) adjourn (*a session*), rise (*as: parliament will ~ today*)
~ (علمًا) fly (*a flag*)
~ (عريضة ، التماسًا ، الخ..) submit, present
ترفع الدعوى action may be brought, action may lie
رَفَّعَ (انظر رقّى)
رِفْعَة (راجع سموّ)
رَفَقَ treat gently, treat leniently, regard with compassion, with moderation
رِفْق (: رقة) gentleness, kindness, delicateness
~ (: عناية ، أصول) care, considerateness, grace
رِفْقَة society or company (*of fools*)
رَفِيع (: نحيف) thin, slender, lean
رَفِيق companion, associate, mate, comrade
~ (زوجية) consort
~ (يرافق شخصًا عظيمًا أو سيدة أو سوى ذلك) squire
رَق (: جلد غزال أو ضأن للكتابة قديمًا) parchment
رِقّ (: عبوديّة) slavery; bondage
رَقّى (موظفًا إلى درجة أعلى) promote, raise; elevate (*an abbot to the rank of a bishop*); develop (*a people's civilization*), advance
رَقابَة (منشورات ، الخ..) censorship
~ (: تفتيش ، توجيه ، اشراف ، الخ..) control, supervision
~ (: مراقبة أجانب أو غيرهم) surveillance
~ (محكمة على احكام محكمة أخرى) review
رُقاد (: نوم ؛ سبات) sleep, slumber; lethargy, stupor
رَقَبَ (: انتظر) await, wait for, lie in wait (*to kill, etc.*), watch for (*a person or thing*)
رَقَبَة neck, scrag
~ (: عبد) slave
رَقَدَ sleep
~ (: افرط في نوم) slumber
~ (: غفا) doze
~ (: جثم ، حط على شيء) lie
رَقَعَ patch up (*a dress, damaged relations*), mend, repair hastily
رُقْعَة label, scrap (*of paper, etc.*)
~ (لسد خرق) patch
~ (ارض) plot (*of land*)
~ ملفوفة scroll
رَقَّقَ soften, attenuate
~ (: برى) taper
رَقْم number, figure; numeral (*as in: Arabic ~ s*)
~ قياسي record (*harvest, speed, etc.*)
رَقَّمَ number
~ صفحات (كتاب ، محرر ، الخ..) page, paginate
~ (: كتب) write, inscribe
رُقِيّ progress, advance or advancement; development
رَقِيب censor; controller
~ (: ملاحظ ، مشرف) overseer, superintendent
رَقِيق (١) frail, tenuous; thin, flimsy (*paper, material, etc.*), slender
رَقِيق (٢) (: عبد) slave
~ ابيض white slave
تجارة الرقيق الأبيض white slave traffic
رِكاب stirrup
رِكاز ore

رِكاز (: كنز)	natural treasure
~ حديد	iron ore
رُكام	pile, heap, stack (*of banknotes, wood, books, etc.*)
رَكِبَ	ride, mount, take or travel by (*bus, taxi, air, train, etc.*), board (*bus, plane, etc.*)
~ (واسِطةَ نقل)	embark
رَكَّبَ	install, fit (*a knob on the door*), piece (*parts together*), piece (*together odds and ends*), mount, assemble
~ (: أقام)	set up, place, erect
~ (علاجًا)	compound (*a medicine*)
~ (على واسطة نقل)	receive (*on a means of transport*)
رُكبَة	knee
رَكَدَ	settle (*in the bottom*), subside; abate; become tranquil or serene
رَكَّزَ	support, prop, buttress, hold (*up*); sustain (*wall, shelf, etc.*)
~ (: سندَ)	back
~ (: عمل على استقرار شيء)	give stability (*to*)
رَكَّزَ	concentrate or direct (*attention*), focus, centre
~ (: حصر)	confine (*attention to some matter*)
~ (: سدد ، اشرع)	direct, fix
رَكَضَ	kick (*with the foot*), push
رَكَعَ	kneel (*down*), fall on (*one's*) knees
رَكَلَ	kick, hit or strike out (*with the foot*)
رَكَمَ	amass, heap or pile up, accumulate
رَكَنَ	resort (*to*), be inclined or disposed (*to*)
~ (: اعتمد على)	depend, rely on, count or reckon (*on*)
رُكْن	basis, groundwork, (*main*) support, element, pillar (*of faith*), bulwark (*of defence, resistance, etc.*)
~ (ركنا التحليل المنطقي)	premise (*premises*)
~ (صغير : زاوية)	nook, corner
~ (عسكري)	staff
(كلية أركان	(*staff college*
رُكود	subsidence; abatement; desistance (*from activity, agitation, etc.*)
~ اقتصادي	depression, economic stress, slump (*in demand, prices, etc.*); lull (*in commercial activity*)
رَكِيزَة	support, prop
~ (: سند)	backing
رَكِيك	frivolous, trivial
رَمَى	throw, cast; hurl, pitch (*ball, etc.*), fling; heave
~ (بقذيفة ، رصاصة ، الخ..)	shoot
~ (بتهمة)	level (*a charge*)
رماد	ash
رماية	shooting
رُمْح	spear
~ (طويل)	lance
رَمِدَ	have (*or suffer or be affected with*) conjunctivitis
رَمَد	conjunctivitis
رَمَزَ (إلى)	symbolize (*something*), represent
رَمْز	symbol, token
~ (أمارة)	mark
رَمْزي	nominal, symbolic; dummy
مدير ~	dummy director
رَمْزِيَّة	symbolism
رَمَشَ	bat, wink
رِمْش (عين)	eyelash
رَمْشَة (عين)	blink, wink, twitch
رَمَقَ	catch sight or glimpse (*of*), take a good look (*at*), eye (*thing or person*), glance
رمَقٌ أخير	(*in*) *extremis*, at the point (*of death, starvation, collapse, etc.*), last breath or spark of life
رَمَق (عيش)	bare existence, what is barely sufficient to keep alive
رَمْل	sand
رَمَّ	repair (*fence, house*), make repairs, restore (*building*) to sound state
رَمْية (: اصابة ، قَذْفة)	hit, throw, shot
رَنَّ	(راجع قَرَعَ)

رَنْح — vertigo, giddiness

رَنين — resonance

رِهان — stake, wager

~ نصب (مخادعة) — welshing

رَهِبَ — dread, fear

رَهَّبَ — dishearten, discourage, menace, frighten

رَهْبَة — awe, dread, reverential fear

~ (مفرطة) — phobia

رَهَجٌ (: شغب) — turmoil, agitation

~ (: غبار رقيق) — fine dust, haze

رَهْطٌ — group, gang

رَهِلٌ — flaccid, flabby, limp

رَهَنَ — mortgage, pawn, hypothecate, pledge, impledge

رَهْن (: رهنية) — mortgage, hypothecation

~ (بشأن) — entirely dependent (*on or upon*), conditional (*upon*)

~ قاصر — dry mortgage

~ (: قيد حال ، تحت) — under, pending

~ محاكمة — pending trial, *sub judice*

رَهيف (: مُرْهَف ، رقيق ، حاد) — delicate, fine, slender, subtle

رَهينَة (شخص ، شيء) — hostage, pledge

رَوَى (: سرد) — recount, relate, narrate; recite (*verse, etc.*)

(راوية — (*rhapsodist*

رَوَّى — irrigate, water to sufficiency; water (*or indulge desire*) to satiety

رِوائي — dramatic, theatrical, melodramatic (*behaviour*)

رَواج — merchantability, salability, market

رَواسِب — deposits, sediments, residue, dregs

~ معدنية — placer

~ خزانات ، ~ صهاريج — tankage

رِواق — gallery, porch

~ (: حي) — quarter

رَوْبَصَة — somnambulism, sleep-walking

رَوْث (بهائم) — dung; manure

رَوَّجَ — circulate (*rumour, false money, etc.*), diffuse, float (*bill*), utter (*forged cheque*), pass

رَوَّجَ (لمشروع ، فكرة ، الخ..) — promote, advocate

رُوح — spirit, soul; animating or life-giving principle or thing

~ (بلا جسم) — ghost

(اسلم الروح — (*give up the ghost*

رُوحاني — spiritual, incorporeal; religious

~ (: يعتقد بان للجمادات والظاهرات الطبيعية روحًا أو نفسًا) — animist

الرُوحانيَّة — spiritualism

~ (عقيدة) — animism

رُوحِي — alcoholic, spirituous

~ (: روحاني) — spiritual (*act, belief, etc.*); animist (*person*)

رَوَّضَ — subdue; train (*an animal*)

رَوْضَة — garden

~ اطفال — kindergarten

رَوَّعَ — overawe, terrify

رَوِعٌ (راجع خائف)

رُوْع (: قلب ، ذهن) — heart; mind

رومنطيقيّة — romanticism

رونق — beauty, loveliness, radiance

رَوِيَ — be sated, drink to repletion, be irrigated (*as of plant*)

رَوِيَّة — deliberation or deliberateness, steadiness, circumspection, caution

رَيّ (مزروعات أو ارض) — irrigation

رياضيات — mathematics

رَيْب ، رِيبَة — doubt, suspicion, foreboding

رَيْثما — till, until; pending

رِيح — wind

~ موسمية — monsoon

رِيشَة — feather

~ (مروحة أو ما إليها) — blade

رَيْع — proceeds, yield, profits

رِيف — country, countryside

~ (: منطقة ريفية) — rural area

رِيفِي — rural, provincial

~ (: على طبيعته ، خشن) — rustic

رَيْن (راجع دَنَس)

ز

زائِد (على حاجة) redundant, superfluous; surplusage

~ (على حد لازم أو معقول) excessive

~ (على حد معين) excess (*luggage, fuel, etc.*)

~ (على أداء) overplus

زائِدَة appendix

~ دودية appendix, vermiform appendix

زائِر visitor, guest

~ (: نزيل فندق أو غيره) inquiline

زائِغ wide of (*target, mark, etc.*)

~ (: منحرف ، ضال) aberrant, perverse; stray

زائِف (نقد ، خطّ ، وثيقة ، الخ..) spurious, counterfeit, phony, forged; false; fake, flash

~ (شعور ، تصرف ، سلوك) pretended, feigned

زائِل (: عابر) transient, transitory

~ (: قصير الأجل) ephemeral (*union*), short-lived, deciduous

زِئبَق mercury, quicksilver

زاجِر deterrent, disincentive

~ (: ضمير) conscience

زاحِف (زواحف) reptile(s)

زاحَمَ jostle, force one's way, obtrude, elbow (*or push*) one's way through

~ (: نافس) compete or vie with (*for*)

~ (: أقحم نفسه) encroach, thrust oneself (*against*); intrude (*upon*)

زادَ increase, augment, raise (*a score*), amplify (*a scope, a voice, etc.*)

~ ميعادًا enlarge, extend

~ (: فاض على حاجة ، فاق ، تجاوز ، الخ..) exceed, surpass (*limit*), transcend (*material considerations, human values, etc.*)

زادَ على مزايد في بيع مزاد outbid

~ (راجع تعاظم)

زادٌ (لسفر أو ما إليه) provision(s)

زارَ visit, call upon or pay a call upon (*a friend*)

زارَعَ do (*engage in*) crop-sharing or share-cropping

زاغ deviate (*from*), digress (*from the point*), diverge (*from*); stray (*from the right path*)

~ (: تهرب من واجب) dodge

زافَ (الدراهم) (راجع زَيَّفَ)

زالَ vanish (*as of danger, obstacles, etc.*), disappear, pass, clear (*away*), go, elapse (*as of time*); cease to exist, abate (*as in: fog abated*)

~ (: انقشع) lift, clear up, rise

زامَلَ associate with; befriend, keep company (*with*)

زامَنَ [كهرباء] synchronize

زانٍ (: الزاني) adulterer

~ (: فاسق) lecher

~ (اعزب) fornicator

زانِيَة adulteress

زاهِر (: مزدهر) prosperous, flourishing

~ (مشرق) radiant

زاوَجَ couple, bring into close proximity, mix or commix, combine (*with*)

زاوَلَ practise (*law, witchcraft, etc.*), pursue, ply (*a craft*), engage (*in trade, smuggling, etc.*)

زاوي angular

زاوِيَة angle

زاوية حادة	acute angle
~ قائمة	right angle
~ منفرجة	obtuse angle
زايَد (في بيع مزاد)	bid
~ (: فاق الغير فيما عرض)	outbid
زبالة (راجع قُمامة)	
زَبَدٌ	froth, foam
زُبْدَة	butter
~ (أي شيء)	cream, choicest (*part of something*)
زَبُون	customer; client
زَجَّ	throw (*into*), dash
زُجاج	glass
~ (: أوانٍ ، ادوات أو ما إليها)	glassware
~ ملون	stained glass
زُجاجِي	vitreous, glassy; glass (*compartment, handle, etc.*)
زَجَرَ (: منع)	check, inhibit, restrain, hold in check, forbid
~ (راجع انتهر)	
زُحار	dysentery
زَحَّافات	reptiles
زَحَّافَة	sledge
زِحام	rush, onset, thronging or crowding (*of people, etc.*)
زَحْزَحَ (: حرَّك)	move, shift, stir
~ (من مكان)	remove (*from a place*)
زحَفَ	creep, crawl, advance (*to or against*), move on; swarm
زحَمَ	congest (*a street with traffic*); crowd or overcrowd (*a room*), throng, swarm (*upon*)
زَحْمَة (انظر زحام)	
زَخَرَ (: امتلأ)	be full (*of*), be crowded (*with things or persons*)
زَخْرَفَ	decorate (*a hall*), garnish, ornament, embellish, adorn
زُخْرُف	ornateness, ornament, decoration
زُخْرُفِي	ornate (*style*), ornamental, decorative
زِراعَة	agriculture
~ (: فلاحة ، بستنة)	farming, husbandry
علم الزراعة (المحاصيل والتربة)	agronomy
علم التربية الزراعية	agrology
علم الزراعة (الفاكهة والخضار والزهور ونباتات الزينة)	horticulture
زِراعِي	agricultural; agrarian (*problems, matters, etc.*), rural, cultivable (*lands*), fit for crops
امتياز ~	agricultural lien
غير ~	uncultivable, unfit for crops
زَرِدَ	swallow
~ (في نهم)	gorge
زَرَدِيَّة	pliers
زَرَعَ	plant, grow (*oranges*), cultivate, raise (*crops*)
زَرْع	crop, tillage, cultivation, plants grown
~ (راجع مزارعة)	
زِرْنِيخ	arsenic
زِرْنِيخي	arsenical
زَرِيبَة	hovel
زَعامَة	leadership; headship
~ بلد على آخر	hegemony
زَعَجَ (راجع أقلق)	
زَعْزَعَ (ثقة ، موقفًا ، الخ..)	shake, rock (*confidence, position, etc.*)
زَعَمَ	allege (*something*); claim
~ (: قال)	state, relate
~ كذبًا (زورًا)	misallege, misrepresent, state falsely
زَعْمٌ	allegation; contention; claim
~ (لتبرير شأن)	pretence, pretext
~ كاذب	misrepresentation
(مزاعم كاذبة	(*false pretences*
زَعْنَفَة (زعانف)	fin(s)
زعيم (سياسي)	leader
~ (عسكري)	brigadier general
زِفاف	nuptial (*night, feast, ceremony*), wedding
زِفْت	tar, pitch
زَفَّتَ	pave, smear with tar or pitch
زَفَر	exhale
زَفير	exhalation
زَكا	prosper, flourish

زَكّى — second; support
~ (: أدى الزكاة) — practise (*or give*) charity; give alms
~ (النفس : طهرها) — purify; purge of evil
زَكاة — (*regular*) charity, alms-giving; poor rate
زَلَّ — slip, trip (*over*), stumble; err, lapse (*in vice*)
زُلال — albumen, albumin
زَلَّة (: كبوة ، هفوة) — slip, fault, foible; error, lapse, blunder
~ قلم — slip of the pen
~ لسان — slip of the tongue
زِلْزَال — earthquake, tremor, shake
زِلْزالِي — seismic
زَلْزَلَ — rock, shake; convulse
زَلِقَ — slip, trip (*over*), slide (*down a slope*)
زَلَل — error, lapse, slip (*of the tongue*), *lapsus* (*linguae*)
زَمالَة — comradship, camaraderie; fellowship; companionship
زِمام (: مِقْوَد ، ناصية) — lead, leash, reins, helm (*controlling or guiding power*)
زمان — time, epoch, period of time
زَمانَة — chronic infirmity; incurable disease
زُمْرَة — group; band (*of beggars*), gang (*of workmen*)
زمَن (: زمان) — time
~ (: حقبة ، عهد ، مُدَّة) — epoch, era, period
~ (: عصر) — age
~ مدني — civil time
زَمِن (: به زمانة) — chronic invalid
زَمَني — temporal; time (*bomb, chart, device, etc.*)
زَميل — colleague, fellow
~ (مقابل في وظيفة أو مركز أو ما إلى ذلك) — counterpart
زنا — adultery (*of married person*), fornication (*committed by unmarried person*), criminal conversation
~ سفاحي (مع مَحْرَم) — incestuous adultery
ولد ~ (راجع ولد)
زَنى (المتزوج) — commit adultery

زنى (الغير المتزوج) — commit fornication
~ عن الحق (: زاغ عنه) — swerve or depart from right, sway from right, etc.
زنَاد ، زَنْد — trigger, cock
زُنْبُرَك — spring
زنجي — negro
زَنْدَقَة — heresy, apostasy
زِنْديق — heretic, apostate, miscreant
زَنْزانَة — cell
زَنَق — jam
زَنَقَة — strait
زَنْقَة — jam
زَنْد — forearm
عظم الزند — ulna
زَنْدِي — ulnar
زُهاء — nearly, approximately
زَهِدَ ، زَهُدَ — give up (*pleasure*), abandon, renounce
الزُّهْد — abstinence, renunciation
~ (عقيدةً) — asceticism
زُهْرِيّ — venereal (*disease*)
زَهْوٌ (: تكبر) — pride, self-esteem; overbearing
~ (: ازدهاء) — elation, exultation or exultancy
زهيد — trivial, insignificant
~ (: حقير) — paltry
~ (: مُنتَهى القلَّة) — pittance, minimal
زَواج — marriage, matrimony
~ اجباري (بحكم الحمل أو ما إليه) — shotgun marriage
~ جمعي — plural marriage
~ عشرة — companionate marriage
~ مثنى (على زواج) — bigamy
~ مختلط (أو متداخل) — mixed marriage
~ مدني — civil marriage
~ بواحدة — monogamy
زَواجِي (: زيجي) — matrimonial, conjugal, marital, nuptial, connubial
زَوال — disappearance, passage, lapse, discontinuance
~ (: غروب) — sunset
~ (: منتصف النهار) — meridian
زوان — darnel

زَوْبعـة storm, tempest
زَوَجَ (: قرن ؛ وصل) couple (*insterests, ends*); link
زَوْج husband, mate
~ (: أحد الزوجين ، الرجل أو المرأة) spouse
~ (: اثنان) pair, couple
زَوَّجَ marry (*his niece to his nephew*); give (*somebody*) in marriage; perform marriage ceremony, join as husband and wife
~ (: قرَن) accouple
زَوْجَـة wife
~ ذات صداق dowress
~ واقع wife *de facto*
حق الزوجة الطبيعي wife's equity
زَوْجِيَّة wedlock
حياة ~ married life
~ (راجع زواج)
زَوَّدَ provide, supply, furnish; replenish (*shop with stock*)
~ بوقود stoke (*engine*)
زَوَّرَ falsify, forge (*a document*)
زُور (: مزوَّر) false
~ (: كذب) falsehood
شهادة ~ perjury
زَوْرَق boat, open-water craft
~ شراعي sailing boat
~ بخاري launch
زَوَّق adorn, embellish, make flowery (*as of speech*)
زِيّ dress, attire
~ (: شكل) form, shape
~ رسمي uniform
زِيادَة increase (*of capital*), addition, increment (*in a salary*), augmentation
زيادة التصاق accretion, reliction, alluvion
~ (: تجاوز حد أو حاجة) excess, superfluity
~ طبيعية unearned increment
~ على حاجة redundancy
~ على (: يتجاوز) over, exceeding, in excess of
~ (: تفوُّق أو تجاوز) superiority (*in number, capacity, etc.*)
~ (في قيمة أسهم) premium
~ (ميعاد ، مدى ، الخ ..) enlargement, extension
زِيارَة visit
~ (قصيرة رسمية) call
زَيْت oil, petroleum
~ حجري shale oil
~ زيتون olive oil
زَيَّت oil, lubricate
زِيجي (راجع زواجي)
زَيَّدَ (راجع زادَ)
زَيْزَفُون (راجع خشب)
زَيْغ (: غواية) aberration, digression
زَيْغ (جنسي : شذوذ) perversion
زَيَّفَ forge, falsify; counterfeit
زَيْف (من نقود ، وثائق وغيرها) spurious (*currency*), counterfeit (*notes, jewels, etc.*), false, snide (*bonds, banknotes, etc.*); forgery
زَيَّن (: جمل) adorn, embellish (*a city*), beautify, deck or bedeck (*with flags*), garnish (*foods, table*)
~ (: أغرى) tempt, entice
~ (: أبدى حسن شيء) portray hearteningly
~ (: أبدى شيئًا على غير حقيقته) misrepresent
زِينَـة adornment, decoration

س

ساءَ (من حال ، علاقة ، شيء) worsen, become or grow worse, deteriorate
~ (من حيث المادة إلى حد الانحلال) degenerate
~ (: كدَّر) displease, disappoint, offend, annoy
سائِب (من مال أو ما إليه) waif, derelict (*property*), lying in franchise; abandoned, relinquished (*title*)
~ (: غير مشدود إلى شيء) loose, unfixed, unfastened
سائِح tourist; traveller
سائِد ruling, prevailing, predominant; current (*price*)
~ (: حاكم) regnant
~ (: مهيمن) sovereign
سائِغ permissible, admissible
سائِق driver
ساءَل (: ناقش الحساب) impeach (*a minister*), question, oppugn, call (*somebody*) to account or question
سائِل (كالماء وما إليه من حيث السيولة) liquid, fluid
سُؤال question, query
~ (استفهام) inquiry
~ افتراضي ، ~ تقديري hypothetical question
~ تلقيني (في استجواب الشهود) leading question
~ قاطع categorical question
~ (شاهد) interrogation
سائمة (من ماشية) drift, drove
سابَقَ (ليصد عن غرض) forestall (*a bid*), anticipate (*events*)
~ (: نازل في سباق) race (*with*), compete (*with*), engage in a race (*with*)
سابِق previous, preceding (*clause*); foregoing; earlier; antecedent (*as to date*), advance (*warning, knowledge, etc.*)
سابق former (*president, member, etc.*), ex-
~ (: أمام) anterior
~ (في وظيفة ، شأن ، الخ..) predecessor
~ (في ترتيب) prior
~ انذار أو تنبيه premonition
~ لأوانه premature (*decision*)
سابِقَة precedent (*legal or otherwise*)
~ بحكم السكوت precedent *sub silentio*
سابِلة wayfarers
ساجَلَ (راجع بارَى)
ساحَ – ١ (: ذاب) melt, thaw
ساحَ – ٢ (: طاف) tour, make a tour, roam (*over a wide area*)
ساحَة (: فناء) yard
~ (: ميدان) field
~ (: نطاق) area, precinct
ساحِر magician, wizard; sorcerer
ساحِرة witch, sorceress
ساحَلَ coast, sail along the coast
~ (: سابّ) (راجع سَبّ)
ساحِل coast; shore
ساحِلي coastal, littoral (*route*)
~ (: على محاذاة الساحل) coastwise
ساخِن (: دافئ) warm
سادَ prevail, dominate (*the market*), predominate; rule; become master (*of something*)
سؤدُد ascendancy, supremacy, domination
~ (: سيادة) sovereignty, hegemony
ساذَج artless, naïve, simpleton
~ (: بدائي) primitive
سارَ (: مشى) walk, tread (*on rough ground, etc.*), go, march; carry on (*with work, studies, etc.*)

سارَ (: تحرَّك) move on
~ (: تقدم) proceed, make progress, advance, make headway
~ (: اتجه) steer (*north*)
~ (مع نظام أو غيره – سايره) adjust or conform (*to*)
~ (: سلك) behave, conduct or comport (*oneself*)
سارٍ (من حيث المفعول أو الأثر) effective, operative, valid, in force, standing, current
~ (من أمراض) contagious
سارٌّ (: مدعاة للسرور) pleasant or pleasing, delightful, gratifying, agreeable
سارَعَ (راجع أسرع)
سارِق thief, burglar
~ بسيط pilferer
~ ابقار rustler
~ (مؤلفات الغير) plagiarist, pirate
ساسَ govern, lead
~ (حصانًا) groom
ساطِع bright, brilliant (*light*)
ساطور cleaver
ساعٍ messenger, dispatch bearer
ساعة (١) (: ستون دقيقة) hour
~ عمل working hour, office hour (*hours*)
ساعة (٢) timepiece, clock, watch
~ توقيت (لاحصاء الوقت في المسابقات وما إليها) stopwatch
ساعَدَ aid, help, assist; befriend (*the helpless*)
ساعِد (: ذراع) arm
~ (آلي) crank
سَاغَ be permissible (*as of act, conduct*), be agreeable, be palatable (*as of food*)
سافَحَ (امرأة : أقام معها دون زواج) co-habit (*with woman*) unlawfully, fornicate, commit fornication or adultery
سافَرَ travel, depart, leave; journey
سافِر overt, open, outright, flagrant (*immorality, offence*)
سافِل mean, vile, ignoble, villain, scoundrel
ساقَ drive; steer (*a ship*)
ساقَ (: قدم مثلا أو غيره) cite, adduce, cite an example
ساقٌ (: الساق) leg
~ (: جذع) stem, trunk, stalk
~ (: قصبة الساق ، من القدم حتى الركبة) shank
ساقِط (١) (المدة ، الأثر) expired, extinguished, invalid, out of date
~ (: سافل) mean, ignoble, servile
ساقِط (٢) (: يتعاطى أعمالا دنيئة) pettifogger
~ القيد off record
ساكِت (: صامت ، ضمني) silent, tacit (*person, assent*)
~ (: لا يجيب على تهمة) mute
ساكَنَ (: عاشر) cohabit (*with a woman*)
ساكِن (١) dweller
~ (: شريك في سكنى ، أحد سكان) lodger, resident, inmate (*of house, building, etc.*), inhabitant (*of country*)
ساكِن (٢) (: لا يتحرك) still; static; inactive
~ (كمن كان في إسبات) torpid (*creature*)
سالَ leak, seep
~ (كالماء من موضع إلى آخر ؛ نز) flow; ooze
سأَلَ ask; question
~ (ليختبر) interrogate
(يُسأل: يحتمل مسئولية فعل أو شأن (*be answerable or responsible or liable for act, etc.*
سالِب (: سلبي) negative; passive (*obedience*)
سالِف predecessor (*in office*), former (*chairman*); antecedent; preceding, prior; past, bygone (*age*)
~ (ذكر ، بيان ، الخ..) before, above (*mentioned, stated, etc.*)
سالِم safe, sound; secure (*from or against attack*)
سالَمَ (: عاش مع الغير في سلام) live in peace (*with*), coexist (*with*)
~ (: صالح) pacify, conciliate, reconcile; placate
سَئِم (راجع مَلَّ)
سامٌّ poisonous, venomous; toxic (*nature*)
~ (: قاتل) virulent (*words*), baneful (*effect*)

سامَحَ	forgive, pardon, excuse, overlook (*an insult*)
~ (: تجاوز عن خيانة زوجية)	condone (*matrimonial infidelity*)
سانَدَ	support (*a cause*), back, abet (*a crime*), aid, buttress (*up*); corroborate (*evidence, proof, etc.*)
~ (: أيد)	confirm (*a title*); second (*nomination, appointment, etc.*)
ساهَى	(راجع غافَلَ)
ساهَمَ	share (*in*), contribute (*to*), participate (*in*)
ساوَى (: بين شيئين)	equate (*something to or with another*)
~ (: عادل)	equal, equalize; match, tie with (*in race*)
ساوَمَ (في بيع أو شراء)	bargain, chaffer, haggle (*about a price*)
سايَرَ	conform; adapt (*oneself to*); keep in line (*with*); appease (*a foe*), satisfy, pacify, please
سَبَّ	curse, abuse; rail (*at*), revile (*at*)
سِباب	invective, reviling, cursing; abuse, abusive or obscene language
سَبَّابَة (: إصبع)	forefinger
سُبات	lethargy; torpor, langour
~ (: غيبوبة)	coma, profound unconsciousness
سباعي (الأطراف)	seven-sided
سِباق (عدو ، سباحة ، خيل)	race
~ (: مسابقة)	contest, tournament
سَبَّاك (مواسير)	plumber
سِباكة	plumbery, plumbing
سَبَبٌ	ground, cause, reason
~ (: داع ، حافز)	motive
~ (: وسيلة)	means, instrumentality, agency
~ اول	prime cause
~ حرب	*casus belli*
~ دنيء [قانون]	*turpis causa*
~ كاف	sufficient cause, good cause
~ مباشر	direct cause, procuring cause
~ من واقع	ground of fact
سَبَبٌ من القانون	ground of law
سَبَّبَ (: بعث على)	cause, occasion, create, engender (*crime*)
~ (: قدم اسبابًا ، بنى على أسباب ، علل)	ground, substantiate, vindicate; motivate (*a conclusion*)
سَبَبِيّ	causal, causative
سَبَبِيَّة	causation
علاقة ~	causal relation
سُبَّة	shame, opprobrium, cursed (*thing or person*), damned
سبتمبر	September
سَبَّحَ	laud, paise, glorify
سَبْخَة (تربة)	salina, salt marsh, salt- encrusted flat; bog
سِبط	tribe
سَبَقَ	precede, be ahead (*of*), come before (*person or thing*), antecede
سَبْق (في ترتيب أو حق)	precedence, precedency, priority
~ اشعار	advance notice
~ إنذار ، ~ تنبيه	premonition, advance notice
~ اصرار ، ~ تفكير	malice aforethought, premeditation
~ تهيؤ (لشأن)	predisposition
~ علم	advance knowledge, prescience
سَبَّقَ	give precedence (*to*), advance or make an advance (*payment, reservation, etc.*); put or move (*thing*) forward
سَبَكَ	cast (*in a heroic mould*), mould (*a head in clay*), shape (*a person's character*)
~ (في صيغة معينة)	couch (*a thought in certain terms or in a legal formula*)
سَبيكة	ingot, bar
سَبائِك (ذهب أو فضة)	ingots, bullion (*gold or silver*)
سَبيل	way; route, road, course (*of action, etc.*); direction
~ (إلى غاية)	approach
في ~ (مبدأ ، شأن ، الخ ..)	in the cause of, toward
سِتار	cover, screen, curtain, blind(s), veil

ستار (: قناع) — guise

سَتَر — cover, cover up (*for another's crime*), screen, veil, mask (*a fact, intentions, etc.*)

~ (: اخفى) — hide, conceal

سَجّان — gaoler (*jailer*), warder

سَجّانة — gaoleress, wardress

سَجَدَ — kotow or kowtow (*to God, person, etc.*), touch the forehead to the ground from a kneeling position

سَجّل — register, enrol(l), record

~ (اصابة ، هدفًا أو ما إلى ذلك) — score (*a hit, a goal*)

سِجِلّ — register, roll, record; book

~ (قلم) — registry

~ رحلة (يبين السرعة والوقائع اليومية) — log or logbook

~ انتخابي ، ~ ناخبين — electoral register

~ حكم (تدون فيه إجراءات الدعوى) — judgment record

~ منتخبين — return-book

~ نفوس — anagraph

~ طائرة — air log

سَجَن — imprison, incarcerate; gaol (*jail*)

سَجْن (: اعتقال) — imprisonment, incarceration

~ انفرادي — solitary imprisonment

~ مؤبد — life imprisonment

سِجْن — prison; gaol (*jail*)

~ انفرادي — prison cell

~ غائر (في حصن) — dungeon, cloere

~ اصلاحي — penitentiary

سُجود — prostration (*in prayer*), touching ground with forehead (*in submission or adoration*); bowing down

سَجِيّة — quality, attribute, trait, character or characteristic

~ (: طبيعة) — nature

سَجين — prisoner

~ حرب — prisoner of war

سِحائي — meningeal, meningitic

~ لحائي — meningeocortical

التهاب ~ — meningitis

تنبه ~ — meningism

ورم سِحائي — meningioma

سَحاب — clouds

سِحاق — lesbianism, sapphism

سُحالة (معدن) — swarf; file dust

سَحايا — meninges

التهاب السحايا — meningitis

التهاب السحايا القاعدي — basilar meningitis

سَحَب — draw, pull, drag, haul (*in or up*), tow (*a cart*); withdraw, abstract

~ (عرضًا ، كلامًا ، الخ..) — retract, recant

~ على المكشوف (من بنك) — overdraw

(السحب على المكشوف — (*overdraft*

~ كمبيالة — retire bill

~ (مبعوثًا ، مندوبًا ، الخ.. : استدعى) — recall

~ (: شفط) — intake

سَحْب (: جذب ، جرّ) — towage, haulage, draft, pull; traction

~ (: استدعاء) — recall (*of an ambassador*)

~ (: استرجاع) — withdrawal, retirement (*of bill*)

~ (: انتزاع) — abstraction

~ (: رجوع في شيء) — retraction, recantation

~ (: شفط) — intake

~ على المكشوف (من بنك) — overdraft

سُحت — forbidden thing

سَحَج (: قَشَر) — peel, skin; shave (*off*)

سِحْر — magic, witchcraft, wizardry; sorcery

سَحَر — bewitch (*a person*), charm, cast a spell (*over something*)

سَحَق — crush; stamp out (*resistance*); overwhelm

سَحَل (راجع سَبّ)

سَحْنة — looks, face, aspect

سَخاء (راجع كَرَم)

سَخافة — foolishness, obtuseness, feeble-mindedness, stupidity

سُخام — soot

سَخِر (من) — mock (*a person*), deride, ridicule (*a suggestion*), scoff (*at*), jeer (*at*), gibe

سَخَر (سَخَّر) — exploit, put to unpaid labour, force, compel, utilize or make use of (*thing or person*)

سُخْرَة corvée, unpaid labour
سُخْرِية mockery, derision, ridicule
سَخِط become indignant, be angry or displeased (*with*)
سُخْط indignation, ire, anger
~ بالغ wrath
سَخِنَ become warm or hot, warm, heat up
~ بالحمّى run (*high*) temperature, be feverish
سَخِيّ generous, liberal
~ مدرار copious
~ (: جواد) openhanded; magnanimous
سَخِيف frivolous, trivial; petty (*trouble, remark, quarrel, etc.*)
سَدَّ obstruct, obturate (*orifice or aperture*), block or block up, clog (*passage*); oppilate (*outlet*), bar (*path, etc.*)
~ (: اغلق) plug, close
سَدّ (١) (شيء : اغلاقه) obstruction, obturation; clogging
سَدّ (٢) (ج. سدود) dam
~ (لصد فيضان) dike, levee
~ (على جانبي نهر) embankment
~ (قناة أو مجرى) sluice, floodgate
~ (نهري) weir
~ (صناعي يقام في مجرى لزيادة العمق) barrage
سُدى in vain, useless, to no purpose, without avail
سَداة [نبات] stamen
سَدَاد settlement (*of debt*), satisfaction, payment
سَدَّادة stopper, plug
سِدادة (قارورة أو ما إليها) stopper
~ (لغير ما ذكر) plug, plugging
سُداسِيّ (الشكل) hexagon, hexagram
~ الأطراف six-sided
سَدَّدَ pay, satisfy (*debt*), settle, square (*account, bill, etc.*)
~ (: صوَّب) aim, point (*at*), direct (*at*), level (*at*)
سَدَلَ pull (*down*), draw (*curtain*)
سَدَم (راجع سَدّ)
سَدِيد judicious (*view*), right (*course of action*), sound (*judgment, policy, etc.*), well-advised (*action, measure, etc.*)
سَدِيم nebula, Milky Way
سَذاجة artlessness, naïvety
سَرَّ delight, please, give pleasure, gratify
سِرّ secret, mystery
~ مهنة trade-secret
سِرًّا secretly
~ (: خلسة) furtively, surreptitiously
~ (: تحت ستار ، في الخفاء) covertly, clandestinely
~ (لا جهارًا) in private
~ (في جلسة سرية) behind closed doors
سَرَى (من حيث الأثر والمفعول) take effect, come into force, apply, inure (*enure*), become operative, effective or valid
~ (على : انطبق) apply (*to*); govern (*proceeding, licence, etc.*)
سَرَّى عن (: كشف) unburden (*himself*), relieve, assuage (*pain, feelings, etc.*), alleviate (*suffering, grief*)
سَراب mirage
~ (: خيالي ، غير حقيقي) delusion
سِراج lamp
~ (: شعلة نيرة) torch
سِرْب flock, group; flight (*of birds*); squadron (*of planes, ships*)
سُرَّة navel, umbilicus
(سُرّي) (*umbilical*
سَرْج saddle
سَرَّح release (*a prisoner*), discharge (*a convict, a patient*), set free, lay off (*workmen*), dismiss (*a servant*)
~ جندًا disband, demobilize
سَرد relate (*a story*), recount, state (*a case, facts, etc.*), narrate; recite (*a speech, names, etc.*)
سَرْد relation, narration; narrative; recitation
سِرداب vault, underground passage
~ (نفق) tunnel
سَرَطان (حيوان بحري) crab

سَرَطان (داء)	cancer
يشبه السرطان	cancroid
سرطاني	cancerous
سُرْعة	speed; velocity (*of sound, craft, etc.*)
~ إجراء	expedition
~ (: إسراع)	dispatch (*as in : do business with ~*), rapidity (*of work*)
سَرَقَ	steal; filch (*pencil, right, product, etc.*), burgle (*a shop, a house*)
~ بإكراه	rob (*a wallet*) or rob a person of his wallet
~ شيئًا تافهًا	pilfer
~ مؤلفات الغير	pirate (*a book*), plagiarize
(مسروقات (من أشياء)	(*mainour, stolen materials*)
سَرِقة	theft, larceny, burglary
~ بإكراه	robbery
~ بسيطة	simple larceny
~ بسيطة (تافهة)	pilferage
~ الشخص (: سلب الأشياء من اليد أو الجيب)	larceny from the person
~ مشدَّدة	aggravated or compound larceny
~ مؤلفات الغير	piracy, plagiary, plagiarism
سُرْم (: طرف المعى ، دبر)	rectum
سَرْمَدِيّ	eternal, everlasting
سُرور	pleasure, delight, mirth, glee, joy
سِرِّي	secret; occult (*science, knowledge, etc.*)
~ (اجتماع ، تحقيق أو ما إليه)	behind closed doors, in secret, in private
~ (: مكتوم)	confidential
سِرِّية	secrecy, secretiveness, furtiveness
سَرَيان (قانون ، لائحة ، عقد ، الخ..)	operation, coming into force, applicability, validity, effect
تاريخ ~	date of coming into force, effective date
سَرِية (عسكرية)	detachment, company
سرير (: فراش)	bed
~ (يوضع عليه الفراش)	bedstead
سريرة (: نِيَّة)	mind, heart
سَريع	rapid, swift (*justice*), quick, speedy (*trial*)
سَريع (إجراء)	expeditious; express (*delivery*)
~ الكسر (الانكسار)	fragile, brittle, frail
سَطا (على مكان)	break in; seize by force or stealth, burgle (*a house*)
~ (: اختطف وسيلة نقل أثناء نقلها)	hijack or highjack
~ (: أغار)	maraud, raid
سَطَحَ	flatten, level
~ (: صَرَعَ ، اضْجَعَ)	cut down, fell down, lie (*thing*) down
سَطْح	surface (*of water, etc.*)
~ مستوٍ	plane
~ (بناء)	roof
سَطْحي	superficial, external
~ (: ضَحْل)	shallow
~ (تعوزُهُ الدِّقَة والتفْصِيل)	cursory
سَطْل	bucket, pail
سَطْو (على منازل وما إليها)	burglary, burglarizing, housebreaking; seizure by coercion or stealth
~ (: اختطاف وسيلة نقل اثناء رحلتها)	hijacking
سَعَى	seek after (*knowledge*), pursue (*goal, purpose, etc.*)
~ (: كدَّ)	labour, toil
سَعادة	happiness, felicity; good fortune, bliss
منتهى ~	beatitude
~ (: رضى)	contentment
سُعار ، **سُعْر** ، **سَعَر** (داء الكلب)	rabies, hydrophobia
سُعال	cough, coughing
~ ديكي ، ~ شهيقي	whooping cough
سَعَة	capacity
~ عَيْش	affluence, well-being
~ (: حجم)	volume
~ (: رحابة)	extensiveness, spaciousness, roominess, amplitude
سَعَرَ	kindle, inflame
سِعْر	price; rate (*of exchange, discount, etc.*)
~ ادنى	rock-bottom price
~ أساسي (في المزايدات)	upset price
~ البضاعة مع التأمين والنولون	CIF (*cost, insurance and freight*)

سِعْر تجزئة — retail price
~ تكلفة — cost price
~ تسعيرة — quoted price, tariff price
~ التساوي البدلي — par of exchange
~ تعادل (أو مساواة) — par price
~ ثابت (مقطوع) — flat rate
~ جارٍ — going price
~ حسمٍ أو خصم (قطع) — rate of discount, bank rate
~ سائد — ruling price
~ سوق — market price
~ شراء — purchase price, par price
~ صرف — rate of exchange
~ غير معلن — reserve price
~ فائدة — rate of interest
~ معلن — posted price

سَعَر ، سُعْر (راجع سُعار)

سَعَّر — price; rate (*property, merit, etc.*)

سَعْي — pursuit, endeavour; labour, toil
~ (: مساعٍ) — good offices

سعيد — happy, fortunate; blissful, content or contented, felicitous

سَغَبَ (راجع جاعَ)

سِفاح — incest

سِفاحي — incestuous

سِفارة — embassy

سَفاسِف (مفردها سَفْساف) — minutiae (*minutia*), trivialities (*triviality*)

سُفْتَجَة — bill, note of hand

سَفْح (تل ، جبل ، الخ..) — foot (*of hill or mountain*), lower end

سَفَح (: سَفَك ، أسال) — spill, cause to flow

سَفَد (راجع جامَعَ)

سَفَرَ (راجع أوضَحَ ، كَشَفَ)

سِفْر — book, great book, tome

سَفَر — travel, journey, passage (*from one place to another*)

سَفْرة (راجع رحلة)

سفسطة — sophistry, caustic argumentation

سَفْسَطِي (رأي) — sophistic
~ (شخص) — sophist

سَفَكَ — shed (*blood*), spill

سَفُلَ — lapse, sink low, be mean or vile or ignoble

سَفَل (ارتفاق) — servient (*land, tenement*)

سفلي — lower (*position, floor*), nether (*side*), under (*current, croft, etc.*)

سَفَّه — discredit, disparage, speak slightingly (*of person or thing*), decry

سَفير — ambassador
~ بابوي — nuncio, legate
~ فوق العادة — ambassador extraordinary
~ مفوض — ambassador plenipotentiary

سَفين (: إسفين) — wedge
~ (: مجموعة سفن) (راجع سَفينة)

سَفينة — ship; steamer, vessel, boat
~ بخارية — steamship
~ بضاعة (بضائع) (راجع سفينة شحن)
~ تجارية — merchantship, merchantman
~ جوالة ، ~ معيشة — tramp ship
~ حراسة (صغيرة) — corvet, corvette
~ خطية — liner
~ ساحلية — coasting vessel
~ شحن — freight ship, cargo ship
~ شراعية — sailing boat (*or ship*)
~ صيد — fishing boat
~ عامة — general ship
~ عبور ، ~ معدية — ferryboat
~ فضاء — spaceship, spacecraft
~ مستأجرة — chartered ship
~ مغيرة — privateer
~ نزهة — pleasure boat, yacht
استقراض برهن السفينة (عقد) — bottomry
أوراق السفينة — ship's papers
ايجار السفينة (عَقْد) — charter party of vessel
بريم السفينة — keel
جرم السفينة — bulk (*of vessel*)
جسم السفينة — hull
جانبها الأيسر — larboard
جانبها الأيمن (: على يمين الناظر إلى مقدمتها) — starboard
جؤجؤ السفينة ، قيدومها أو مقدمتها — stem, bow or prow
الجنب الأمامي للكوة الكبرى من السفينة — forward

side of the main hatch
الجنب الخلفي (أو الجهة الخلفية) من كبرى عوارض السفينة after side of the main beam of the deck
حيزوم السفينة bows
ربانها shipmaster
سطح السفينة deck
طاقمها crew, ship's company
عارض (أو ظاهر) السفينة beam of deck
فوق السفينة aboard ship
كوثل السفينة أو مؤخرتها stern or aft
مؤخرة السفينة stern
مديرها (المجهز) ship's husband
مربط السفينة port of registration
منشئ السفينة (بانيها) builder
هلاكها أو تحطيمها shipwreck
وثيقة شحنها ship's bill
سَفِيه (: متلاف) prodigal, profligate, spendthrift
~ (اللسان ، حقير ، جاهل) abusive, mean, ignorant
سَقَى water; irrigate (*for agricultural purposes*)
سقائف (أيام) lay days
سَقَّاطة pawl, sliding bolt, pivoted tongue
سَقَط fall, drop; slump (*into a chair,* ~ *down to the floor with a bullet in the chest*), sink (*as in: soldier sank to the ground fatally wounded*)
~ في رذيلة (راجع تردّى)
~ (: هوى) precipitate (*headlong*)
~ (: فشل) fail (*test, etc.*)
~ (: انقضى) lapse, abate (*as title, right, etc.*)
سَقَط (راجع رديء)
سِقْط abortion, abortus, premature delivery
سَقْف ceiling
سَقَّف roof
(تسقيف (*roofing*
سَقَم ، سُقْم invalidity, infirmity, morbidity, trauma
سُقوط fall, drop
~ (: فشل) failure
~ (: انقضاء) lapse, abatement, extinguishment
~ فجائي [طيران] dip
سَقِيم infirm, morbid, sick or sickly, invalid (*claim, argument, etc.*), unwholesome (*air, exercise, etc.*)
سَقِيم (: معدوم النشاط أو الحماس للعمل) shiftless, languid
~ (: خائر ، منهك) effete
~ (بحكم اصابة جارحة أو راضة) traumatic
سَكَّ (نقداً أو ما إليه) mint, coin
سَكَّار taverner, wine seller; wine maker
سَكَّاك (صناعته ضرب السكة) minter
سُكَّان inhabitants, population
~ (مكان ، مبنى ، دار ، الخ..) inmates
سَكَبَ (: صبَّ) pour
~ (المعدن) found, cast
~ (: ذرف) shed
سَكَتَ keep silent, keep one's peace
~ (عن شأن أو عليه) acquiesce (*in something*)
~ (: امسك عن الاجابة في محاكمة أو ما إليها) stand mute, refuse to plead
سِكَّة mint
سِكَّة حديدية railway, railroad
عربات ~ rolling stock
سَكْتَة (داء) apoplexy
سَكِرَ get drunk, become inebriate
سُكْر drunkenness, inebriety (*inebriation*)
ادمن السكر tipple, drink habitually, sot
مدمن السكر (راجع سكير)
سَكران drunk, inebriate, under the influence of drink, 'loaded'
~ (راجع سِكير)
سِكرتير secretary
~ دائم permanent secretary
~ عام secretary-general
~ فخري honorary secretary
سكرتاري secretarial
سكرتارية secretariat(e)
سَكَعَ (راجع تَسَكَّعَ)
سَكَنٌ (: مسكن) dwelling (*house*), habitation, residence, lodging, abode
~ (جند وغيرهم) quarter
~ (لاغراض القانون) domicile
~ (راجع موطن)

سَكَنَ (١) (: قطن) dwell, reside, lodge, live (*in place*), inhabit; domicile

~ (: استوطن) settle (*in a country*)

سَكَنَ (٢) (: هدأ) abate, subside (*as of a storm, a tumult, etc.*), calm down, become tranquil; be still

سَكَّنَ lull (*storm, fears*), sooth (*suffering*); mitigate (*pain*), assuage (*hard feelings*), relieve, allay (*excitement*)

~ (: هدَّأ) pacify

سُكْنى residence, lodging

~ (: دار للسكن) apartment, flat

~ (: شَغْل عقار) occupancy

سُكوت silence, taciturnity, absence of mention

~ (على شأن : رضى به) acquiescence

~ (عن اجابة) muteness

~ (: تكتم) secrecy

~ (: سكون) stillness

(اشترى سكوتًا (*placate*

سَكوت (: متحفظ) reserved in speech, reticent (*person*)

سُكوتي (: غير صريح) tacit (*consent*), implied (*agency*)

سُكون (: هدوء) quiet, calm, stillness

~ (: سُكوت) silence

سِكِّير (: مدمن) drunkard, sot

~ معتاد habitual or common drunkard

سِكِّين knife

~ جزارة (طويل) bowie knife

سَكينة tranquility, serenity, calm, quiet; peace

سَلَّ draw, remove (*gently*), pull out; unsheathe (*as of sword*)

سُلّ (داء) tuberculosis

(المصاب به (*tuberculotic*

~ (راجع تدرن)

سَلا (راجع نَسِيَ)

سِلاح arm(s), weapon

~ ابيض *arme blanche*

~ قاتل (فتاك) deadly weapon

~ ناري firearm

سُلالة (حكمت بسبيل التوارث) house (*of Tudor, Stewart, etc.*), dynasty (*as in the Khedevid ~*)

~ (: نسل أصل واحد) children of the same ancestry or stock

~ (: عمود نسب) lineage, parentage

~ (: بيت ، عائلة) house, family

سَلام peace

~ عام public peace

~ (راجع سكينة وسلم)

سَلامة (: امان) safety; security

~ (من عطب أو نقص أو ما إلى ذلك) integrity, soundness, wholeness

سَلامة نِيَّة good faith, *bona fides* or *bona fide*

سَلَبَ rob (*travellers*), plunder (*a museum of its antiquities*), pillage (*a surrendered town*), despoil, strip (*a man of his property*); abstract (*a watch from owner's pocket*)

~ عفاف امرأة deflore, deflower (*a woman*), rape

سَلْب robbery; banditry; plunder; rapine, pillage, abstraction

(راجع سلب للامثلة)

~ على الطريق العام highway robbery

~ عفاف rape, defloration

سَلْبيّ negative; passive (*attitude, resistance, obedience, etc.*)

سَلْبِيّة passivity

سَلَّح arm, furnish with weapons

~ (: حصن) fortify

سُلَحْفاة turtle

سَلَخَ (: فصل) detach, disengage, sunder, segregate (*the sexes*)

~ (جلد حيوان) flay (*an animal*)

~ (: خلع ثيابًا أو غيرها) take off, remove

~ (: قضى ، امضى) pass, spend

~ (: نزع الجلد) skin

~ (: نقد بشدة ، لم يترك عيبًا إلا كشفه) flay (*an opponent*)

سَلِس docile, tractable, facile, obedient, easy (*flowing or going*), smooth

سَلْسَلَ seriate, serialize, arrange in succession or in a series
سِلْسِلة chain, range; concatenation, series
سَلَّط empower (*over*), give arbitrary, or absolute, authority (*over*), give dominion or sovereignty (*over*)
سُلْطان potentate, sultan
~ (: نفوذ ، سلطة مهيمنة) sovereignty, dominion; ascendancy (*over others*), hegemony (*of one state over another*)
سُلْطة authority; power
~ تقيدية ministerial power
~ تنفيذية executive power
~ ثانوية ، ~ فرعية collateral power
~ خصوصية special or exclusive power
~ دستورية constitutional power
~ ضمنية implied power
~ موضوعية (: على الموضوع) jurisdiction of merits, jurisdiction over the subject matter
سِلَع commodities, goods
~ استهلاكية consumer goods
سِلْعَة commodity, ware, piece of merchandise
سَلَفٌ ancestor; ascendant; predecessor
سَلَفَ (راجع مَضى)
سَلَّف lend, advance, loan
سُلْفات (: سلف) borrowings
سُلْفَة advance; loan
~ (: سحب تجاوز) overdraft
~ على المكشوف loan on overdraft
سلفي (: يتصل بالسلف) ancestral
سَلَكَ conduct oneself, behave (*gallantly*), act (*decently*), comport (*oneself with modesty*)
~ (: اتبع) pursue, follow
~ (نهجًا) walk (*a road*), pass through, follow (*a direction*), enter upon (*career, vocation*)
سِلْك wire; thread
~ ميت (: لا يحمل تيارًا كهربائيًا) dead wire
سِلْك corps; establishment of persons
~ سياسي diplomatic corps

سَلِمَ escape (*danger*), be free (*from defect, etc.*)
سَلَّمَ surrender (*to the police*), yield (*unlawful gains*)
~ (للغير) deliver (*a letter, a key, etc.*), hand or turn over (*an object to somebody*), consign (*goods to an agent*), remise (*property*)
~ (بحجة ، نقطة ، الخ..) concede (*argument, point, etc.*), grant
~ (: حيا) salute, greet
~ (مجرمًا) extradite
سُلَّم ladder
~ (: درج) stair(s), stairway
~ سفينة gangplank, gangway
سِلْم peace
~ تحفز ، ~ على مضض armed peace
سِلميّ peaceful, peaceable
سَلْوى consolation, comfort; distraction, diversion, amusement
سُلوك conduct, behaviour, deportment
~ (: شكل تصرف) demeanour, bearing; carriage (*as in: lascivious ~*)
~ مخل بواجبات المهنة unprofessional conduct
سَليب (: مسلوب) usurped, denied, lost
سَليط defiant, insolent, overbearing
سَليطة (امرأة) scold
سَليقة intuition
سَليقيّ intuitive
سَليل descendant child; scion (*of a billionaire, a royal stock, etc.*)
سَليم whole, intact; unhurt, sound
~ الجسم sound of body, able-bodied
~ العقل sane, mentally sound
~ النية *bona fide* (*purchaser, possessor, etc.*)
سُمٌّ poison, venom; toxin; bane (*: rats' ~, it acted like ~ on him*)
سَمَّ poison
~ (: قتل بالسم) bane
سَما (راجع ارتفع)
سَمَّى name, nominate, call, designate (*an heir*)

سَمَّى (: دعا) — style (*somebody saviour, champion, etc.*)
سَماء — sky; heaven
سَماد — fertilizer
~ حيواني — manure, (*livestock excreta*)
~ آدمي (: البراز بشري للتسميد) — night soil, (*human excrement*)
سَماع ، سَماعِيّ — hearsay (*evidence, etc.*)
~ (اطراف خصومة) — hearing (*of parties*)
سماعة — earphone, earpiece
سِمَة — mark, sign, token (*of excellence*), badge (*of popularity*); impression (*of a seal*)
~ (: ميزة) — feature, characteristic
~ سياحية — visa
سَمْت (: زاوية السمت) — azimuth
سَمَح — allow, permit; give leave; concede (*the right to do or exercise something*)
سَمَّد — fertilize, manure
سَمَّر — nail
(تسمير — *nailing*)
سِمسار — broker; middleman; agent (*as: house ~*)
~ أملاك — real-estate agent
~ أوراق مالية — bill broker
~ بورصة أوراق مالية — stockbroker
~ مغامر (لا يبالي) — stockjobber
~ تأمين — insurance broker
~ سفن (شحن بحري) — ship broker
~ مساعد (في بورصة) — floor broker
سَمْسَر — job, act as broker or middleman or agent
سَمْسَرة — brokerage, broking
عقد ~ — brokerage contract
~ (بما يفسد الوظيفة العامة) — jobbery
~ (على أساس الكومسيون) — factorage
~ (بالأسهم) — brokerage
سَمِع — hear
~ (: علم ، اكترث) — learn, heed
~ عَرَضًا — overhear (*a conversation*)
سَمْع — hearing, audition
~ (: مسمع) — earshot
(على مسمع — *within or at earshot*)

سَمَّع — recite, repeat aloud from memory
سُمْعَة — reputation, repute; name
حَسَن السمعة — reputable, of good reputation
سَمْعِيّ (: مختص بالاذن أو السمع) — auditory (*organ*), aural (*surgeon*), auricular
~ (راجع سماعي)
سَمْكَرة — plumbing, plumbery, tinsmithing
سَمْكَري — plumber
~ (: تنكجي ، يشتغل بالصفيح) — tinsmith, tinner
سَمْل (العين على سبيل العقاب) — abbacination
سَمَّم — poison (*relations*); envenom (*thought*)
سُمُوّ — highness, prominence
سَمِيع (صفة ربانية) — All-Hearing
سَمِين (: وفير الدهن) — fat
~ (: بدين) — corpulent, obese
سَنّ (١) (: وضع) — enact, ordain, make (*a norm or a law*)
سَنَّ (٢) (: جلخ) — whet, sharpen
سِنّ (١) — age
~ الادراك — age of discretion
~ البلوغ (الرشد) — majority, age of maturity
~ حداثة — age of minority, non-age (*nonage*)
~ حضانة — age of nurture
~ الرشد ، السن القانونية — full age, legal age
~ رضا (: القبول المشروع) — age of consent
سِنّ (٢) — tooth
~ العقل — wisdom tooth
~ عجلة — cog
سِنّ (٣) (: رأس) — point, nib
سِناج — soot
سِنادة — support, stay; shore (*for sustaining a boat under construction*)
سَنام — hump
سَنَة (: حول) — year
~ حداد — year of mourning
~ ضريبية — taxable year
~ طبيعية — natural year (365 *days*)
~ غريغورية ، ~ ميلادية — Gregorian year
~ قمرية — lunar year
~ كاملة — full year

سَنة كبيسة — leap year
~ مالية — fiscal year
~ مدنية — civil year
~ هجرية — hijra (*hegira*) year, Hegiric year
~ ويوم — year and day
طول السنة (: السنة بطولها) — the year round, year-round (*resort, hell, etc.*)
سُنّــة — norm; model, tradition, tenet; doctrinal system, dogma
~ (: طريق متبعة) — practice
سَنَحَ — permit, allow, occur (*as of occasion*), be available, present itself
سَنَدَ — support (*a statement*), sustain (*an argument*), corroborate (*evidence*); buttress (*a wall*), prop (*a falling tree*)
سَنَدٌ (١) — support; backing
~ (: أساس) — foundation, ground, basis
~ [بناء] — shore
~ (: مُتَّكأ في الشدائد) — support (*in hardships*)
سَنَدٌ (٢) — deed, act, instrument; bond, voucher (*of payment*)
~ (: مستند) — document
~ (: بينة) — evidence (*of title, etc.*)
~ إبراء — deed of release
~ اتفاقي — deed of covenant, consensual deed
~ اذني — promissory note, bill of exchange
~ امتياز — preference bond
~ تغطية — covering deed
~ تملك (عَقاري) — title deed
~ تنازل ، ~ تمليك — deed of assignment
~ تنفيذي — writ of execution
~ توكيل — power of attorney, warrant of attorney
~ حجز — distress warrant
~ حلولي (يحل محل سند واجب الأداء) — refunding bond
~ دين — debenture
~ رد — counter-letter
~ ضد — counter-deed, backbond, defeasance
~ ضمان — warranty deed
~ غير مضمون — naked debenture
~ فرقة أو مباراة — deed of separation

سَنَدٌ قانونيّ — legal title
~ كتابي — written evidence, evidence in writing, documentary evidence
~ كفالة — bail bond
~ مالي — security
~ هبة — deed of gift
~ وقفية — deed of dedication
سندات مالية — securities, stocks
سَنْدان (لطرق الحديد) — anvil
سِنْدكاليّة — syndicalism
سِنْدِيان (شجر) — oak
سِنديك — syndic
~ (في القانون المدني) — procurator, agent, assignee, receiver
~ (في القانون الفرنسي) — trustee (*of bankruptcy*); director
سَنْفَرَة — emery (*cloth, paper, wheel, etc.*)
سَنَّنَ — indent, notch (*edge of*)
سَنَويّ — annual, yearly
سَنَوِيًّا — per year, per annum
سَهَا (عن) — omit, forget, overlook, neglect, leave out inadvertently, be inattentive or inadvertent, be unmindful (*of*), drop one's guard
سُهاد — insomnia, sleeplessness
سَهِرَ — stay awake, stay up late (*at night*), have a sleepless night
سَهْل (١) — plane, meadow
~ (منبسط) — level (*ground*)
سَهْل (٢) (: غير صعب ، يسير) — easy; facile
~ المأخذ (الادراك) — easy to perceive, palpable
~ (الاسلوب) — lucid
~ الكسر — fragile
سَهَّل — facilitate; simplify; make easier
سَهُلَ — be easy, be facile (*to accomplish*), be simple
سَهْـم — share, portion, lot
~ ادارة — management share
~ اسمي — nominal share
~ امتياز (أو ممتاز) — preference (*or preferred*) share

سَهْم امتياز قابل للاستهلاك redeemable preference share
~ تفضل (أو اكرامية) bonus share
~ تفضيل (: امتياز) preference share
~ الحامل bearer share
~ رأسمالي capital share
~ قانوني (: نصيب قانوني) statutory portion
~ مجمع الأرباح cumulative share
~ مصوت voting share
~ مؤخر الأرباح deferred share
~ مؤسسين founders' share
~ عادي common (*or ordinary*) share
~ (راجع أسهم)
سَهْو inadvertence, inattention, oversight
سُهولة ease, easiness, facility; lucidity (*of expression*)
سُوء ill, evil
~ (: شائبة) stain, blemish
~ (طالع أو حظ) misfortune, misadventure
~ إدارة maladministration, mismanagement
~ إدراك misconception
~ استعمال abuse, misuse, misuser
~ تسمية (: غلط في تسمية) [قانون] misnomer
~ تسوية maladjustment
~ تصرف مهني ، ~ سلوك مهني malpractice, *mala praxis*
~ سلوك misconduct
~ ظن mistrust, evil thinking
~ فِعْل (اساءة للوظيفة) wrongdoing, malfeasance, malpractice
~ فهم misunderstanding
~ معاملة ill-treatment
~ نِيَّة bad faith, *mala fide,* ill will
سَوَّى settle, adjust, square, straighten; resolve (*problem, misunderstanding, etc.*)
~ (: عادل) balance, equalize
~ (: ساوى) equate
~ دينا compose (*a debt*)
سِوَى (: عدا) other (*than*), except, save (*: everybody responded ~ your brother*)
سواءٌ whether

سواءٌ (: سواسية) equal, at par or parity (*of value, privilege, right, etc.*)
سَوْءَة (راجع عورة)
سِوار (يلبس على المعصم) bracelet
~ (: طوق) cordon, ring
سَوَّد blacken
~ (سمعة أو ما إليها) sully, defile
~ (: اعد مسودة محرر) draft
سَوداء (: ميلنخوليا) melancholia
سَوَّرَ fence, wall (*yard, garden, etc.*), enclose with a wall
سُور wall; fence
~ مشترك common wall
سَوْرة rage, passion
سُورة sura, chapter
سُوس wood lice, wood worm
~ (اسنان) caries, decay
سوَّس decay, become carious
سَوْط whip, lash
سَوَّغ justify (*an action*), excuse; vindicate (*one's conduct*)
سَوَّف (: كابل) procrastinate, delay intentionally
سُوق market
~ سوداء black market
~ فورية (تعقد فيها الصفقات فورًا) spot market
~ مالية (للتعامل بالاسهم وما إليها) money market, stock exchange
~ موسمي fair
سَوَّق market (*a produce*), sell (*goods*)
سَوِيّ level, even; equal
سَوِيّة ، معًا together
~ (: معًا ، في الوقت ذاته) simultaneously, at the same time
سَيِّئ evil, bad (*faith, intention*), vicious (*character*), poor (*health, reputation, etc.*)
سِياج fence, hedge
~ (من معدن أو خشب) railing
سِياحة tourism
سِياحيّ tourist (*ticket, agency, house, etc.*)
سِيادة mastery, supremacy

سِيادة (دولة على أراضيها وشؤونها) sovereignty
~ (: سلطان) dominion, domination
~ (دولة على أخرى) ascendancy (*of one state over another*)
~ (: لقب تعظيم) lordship
سَيّارَة vehicle, motor vehicle, motor car, automobile
سِياسة policy (*of government, corporation, etc.*), definite course of action
~ (: ميدانها ، متعلقاتها) politics
~ (: حكمة ، دبلماسة) sagacity, prudence, diplomacy
سِياسي (رجل) politician
~ بارز prominent politician
~ محنك ، ضليع statesman
~ (عمل) political; diplomatic
تمثيل ~ diplomatic representation
طرق سياسية diplomatic channels
هيئة سياسية diplomatic corps
سَيّاف swordsman, executioner
سِياق context; setting (*of phrase or word*)
~ (حديث) course, sequence
سَيَّب abandon (*a child*), forsake (*his wife*), relinquish (*a title*); desert
~ (: أطلق) release
سَيَّج fence (*off*), hedge; rail (*in*)
سِيخ spike
سَيِّد master, mister
~ (: حاكم) ruler
~ (قوم ، نظام أو ما إلى ذلك) prince
سَيْر (١) (: مسير ، تقدم) going, progress
(*of work, operation, etc.*), advance
سَيْر (٢) (: نطاق) belt
سَيَّر operate, work, put in motion, move ahead, set going, activate, drive
~ (: وجَّه) steer, lead, direct
سِيرة (: سلوك) conduct, behaviour, abearance
~ (: سُنَّة ، طريقة) method, practice
~ (: ترجمة حياة) life account (*of a person*)
سَيْطَرَ dominate, overcome, subdue, gain control, upper hand or mastery
~ (على حواس : تملكها) obsess
سَيْطَرة domination, supremacy; control; power
~ (دولة على أخرى سياسيًّا) hegemony
سَيْف sword, rapier, saber
سِيف (: تكليف البضاعة واصلة : أي ثمنها مع التأمين وأجرة الشحن) C.I.F., c.i.f. (*cost, insurance, freight*)
سَيْل stream
~ (قوي) torrent; flow
~ جوفي (باطني) subflow
سَيَلان flow, flowage; leakage
~ (راجع رشح)
~ جوفي underflow
~ (مرض تناسلي) gonorrhea
سِيّما (لا سيما) particularly, especially, mainly
سينما cinema, motion pictures, cinematography
دارُ ~ cinematograph, theatre
سينماتوغرافي cinematographic
سُيُولة (سندات ، أصول وما إليها) liquidity
~ (: ميوعة مادية) fluidity

شاءَ (: اراد ، رغب ، قصد) will, wish, intend
ان ~ الله God willing, *Deo volante*
شائِبة defect, imperfection; cloud (*on title*)
~ على حق عقاري cloud on title
شائع prevalent (*fashion*), prevailing, current (*notion*), common (*food*), widespread (*belief*), widely known or used; common knowledge
~ (: وافر الكثرة أو الانتشار) rife
شائعة (: اقاويل) rumour, hearsay
شابَ (: لوَّث) tarnish (*a title*), stain, smudge; vitiate
~ (: خالط) mix up with
~ (الشعر) grey, turn grey
~ (: ابيضَّ شعره) his hair turned grey (*become grey-headed*)
~ (: تقدمت به السن) age, grow old
شابٌّ young man, youth
~ (من حيث الحيوية أو المنظر أو غير ذلك) youthful
شابَهَ resemble (*person or thing*), be similar (*to*); be akin (*a half truth is akin to a lie*)
شاجَرَ quarrel, wrangle (*with*), brawl (*with*); fight (*with*)
~ (على شأن تافه) squabble
شاحِب pale, pallid
شاحَن (: باغض) antagonize (*a person*), provoke (*somebody's*) hostility, incur hatred
شاحِن (: ناقل) carrier
~ (: متعهد تحميل) stevedore
شاخَ age, grow old
شادَ (راجع شيَّد)
شاذّ (عن قاعدة ، غير طبيعي) irregular, anomalous; unnatural, abnormal (*person*), odd; freak (*person, habit, etc.*), peculiar
شاذّ (الأطوار) eccentric, crank
~ (عن اداب أو أصول مجتمع) deviate
~ (جنسيًّا) invert, homosexual
شارَ (بشأن) advise (*against sale*), counsel (*patience*), recommend (*immediate action*)
شارَة (: علامة ، رمز ، أمارة) sign, mark or distinctive mark, badge, token; indication
شارِح annotator
شارِع street; road
~ (كثير الاستعمال مفتوح الطرفين) thoroughfare
~ (: مُشرِّع) legislator, lawmaker
شارَكَ share (*a horse with somebody*), partake (*in something*), participate (*in*)
~ (في رأي) concur (*in opinion*)
شاسِع extensive, vast, immense
شاطِئ shore, seaside, beach
~ (: ساحل بحر) seashore
شاطَرَ divide (*benefit with someone*), share (*thing with...*)
شاطِرة (في كتابة) ، شواطِر punctuation(s)
شاعَ rumour (*as in: he is rumoured to be..., it is rumoured that..., rumour has it that...*); be widely known
~ (: انتشر) prevail, become rife or common, be widely spread
شاغَبَ agitate, disturb
شاغِر vacant (*office, throne, etc.*), unoccupied, empty; free, disengaged
ملك ~ estate in abeyance
شاغِل (عقار) occupant, occupier (*of realty*)
شاقّ hard, arduous, severe, strenuous (*work*)

شاكٍ (: الشاكي : مقدم الشكوى) complainant

شاكَسَ molest, pester, plague, pick a quarrel (*with*)

شاكَلَ (راجع ماثَلَ)

شامِل comprehensive, total, sweeping (*reform*); universal (*blessing*); wholesale (*slaughter*)

شامل للنفاذ (أو مشمول به) self-executing (*judgment, decree, etc.*)

شانَ mar, tarnish, sully; degrade, disgrace (*a name*), disparage (*value*), denigrate (*reputation*)

شأن concern, interest, business

~ (: مسألة ، امر ، خصوص) matter, context

صاحب ~ person concerned

من ~ (قرار ، عمل ، سلوك) (*decision, act, conduct*) is likely (*to*) or is bound (*to*)

شاهَدَ see, watch (*a fight*), perceive (*a change*)

شاهِد witness

~ اثبات witness for the prosecution, prosecution witness

~ خبير ، ~ خبرة expert witness, skilled witness

~ رئيسي (لنفي أو اثبات) star witness

~ سلوك character witness

~ سمع ear-witness

~ عدل competent witness

~ عنيد (صعب المراس) refractory witness

~ عيان eyewitness

~ متطوّع (يتقدم للشهادة دون أن يدعى لها) ultroneous witness

~ مصدّق credible witness

~ معادٍ (: بادي العداوة) hostile witness

~ معتمد unimpeachable witness

~ ملك أو ملكة King's or Queen's witness or evidence

~ نازح going witness

~ ناقم adverse witness

~ نفي defence witness

~ وصية witness to will

شاهَرَ deal (*with person*) on monthly basis or by the month

شاهِق high (*altitude*), tall (*building*)

شاوَرَ consult (*somebody*), seek advice; take counsel (*with*)

شايَعَ concur (*with*), support, follow, side with

شَبَّ break out (*as of fire, war, etc.*)

شَبَّ (اللهب ، شبّت النار في شيء) blaze (*: a thing burst into flames*), flare up

~ (: اصبح شابًّا) grow or develop into a youth, become a young person

~ (: نشأ) take to something (*a habit or a custom*) in young age

شَباب (سن) youth, young age

~ (حال ، شعور ، الخ..) youthfulness

شباط (فبراير) February

شَبَحٌ spectre, phantasm, ghost

شِبْر span

شَبِعَ be sated (*with*), be satiated (*with*), have one's fill (*of something*), be filled to repletion

~ (تناوَلَ كفايته) have enough (*of*)

شَبَق eroticism, intense sexual urge

شَبِق erotic, lustful (*person*)

شَبَكَ join, link, connect

~ (في مشكل أو ما إليه) embroil (*in a conflict, a difficulty, etc.*), entangle, involve (*in a tangle*)

شَبَكَة net; mesh

~ (: احبولة ، مكيدة) snare

~ توجيه grid

شَبَكِيَّة (العين) retina

شِبه (: شبيه) like, resembling, in the manner (*of*)

~ (: يقارب) *quasi*

~ اعتراف *quasi* admission

شَبَّهَ liken (*thing or person*) to, compare (*with*), equate (*with*)

شُبْهَة suspicion; doubt, question

شَبيبَة youth, the young

شُبَيْكَة mesh

~ (نافذة) lattice

شبيه akin (*to*), similar (*to*), like (*thing, person*),
شتّ stray, disperse, break apart, be scattered
شتّى diverse, divers (*things*); dissimilar (*views*)
شِتاء winter
شَتات (: تفرّق) division, dispersion
~ (: متفرق) divided, dispersed
شتّت disperse, scatter; dissipate, break up (*a community, an assembly, etc.*)
شَتْلَة seedling, transplant
شتم curse or utter curses, revile, abuse, call by ill names
~ (الاسماء الحسنى) blaspheme, utter profanity
شَتوي winter (*provisions, house, clothes*)
شتيمة (*verbal*) abuse, vituperation
شَجّ gash, crack, break
شِجار quarrel, brawl, fight
شجاعة courage
~ (واحتمال) fortitude
~ (: جرأة) audacity, daring, nerve
شَجَب denounce (*act, behaviour*), censure (*person, policy*), reprehend, rebuke
شَجَرَة tree
~ حدّية [قانون] *arbor finalis*
~ نسب genealogical tree, pedigree, *arbor civilis*
شَجّع encourage; hearten, inspirit; cheer (*somebody*)
~ (: جرّأ على سلوك أو فعل) embolden
~ (على سوء) abet (*a criminal act*), incite (*sedition*), instigate (*revolt*)
شَجَنَ (راجع أحزنَ)
شَحّ be scanty
~ (: بَخُلَ) be niggardly or stingy
شحٌّ (راجع بخل)
شحّاذ beggar, mendicant, pauper
شَحَذ whet, sharpen
~ (: ألحّ في الطّلب) beg, ask earnestly
شَحْذ whetting, sharpening
شحّط (على شاطئ) run or go aground, beach, get stranded
شَحم fat

شَحْم (للمحركات وما إليها) grease
~ حيواني animal fat, tallow
~ نباتي vegetable fat
شَحّم grease, lubricate with grease
شَحْن loading, shipping, shipment
~ جوي air freight
باخرة ~ cargo ship, freight ship
تعقيب ~ forwarding
قطار ~ freight train
متعهد ~ stevedore
شَحَن (: حمل) load, freight, clear on board
~ (: ارسل) send, dispatch, have conveyed or transported
~ (على سفينة) ship
~ (بتيار كهربائي) charge
شَحْناء (راجع عداوة)
شحنة consignment, cargo (*on ship*), shipment, freight
~ (من تيار كهربائي) charge
~ معاقة (: حالت دون ركوبها قوة قاهرة) shut-out cargo
قيم ~ (بحرية) supercargo
شُحوب paleness, pallor
شَحيح scant, niggardly, stingy
شَخَصَ (: ارتفع) rise
~ (: حدّق) stare, gaze fixedly
~ (: غادر) depart, leave
شَخْص person
~ افتراضي ، ~ وهمي fictitious person
~ اعتباري ، ~ معنوي artificial or judicial person
~ دولي international person
~ طبيعي natural person
~ غير مقبول *persona non grata*, undesirable person
~ قانوني juridical person
~ مقبول *persona grata,* desirable person
شَخّص (: عين ، ميز ، استدل على شخص) indentify, (*recognize*)
~ (: رمز إلى شخص) personify
~ (: مَثّلَ شخصيّةَ الغير) impersonate
~ (مرضًا ، علة ، الخ..) diagnose
شَخْصي personal

شخصيّ (: خاص) private
~ (: ذاتي) subjective
شَخصيًّا in person, personally
شَخصِيّة personality, personage
~ اخرى (في الشركات حيث يجوز لشركة صغرى أن تدع المسؤولية عنها لشركة كبرى) alter ego
شَدَّ tighten, bind or fix firmly, tauten (*a line*)
~ (عزمًا ، ازرًا) invigorate, strengthen, aid, encourage
شِدّة (: صعوبة) hardship, difficulty
~ (: قسوة) rigour (*of the law*), severity
~ (: تقلب زمن ، محنة ، سوء حظ) vicissitude, adversity, misfortune
~ (حرارة أو ما إليها) intensity (*of heat, cold, etc.*)
شَدَخ crack, gash
~ (راجع شقّ)
شَدَّد tighten, intensify, enhance, heighten
~ (عقوبة ، فداحة جرم) aggravate; render severer or more serious
شَديد (في تصرف) harsh, strict, stern
~ (في وقع) severe, rigorous, intense (*cold, heat, etc.*)
~ (: مشدد ، قاس) hard, stringent, arduous, austere
~ (: شاق ، ثقيل) arduous, heavy
~ (: خطير) grievous
~ (: داكن) deep (*blue*), dark (*red, etc.*)
شَذَّ deviate, act irregularly, stray from rule or norm, be abnormal
شُذوذ (عن قاعدة) irregularity, deviation
~ (عن المعتاد من اطوار أو طباع) eccentricity, abnormality, oddity, peculiarity
~ (جنسي) perversion
~ (: خروج شديد عن طبيعة مألوفة) anomalousness
شَرّ ، شِرِّير evil, wicked, baneful (*effect*), bad, pernicious (*character*)
(راجع شرير)
شِراء purchase
~ بشرط الخيار (بورصة) call
عملية شِراء خيارية في البورصة buyer's option
شَراب drink, beverage
شَرارة spark, scintilla
شِراع sails
شَراهة ، شَرَهٌ (في أكل أو ما إليه) gluttony, voraciousness
~ (: اقبال مفرط على مال أو شأن) avarice, avidity, greed or greediness, cupidity
شَرِب drink (*up*), consume (*beverage, etc.*)
شُرْب potation, drinking
(قابل للشُّرب من ماءٍ أو ما إليه potable)
شَرَج anus
شَرْج (: نوع) kind, sort; genus, species
شَرَجي anal
شَرَح explain, elucidate (*a theory*), expound (*a view*)
شَرْح explanation, elucidation
~ هامشي annotation
شَرَّح carry out an autopsy or a post-mortem examination; dissect
~ (: قطع على هيئة شرائح) slice, shave
شَرْحَة (: شريحة) piece, slice
شَرْحُه (: كمثله) *idem*, same or the same
شَرَدَ (: نفر) shrink, recoil, shy (*from something*)
~ (: فرّ) run away, shun, flee or fly (*from something*)
~ (: حاد) deviate, swerve
شِرْذِمَة handful or small group (*of people*)
شَرِس fierce, aggressive, quarrelsome, pugnacious, truculent (*attitude*)
~ (: حاد الطبع ، سريع الغضب) irascible
شَرْشَرَ serrate
(شرشرة *serration*)
شَرَطَ (: وضع شرطًا) stipulate, lay down condition or term, require as term (*for an agreement*)
~ (: شقّ) slit, tear, rip
~ (: قطع) cut (*into*), incise
~ (لجراحة أو ما إليها) make an incision
شَرْط condition, term, proviso, clause

شَرْط إجباري	compulsory condition
~ اختياري	disjunctive condition
~ استنادي	dependent condition
~ تعددي	copulative condition
~ تمهيدي ، ~ سابق .	precedent condition
~ سالب	negative condition
~ صريح	express condition
~ ضمني	implied condition
~ عارض (أو عرضي)	casual condition
~ فاسخ أو مبطل	dissolving condition; protestative or resolutory clause
~ فرعي	collateral condition
~ فساد (في التأمين البحري)	rotten clause
~ لاحق	subsequent condition
~ متبادل	mutual condition
~ متناقض (أو متنافر)	repugnant condition
~ مختلط	mixed condition
~ مستقل	independent condition
~ منفرد (: فردي)	single condition
~ موجب	positive condition
~ واقف	suspensive condition
شروط متقابلة	concurrent conditions
شُرْطة	police; constabulary
~ ادارية	administrative police
~ جنائية	criminal police
~ عسكرية	military police
~ قضائية	judicial police
قائد ~ عسكرية	provost marshal
شَرْطي	conditional
شُرْطي	policeman, constable
شَرَعَ	commence, set about (*business, enterprise, etc.*)
~ (في فعل منافٍ للقانون)	attempt
شَرْع	law; doctrine
شَرَّعَ	legislate, enact law, make law
شِرْعة	law, precept
شَرْعيّ	legitimate, lawful, legal; rightful (*owner, etc.*)
~ (: اسلامي)	Shariite
شَرْعِيّة (: مشروعية)	legitimacy, legality

شَرَف	honour
~ (: عفة)	honesty, integrity
كلمة ~ (: عهد شفوي)	parole
مسألة ~	a point of honour
شَرَّفَ	honour
~ (قصداً ، سبباً ، عملاً)	ennoble
شَرْق	east, Orient; Levant
نحو الشرق	eastward, eastbound
الشرق الأدنى (: البلقان وتركيا)	Near East
الشرق الأوسط (: من مصر إلى ايران)	Middle East
الشرق الأقصى (: ما بعد ايران نحو الشرق)	Far East
شَرْقيّ	eastern; easterly (*direction, wind, etc.*); Oriental (*person*); Levantine
شَرَك (: مصيدة)	net, trap, snare, gin, pitfall
~ (لصيد الغزال)	buckstall
~ (: اجراء مدبر للإيقاع بشخص أو القبض عليه)	dragnet
شِرْك (: نصيب ، مشارك)	share, partner
شَرِكة	company, corporation
~ ائتمان	trust company
~ اجنبية	foreign company
~ احتيالية (خيالية)	bubble company
~ اهلية	domestic company
~ بحكم القانون	company or corporation *de jure*
~ بحكم الواقع	corporation *de facto*
~ بسيطة	partnership
~ بسيطة عامة	general partnership
~ بسيطة كلية	universal partnership
~ بسيطة محدودة	limited partnership
~ بسيطة من الباطن	subpartnership
~ تابعة أو فرعية	subsidiary company
~ تَضامُن	joint liability company
~ توصية	*commandite*
~ توصية بسيطة	partnership *in commendam*
~ جامعة	aggregate corporation
~ خاصة	private company
~ صورية	tramp company
~ عامة	public company
~ فردية	sole corporation
~ قائمة	going corporation or company
~ قابضة ، ~ مهيمنة	holding company

شَرِكة مأذونة (من التاج) chartered company
~ مالكة proprietary company
~ متبوعة (: شركة أُمّ) parent company
~ محدودة limited company, limited liability company
~ مساهمة joint stock company
~ مغفلة anonymous company
شَرْنَقَة (: فيلجة) cocoon
شَرِهَ (في أكل أو ما إليه) be a glutton
~ (: اقبل في افراط متناه على شأن) be greedy; be avid (*of or for*), act avariciously
شَرِهٌ (: نهم في اكل أو ما إليه) glutton, voracious
~ (: مفرط التعلق بشأن) avaricious (*merchant*), avid (*of or for*), greedy, cupid
شَرَهٌ (راجع شراهة)
شُرود الفكر (او الذهن) abstraction of thought, absentmindedness
شُروع (: بدء) commencement, initiation
~ (في جريمة) attempt
شُروق (الشمس) sunrise
شِريان artery; channel (*of communication, of trade, etc.*)
شَريحة slice, piece
شِرِّير wicked, nefarious (*act, counsel, etc.*), evil (*person, intention, etc.*)
شَريط tape; ribbon, ribband; band (*of cloth*)
~ (: شارة رتبة أو ما إليها) stripe
~ (طلقات نارية) cartridge belt
شَريعة law, norm; doctrine; Code (*as of Hammurabi, Moses, etc.*)
~ العنف club law
الشريعة الإسلاميَّة Shari'a (*Islamiyyah*)
شَريف honest, honourable; upright; noble (*person, blood, act*)
~ (من نبلاء قدماء الرومان) patrician
شَريك partner, associate
~ (في جرم) accomplice, complice, accessory
~ استعهاد ، ~ اشتراط stipulator
~ اسمي nominal partner
~ جديد (منضم) incoming partner

شَريك خاص special partner
~ ظاهر ostensible partner
~ عاقب surviving partner
~ عامل acting partner
~ متكتم أو صامت (أو متحفظ) secret or silent partner
~ مُصَفٍّ liquidating partner
~ موص (محدود المسؤولية) limited partner, partner *en commandite*
~ نائم sleeping partner
شَطَّ drift, stray, depart (*from a subject*), digress, deviate, err
شَطَبَ delete, cancel, expunge, erase, strike out, quash
~ (من جدول) strike off (*roll*)
~ دعوى nonsuit
شَطْب deletion, cancellation
~ دعوى peremption (*of suit*); nonsuit
شَطَر divide in two, break in half
شَظَف (عَيْش) hardship, privation
شَظِيّة (: شظايا) splinter(s), sliver(s); spall (*of rock*), fragment
شَعَّ (: أشعَّ ، أطلق ، نَثَرَ) radiate, emit (*waves, etc.*), disseminate
شِعار motto
~ (: شارة خاصة) emblem
~ (مميز) badge
شُعاع light, ray
شُعاعَة beam (*of light*), ray
شَعَبَ split, cleave, break, rend, divide
شَعْب people
شَعَّبَ ramify (*a front*), cause to branch, split up into branches
شُعْبَة branch
~ (: فرع) ramification, offshoot
شَعبي popular
شعبية popularity
شُعَبِيّ bronchial
التهاب ~ bronchitis
التهاب ~ شعري capillary bronchitis
نزف ~ bronchorrhagia

شَعَث dishevel
شَعَّث disperse, scatter, divide
شَعَرَ feel, sense (*warmth, trouble, etc.*)
شَعْر hair
~ مستعار false hair, toupee, peruke, periwig
شَعْري capillary
شَعْرِيّة capillarity
شَعَل kindle, light, set alight, start (*a fire*), set fire to, ignite
~ (: سبب) spark (*something*) off
شُعلة flame
شَعْوَذة imposture, charlatanism, humbuggery, hoax
شُعور feeling, sense; emotion
~ (: عاطفة ، مشاعر) sentiment(s)
~ (: عطف) affection
~ مع الغير empathy
مراعاة ~ (الغير) paying deference (*to others*)
شُعوريّ emotional; emotive, arousing emotion, appealing to emotion
~ (: عاطفي) sentimental
شَعير barley
شَعيرة (ج. شعائر) tenet, precept; rule (*of a doctrine*), rite, teaching
شَغَب affray, agitation, disturbance; turmoil; sedition
شَغَرَ become vacant or empty; be disengaged (*from a pledge, engagement, etc.*)
شَغِفَ be fond (*of*), be strongly attracted (*to*)
شَغَل occupy; fill, take up, engage (*mind, time, etc.*)
شَغَل (: اقلق) preoccupy
شُغْل business; work, labour; occupation
~ بالقطعة work by the job
~ (: حيازة) possession, occupancy
اشغال شاقة hard labour, penal servitude
شَغَّل employ; engage (*in one's service*); operate, run (*a factory*), put into motion, activate (*a business*)
شُغور (ملك ، حق ، الخ..) vacuity, abeyance; vacancy, disengagement

شغور (عَرْش ، رئاسة ، الخ..) interregnum
شَفَّ reveal, betray
شَفَى (من داء) cure (*a disease*), heal (*a wound*)
~ (: رد عافية) restore health
شَفا (: حافة) verge, brink, edge
شِفاء recovery (*from illness*), healing, restoration of health
~ من كل داء panacea, cure-all
شَفاعة intercession, mediation, good offices of mediator
شَفَّاف transparent
~ (: غير صاف) translucent
شَفَة lip
~ [هندسة] flange
شَفْرَة blade
~ (: حدّ) edge
شفرة (راجع شيفرة)
شَفَط suck, draw in (*liquid*)
شَفْط (قانون خزن الخمور) soakage
شَفَعَ (: استولى بسبيل الشفعة) preempt (*a neighbouring land*)
~ (: أعان ، توسط لرحمة) help kindly, intercede (*for mercy*), intervene on other's behalf
~ (في شفعة) preempt
~ (: قرن ، سند) couple (*with a title, certificate, etc.*), corroborate, sustain, support
شُفْعَة preemption
شَفِق (: رثى أو رق لشيء) pity, take pity on, feel tenderness for
شَفَقَة pity, ruth, sympathy, compassion, mercy
شَفَهيّ ، شَفَويّ oral, verbal; parol (*contract, obligation, etc.*)
شُفوفيّة transparency, translucence
شَفوق pitying, sympathetic, compassionate
شُفِيَ recover (*from illness*), regain health
~ (الجرح) heal, patch up
شَفير brink, verge, brim, edge (*of disaster*), flange (*of a wheel*)

شَفيع (في شفعة) preemptioner, intercessor (*for mercy*)
شَقّ incise; cut through, thrust in, slit, slash
~ (راجع صعب)
~ عصا الطاعة (راجع تمرَّد)
شَقّ crack, fissure (*in wall, floor, etc.*), cleft, cleavage, crevice; incision (*in abdomen, arm, etc.*); slit, slash
شِق (: جنس) sex
~ (: نصف ، جانب) half; side, section
شِقاق discord, dissension
شَقِيّ wretched, miserable, unblest
شَقِي suffer misery or misfortune, suffer adversity
شَقيق full brother, brother-german
شَكّ doubt, have doubt (*about*), suspect (*somebody, theft, etc.*)
شَكّ doubt, uncertainty
~ (: ريبة من شأن) suspicion
~ متزن rational doubt
~ معقول reasonable doubt
شَكا make (*or file*) a complaint, inform against; report (*a person*), denounce (*somebody to the authorities*)
شَكَرَ thank, express gratitude or appreciation
شُكْر thankfulness, gratitude; appreciation
شَكِس quarrelsome, pugnacious
شَكَل (الامر) (راجع التبس)
شَكْل form, mode, state, fashion
شَكَّل form, constitute, compose; make (*a whole, a difference, etc.*)
~ (قرينة) raise a presumption
~ (هيئة محلفين) impanel (*jury*)
شَكْليّ formal, of form
~ (: رمزي ، اسمي) nominal
شَكْلِيّات formalities, matters of form
شَكَمَ (بصنارة) hook
~ (الفرس) bit (*horse*)
~ (الحاكم : رشاه) (راجع رشى)
شَكْوَى complaint; denouncement
شَكيمة bit, mouthpiece
شَلّ paralyse
~ (: اقعد ، عقد ، عطل عن حركة) cripple, hamstring, palsy (*a certain sense, a vital organ*)
شَلّال waterfall, cascade, cataract
شِلَّة (راجع خُصْلة)
شَلَّح (: عرَّى ، نهب بالعنف) denude, despoil
~ (: سطا على طريق عام) rob (*on a highway*)
شَلَل paralysis, palsy
~ يدوي wristdrop
~ الحنك (الرخو) uranoplegia
~ الجانبين diplegia
~ رجفاني (ارتعاشي) trembles
~ سفلي paraplegia
~ عام panplegia
~ عصبي neuroparalysis
~ عضلات العين ophthalmoplegia
~ القلب (التبريدي) cryocardioplegia
شَمّ smell
~ (: اشتَمّ) sense (*fraud, danger*)
الشَمّ (حاسة) smell
شَمال (جهة) North
شِمال (: يَسار) left
شَمِت rejoice (*or delight*) in others' misfortune
شَمَخ (: ارتفع) soar or tower (*above*)
~ (راجع تَكَبَّر)
شَمْس sun
شَمْسيّ solar
~ (تقويم) calendar
يوم (أو شهر) ~ calendar day (*or month*)
شَمْع wax
~ نحل beeswax
شَمَّع wax, seal (*with wax*)
شَمْعَة candle
~ (محرك) spark plug
شَمَلَ (: انتظم) include, comprise, comprehend, involve, cover, incorporate
~ (: احتوى) contain, embrace, embody, encompass
شَمْل inclusion, incorporation

شَمْل أطراف الخصومة	joinder of parties
شَمَنْدور (: منار)	beacon, lighthouse
شَنَّ (حربًا)	wage, make (*war*)
~ هجومًا	mount an offensive (*against*)
شَنَّع (راجع فَضَحَ ، عاب)	
شَنق	hang
~ (عامية)	scrag
شَنْقًا	by hanging
شَنيع	heinous, atrocious, ugly, outrageous (*act, conduct, spectacle, etc.*)
شِهاب	meteor
~ (متفجر)	bolide
شَهادة (١) (: بيان رسمي يتصل بالغير)	certificate, testimonial
~ اسهم (أو حصص)	share certificate or scrip
~ اسهم الحامل	share-warrant to bearer
~ اسهم امتياز	certificate of preferred stock
~ اكتتاب (باسهم)	stock certificate
~ امان (سفينة)	certificate of safety
~ إيداع	certificate of deposit
~ تأسيس	certificate of incorporation
~ تسجيل سفينة	certificate of registry
~ تفريغ	landing certificate
~ سلبية بعدم ايداع حكم	negative certificate attesting want of deposit of judgment
~ سوابق	certificate of police record
~ شراء (أو بيع)	certificate of purchase (*or sale*)
~ مصاريف	certificate of costs
شهادة (٢) (كركن اسلامي)	confession of faith
شَهادة (٣) (يدلي بها شاهد)	evidence, testimony
~ اجتهادية	opinion evidence
~ ايجابية	positive testimony
~ خبرة	expert testimony
~ سلبية	negative testimony
~ سمع	hearsay (*evidence or testimony*)
~ شفوية	parol evidence
~ لياقة	recommendation
شَهِدَ (١)	testify, bear witness, certify, attest (*to something*)
شَهِدَ (٢) (: رأى ، حضر)	witness, see, be present at, attend
شَهَر	publish, register (*title, sale*)
شَهْر (١)	month
~ شمسي (غريغوري)	solar or calendar month
~ قمري (هلالي)	lunar month
~ مدني	civil month
شَهْر (٢)	registration
~ عقاري	real estate or land registration
شَهَّر (بـ)	defame, slander
(راجع تشهير)	
شُهْرة (١) (: ذيوع صيت)	fame; repute
~ (برذيلة)	notoriety
شُهْرة (٢) (: لقب عائلي ، كنية)	family name, surname
شَهْريّ (: شهريًّا ، مشاهرة)	monthly, per month
شَهَقَ (بعد بكاء أو ما إليه)	hiccup
~ (: ارتفع) (راجع شَمَخَ)	
شَهْم (راجع ذكي)	
~ (: ذو مروءة)	gentleman, gallant
~ (: صائب الرأي)	astute
شَهْوانيّ ، شَهْويّ	lewd, carnal, sensual, libidinous, lascivious, prurient
~ (صُوَر ، منشورات)	pornographic (*pictures, publications, etc.*)
شَهْوَة	craving, lust, sensuous appetite
شهيد	martyr
~ (: شاهد)	witness
شُورَى	advisory; by counsel, through deliberation, subject to consultation
شَوَّش	disarrange, disturb, throw into disorder, disarray, disharmonize, disorganize (*a system*)
~ (: اقلق ، اربك)	disconcert, perturb
شَوْط	round
~ (: ضربة)	stroke
شُوفان	oat(s)
شَوْكة	thorn; fork
~ (: حُمَة ، ابرة النحلة)	sting
~ (: قوة ، بأس)	might, power, valour, strength
~ (: نبات أو ما إليه)	thorn
شَوْكة ثقْب	drill point

شَوَّه (منظر شيء)	disfigure, deface
~ جسمًا)	deform, mutilate, maim
~ (واقعًا أو حقيقة)	distort, misrepresent (*fact, truth*)
~ (: لطخ)	sully, smear, mar
~ (: افسد)	spoil, impair, damage
~ (سمعة)	denigrate, disparage
شَيء	thing
~ (: شأن ، مسألة)	matter, affair
~ (راجع أشياء)	
شَيَّبَ	cause hair to turn grey, make old
شَيْخ (: عجوز)	old (*man*), aged, advanced in age (*or years*), elderly person
شَيْخوخة	old age; senescence; senility
شَيَّد	build, construct, erect
شَيَّعَ	escort, accompany, see (*friend*) to (*station*), see him off (*to Timbuktu*)
~ (على رأي) (راجع شايع)	
شيعة (الامام علي بن أبي طالب)	Shia(h)
~ (: فرقة)	sect, party
شيعي	Shiite
شِيفرة	cipher (*cypher*); code
~ برقيات	cable code
شِيك (على بنك)	cheque
~ باطل ، ~ بلا رصيد	flash cheque, stumer cheque
~ دوري	circular cheque
~ سياحي	traveller's cheque
~ صيرفي	cashier's cheque
~ على بياض	cheque in blank
~ فائت المدة (ساقط التاريخ)	stale cheque
~ مردود (أو مرفوض)	dishonoured cheque
~ مسطر (أو مشطوب)	crossed cheque
~ معتمد ، ~ مصدق	certified cheque
شيمة	wont, habit, character
شُيوعِيّة	communism

صائغ	goldsmith
صاب	(راجع أصاب)
صابَرَ	suffer patiently, resign (*one's mind to one's fate*), be unyielding in pain, have equanimity
صابورة (لتثقيل سفينة)	ballast
صابون	soap
صابوني	soapy
صاحٍ (: غير ثمل)	sober, not drunk
~ (: غير غافل)	conscious, awake; aware
صاحَ (: صرَخ)	shout, cry (*out*); scream
صاحِب (: رفيق)	companion, comrade; friend
~ إجارة	tenant
~ الدعوى	suitor
~ (: مالك)	owner, proprietor, (*title*) holder, titular
~ (فعل)	author
صاحَب (: رافق)	associate (*with*), keep company (*with*)
~ (: لابس)	accompany, attend (*a circumstance, a conduct, etc.*)
صاد	(راجع اصطاد)
صادَرَ	confiscate (*money, goods, etc.*), impound (*property, copies of a newspaper, etc.*)
~ (مؤقتًا)	sequestrate
صادِرٌ	outgoing, issuing (*or issued*); departing (*from*)
صادرات	exports, outgoings; issues (*of shares, banknotes, etc.*)
صادَفَ	chance upon, happen to find or meet (*thing or person*)
~ (: لاقى)	contract, incur
~ (تاريخًا او زمنًا معينًا)	fall; occur (*on*)
صادِق	truthful, true, veracious
صادَقَ (١)	sanction; affirm, confirm, approve
~ (: أبرم)	ratify (*a treaty, an agreement, etc.*)
صادَقَ (٢) (: اتخذ صديقًا)	befriend (*somebody*), make friends (*with*), fraternize, offer friendly sympathy
	(راجع ساعد منعًا للالتباس)
صار	become, turn to be
~	(راجع وَصَلَ (: بلغ))
صارَحَ	be frank (*with*), speak openly or plainly
صارِخ (: وحشي ، اثيم)	monstrous, outrageous, heinous (*crime, act, etc.*)
صارَعَ	wrestle; engage in a bout (*with*); strive earnestly
صارِم	severe, harsh (*punishment*)
~ (: لا يهاود في مراعاة نظام)	stern, strict
~ (: قاسٍ)	grim, austere (*living, method, etc.*)
صاروخ	rocket
~ كابح	braking rocket
صاعد	rising, emergent (*nation, etc.*), mounting (*prices, taxes, etc.*), ascending
صاعِقة	thunderbolt
صاغَ	phrase (*letter*), draft (*bill*), articulate (*agreement*), formulate (*rule, principle, etc.*), compose
~ (: سبك معدنًا ، معنى او غيره)	mould, cast, forge, formulate
صافٍ	pure, unmixed; wholesome; perspicuous (*statement, expression, etc.*)
~ (من ربح ، اتعاب ، الخ..)	net, clear
صافَى	bear no grudge (*against*), be sincere or true (*to*)
صافَحَ	shake hands (*with*)

صافَعَ exchange slaps, slap each other's face
صافَقَ bargain or strike a bargain, conclude a deal
صاقُور axe, pick
صالَبُ سفينة (: قاعدتها) keel
صالَة hall; saloon; salon
~ (: غرفة كبرى لاجتماع) auditorium
~ (في دار ، منزل) drawing room, reception room
صالَحَ reconciliate, bring about a reconciliation between, patch up (*quarrel, etc.*); make peace (*with*); make up (*with*)
~ على جرم compound a crime
صالِح fit, suitable; worthy; practicable (*for a certain purpose*)
~ (: خير) welfare, good, well-being
~ للطيران (طائرة) airworthy
~ للملاحة (سفينة) seaworthy
~ للملاحة (نهر ، مياه) navigable
صام fast
صامِت silent, tacit
~ (: عديم الحركة) still
صانَ keep, preserve, maintain
صانِع maker, manufacturer
~ (ذو حرفة يدوية) artisan
صَبَّ pour, discharge, flow, drain (*as of a river into a lake*)
~ (في قالب او شكل خاص) cast, mould
~ (: غرس روح الشجاعة او التضحية او ما إلى ذلك) infuse, imbue, ingrain
الصَّبُّ affusion; pouring, inflow; casting
صبُّ البئر البترولية casting of oil well
صَبا (إلى) aspire (*toward*)
~ (: حَنَّ) yearn (*for or after*), crave (*for*)
صِبا (: سابق للمراهقة) puerility; childhood
صباح morning
صَبّاغ dyer
صُبْح early morning
صَبْر patience, calm endurance, equanimity
صَبَرَ be patient; withstand, endure, bear or suffer calmly; be steadfast (*in adversity*)

صُبْرة (بلا كيل) bulk, job lot; stack
بالصبرة by bulk, by job lot
صَبَغ dye
~ (بلون : لوَّن) tinge, colour
صِبْغَة dye, colouring; tincture
~ (: صفة) character
صَبُور patient; steadfast in adversity, enduring resignedly
صبي infant, minor (*child*)
~ (: ولد) boy, lad
~ (: متدرب على حرفة) apprentice
صَحَّ be right or correct or true
~ (: أبل من علة) recover
صَحا (من غفلة ، سكر ، الخ..) sober up, come to one's senses
~ (من إغماء) come to, recover consciousness
~ (من نوم) awaken, wake up
صَحائف تمهيدية protocol
صحابة companions (*of the Prophet*), associates
صحابي companion (*or associate*) of the Prophet
صحافة (علم) journalism
~ (: متعلقاتها من منشورات وأعمال وجهات رسمية وما إليها) press
صِحافي journalist; pressman; newspaperman
صَحِبَ (راجع صاحَبَ)
صُحْبَة company (*of*), society (*of fools, tramps, etc.*)
صِحَّة health; truth (*of statement*), validity (*of agreement*), regularity
~ (: صواب ، سلامة) justness, soundness, propriety, correctness, accuracy
عِلم الصحة hygiene
صَحَّح (: صوَّب ، قوَّم) rectify, correct, right, set right; amend, validate (*procedure*)
صحراء desert
صحراوي desert (*climate, wind*)
صَحَفِيّ journalist, newspaperman
صَحْن (راجع ساحة (: فناء))
صَحْو sobriety; consciousness
~ (: خال من الغمام) clear, bright, cloudless (*sky, morning*)

صَحْو (: وقوف على شأن) — awareness; awakening
صحّي — healthy (*climate*), healthful (*food, pursuits, etc.*), salutary, wholesome
~ (: به مستلزمات المحافظة على الصحة) — sanitary
صَحيح — true, right, correct, proper, appropriate
~ (: سليم) — sound, whole; valid (*deed, contract, etc.*)
~ (: في محله) — apposite, in order
~ البنية — able-bodied
~ (عدد) — whole, integer (*number*)
صَحيفة (: جريدة) — newspaper
~ دعوى — declaration, initiatory pleading
اعلان ~ دعوى — citation, summons, notice of action
صَخَبٌ — hubbub, commotion, uproar
صَخْر — rock
صَدَّ — repel, repulse (*an attack*), beat back, foreclose (*right, privilege*); rebuff
~ (شيئًا دون غايته) — intercept
~ (: منع عن شأن) — bar, preclude, prevent (*from*), obstruct, oppilate, occlude
~ [قانون] — estop
مصد (كدولة بين دولتين متعاديتين) — buffer (*state*)
صَدِئَ — rust, form rust, become oxidized
صَدِئٌ (: يكسوه الصدأ) — rusty, oxidized
الصَّدأ — rust
الصَّدَى (: تكرار الصوت بانعكاس الموجات الصوتية) — echo
صَدارة — precedence or precedency, priority
صُداع — headache
صَداق (: مَهْر) — dowry, dower
صَداقة — friendship, amity
صِدام — collision; violent encounter
~ بحري — abordage
صَدَرَ (: يصدر) — issue, emanate, come forth, flow out, originate; emerge, arise (*from*), issue forth
~ (: يصدر من قانون ، منشور او غيره) — be promulgated, be issued
~ (: حصل صدوره او تنظيمه) — promulgated, made
صَدْر — chest; breast
~ (: ثدي) — breast
صَدْر (: صدراة) — forefront
صَدَّر — export
صَدَعَ — split, rend, divide
صَدْع — cleft, crack, split, rift, breach, rent, fissure
صِدْفة — chance, accident, haphazard
صَدَفَة — shell
صَدَّق — believe, give credit (*to story, report, etc.*), accept as truth
~ (: شهد على صحة) — attest (*to truth*), certify
~ (: وافق ، أيد ، الخ..) — sanction; affirm, confirm, approve
~ (: وثّق) — authenticate (*a document*)
~ (: ابرم) — ratify
صَدَقَ — tell the truth, be truthful
~ (وعدًا) — fulfil, keep (*a promise*)
صِدْق — truth, verity (*of statement, report, etc.*)
صَدَقة — alms, charity
صَدَمَ — collide, be in collision (*with*) or come into collision (*with*), bump or knock (*against*)
صَدْمة — shock; jolt, concussion; impact, collision
~ جسدية — physical shock
~ عقلية — mental shock
~ قنبلة (: خلل عصبي) — shell shock
صَديق — friend
دولة صديقة — friendly state
صَرَّ — clench (*one's teeth*), clinch, hold (*something*) fast, clutch
صَراحة (في قول ، عمل ، الخ..) — frankness, openness, forthrightness
~ (: وضوح) — explicitness; expression
صراحةً — frankly, openly, flatly, point-blank (*as in: reject* ~), expressly, explicitly
صراع (راجع مصارعة)
صَرَّاف — cashier
~ عملة (: صيرفي) — money changer
صُرَّة — faggot, bundle
~ (: ما يُصَرُّ به) — wrapper
صَرَّح — declare, aver, announce (*something*)
~ (: أقرَّ بأنه) — avow (*himself to be the cause of something*)

صَرَّح (: أبان صراحة) express
~ (: أذن ، خوّل) permit, authorize
صَرْح impressive structure, edifice
صَرَخ (راجع صاح)
صَرْع epilepsy
~ (راجع كلب)
صَرَع (: طرح ارضاً) fell, knock or throw down
صَرَف spend, expend, lay out (*capital, etc.*), consume (*effort, time, etc.*)
~ (عن شأن) divert (*from a certain course*), deviate, turn aside (*from*); distract (*attention*)
~ (: استنزف) exhaust
~ (ألمًا ، خوفًا ، الخ..) relieve, allay
~ (: بدّل نقدًا بآخر) exchange
صِرْف pure, sheer (*madness, fantasy*); flawless (*gold*)
صَرْف (النقد : تحويله من نوع الى آخر) exchange
سعر ~ exchange rate
سعر ~ بما دون التعادل exchange at a discount
سعر ~ بما فوق التعادل exchange at a premium
سعر ~ تعادلي (عند حد التعادل) exchange at par
صَرَّف dispose of (*goods, etc.*), get rid of
~ (: باع) sell out
~ (أفعالاً) conjugate
صَرَمَ (راجع قَطَعَ)
صَريح express (*provision*), explicit; flat (*denial, refusal, etc.*), frank, open, outspoken, forthright (*refusal, opposition, etc.*)
صَعْب hard, arduous, difficult; tough (*question*)
صَعُبَ harden, become arduous or difficult, indurate; toughen
صَعَّبَ render more difficult, harden
صَعِدَ ascend (*a hill*), rise, mount (*upon*); board (*train, ship, plane, etc.*); scale (*mountain, etc.*)
صَعَّد escalate, heighten
صَعَق fulminate, electrocute, stun, dumbfound
صَعَلٌ (: قصر الرأس) brachycephaly, microcephalia
صُعْلوك rogue, vagabond, vagrant

صُعوبة (عمل ، حل ، الخ..) difficulty; toughness
~ (: مشقة) hardship
صُعود ascent, ascension (*of Christ, etc.*); rising, soaring (*of prices, taxes, etc.*); boarding (*of train, ship, plane, etc.*)
صُعوديّ [بورصة] bullish (*effect, purpose, etc.*)
صَغر diminish, decrease, become small or little, become insignificant
صَغَّر diminish, reduce, render smaller
~ (من شأن) belittle, minimize
صُغْرى (من حيث الحجم او السن) smallest, youngest
~ (مشاكل ، حروب ، الخ..) minor
صَغير small, little
~ السن of tender age
~ (: دون سن الرشد) minor, infant, young child or person, juvenile
~ ، اصغر (بالنسبة للغير) junior
صَفَّ line (*up troops*), range (*fishermen along the bank*), set in a row, align, array (*forces, men, etc.*)
صَفّ file, line, row (*of people, things, etc.*), rank
~ (منتظرين من اناس) queue, cue
ضابط ~ non-commissioned officer
ضابط ~ (بحري) rating
(وقفوا صفًا واحدًا ضد عدو (*stood shoulder to shoulder against a foe*
صَفا clear up, become clear, be free from obstruction or intrusion
صَفّى filter, strain (*by strainer*); purify (*liquid*), refine (*petroleum*); cleanse
~ (: سوى حسابًا او ما اليه) settle, clear
~ (شركة ، تفليسة ، الخ..) liquidate, wind up
~ (كتبًا ، منشورات ، الخ.. من مواد نابية) expurgate
صَفاء purity, clearness or clarity; perspicuity (*of expression*), limpidity (*of style*)
صِفاد (راجع صَفَد)
صِفَة (: وصف) description, designation
~ (: خلق ، طبع ، ميزة) character, characteristic, trait; nature, quality, attribute

صِفَة (تؤهل لشأن) qualification
~ (قانونية) capacity
~ تشريحية autopsy
صَفَحَ pardon, forgive, condone (*matrimonial infidelity*); excuse
صَفْح pardon, forgiveness, condonation
صَفَّحَ armour, sheathe (*with sheets of metal*)
صَفْحَة page
صَفَد ، صِفاد fetter(s), handcuff(s), manacle(s), shackle(s), chain(s)
صِفْر zero
~ (: لا شيء) naught, nil
صَفَر ، صُفْرَة (: يرقان) jaundice
صَفْصاف (شجر) willow
صَفَعَ slap (*another's*) face, hit
صَفَّقَ (باليدين) clap (*the hands*)
~ (اعجابًا بشخص) applaud
صَفْقَة bargain, deal, transaction, ceap
~ آجلة (لشراء آجل) time bargain
~ تحوُّط hedging bargain
~ جزافية chance bargain
~ ربوية catching bargain
~ فريدة isolated bargain
~ فورية spot bargain
~ مجحفة raw deal
~ منصفة square deal
صَفْوَة (بضاعة) choice, prime
~ (شيء) pick (*of something*), choicest , best
~ (لا يفوقها او يتجاوزها شيء) *ne plus ultra*
صَفِيّ intimate or bosom (*friend*), selected, chosen
صَفيح tin (*foil*)
صَقَلَ burnish, polish
~ (بطبقة من طلاء خاص) glaze
~ (ورقًا او قماشًا او ما الى ذلك) calender
~ (: هَذَّبَ) refine, perfect
صَقيع frost
~ فضي hoarfrost
صَقيل slick, sleek, smooth, glossy; polished
صَك (: ميثاق) covenant
صَك (على مصرف) (راجع شيك)
صِلّ (: افعى خبيثة) viper, adder, venomous serpent
صَلَى scorch, burn, sear
صَلَّى (صلاة) pray (*prayer*)
~ (: تعبد) worship
صَلابة hardness, solidity
~ (: تصلب في رأي او موقف او ما الى ذلك) obduracy, obdurateness, intransigence, inflexibility
صلاة prayer(s)
~ (كركن اسلامي) ritual prayer
صَلاح propriety, appropriateness, rightness, freedom from corruption or faults or abuses
صَلاحية (: اختصاص) competence, proper or appropriate authority
~ (: لياقة ، اهلية) fitness, suitability , worthiness
~ للزواج nubility
~ للملاحة (للسفر بحرًا) seaworthiness
صُلْب body (*of document, covenant, etc.*)
~ backbone, spinal column
صَلَّبَ cross oneself, make the sign of the cross
صَلَبَ crucify
صَلْب crucifixion
صُلْب (: فولاذ) steel
~ (: قاس) hard, tough, solid
~ (في رأي او ما الى ذلك) obdurate, unyielding, intransigent, inflexible
صُلْبِيّ ، صُلْبِيّة (كبعض الورثة ومن اليهم) of the body
صِلَة connection, link, relation or relationship, affinity; bearing (*on subject, matter, etc.*); privity (*of blood, contract, etc.*)
~ (: تماسك) coherence
~ (: رابطة) bond (*of friendship, comradeship, etc.*), tie
~ رَحِم propinquity, kinship
صُلْح conciliation, reconcilement
~ (واق من الا arrangement, composition
صَلُحَ ، ، reform, be purged of faults or ab amend

صَلُحَ (: ناسب) be good, be fit, fitting, becoming or suitable
صَلْد hard
(صلادة (hardness
صَلَّد harden, indurate
صَلْصال clay, argillite, argil
صَلَعٌ baldness
صَلِفَ swagger, conduct oneself arrogantly
صَلَفٌ arrogance, presumptuousness
صَليب cross
الصليب الأحمر Red Cross
صَليب جِنيف (احمر) Geneva Cross
صَمَّ (راجع سَدَّ)
~ ت (الاذن) go deaf
صِمام valve
صَمَتَ be silent, be taciturn, stand mute (*as in court*)
صَمْت silence
صَمَدَ endure, withstand (*pressure, temptation*), stand (*stand worse storms*), stand fast, hold one's ground
صَمْغ gum, glue
صَمَّغ gum, glue
صَمَمٌ (: فقدان السمع) deafness
صَمَّم resolve, determine, make up one's mind
~ (: وضع الخطة لشأن) design, plan, premeditate
~ (: وضع تصميم شيء) model, fashion
صَمُولَة nut
صَميم veritable (*generosity*), genuine (*love*), pure, true, deep or profound
~ (موضوع) heart (*of matter*), innermost or most vital part, seat (*of authority*)
صِنّارة hook
صَنّاع (من ذوي الحرف اليدوية) artisan
صِناعة industry ; manufacture
~ كيميائية chemical industry
~ (: صنعة) trade, pursuit
صُنْبُور tap, spout
صَنْدَل (: سفينة تحميل وتفريغ) lighter, hoy
صُندوق box; chest (*of drawers*); trunk (*for carrying clothes*)
صُندوق (مال) fund
~ توفير (بنك) savings bank
~ توفير (موظفين) provident fund
صَنَعَ make, manufacture
صُنْع (: صناعة) manufacture, make; industry
(راجع انتاج)
صَنَّع industrialize, make industrial
(تصنيع (*industrialization*
صَنْعَة (: صناعة ، مهنة) vocation, trade
صَنْف ، صِنْف (: نوع) quality, kind, brand, grade
~ (: طبقة) class, rate
صَنَّف classify, rate
~ (: فرز) assort
صِنْو (راجع قِرْن (: نظير))
صَهَرَ fuse, melt
صِهْر relative by marriage
~ (: زوج الابنة) son-in-law
~ (: زوج الاخت) brother-in-law
صِهريج tank
~ (: خزان ماء) reservoir
~ (كالبئر في باطن الارض) cistern
صَواب right, proper (*method, address, etc.*)
~ (ادراك ، رشد ، تمييز) reason; consciousness
صِوان cupboard, cabinet, wardrobe
صَوّان flint, silica
صَوّاني siliceous
صَوَّبَ (راجع صحح وسدَّدَ)
صَوْبَ toward(s), in the direction of
صَوْت (شيء او شخص) sound, voice (*of a person, etc.*)
~ (انتخابي) vote
~ ترجيح casting vote
(نال عددًا من اصوات *poll so many votes*)
صَوَّت vote; give one's vote, poll
صَوْتِيّ vocal, sonic, phonic
~ (: يتصل بالصوت او متعلقاته) acoustic
صَوْتِيّات phonetics, phonics
صَوَّر (حالًا ، واقعة ، الخ ..) picture, portray, depict, represent
~ (بآلة فوتوغرافية) photograph, take picture

(*of*), shoot (*film, etc.*)

صُورة copy, reproduction, transcript

~ (: هيئة) image, looks

~ (مأخوذة بآلة تصوير) photograph, picture

~ مطابقة (لرسم او محرر او غيره) facsimile, replica, dummy

~ مدققة (بعد المقارنة بالاصل) ، ~ معتمدة examined copy

~ مصدقة attested copy, certified copy

صُوَريّ nominal, formal

~ (: وهمي ، افتراضي) imaginary, fictitious, simulated (*sale*), feigned, pretended, artificial, sham, mock, false

~ (: لمجرد الشكل فقط) dummy (*director, attorney, etc.*)

~ (: لا قيمة له) insignificant

صَوْغ (: صياغة ، صب) forging, casting

~ (عبارات او ما اليها) formulation

~ (القوانين) drafting (*of laws*)

صُوف wool

صُوفيّ (١) woollen (*fabric*)

صُوفيّ (٢) sophist; mystic; Sufi

صولجان sceptre

صَوْم fast

صَومعة cell

صَيَّاد hunter; huntsman

صِياغة (راجع صوْغ)

صِيانة preservation; maintenance, upkeep

صَيْد hunting; shooting

~ (: حيوانات متوحشة تكون هدفًا لصيد) game; chase

~ بحري fishing

حق ~ بحري piscary, right of fishing (*in other's territory*)

رخصة ~ (بري) game licence

صَيْدَليّ pharmacist, chemist

صَيْدَليّة pharmacy, drugstore, dispensary, chemist's shop

صَيَّر render (*worthless*), cause to be or become, make or fashion (*into*), convert or transform (*into*)

صيرفي (راجع صراف)

صِيْغة (١) (: شكل الفعل المبين لزمن حصوله) tense

~ (طلب ، امر ، تنفيذ ، الخ ..) formula, form

صِيْغة (٢) (: مصاغ : اقراط ، خواتم وما اليها) jewelry

صَيْف summer

صَيَّف summer, pass the summer

ضاء (راجع أنار)

ضائقة hardship, stress, squeeze, pinch, crisis, straits

ضابِط officer, lieutenant

~ (ج. ضوابط) control, restraint, check

~ (مركبة) brake

~ (كهرباء) modulator

ضابِطة عدلِيّة judicial police

ضاجَعَ (راجع واقع)

ضاحِيَة (الضواحي) outskirts, environs

~ (: قرية) village

ضارٌّ harmful, injurious, detrimental (*measure*), inimical (*action*), prejudicial (*to*), wrongful (*position*), noxious (*food*) (راجع اضرار)

ضارَّ (: ألحق ضررًا بشيء) prejudice (*country's interest*), penalize, injure, wrong, harm (*others*)

(لا يضار شخص باستئنافه) (*no person may be penalized by his appeal*

ضارَبَ (١) (: تبادل الضرب مع الغير) come to or exchange blows (*with somebody*)

ضارَبَ (٢) (في بيع) speculate, undercut, offer to sell at lower prices, undersell

~ (للفوز في مناقصة) underbid

~ (في سوق مالية لاحداث هبوط في أسعار) bear

ضاعَ be lost, be forfeited (*for default, neglect, crime*), be wasted (*on*)

~ (: فات) be missed

ضاعَفَ double, increase twofold

ضاقَ narrow (*at certain point*) or become narrow; become small

~ (عن حاجة) be too short, be inadequate or insufficient

ضالٌّ aberrant; deviant; stray

ضالّة (راجع غاية)

ضامَ (راجع ظَلَمَ ، أذلَّ)

ضامِر shrunken, atrophic

ضامِن surety, guarantor, warrantor, cautioner, recognizor

~ تأمين insurer, underwriter

~ تغطية اصدار (اسهم او غيرها) underwriter

ضأن sheep

ضأني ovine

ضاهَى (راجع شابه)

~ (خطوطًا للتعرُّف عليها) confront (*writings*), compare, collate

ضايَق annoy, harass, molest, inconvenience, discommode; encroach (*upon*)

ضَئيل slight (*difference*), scanty (*profit*), meagre (*share*); faint (*hope, etc.*), dim (*prospect*)

ضَباب fog; mist

~ دخاني smog

ضَبَاطة precision

~ (راجع دقة)

ضَبَط (: حجز على شيء) seize; sequester (*by writ*)

~ impound (*publication, illegal material, etc.*)

~ (: امسك بشيء ، قبض عليه ، وجده) apprehend, catch, find out

~ (بصفة احد رجال الضبط القضائي) investigate (*or search*) and hold; hold; restrain

~ (: صحح ، عدَّل) set right, correct, rectify, adjust, regulate

~ (: قبض على ناصية شيء ، كبح ، قيد) control, restrain, check

~ (تيارًا كهربائيًا) modulate

ضَبْط (١) seizure, apprehension, sequestration, investigation
ضَبْط (٢) (: تصحيح) rectification, correction
~ النفس self-restraint
~ (: تعديل) adjustment, regulation
~ (: قبض على زمام ، كبح) control, restraint
~ (: نظام) discipline
(رجال الضبط القضائي (law officers
ضجَّ clamour, din, cause hubbub or confusion, make loud or confused noise
ضَجَّة noise, row, clamour, tumult, hubbub, outcry, racket
ضَجِر restless (*person*), bored (*of routine*), tired
~ (: قلق) preoccupied, disconcerted
ضَجَر boredom
ضَجُوج noisy (*crowd*), vociferous (*speech*), clamorous (*gathering*)
ضُحَى forenoon
ضَحَّى sacrifice, offer (*life or fortune for a cause*), give up
ضَحِك laugh
ضَحِكٌ laughter
ضَحَلَ shallow (*gradually*), diminish in depth
ضَحْل shallow, shoal
~ (موقع) wash
ضَحِيّة sacrifice
~ (اعتداء) victim
~ (: قُربان) offering
ضخَّ pump
ضَخْم huge (*building*), sizable (*portion, difference*), vast (*continent*), immense (*desert*), great, large, extensive (*land*), broad, ample (*supplies*)
ضَخُم swell, extend, increase in size (*capacity, etc.*), become larger
ضَخَّم (: كبر) expand, enlarge, amplify (*sound*), distend
~ (: نفخ) inflate, swell
ضِدّ against, contrary, opposite, counter (*to instructions, expectations, etc.*), anti- (*aircraft, slavery, etc.*)
ضِدّ (في التقاضي) versus
~ الارادة against the will
~ الامن against the peace
~ الطبعة against nature, unnatural
سند ~ (راجع سند)
ضَرَّ (راجع أضَرَّ)
ضَرَّاء adversity, hardship
ضرائب taxes
نظام ~ taxation
سلطة فرض الضرائب taxing authority
ضَرَب strike, beat (*up*), hit, kick
~ (: أطلق) shoot
~ (نقدًا) mint, stamp
~ (عددًا بآخر) multiply
~ (موعدًا) set, fix (*date*)
ضَرْب beating (*up*), drubbing
~ بسيط simple battery
~ (عدد بآخر) multiplication
~ غير مشروع [قانون] battery
ضَرْبة blow, stroke
~ (: دقة) beat
~ ثقيلة (بعصا) whack
~ شمس (رعن) sunstroke, heatstroke, heat prostration
ضَرَر injury, damage, harm
~ (جسماني أو غيره) lesion
~ (معنوي ، مصلحي) wrong; detriment
~ (راجع اضرار)
~ يتعذر تداركه ، ~ لا يُجبَر irreparable or irretrievable damage
ضِرْس molar
~ العقل wisdom tooth
ضَرَّس indent
ضَرْع udder
ضَرورة need, necessity, indispensableness
~ (: اقتضاء) exigency
ضَروريّ necessary, essential, needful, imperative; expedient, prerequisite (*to purpose*)
ضَريبة tax, rate, duty (*on imports, etc.*),

imposition, cess
ضريبة إضافية (معلاة) surtax
~ املاك property tax
~ انتاج excise tax
~ ايلولة (بسبب الموت) death duty
~ تركات legacy duty
~ تصاعدية progressive tax
~ سابلة toll
~ عددية (تُجْبَى على أساس العدد) poll tax
~ عشر tithe or tithing
~ مربوطة assessment
~ مكس excise duty
~ وقائية protective tax, prohibitive tax
وعاء ~ tax bracket
معفًى من ~ duty-free, tax-free
ضَرِيح tomb; grave
ضرير blind
ضَعَة meanness, lowliness
ضَعْضَعَ dwindle, cause to wane or decline, taper (*power, hegemony, influence*), weaken
ضِعْف weakness
~ (: هزال) feebleness, debility
ضِعْف double, twice (*usual size, amount, extent, etc.*)
ضَعُف (: هزل) weaken, languish (*by lack of food, care, etc.*), become feeble or debilitated
~ (: اضمحل) decline (*as of power, influence, etc.*)
ضَعيف weak, feeble, faint (*heart, voice, etc.*); slender (*hope*)
~ (لا يطيق المقاومة) frail
~ (: منهك) effete
ضَغَطَ compress, press, squeeze; constrict; bear heavily (*on*); pressure (*a person to do or refrain from doing a certain thing*), constrain by pressure; lay stress or emphasis (*on something*)
~ (: كبت) oppress, suppress (*feeling, liberty, etc.*)
ضَغْط pressure; constraint, stress, emphasis (*on word, expression, etc.*); compression (*of air, etc.*)
ضغط (: ارهاق ، كبت) oppression, suppression
~ الدم blood pressure
ضَغينة malice, grudge, rancour, bitterness; spite or spitefulness
ضَفَّة bank
ضَفَر braid, interweave (*three or more strands*); plait
ضَفيرة braid
ضَلَّ stray, lose one's way, deviate, swerve (*from proper purpose*); err, sin
~ (: خاب) fail; miss
~ (: نسي) forget
~ (: تلف ، هلك) perish, deteriorate
ضَلال aberration or aberrance; deviance
ضِلْع (ج. ضلوع) rib
~ (: نصيب في فعل ، مؤامرة ، الخ..) share, hand (*in a plot*)
ضِلْعيّ costal
ضَلَّل misguide, mislead, prevaricate, lead astray
ضَليع learned, well-versed, erudite, possessing profound knowledge (*of*)
ضَمَّ join (*parties*), unite, adjoin, add; annex (*territory, etc.*); merge, amalgamate, incorporate, combine, include
~ (حقًّا إلى آخر للتفوق على اصحاب الحقوق الأخرى) tack
~ (راجع شمل)
ضَمّ (الضمّ) joining or joinder (*of parties*), annexation, incorporation, merger (*of companies, interests*), combination (*of elements*), inclusion (*of documents, exhibits*)
ضِماد (١) (: تعدد الازواج) polyandry
(يقابله تعدد الزوجات) (*polygamy*
ضِماد (٢) (لجرح أو ما إليه) bandage, dressing
ضَمان guarantee, security, safeguard; guaranty, warranty
~ (يقدم لمحكمة) recognizance
~ (: دفعة تؤدى لتأمين وفاء) deposit, caution
~ اضافي collateral security

ضمان حسن سلوك — security for good behaviour
~ شخصي — personal security
~ عقاري — real security
~ لياقة — warranty of fitness
~ مطلق — absolute guaranty
ضَماني — cautionary
ضَمَّد (الجرح أو ما إليه) — dress (*a wound*), bandage
ضَمُرَ — atrophy, decrease in size, contract
ضِمْن — in, within (*a certain period*)
~ (: بين) — among (*three*), between (*two persons*)
~ (نص : موجود به ضمناً) — implicit in provision
~ (مصاريف ، حساب ، اعتبار ، الخ..) — included in (*expenses, account, consideration, etc.*), covered by, etc.
ضَمِنَ — guarantee, engage (*for*), pledge oneself (*to*), vouch for or avouch (*fact, truth, etc.*), warrant, ensure (*safety, etc.*)
~ (: أمن) — insure
ضَمَّن — include, comprehend (*in something*), embody
~ (: ذكر) — mention (*in a letter*), cite
ضِمْني — implied, implicit, imputed (*consent*), tacit (*conviction*)
~ (: حكمي) — constructive (*denial, blasphemy, etc.*)
ضُمور (: هزال) — wasting away (*by lack of nourishment or the like*), atrophy, emaciation (*of body, etc.*)
~ (في حجم) — constriction, contraction
ضَمير — conscience
~ [لغة] — pronoun
ضَميمة — addition, annexation
ضَنَّ (على) — begrudge, concede reluctantly, envy enjoyment (*of*)

ضَنْك (راجع ضيق)
ضَوء — light
ضَوضاء (راجع جلبة)
ضِياء (راجع ضَوء)
ضَياع — loss; perdition; forfeiture (*of right by default, etc.*)
ضِيافة — hospitality
ضَيَّع (: فقد) — lose; forfeit (*right by error, default, etc.*); fail to keep (*appointment, etc.*)
~ (: بدد) — waste, squander, dissipate
~ (صفقة ، فرصة ، الخ..) — miss out on (*a bargain, an opportunity, etc.*)
ضَيْعَة — hamlet, small village
ضَيْف — guest
~ (راجع نزيل)
ضيق (حجم ، مدى ، الخ..) — narrowness (*of size, scope, etc.*), slenderness (*of width*), constriction; straitness
~ (: شدة ، عسر) — stress (*of poverty*), distress, hardship, difficulty, need; strait(s) (*as in: financial straits*)
~ (: محنة) — adversity
~ نفساني — depression
ضَيَّق (مدًى أو نطاقاً) — narrow (*scope*), lessen width (*or breadth*), constrict (*outlook*), constringe (*something by pressure*)
~ (: قيد) — restrain, check; curb
~ (: ضغط على حرية) — suppress
~ (الخناق) — close in (*on an army*)
ضَيِّق — narrow; lacking in width (*or breadth*), strait (*gate*); small, tight
ضَيْم — injustice, humiliation

ط

طائر bird
طائرة aeroplane, airplane, aircraft
~ (خطية) كبرى للركاب airliner
~ شراعية glider
طائش rash, imprudent, foolish, irrational
~ (: عجول) precipitate, impetuous
~ (: يتبع هواه دون تعقل) wayward, unreasonable
~ (رمية ، طلقة نارية) stray (*shot*); wide off the mark
طائِفة community, sect
~ (: جماعة) group, order (*of Templars*)
~ (صغيرة منشقة) faction
طائِفي sectarian, communal
طائل benefit, avail, good, advantage
طابَع stamp
~ بريد postage stamp, stamp
~ (: رمز) mark (*of distinction*)
~ (: أثر) impression
طابِع (نشرات ، كتب وما إليها) printer; pressman
~ (على آلة كاتبة) typist
طابِق (: دور في عمارة) floor, storey
طابَق be identical (*with*)
~ (في رأي) concur, conform
~ (: وافق) agree (*with*), fit
طاحُون mill, milling machine
~ يد (قديم) quern
طارَ fly, travel by air
~ (: حلق) soar in the air
طارِئ emergency, fortuity, unforeseen (*circumstance, occurrence, etc.*), contingency; extraordinary
طارَدَ chase, pursue, go swiftly after, course (*game*)

طازج fresh; new
طاشَ (: نزَق ، خَفَّ) act irrationally or unreasonably, be rash or foolish
~ (: اخطأ الهدف) miss (*the mark*), stray (*from a specified course*), go wide off the mark
طأطأ bow, bend or incline the head
طاعَة obedience, submission
طاعِن (امام محكمة عليا) petitioner, objector (*for cassation*)
(مطعون ضده) (*respondent*
طاعُون plague, pest
~ الخنازير schweineseuche
~ المواشي rinderpest, cattle plague
طاعوني lemic
طاغِيَة tyrant, despot
طافَ (١) (مكانًا أو حوله) tour (*a place*), walk (*or travel*) around; circulate or circle
~ (في حدود) perambulate
طافَ (٢) (: عام) float, rest on the surface
طافٍ afloat
~ (: قابل للطفو) buoyant, capable of floating
طاقَة capacity, potential, energy
طاقَم crew (*of boat, aircraft, etc.*)
~ طيران flight crew
طالَ last, endure, continue
طالَبَ (بشيء) claim (*something*), lay claim (*to right*), demand
طالِب (: صاحب طلب) applicant (*for post, permit, etc.*), petitioner (*before a judicial body*); movant (*before a court*)
~ (: تلميذ ، تلميذة) student, pupil
~ علم scholar
~ (متقدم لفحص) candidate

طالِب جامعي (في جامعة أو كلية)	undergraduate, collegian
~ عسكري	cadet
طالِح	bad, evil, baneful
~ (: شرير)	wicked
طالَعَ	study (*a subject*), read thoroughly, peruse
طالِع	fortune, luck
طالَما	so long as
طامّة (راجع كارثة)	
طامِث (راجع حائض)	
طامُور ملفوف	scroll
طاوَعَ	obey, submit, be malleable (*as of plastic*)
طاوِلَة (راجع مائدة)	
طِبّ	medicine
~ الأذن	otiatrics, otiatry
~ الأسنان	dentistry
~ الأطفال	pediatrics
~ الجلد	dermiatrics
~ شرعي	forensic medicine, legal medicine
~ عيون	ophthalmology
~ النساء	gynaecology, gyniatrics
~ نفساني	psychiatry
طَباشير	chalk
~ (: حجر كلسي)	limestone
طِباعَة ، طَبع	printing, typing (*on typewriter*)
حق ~ ، حَقُّ طَبْع	copyright
طَبْع (: سجية ، خلق)	(*innate*) character, nature
~ (: مزاج)	temper, temperament
~ (: عادة)	habit
بالطبع ، طبعًا	naturally, of course
~ (راجع طَبَع)	
طَبَّع	habituate, acclimatize, accustom, rear or raise (*on*)
~ (على شأن)	inure
~ (حصانًا على ركوب أو هيأ شيئًا لتسخير خاص)	break in
طَبَعَ	print, type; imprint, impress (*a design on something*)
طَبْعَة	print, impression
~ (من كتاب)	edition
طَبَقٌ (: صحن)	dish, plate, saucer
~ (ورق ، معدن)	sheet, plate, plaque
طَبَقٌ (: قرص)	disc
~ (: غطاء)	cover, lid, top
طَبَّق	apply (*a rule*), administer (*law, etc.*)
~ (: نفذ)	implement, give effect (*to*)
طَبَقَة	class (*of society*), rank; order (*of knights, priests, etc.*)
~ (وراثية في النظام الهندوسي)	caste (*system*)
~ (ارض أو هواء أو ما إلى ذلك)	layer, stratum
~ سفلى (تقوم مقام القاعدة لبناء أو غيره)	bed, bedding, bottoming
~ عاملة	working class, proletariat(e)
~ وسطى	middle class, bourgeoisie
~ (طلاء أو ما إليه)	coat
طَبْل ، طَبْلة	drum
طَبْلة الأذن	eardrum, tympanum
طِبي	medical
~ شرعي	medicolegal
~ قضائي	medicojudicial
طَبيب	physician, doctor of medicine (*medical doctor*), medical practitioner, medic
~ أذن	otologist
~ اطفال	pediatrician, pediatrist
~ أنف	rhinologist
~ بيطري	veterinarian
~ دجال	quack
~ شرعي	forensic physician, medical examiner
~ عام	general practitioner
~ عيون	ophthalmologist
~ مولد	obstetrician
~ نفساني	psychiatrist
طَبيعَة	nature, inherent character
طَبيعي	natural
~ (: يتصل بالعلوم الطبيعية)	physical (*science, geography, etc.*)
~ (: ليس فيه تكلف)	ingenuous, unsophisticated, artless, spontaneous, casual, nonchalant
طِحال	spleen
طِحاليّ	splenic, lienal
طُحْلُب	alga (*algae*)

طَحَنَ mill, grind (*into flour, powder, etc.*)
طَرَأ occur, take place, come upon, befall, develop, arise, happen, come about, come over (*person*), transpire
طِراز model, pattern, fashion, style
طِرْثٌ (راجع بَظْر)
طَرَح cast (*off or away*), discard, reject; jettison (*from ship, airplane, etc.*), throw (*off*)
~ (لبيع ، عطاء ، الخ..) put to (*sale, tender, etc.*)
~ (: عرض لبحث أو ما إلى ذلك) propound, offer or place (*for consideration, etc.*), introduce (*a solution, an idea*), bring forward, produce, put forth
~ سؤالًا put a question (*to person about something*)
~ (من عدد) subtract, deduct, subduct
طَرْح deduction, subtraction
~ (جنين) abortion, miscarriage
~ (في بحر) jettison, jetsam
طِرْح abortion
طَرَد expel, dismiss (*from institution, service, etc.*), oust, evict (*from land, premises, etc.*), eject; repel (*a body rather than attract it*)
~ (من خدمة عسكرية) cashier
~ (من كنيسة) excommunicate
~ (من مجتمع) ostracize
الطَّرْد expulsion, dismissal (*from work*); ouster, eviction, ejection (*from premises*); ostracism (*from a community*), excommunication (*from church*)
طَرْد (: رزمة) parcel, package
طَرَش deafness
~ (جانب واحد : جزئي) partial deafness, hemianacusia
طَرَف tip, end, extreme, extremity
~ (: جانب) side
~ (جسم) limb
~ (: آخر) tail
~ (بلد ، مكان) outskirts, fringe

طَرَف (خط) terminal
~ (في عقد أو خصومة : فريق) party
~ (في دعوى) party, suitor
~ بريء innocent party
~ مظلوم ، موتور party aggrieved, party injured
طَرْفة (راجع رمْشَة)
طَرَق knock; batter, ram, pound
~ (: سلك) pursue, tread, beat (*a path*), walk on
~ (: اتى) come to, call upon
~ (معدنًا ليبدل من شكله) malleate
طِرْق trap, gin, snare
طَروق (: قابل للطرق) malleable
طَرِيّ soft, tender
~ (: لين في معاملة أو ما إليها) gentle, lenient
~ (: لين المادة) malleable
طريح الفراش confined to bed, bedridden
طَريد fugitive, on the run
~ القانون outlaw
طريف original, novel, unfamiliar
طَريق road, way, drive or driveway
~ (: خط سير) route, course
~ خاص private road, accommodation road
~ (ذو منفذين) thoroughfare
~ ضرورة way of necessity
~ عام highway, public road
~ فرعي byroad
~ مائي waterway
طَريقة method, system, process, mode
~ (عقائدية) order; doctrine, dogma
~ (فلسفة ، تفكير أو ما إلى ذلك) school (*of philosophy, thought, etc.*)
~ احتياطي الاستهلاك depreciation system
~ القسط (الاستهلاكي) الثابت fixed instalment system
~ القسط المتناقص reducing instalment system
طَعام food, foodstuff
~ (: غذاء) nutriment
~ حيوان animal feed
طَعَج [عامية] (راجع حنى)
طُعْم bait
~ اصطناعي artificial bait, lure

طَعْم taste, savour, sapidity; flavour
طَعَّم (زراعة) graft
~ (ضد مرض) vaccinate
طَعَن (بسلاح أو آلة حادة) stab; jab
~ (على حكم أو في شأن) object (*to*), appeal (*against*), challenge (*a decision*), call in question, take exception (*to a proceeding*), raise (*a plea to jurisdiction of court*)
~ بالنقض take an objection for cassation
~ في انتخاب contest an election or object to it
طَعْن objection, appeal, challenge, calling in question
~ بالنقض objection for cassation
طَعْنَة stab
طَغَى (: بالغ في ظلم) play the tyrant, tyrannize, rule oppressively, act abusively
~ (: اكتسح ، اغرق ، غمر) overrun, submerge, overwhelm, inundate
~ (: اجتاح) invade, encroach
طَغام rabble, riffraff
طُغيان tyranny, despotism, despotic or abusive exercise of power; oppression
~ (: اجتياح) invasion, encroachment
طغياني tyrannical, despotic, oppressive; abusive
طَفا float, rest on surface
طُفال hard clay
طَفَح overflow, flow over; brim, well up, suffuse (*with tears, colour, etc.*); spill over, overspill; exude (*charm, wisdom, etc.*)
طَفْرة flurry, sudden gust
طِفل child, infant, recently born person
~ (: ولد أو بنت) son or daughter
~ (في عقله أو تصرفاته) childlike, childish
طَفَل (: صلصال) clay
طفولة childhood
~ (باكرة) infancy
طَفْوِيّة (: قابلية للطفو) buoyancy, tendency to float
طَفيف slight, light, insignificant
طُفَيْلي (: يعيش على غيره) parasite

طُفَيْلي (: منافق) sycophant
~ (: يتطفل على شؤون الغير) intruder, interloper, intrusive
طَقْس weather
~ ديني rite, liturgy (*of church*)
طَقْم set; outfit
طَلّ (: مطر خفيف) drizzle, misty rain
~ (راجع ندى)
طِلّ (راجع حية)
~ (راجع باطل)
طَلَى smear, paint, coat (*with dust, glaze, paint, etc.*)
~ (بالفضة أو الذهب) plate (*with silver or gold*)
~ (بغشاء صقيل أو براق) enamel
الطَّلّى (: الوطر ، الهوى) purpose, object, whim
طِلاء (: لون) paint, pigment
~ (يغطي معدنًا أو غيره) coating, plating
~ (: غشاء صقيل ، براق) enamel
~ (: ظاهر ، ستار ، ظل) colour (*of office, authority, etc.*), guise, semblance
طَلَبَ demand, request; seek (*favour, help, remedy, etc.*); ask
~ بالحاف solicit
~ (بعريضة) apply or petition (*for*)
~ (من محكمة) move for
~ العلم pursue studies
طَلَبٌ request, demand
~ (موجه إلى محكمة أو ما إليها) motion, instance, petition
~ (مكتوب) application
~ تسليم شخص فار requisition (*of fugitive*)
~ ختامي conclusion
~ مقابل cross motion (*claim, demand, etc.*)
بطلب من at the request of, at the motion of, at the instance of
طَلَّس (: محا) erase, expunge, efface, blot (*out*); obliterate (*an entire page*)
طَلَع (: بزغ ، ظهر) rise, emerge (*from a cloud*), come into view, appear
~ (: صعد) ascend

طَلْق (: طليق) free, unrestricted (*scope*); clear (*from debt, suspicion, etc.*); open (*air, country, sead, etc.*)
~ (: آلام وضع) travail, labour, pangs of childbirth
طَلَّق divorce, dissolve marriage
طَلْقة cartridge, round of ammunition
~ (صوتها) report
~ عيار shot
غلاف ~ cartridge case
طُلُوع rise, emergence
~ (: صعود) ascent
طَليعَة vanguard (*of army, group, etc.*), forefront (*of action, etc.*), front
طَليق (: حر) free
~ (: فارّ) at large, on the run
طَما ، طَمى rise, swell, fill, overflow
طَمَّاع greedy, avaricious, avid
طمأنَ set mind at rest, relieve (*somebody*) of anxiety, tranquilize, satisfy (*oneself about the safety of something*)
طمأنينة relief (*of anxiety*), tranquility (*of mind*), sense of security, satisfaction
طَمْث menstruation, period, menses
انقطاع الطمث menopause
طَمَحَ (إلى شأن) aspire
~ بالنظر إلى look intently (*to*), gaze (*at*)
~ (: نظر إلى ، رفع البصر إلى شيء) look at, look up to
~ (: ارتفع) rise, soar
طَمَر bury, cover up, hide in earth
طَمَس (محا) efface (*writing, boundary*), obliterate, blot out (*mark, name*), render imperceptible
~ (: شوَّه) deface, disfeature
~ (: اخفى معالم شيء) obscure
طَمِعَ act greedily, be avid (*of or for*), be avaricious
طَمَعٌ greed, avarice (*for money*), avidity (*of or for*), cupidity (*of merchants, etc.*)
طُموحٌ aspiration, desire (*after*)
طَمْيٌ wash, deposit, alluvium
طَمْيٌ معدني placer
طُنّ ton
~ اميركي (٢٠٠٠ رطل انكليزي أو ٩٠٧,١٨٥ كغ) short ton
~ انكليزي (٢٢٤٠ رطلًا انكليزيًّا أو ١٠١٦,٠٥ كغ) long ton
~ متري (٢٢٠٤,٦ رطل انكليزي أو ١٠٠٠ كغ) metric ton
~ حجمي cubic ton
طَهَّر cleanse, purify, disinfect
~ (: ختن) circumcise
~ (من ذنب ، عنصر بغيض ، الخ . .) purge (*of sin,* ~ *party of unfaithful members,* ~ *self of hate, etc.*)
طُهْر purity
~ جنسي (: تنزه عن فسق) chastity, pudicity
طَوَى fold; pleat (*: arrange in pleats*)
~ (: احتوى) enwrap, incorporate
~ (: ضمَّ) embrace
طَواشي agenosomus
طَواشِيّة agenosomia
طُوب (: طوبة) brick
طَوَّبَ (عقارًا لشخص : سجله لدى الدائرة المختصة باسمه) deed over (*realty, etc., to somebody*)
طَوْر stage; phase
~ (: نقطة) point, station
~ (: وضع) juncture
طَوْع (: رغبة) volition, free will
~ (: طائع) obedient, yielding
~ (: سلس) docile, amenable, tractable, submissive
طَوْعًا voluntarily, willingly, of one's own free will, *sua sponte*
طَوْعِيّ (: خياري ، ارادي) voluntary, proceeding from choice, volitional
~ (: متعمد) willful, deliberate
طُوفان flood(s); deluge
طَوْق collar; ring; cordon (*around an area*)
~ (: حزام) girth, belt, girdle, strap
~ (برميل أو ما إليه) hoop

طَوَّقَ encircle, surround, ring, encompass, circumvallate
~ (: حصر في طوق) invest (*an enemy column*), hem in (*something or somebody*)
~ (ناحية : عزلها بطوق) cordon off (*locality*)
طُول length
~ (قامة ، ارتفاع) height
طُوليّ linear, longitudinal
طَويل long (*distance, speech, etc.*), tall (*person, building, etc.*)
طَيّ in, within, enclosed
~ رسالة اخرى under separate cover
طَيّار pilot, flyer, aviator
طَيّارَة aircraft, aeroplane, airplane
~ شراعية glider
~ مائية hydroplane
طَيِّب good, agreeable, pleasant, delightful
~ (: خير ، خصيب) bountiful (*earth, land, etc.*), fertile
~ (: كاف ، لا بأس به) ample, considerable, adequate
~ (: صحي) salutary
~ (: لذيذ) delicious
~ السمعة reputable, of (*or enjoying*) good reputation
~ السمعة (في معاملة ، وضع مالي ، الخ . .) prestigious (*firm, etc.*)
طَيِّب القلب good-hearted
~ النية of good faith
طَيَّة fold
~ (: جعدة) wrinkle, crevice
~ (قماش) pleat, crease
طَيَّر fly, cause to fly, operate (*an airplane*) in flight
طَيَران flight; aviation
~ بهلواني acrobatic flight
~ مدني civil aviation
خدمة اتصالات ~ متنقلة aeronautical mobile service
خرائط ~ aeronautical charts
صلاحية للطيران airworthiness
علم (أو شؤون) الطيران aeronautics
طَيْش rashness, imprudence, foolishness; folly, indiscretion
طَيِّع obedient, tractable, amenable, docile
طَيْف image; apparition (*of a dead person*), incarnation
~ (: شبح) ghost
طَيْلَسان sateen
~ (: لحاء الدماغ) pallium, cerebral cortex
طِين clay, mud
~ صفحي shale

ظأر	have compassion or affection (*for child*)
~ (على عدو)	assault, attack
ظالِم	unjust, iniquitous; wrongful (*decree*); uneven (*judgment*)
ظاهِر	appearance or outward appearance, surface (*of a thing*), look or looks
~ (ورقة أو سجل)	face (*of paper, record*)
~ (: صوري ، تظاهري)	ostensible
~ (: مرئي)	visible (*change*), apparent (*defect*), manifest (*error*)
حسب الظاهر (أو الظواهر)...	*prima facie*, on the face of...
ظاهَرَ	back (*a view*), support (*a leader*), uphold; endorse (*a policy*)
~ (: عاون)	aid, abet, assist
ظاهِرًا	ostensibly, outwardly; presumably
~ (: من حيث الظاهر)	prima facie (*value*), at first sight, on its face
ظاهِرة (ج. ظواهر)	phenomenon (*pl. phenomena*), manifestation
~ (مرض)	symptom (*of disease*)
(ظواهر شذوذ أو علّة	(*syndrome*
ظاهِريّ	external; visible, apparent
~ (: صوري)	ostensible
ظِرّان (: صوان)	flint(stone)
ظَرْف (١) (: وعاء)	envelope
~ شفاف	window envelope
ظَرْف (٢)	circumstance
~ مخفِّف	extenuating circumstance
~ مشدِّد	aggravating circumstance
ظَرْفيّ	circumstantial
ظَعَنَ	decamp, depart
ظَفِرَ (: نال)	achieve, obtain, realize
~ (على عدو أو به : قهر)	defeat, vanquish, conquer
الظَّفَر (: الغلبة)	triumph, victory
الظُّفْر	nail
ظِلّ	shade, umbra
~ (: خيال)	shadow
~ (وظيفة ، سلطة أو ما إليها)	colour (*of office authority, etc.*)
~ جزئي	penumbra
ظَلَّ	remain, stay, continue to be, stand fast in (*opposition, support, etc.*)
ظُلامة	grievance, complaint
ظِلْف	hoof
ظَلَّل	shade, shadow; shelter (*from heat, etc.*)
~ (: اخفى معالم شيء)	obscure
ظَلَمَ	aggrieve, wrong (*somebody*), be unjust or unfair (*to or with*), treat unfairly; oppress
ظُلْم	injustice, inequity
~ (: طغيان)	oppression
~ (: اجحاف في استعمال سلطة)	unjust use of authority
ظُلْمَة (: ظلام)	darkness, absence of light
ظَليل	shady, shade-giving
الظَّمأ	thirst
~ (: التعطش لشأن)	craving, longing (*for something*)
ظَمِئَ	thirst
~ (: تعطش)	crave (*for*), vehemently desire (*something*)
ظَنَّ	think
~ (: تصوَّر ، تخيل)	imagine, fancy
~ (: حدَس)	surmise, conjecture
~ (: اشتبه)	suspect
ظِنَّة	suspicion
ظَنين	suspect, accused

ظُهار backache, lumbago

ظِهار zihar: solemn abjuration likening wife to mother and hence regarding her equally preposterous carnally. Crux of oath being the word ظَهْر back

ظِهارَةُ قُماش cloth backing

ظَهْر back, rear (*of a house*), reverse side (*of coin, etc.*)

~ (سفينة) deck

ظَهْري (: يتصل بالظهر) dorsal (*flesh, fin, etc.*)

ظَهَرَ appear, emerge (*from*), come into sight or view, become evident; seem

ظَهَرَ (: تبين) turn out

~ (: لاح) loom (*in horizon, above sea, etc.*)

ظَهَرَ على (: تغلب على) override, prevail over; beat, conquer

ظَهَّر (: جير) endorse

ظُهْر (: ظهيرة) noon, midday

~ (: خط زوال) meridian

بعد الظهر *post meridiem (p.m.)*

قبل الظهر *ante meridiem (a.m.)*

ظُهور appearance, emergence

~ (شخصية دينية) advent

ظَهير (عملة) backing

~ ذهب gold backing

ع

عائِد (من شيء)	return(s)
~ (إلى وطنه)	repatriate, returnee
~ إلى اجرام	recidivist, repeater, second offender
~ (من غلة ، ناتج ، فائدة ، الخ . .)	accrued, yield, turnover
~ (راجع عوائد)	
عائِق	impediment, obstruction, hindrance
~ (: عقبة)	obstacle
عائِل (: مفتقر)	needy, indigent, impoverished
عائِلة (: اسرة ، بيت)	family; house
عائم	floating, buoyant
عائمة	watercraft, boat
عائمة جَليدية	iceberg
عابَ (١) (: اصاب بعيب)	vitiate (*judgment, decision, etc.*), invalidate, debase, beset (*something*) by deficiency
عابَ (في) (٢)	vilify, utter slanderous or abusive statements (*against*), abuse, revile (*at*); malign
~ (: شوّه سمعة ، قدح في)	denigrate, disparage, discredit; speak ill of
عابِث	wanton, licentious; frolicsome
عابِر	transient, fleeting (*happiness*), momentary (*delusion*)
~ (: يدوم يومًا أو بعض يوم)	ephemeral
عاتَبَ	admonish, reprove or blame kindly, find fault with
عاتِق	shoulder
عاثَ	ravage, waste, squander
عاجِز (: لا قدرة له)	powerless (*to do something*), unable, lacking in capacity
~ (: غير كفء)	incompetent
~ (من مرض أو ما إليه)	invalid
عاجز (: مقعد)	decrepit
عاجَل	take unawares, surprise, make a surprise (*move, attack*), take the initiative
عاجِل (راجع مُعَجَّل)	
عادَ	return, come back
~ إلى (شخص ، من حيث الملكية)	belong to, pertain, appertain to, be owned by
~ (: وقع)	recur (*periodically, again, etc.*)
~ (من فائدة ، ربح وما إليه)	accrue, result
~ (إلى رذيلة)	revert, relapse
~ (: زار)	visit, pay a call upon
عادَى	be hostile (*to*), be inimical or unfriendly (*to*), antagonize (*somebody*)
عادَة (شخصية)	habit, wont
~ (اجتماعية)	custom, practice, consuetude; usage
~ حرفة	usage of trade
~ عامة	general usage
(عادات شعبية	(*popular customs, mores*
عادَلَ (١)	equal, equalize, match
~ (بين جانبين)	countervail
عادَلَ (٢) (: ابطل مفعول شيء)	neutralize, nullify, counteract
~ (: وازن ، عوّض)	offset (*a loss*), counterbalance
عادِل	just; fair, equitable
عادِم	exhaust
عادِيّ	ordinary, normal, conventional (*weapon, etc.*), usual
~ (: شائع)	common
~ (: لا جديد فيه ، تفه)	banal
~ (شخص)	private (*person*)
~ (: غير فني – من العامة أو يتصل بها)	lay, unprofessional
~ (: غير رسمي)	informal (*dress, meeting*)

عاذَرَ (: لم يثبت له عذر) (راجع عذَّر)

عارٌ (: العار) disgrace, opprobrium, ignominy

عارٍ bare, naked, nude; destitute (*of guarantees, etc.*)

عارَضَ oppose (*a measure*), dissent, object (*to*), contest (*a claim*), disapprove (*of person or thing*), controvert (*a statement*), contradict (*a person or thing*), take exception (*to order, opinion*), oppugn or call in question (*a policy, a measure, etc.*)

عارِض (١) (: زائل ، مؤقت) transient, momentary, ephemeral, provisional (*arrangement, motion*)

~ (: تبعثه الصدفة) accidental, chance

~ (: احتمالي) contingent, fortuitous

~ (: عرضي ، غير ثابت أو مستمر) occasional, casual, incidental

~ (كاليد العارضة في حيازة الغير) adverse or precarious (*possession*), incidental

~ (: مانع) preclusive, preventive, deterring cause, thing to the contrary

~ (: من عوارض الاهلية) disability, impediment

~ (: شأن أو حادث غير منتظر) contingency

~ (صحي مؤقت) indisposition

عارِض (٢) (: يصدر في سياق محاكمة) interlocutory (*order, judgment, etc.*)

العارِض (٣) (: جانب الوجه) profile; side

عارِضة (١) (: حاجة) need, exigency

~ (: بديهة) intuition

عارِضة (٢) (من خشب أو ما إليه) beam

عارَكَ quarrel (*with*), brawl, fight (*somebody*); bicker (*with somebody*), wrangle (*with*)

عارِية loan, gratuitous loan (*commodation*)

~ استعمال loan for use

~ استهلاك loan for consumption

~ بدل loan for exchange

عازِب bachelor, unmarried

عازِل insulator, insulating (*paper, tape, etc.*), nonconductor; buffer (*state, apparatus, etc.*)

عازِل كهربائي dielectric

عاسَ make the rounds by night, keep watch at night

عاشَ live; survive (*after event, disaster, etc.*); lead a life (*of misery, etc.*), subsist (*on liquids, by begging*)

عاشَرَ (: رافق) associate with

~ (: ساكن) live with

~ (: ساكن امرأة) cohabit

عاشِق lover, paramour

عاشور (اء) tenth day of Muharram

عاصٍ disobedient, insubordinate

~ (: ثائر) mutineer, rebel

عاصَرَ coincide in time, be contemporaneous or synchronous (*with person or event*), occur simultaneously

عاصِف stormy, tempestuous (*weather*)

عاصِفَة storm, gale, tempest

~ ثلجية snowstorm

~ رملية sandstorm

عاصِمَة capital

عاضَدَ support, back; abet, aid; champion

عاطِفَة emotion, sentiment

عاطِفِيّ emotional, sentimental; emotive, arousing emotion

عاطِفِيّة emotivity

عاطِل (: لا يعمل ، خامد ، خرب) idle, inert, out of order

~ (عامل) unemployed

عافَ be fed up (*with*), be sick or tired (*of*), loathe, have an aversion (*to*)

عافى restore to health, give or grant good health

عافية good health

عاقَ obstruct (*passage*), hinder; delay; hamper, impede (*progress*)

عاقَبَ punish, penalize; chasten, castigate

~ (: أدَّب) discipline

~ (نقديًّا) mulct

عاقِب successor

عاقِب (على مال أو انتفاع) reversioner
عاقِبَة consequence, outcome, result, end
عاقَدَ (راجع عاهَدَ)
عاقَرَ drink habitually
~ (: لازَمَ) cling (*to*), attend invariably, be attached or have strong attachment (*to*)
عاقِر barren; sterile
عاقِل judicious, prudent; sagacious, discreet
~ (: متزن) rational, politic (*person*)
عاكَسَ (: ناقض في قول أو عمل ، قاوم مفعول شيء) contradict, gainsay; counter or go counter, offset, react (*against*)
~ (: عارض ، مانع) act or go against, traverse (*argument, point*), oppose, deprecate, resist (*measure, act, etc.*)
~ (: ضايق) annoy, harass, molest (*woman by indecent advances*), bait (*animal*)
عاكِس reflector
عالٍ (: عليا) high, towering (*building*), elevated, lofty (*principle, ideal, etc.*)
~ (: نبيل ، كريم) noble (*rank*)
عالَ support (*a family*), maintain, keep (*himself and his mistress*)
عالَة charge, burden
~ (: عيّار لا عمل له) bum
~ على مجتمع public charge
عالَجَ treat, medicate, cure
~ (: اصلح) remedy
~ (: تفرغ لشأن كي ينجزه) tackle (*a problem*)
عالِق pending (*cases, etc.*), dormant
~ (شرط أو ما إليه) suspensive or suspended (*condition, etc.*)
عالَم world
~ (: دائرة ، ميدان) domain, province
~ (: حيوان ، نبات ، معادن) kingdom
عالِم (: ضليع) learned (*person*), (*authoritative*) scholar, erudite
~ (طبيعيات ، فيزياء ، الخ..) scientist
عالِمٌ (بشأن) knowing; aware (*of*), acquainted (*with*); cognitive (*of*)

عالَميّ (: يشمل دولاً عدة) international
~ (: يمتد إلى جميع أنحاء العالم) worldwide
~ (: عام ، يشمل العالم أو البشر أو الكون كافة) universal
عاليًا (: اعلاه ، آنفًا) above, above cited, before
عامٌ (راجع حوْل)
عامَ float, swim
~ (: لم يستقر) vacillate, oscillate, fluctuate
عامٌّ common, general; generic (*term, etc.*); public; universal (*suffrage, agent, etc.*)
عامَة (: ميناء) buoy
~ (من فلين أو غيره) float
العامَّة (: الجمهور – العوام) public
عامّةُ الشعب commonalty, populace, common people, commoners
عامَلَ treat, deal with
عامِل (١) (بوجه عام) workman, servant
~ (يعتاش بكدح يديه) worker, labourer, operative
~ غير فني unskilled labourer
~ فني skilled labourer
~ مناجم miner, pitman
~ ميناء docker
~ بالمونة (يستخدم على ظهر سفينة أو ما إليها) workaway
~ بسيط (لأعمال حفر أو ما إليها) navvy
~ مياومة labourer by the day
(عمال) (*workfolk, working people*
(جماعة عُمّال) (*gang, company of workers*
عامِل (٢) (ج. عوامل) factor; element
عامِليّ factorial
عامِل (٣) (: فعال) active
عامِل (٤) (ج. عملاء) agent
~ دبلماسي diplomatic agent, emissary
عامِل (٥) (: حاكِم) governor
عامّي common; colloquial
~ (: شعبي من تعبير أو لسان) vernacular
عانَى suffer (*poverty*), endure (*hunger*), tolerate; sustain (*defeat*), experience (*persecution*), bear weight (*of something*)
عانَة pubis
عانِس spinster, unmarried woman

عانِس (رجل) — bachelor
عانَق — embrace
عاهَة (: مصاب) — affliction, disability
~ (نبات أو حيوان) — pest
~ (: مرض) — illness, ailment
~ جسمية — physical disability
عاهَد — promise; pledge, plight (*one's honour, word, etc.*)
عاهِرَة — prostitute, whore, harlot, strumpet
عاوَدَ — repeat, revert (*to an old habit*), return
عاوَنَ — assist, aid, help; abet, succour (*person in danger*)
عايَرَ (١) (: فاخر) — vie (*with somebody in something*), plume oneself (*on*); pride oneself (*on*)
عايَرَ (٢) (: قايس) — measure against
~ (: قاس) — check (*examine*), measure, calibrate
~ (: ضبط) — check, adjust, modulate
عايَشَ — cohabit (*with a woman*), live together (*as lovers*)
عايَن — view, see, inspect (*registers, accounts, etc.*); survey (*operations, works, etc.*)
عِبء — burden, onus (*of proof, etc.*), charge
~ (: ثقل) — weight, load
عبَّأ (١) — fill, fill in (*form, etc.*), stock (*a shop*) fully, replenish (*a wardrobe*)
~ (: حشا) — charge, load (*gun, etc.*), pack
عبَّأ (٢) — mobilize, enlist (*troops*), marshal resources (*for action, etc.*); levy, conscript (*for military service*)
عِبادة — worship, religious service or exercise; cult; adoration
~ عامة — public worship
عِبارة — term, phrase, diction, expression; language
~ (لفظ) — utterance
~ مجملة — a generality
بعبارة أخرى — in other words, to wit, that is to say: *i.e. (id est)*
عَبَثَ (بشأن) — tamper (*with*), monkey or fool (*with*)
عَبَثٌ (: لا طائل تحته) — futile, vain, fruitless (*efforts*)

عَبَّد — pave, build
عَبْد — slave, bondman, thrall (*to one's habits*)
~ الأرض (: حلس) — serf
عَبَدَ — worship, adore
عَبَر — cross, go across, traverse (*a locality*)
عَبَّر — express (*a view*), give expression (*to*), state (*an argument*), vent (*one's sentiments*), voice (*a complaint*)
عَبْر — across
~ البحار — overseas
عِبْرة (: اعتبار ، وزن) — relevance (*given to some fact*), criterion
~ (: مثل يُجْتَنَب) — example, warning
عَبَس — frown, scowl
عبقري ، عبقرية — genius
عَبْوَة (: وزن فارغ) — tare, counterweight; container
عُبُودِيّة — slavery, bondage, thrall
عُبور (: دخول) — entry; access
~ (: مرور) — transit
ارتفاق ~ — easement of access
عَبير — fragrance, redolence
عَتاد — ammunition, munition, military equipment; ordnance
عِتالة — porterage
عَتَبَ — blame, find fault (*with*), hold responsible (*for*)
عَتَبَة — threshold
~ (: مدخل) — entrance
عَتَق (أعتق عبدًا) — set free, manumit, liberate from bondage
عَتْق (العبد – اعتاقه) — manumission; liberation from bondage
عَتَل (: حمل) — carry
عَتَلَة — crowbar, lever
~ صغيرة — jimmy
عُتْه — cretinism, mental deficiency, aphrenia
عَتيق — old, obsolete, antiquated; ancient (*shrine, etc.*)
عَثَر (: وجد) — find or find out; discover, detect
~ (: زلَّ وكبا) — trip, stumble, slip

عجاج raised or flying dust, dust storm
~ (: رعاع) rabble, riffraff
عَجِبَ be surprised (*at*), wonder (*at*)
عُجْرَة node; knot
عَجْرَفة (: غطرسة) arrogance, overbearing, haughtiness
عُجْرِيّ nodular, knotty
عَجَزَ fail (*to*), fall short of purpose, be ineffective or deficient, be unable or wanting
~ (: أصبح عجوزاً) age, grow old
~ (: أعسر) become insolvent
عَجْز failure, incompetence, inability, deficiency, disability
~ (: عدم كفاية) inadequacy, want of (*evidence, proof, etc.*)
~ (: تقصير) shortcoming
~ (في حساب ، ميزانية ، الخ..) deficit
~ (: اعسار) insolvency
~ شامل (أو كلي) total disability
~ جنسي sexual inadequacy
(راجع عُنّة)
عَجَّزَ age, grow old
~ (: جعل عاجزاً) disable, incapacitate
عِجْل calf
عِجلة heifer
عَجَّلَ make haste, hasten, hurry, accelerate (*pace*), expedite (*proceedings*), precipitate (*ruin, death, etc.*), urge on (*something*)
عَجَلَة (١) (: تسرُّع) impetuosity, haste, undue haste, precipitancy
عَجَلَة (٢) wheel
~ تعذيب rack
~ محلفين (كعجلة النصيب . تدار لاختيار المحلفين) jury wheel
~ القدر (: النصيب) fortune's wheel
عَجَلَة (٣) (راجع دراجة)
عَجَمَ bite, nip
~ (راجع اختبر)

عَجَنَ knead (*dough*)
عَجُوز aged, old (*man or woman*), advanced in years (*or age*), elderly (*person*); ancient
عَجُول impetuous, hasty, rash, headlong
عَجيب strange, surprising; singular, peculiar
عَجيف (راجع هزيل)
عَجين dough
عَدَّ (: احصى) count (*out*), reckon up, include in reckoning
عَدا (: خلا) except, save, with the exception or exclusion (*of*), other (*than*)
~ (: ركض ، جرى) run
عَدَى (راجع اعدى)
عِداء (راجع عداوة ، نفور)
عِدائي hostile, inimical, unfriendly (*action, attitude, etc.*)
عَدَّاد meter
عَدالة equity, justice
~ موضوعية substantial justice
عَداوَة hostility, enmity, animosity, antagonism
~ (دفينة) rancour
عِدَّة several (*persons, times, etc.*)
عُدَّة (١) (عمل ، مشروع) outfit, equipment, provision
~ (صناعة ، حرفة) tool(s), stock-in-trade
~ (: أداة ، جهاز) appliance, implement, instrument
~ ثقب drill
عُدَّة (٢) (: تربص) term or period of waiting
~ ذوات الحيض menstruous term
~ الوفاة (أو الحداد : المدة الواجبة الانتظار قبل الزواج التالي) period of mourning
عَدَد number
~ أكتيني octane number
~ أولي prime number
~ صحيح whole number
~ كمي quantum number
~ مركب composite number, compound number
عَدَّدَ specify, mention, give account (*of*); enumerate

عَـدَدي numerical, numeral
عَـدَسَة lens
عَـدَسِيّ lenticular
عَـدَل (عن شأن) change or reverse (*attitude, position*), retract or recant (*confession*), recall (*opinion, decision*); renounce (*exercise of power, right*)
عَـدَّل amend, modify, adjust, set right
عَـدْل justice; just (*price, wage, etc.*), fair
~ (شاهِد) (راجعْ شاهِد عَدْل)
عِـدْل (راجع نظير)
عَـدْلِيّ juridical, judicial (*department*)
عَـدَم (توافر شيء : انعدامه) lack, want of, absence of; deficiency of
~ إباحة nondisclosure
~ اتفاق nonagreement
~ إحساس callousness, insensibility
~ اختصاص (راجع عدم ولاية)
~ أداء (واجب تعاقدي) nonperformance, nonfeasance
~ استعمال nonuser
~ استقامة improbity
~ اشتراك nonparticipation
~ اشتمال noninvolvement
~ اعتداء nonaggression
~ اعتدال intemperance
~ اعتراف nonrecognition
~ اكتراث (لشأن) indifference, unconcern, insouciance
~ اكتراث (: تهور) heedlessness, recklessness, profligacy
~ أمانة dishonesty
~ اناة (أو تأنٍّ) want of caution, rashness, recklessness
~ انصاف inequity
~ انضمام nonadherence
~ أهلية incapacity, incompetence; ineligibility
~ اهلية عقلية mental incapacity
~ تبصر imprudence
~ تثبت uncertainty
~ تحوط improvidence, want of care

عَدَم تدخل nonintervention, noninterference
~ تسليم nondelivery
~ تعاون noncooperation
~ تَعَدٍّ nonaggression
~ تماسك incoherence
~ تمييز nondiscrimination; indiscrimination
~ تنازل nonwaiver
~ تنفيذ nonenforcement
~ توازن imbalance
~ توزيع nondistribution
~ ثقة nonconfidence
~ حس insensibility
~ حضور nonappearance, nonattendance
~ حيازة nonpossession
~ دستورية unconstitutionality
~ دفع nonpayment
~ رجوع nonrecourse
~ ضم nonjoinder
~ عضوية nonmembership
~ عفة incontinence, unchastity
~ قابلية للتنفيذ nonenforceability
~ قبول nonacceptance
~ قدرة inability, nonability
~ قيام (بشأن) omission, failure (*to do, etc.*)
~ قيمة worthlessness
~ كشف (عن شأن) nondisclosure
~ كفاية insufficiency, deficiency
~ لياقة ineligibility
~ مبالاة (راجع عدم اكتراث)
~ محاربة nonbelligerency
~ مراعاة noncompliance
~ مساواة inequality, unevenness
~ مسايرة ، ~ مطابقة nonconformity
~ موضوعية irrelevance or irrelevancy, impertinence
~ نظام indiscipline
~ وجود nonbeing, nonexistence
~ وعي unconsciousness
~ ولاية (اختصاص) lack or want of jurisdiction
العدَم (: لا شيء) nullity, absolute nullity, nothing,

عُدْم nothingness, nil
(راجع فَقْر)
عَدُوّ enemy, foe; adversary
عَدْوَى contagion
عُدْوان aggression, unprovoked attack, offensive action
عُدوانيّ hostile, aggressive
عُدول (: محلفون) jurors, jurymen or jurywomen
هيئة ~ jury
عَديد numerous, several, many; multitudinous; divers; (*in*) great number
عَديم without (*sense, fear*); -less (*as in: senseless, fearless*)
عَديم الإحساس insensate
عَذاب torture, suffering, agony; distress
عَذَّب torture, torment, agonize, inflict (*excruciating*) suffering or pain
عُذر excuse, justification, defence, apology
~ مصطنع pretext
~ معقول reasonable excuse
~ مقبول acceptable excuse
عَذَر excuse, pardon; condone (*fault, infidelity, offence, etc.*)
عَذَّر (: لم يثبت له عذر) be unjustified or unwarranted (*act, conduct*)
~ (الفاعل) be unable to justify (*failure*) or show cause (*for action*)
عَذراء virgin
عُذريّ pure, platonic, spiritual (*relation*)
عَرَّى bare, denude; strip (*land, etc..., of forests*)
عَراء open, out-of-doors, open air
عَرَّاب godfather
عَرَّابة godmother
عَرَّاف fortune-teller; sorcerer, wizard; magician
عِرافة sorcery, wizardry; witchcraft
عَرَّافة fortune-teller; sorceress; witch
عَراقيل obstructions, obstacles, handicaps
~ (مصاعب) difficulties
عِراك brawl, quarrel, squabble, fight
~ (: شجار باصوات عالية فظة) wrangle, wrangling

عَرَّب Arabize
عَرَبة carriage, coach, vehicle; car
~ اسعاف ambulance
~ زاحفة sledge
~ شحن wagon, van
~ ماء أو وقود tender
~ مقطورة trailer
~ (لنقل البضائع وما إليها) cart
عَرْبَدَ revel, engage in noisy revelry, roister (*about something*)
عَرْبَدَة revelry; roistering
عُرْبون (راجع رعبون)
عُرَّة disgrace, shame, disrepute
عَرَجَ walk lamely, hobble
~ (: صعد) ascend, scale
عَرَّجَ tarry, halt
عَرَجٌ lameness
عُرْس wedding
عَرْصَة courtyard, open space
عَرْض (١) offer (*of services, etc.*); supply (*and demand*); bid (*in auction*); proposition; exhibition, show, display
~ (: تنسيب) submission
~ تمهيدي (لمعاهدة ، اتفاقية ، الخ . .) protocol
~ تعويض offer of amends
~ جديد (في مزايدة) upset bid
عَرْض (٢) (: اتساع) breadth, width
~ (بحر ، ارض وما إلى ذلك) across
عِرْض honour
~ (المرأة) chastity, purity
عَرَضَ offer, submit, proffer (*service, gift, etc.*); advance; bid (*price, etc.*); exhibit, show, display; lay, set out; adduce (*as evidence, example, etc.*)
~ present, represent (*details, situation, etc.*)
عَرَّضَ (١) (لخطر أو ما إليه) expose, subject, leave open (*to danger, injury, etc.*)
~ (لفضيحة) hold up or expose (*to public scandal*)
عَرَّضَ (٢) hint obliquely, insinuate
(راجع تعريض)

عَرَّض بشخص	insult person, question person's integrity, etc.
عَرَّضَ (٣) (: وسع)	widen, enlarge, broaden
عَرَضٌ (ج. اعراض)	symptom (*of disease, failure, etc.*)
عرضًا (: بغير قصد)	accidentally, by chance, casually
عُرضة (لشأن)	prone (*to faults, accidents, etc.*), susceptive or susceptible (*to*), having tendency (*to*), exposed, open (*to*)
~ (لجزاء)	liable (*to punishment*)
عَرَضيّ (: من قبيل الصدفة ، اتفاقي)	accidental, casual (*labour, etc.*), fortuitous, adventitious, contingent (*occurrence*), incidental (*possession*)
عَرْضي	transversal, transverse
عَرَفَ	know, have knowledge (*of*), learn, find out, discover, be in on (*something*), recognize, be acquainted or familiar (*with*), be conscious or aware (*of*)
عُرْف	custom, consuetude; social usage
~ سائد	prevailing custom
~ عام	general custom
~ متوطد	established custom
~ مهنة	trade usage
عُرْف (ديك)	crest, tuft
عَرَّفَ	define; fix limits, characterize
~ (على)	acquaint (*with*)
عُرفي (١)	customary
عُرْفي (٢) (: غير رسمي)	in private form, *sous seing privé*
عِرْق	vein
~ (معدني ، تتوافر فيه المعادن)	lode, ledge
~ النسا (داء)	sciatica
~ (: جنس بشري)	race
(علم الأعراق)	(*ethnology*
عَرِقَ	sweat, perspire
~ (: كدح)	drudge
عَرَقٌ	sweat, perspiration
~ (: كدح مبرح)	drudgery
عَرْقَل	hinder (*progress*), obstruct, hamper, impede (*motion*), interfere (*with*)
عُرقوب	hamstring, large tendon
عِرْقي	racial, ethnological
عَرَكَ	test, put to the test, try
عُرْمَة	stack, heap, pile
عروبة	Arabism
عُرْوَة (: رابطة)	tie, link, bond
~ (زر)	buttonhole
~ (: دائرة)	loop
عَروس (امرأة)	bride
~ (: عريس)	bridegroom
عُروض (: بضاعة منقولة)	goods, merchandise, chattels, personalty, movables
عَرِيَ	go naked or nude, be without clothes, be bare
عُرْيان	naked, nude, bare
عريس (راجع عروس)	
عَريض	broad, wide
~ (: شاسع)	vast, immense
عَريضة	petition, application
~ (: مذكرة)	submission, memorandum; pleading
عَريف (جيش)	corporal
~ (صف مدرسي)	monitor
~ مدرسة	prefect
عَريق	venerable, ancient; illustrious (*person*)
عَريكة	temperament, disposition, nature
عَرين	den
عَزَّ	be dear or precious
~ (: احزن)	sadden or distress
~ (: دعا للأسف)	be regrettable
عَزَا	attribute (*shortcoming*), ascribe, impute (*act, offence, etc.*)
عَزَّى	console, comfort, solace, offer condolences, express sympathy
عَزاء	consolation, comfort, solace; condolence or condolences
عَزَبَ (راجع غاب)	
عَزَّر (١) (: وبخ ، لام ، زجر)	scold, upbraid, blame, reprove

عزّر (: ضرب) beat (*up*)
عَزَّر (٢) (: أعان ، أيد ، عظم) aid, support, honour, revere
~ (من التعزير) [شريعة] chasten, discipline, penalize
عَزَز enhance (*efforts*), strengthen, reinforce (*a defence*); boost (*morale*); consolidate (*position*); intensify (*pressure, attack*)
~ (بينة) corroborate
عَزَف (عن شيء) disdain (*doing or to do*), feel aversion or contempt (*for*), deem below (*one's dignity*), scorn (*thing*)
~ (على آلة موسيقية) play (*instrument*)
عَزَق (التربة) hoe
عَزَلَ (١) isolate, set apart, separate; segregate, seclude, sequester
عَزَلَ (٢) (: أقال) dismiss, discharge, recall, remove (*from office*)
~ (: خلع) depose
عَزْل (١) isolation, separation, segregation, seclusion
عَزْل (٢) (: إقالة ، خلع) dismissal, discharge, recall, removal (*from office, etc.*); deposition
قابل للعزل removable, deposable
عُزْلة solitude, isolation; aloofness, detachment
عَزَم determine (*to do, act, etc.*), resolve (*to depart, ~ that no consideration should stop him*), decide
عَزْم determination, resolution
~ (: ثبات) firmness, steadfastness
~ [رياضيات] moment
عُزوبة celibacy
عُزُوف (: استقامة) probity, uprightness; integrity
عَسَّ patrol by night, watch or keep watch (*during the night*), keep vigil
عَسُرَ (: تعذّر ، صعب) harden, be rendered more difficult or arduous; toughen (*with delay*)
عُسْر (: شدة) hardship, difficulty
~ (: ضيق ، سوء حالٍ) adversity, misfortune
~ (مادي) insolvency
عُسْر هضم dyspepsia, indigestion
عُسْر (: تغليب استعمال اليد اليسرى) left-handedness
عَسَسٌ (*night*) patrol; vigil
عَسْكَرَ pitch camp, encamp
عَسْكري military
~ (: جندي) soldier, trooper
(عساكر (*troops*
عَسْكريّة (*the*) army, (*the*) military; soldiery
~ (روح) militarism
عَسير hard, tough, difficult
عَشّار (: جابي أعشار) tither
عُشْر (: ضريبة) tithe, one tenth
عِشْرَة companionship, company, society
عَشِقَ love (*person or thing*) passionately, be enamoured or infatuated (*with*)
عِشْق passion, passionate love, infatuation
عَشيَّة eve; evening
عَشيرة clan
عَصَى disobey, disregard (*rules, instructions, etc.*)
~ (: قاوم) resist (*orders*)
عَصا (لتوكؤ أو ضرب أو غيره) stick (*: walking stick*), cane
عُصاب neurosis
عُصاب نُفاسي psychoneurosis
عِصابة gang, ring, band
~ (قوامها ١٣ ساحرة) coven
رئيس ~ ring leader
عُصارة (: عصير) juice
~ (: لب) essence
~ (عروق النبات) sap
~ لبنية latex
عِصامي self-made man
عَصَبَ bind up, wrap up, fasten
عَصَب nerve; sinew, tendon (*connecting heel with calf*)
~ (: جرأة ، إقدام) daring, fortitude
~ (نظام) backbone, spine, main or chief support
عَصَبَة (: قوم الشخص) kindred, relations

عصبة (راجع عصبية)
عُصْبَة league, gang, fraternity, group (*of people*); confederacy, confederation
عَصَبي nervous, touchy (*person*)
~ (: حاد المزاج) irascible, hot-tempered, choleric
عَصَبِيَّة (: قرابة جهة الأب) agnation, relations on father's side
~ (الأقارب) clanishness, kindred prejudice or bias
~ (مرض) nervousness, nervous state, nerve disorder
عَصَر squeeze, compress, press (*olives, etc.*), crush
~ (: لوى وفرك) wring
عَصْر age, era, epoch
~ (من نهار) middle afternoon
عَصري modern
عَصَم (: حفظ ، وقى) protect, guard
~ (راجع الجأ)
عِصْمَة infallibility
~ (: مَنْع) prevention, preclusion
عِصيان disobedience; insubordination; mutiny, resistance, rebellion
~ مدني (: امتناع عن الامتثال للقوانين) civil disobedience
~ (أوامر محكمة) contumacy, contumaciousness
تحريض على ~ sedition
عَصيب difficult, trying (*time*), hard, crucial (*period*)
عَصير (راجع عصارة)
عُضال chronic (*illness*), inveterate (*prejudices, feuds, etc.*), incurable
عُضالية (داء) incurability (*of an ailment*), inveteracy (*of a habit*)
عَضُد (: ذراع) arm
~ (: معين) support, helper, sustainer
عَضَدَ (راجع أعان)
عَضَل (ـة) muscle
عَضَل (عن زواج) detain or debar (*from marriage*) unfairly, interdict
عَضَل (في معاملة) treat harshly
عُضو member; organ (*of digestion, reproduction, etc.*)
~ احتياطي alternate member
~ تناسل الأنثى (أعضاء التناسل في المرأة) muliebria
~ تناسل الذكر (أعضاء التناسل في الرجل) virilia
~ عامل active member, full member
~ مجلس إدارة منتدب managing director
~ مجلس شيوخ senator
~ مجلس نواب member of parliament, member of House of Representatives, member of House of Deputies, deputy
~ مراسل correspondent member
~ منتسب associate member
~ منضم adherent member
عُضْوي organic
عُضوية membership
عَطاء (١) donation, gift, (*act of*) giving; endowment
عَطاء (٢) (: عرض قيام بعمل) tender
مقدم العطاء tenderer
عَطَّار perfumer(y); druggist; spice dealer or dealer in spices
عَطالة failure; deficiency
عَطِشَ (راجع ظمئ)
عَطَف (على) patronize (*enterprise*); sympathize (*with cause*); pity, have compassion (*on poor, needy, etc.*)
عَطْف sympathy, favour, patronage
عَطَّل (١) (: افسد ، شوّه ، اقعد) throw into disorder, maim, cripple
~ (: اعجز) incapacitate
~ (عملاً ، تصرفًا ، قدرة ، الخ ..) obstruct, neutralize, interrupt, inactivate (*elements, process, etc.*), discontinue, impair, disable
~ مفعول قانون dispense with a law
~ (: اوقف) suspend (*a newspaper*), cease (*activity*)
عَطَّل (٢) (: اخذ عطلة) go on leave, be on vacation
عُطْل (في آلة : خراب) breakdown, failure
عُطْل وضَرر (راجع اضرار)

عُطْلَة holiday
~ (شخصية أو موسمية) vacation, leave of absence
~ رسمية official holiday
~ عامة public holiday
عَطِنَ putrefy, decay
عَطِنٌ putrid, decayed
عَطِيَّة (راجع هبة)
عِظَة (: موعظة) admonition, lesson; warning
~ (يلقيها واعظ) sermon
عَظُم augment, grow great
عَظَّم (راجع بَجَّل)
عَظْم bone
~ الترقوة clavicle, clavicula
~ الفخذ femur
~ الورك hip (*bone*), ischium
عَظِيم great, grand
عَفَّ disdain (*to do*), shrink (*from*)
~ (عن فاحشة) be chaste
عَفا (١) pardon, forgive; overlook (*an offence*); condone (*matrimonial infidelity*)
عَفا (٢) (: امحى ، اندرس) be erased or obliterated
عَفاف (راجع عِفة)
عِفَّة probity, honesty, uprightness, incorruptibility; continence
~ (جنسية) pudicity, chastity, purity
~ (: حياء) modesty
عَفِنَ rot, putrefy, decay, decompose
عَفِنٌ rotten, putrid, decomposed
عَفْو pardon, grace, indulgence; amnesty; remission
~ (: صفح ، مسامحة) forgiveness, condonation (*of matrimonial offence*)
~ جزئي partial pardon
~ عام general amnesty
عُفونَة putrefaction, rot, decay, decomposition
عَفْويّ spontaneous, impulsive, automatic
~ (: غريزي ، فطري) instinctive
عَفْويَة spontaneity, impulsiveness
عفيف upright, honest, incorruptible
عَقَّ disobey, deny (*obedience, deference and compassion*)

عِقاب punishment, penalty
عِقابيّ punitive, penal (*clause*), vindicatory (*damages*)
عَقار immovable, realty, real property, real estate
~ خادم (: مرتفق به) servient estate
~ مخدوم (: مرتفق) dominant estate
عَقاري landed (*property, etc.*), real
~ (: يتصل بالأرض) agrarian
عَقِب (١) (: ولد ، خلف صلبي) issue, offspring
~ (: خلف) successor, heir
~ إناث female issue
~ ذكور male issue
~ (: اثر شيء عابر) trail, wake, track
~ (: مؤخر القدم) ankle, talus
~ (: آخر) end
عَقِبَ (٢) (: بعد) after, post
~ الاجهاض postabortal
~ الولادة postpartum
عَقَبَ follow or follow after, supervene; succeed
عَقَّب (: عَلَّق مخالفًا أو مؤيدًا) comment or commentate (*on*)
~ (: أعاد النظر) review, reexamine
~ (: حكم خلافًا لحكم ، نقضه) reverse (*a judgment*)
~ (: بيَّن عيوبًا أو أغلاطًا) illustrate, indicate (*flaws or faults*)
عَقَبَة obstacle, obstruction, stumbling block
~ (: عائق) hindrance
عَقَدَ knot (*a rope, etc.*)
~ (صفقة ، بيعًا ، الخ..) strike (*bargain, sale, etc.*), conclude, make, ratify
~ (راجع عاهد)
~ جلسة hold (*a session*), sit (*as of council, court, etc.*)
~ معاهدة (أو ما إليها) conclude, make (*a treaty*), draw, enter into (*agreement*)
~ (: منع عن نطق أو كلام) render speechless, dumbfound
عَقِدَ (: التوى) twist, get twisted, entwine, contort or get contorted

عَقْد contract
~ احسان (يستقل بمنافعه أحد اطرافه) contract of benevolence
~ ارتهان pignorative contract
~ استئجار contract of tenancy
~ اصلي (أو اساسي) principal contract
~ انفرادي(يقع فيه الالتزام على أحد طرفيه فقط) unilateral contract
~ ايجار lease
~ باطني subcontract
~ بدلي (تخييري) alternative contract
~ بسيط simple contract
~ تأسيس بنك bank charter
~ تأسيس شركة articles of incorporation
~ تبادلي reciprocal contract
~ تبعي (أو فرعي) accessory contract
~ تجزئة divisible contract
~ تضامن joint contract
~ تمهيدي (راجع عقد مانع)
~ توكيدي certain contract
~ ثنائي bilateral contract
~ جزافي hazardous contract
~ رهان (مراهنة) wagering contract
~ شفوي parol contract
~ صريح express contract
~ صوري (مصطنع) simulated contract
~ ضمني constructive contract, implicit contract
~ عارٍ (: مجرد) nude contract
~ عرفي (راجع عقد بسيط)
~ عمل بحري shipping articles
~ غرر aleatory contract
~ غير قابل للتجزئة indivisible contract
~ فردي several contract
~ مانع (من تعاقد معين) precontract
~ مبايعة contract of sale
~ مُتراخ future execution contract, executory contract
~ مثل (راجع عقد تبادلي)
~ مسجل أو مشهر (حاصل أمام محكمة مختصة) contract of record

عَقْد مسمّى nominal contract
~ مشروط أو معلق على شرط conditional contract
~ مفتوح (يتقيد بما يلزم القانون) open contract
~ مكتوب written contract
~ هبة gratuitous contract
شبه ~ quasi contract
عَقَّد complicate, make knotty or complex; entangle (*matters*)
عِقْد necklace
عُقْدة knot, node, tie (*of marriage*)
~ (في مفاوضة ، تفاهم أو ما إليه) deadlock, stalemate
عَقَلَ (: أدرك) have discretion; conceive, perceive, understand, discern (*a subtle difference*)
عَقْل mind, intellect
~ (: دماغ) brain
عَقْلي mental, intellectual, psychic; emotional
عَقْلِيّة mentality
~ (: ذكاء) intelligence
~ (: تفكير) outlook
عَقَمَ sterilize, make unproductive
عَقَّم sterilize, free from living microorganisms; make sterile, render incapable of reproduction
عُقْم sterility, barrenness
عُقوبَة penalty, punishment
~ (تفرض على دولة) sanction
~ الحد doctrinal penalty
~ مفوضَة (يقدرها القاضي حسب ظروف المتهم) discretionary penalty
~ مقيدة للحرية detentive penalty
~ نقدية amercement, fine
عَقيب (راجع عاقب)
عَقيدة creed, faith, doctrine; dogma, tenet
عَقيم barren; sterile
عُكّاز crutch
عَكِر turbid, troubled, muddy, agitated, impure, foul
عَكَّر trouble, agitate, disturb, make turbid
عَكَس reverse (*a statement*), invert

عَكَس (: قلب) turn about, turn upside down, turn in opposite direction
~ (نورًا ، فكرة ، صورة) reflect; mirror
عَكْس (: نقيض) opposite, reverse (*of something*), contrary (*to expectation, assertion, etc.*); antithesis (*of honesty, good judgment*)
~ (: العكس من حيث المعنى) antonym
العكس بالعكس *vice versa*, conversely
عَكْسِيّ inverse (*ratio, figure, etc.*)
~ (: مقابل) opposite (*side*), obverse
عَكَفَ (على) apply oneself (*to work*), engage (*in*), devote oneself (*to*)
~ (في) keep (*to one's house*), confine oneself (*within*), withdraw (*to or in*), retire (*in*), seek seclusion, seclude or shut off oneself (*in*)
عَلَى at, on, over, upon, along (*road*)
~ الحساب on account, on credit, on tick
~ علاته [تجارة] as is
(راجع بيع)
عَلا (: ارتفع) rise, ascend
~ على (: تغلَّبَ ، ظهر على) prevail, override, predominate, triumph
~ (: حلق) soar
~ (: تكبر) indulge in pride, act arrogantly, bear oneself haughtily
~ (: ركب) mount
~ (على شيء كالبرج) tower (*over*)
عَلَّى (راجع رفع)
عِلاج treatment, cure, therapy
~ (راجع دواء)
~ (: حل) remedy, solution
~ طبي medical treatment
~ لكل داء panacea
~ وقائي preventive therapy
عِلاجيّ remedial, curative (*herbs*), therapeutic (*regime, process*)
~ (: معيد للصحة) restorative (*food, medicine, etc.*)
عَلاقة relation, relationship, connection; kinship (*of blood*), link; concern (*with thing or person*); bearing (*of a point on an argument*)
عَلاقة داخلية (بين جهات مترابطة) interrelation
عَلامة mark, sign, indication
~ (: رمز) symbol
~ بريد postmark
~ تجارية trademark
~ حَدِّيَّة stake, marker
~ حَدِّيَّة طبيعية call
~ شافة ، ~ شفافة watermark
~ الماء السفلى low watermark
~ الماء العليا high watermark
~ نجمية asterisk
عَلاوَة allowance; premium (*bond, ~ for service*)
~ تبرعية bonus
عَلَّب can
عُلْبَة can, tin
عِلَّة (: سَبَب ، مبرر) cause, motive, reason, justification
~ (: حافز) incentive
~ (: تعلة) pretext, excuse
~ (جسدية) infirmity, ailment, disease, illness, malaise
عَلَف feed, fodder
عَلَفٌ ، عَلُوفة fodder
عَلِقَ cling, stick (*to*)
عَلَّقَ (١) hang, suspend
~ (منشورًا على لوحة) post, stick
~ (جلسة) adjourn
~ (أهمية على شأن) attach
عَلَّقَ (٢) (: بين رأيًا في شأن) comment, commentate, express opinion (*on thing, event, etc.*), give a commentary (*on*)
~ (: انتقد) criticize
عَلَقَة (: جلطة) blood clot
~ (: دودة طفيلية) leech
عَلَّل substantiate (*judgment, inference, etc.*), show cause, ground (*for claim, petition*); motivate (*conclusion*); justify

عَلِمَ	know, learn, have knowledge (*of*), come to one's knowledge; understand (*that something has taken place*), discover (*that*), find out
عَلَمٌ	flag
~ (راجع راية)	
عِلْم	knowledge, learning, knowing
~ (ينطوي على قبول)	privity
~ (ج. علوم)	science
~ الاجواء (طبقات الجو)	aerology
~ الامراض	pathology
~ امراض الجلد	dermatology
~ امراض النساء	gynaecology
~ الامراض النفسية	psychiatrics
~ الانساب	genealogy
~ الانسان	anthropology
~ البيئة (وصلتها بالأشياء)	ecology
~ التربية الزراعية	agrology
~ التشريح	anatomy
~ الجرائم	criminology
~ الحشائش	agrostology
~ الحشرات	entomology
~ الصحة	hygiene
~ الصخور	petrology
~ طبقات الأرض (جيولوجيا)	geology
~ الطبيعيّات (الفيزيقيا) الأرضية	geophysics
~ الفلك	astronomy
~ الفنون الصناعية	technology
~ الكونيات	cosmology
~ النفس	psychology
~ النوويات	nucleonics
~ الوراثة [احياء]	genetics
~ وخبر	(*data*) attestation, factual certificate
~ وخبر يتصل بعقار	realty attestation of fact
~ وصول (يرفق بخطاب مسجل)	delivery return
عن ~	knowingly, wittingly
عَلَّم	teach, educate, school, tutor, instruct
~ (: وضع علامة)	mark (*a box*); tick off (*item on a list*)
عَلْماني	secular (*state, society*), multi-confessional
عِلْمي	scientific (*research, etc.*), academic (*discussion, qualification, etc.*); scholarly (*tendency, activity, etc.*)
عَلَنًا	openly, publicly, in public
~ (: في جلسة علنية)	in open court
عَلَنِيّ	open, public
~ (: مفضوح)	notorious (*offence*)
جلسة علنية	open court
عُلُوّ	height, elevation; loftiness (*of endeavour, motive, etc.*), nobleness (*of purpose*)
~ (ارتفاق)	dominant estate
صاحب حق العلو	owner of dominant estate
عَلُوفة (راجع علف)	
عُلْوِيّ	upper
عُليا	supreme, high (*court, commission*)
~ (بين الاشياء)	highest, uppermost
عَليل (: معتل)	infirm, ill, sick, invalid; sickly, morbid (*mind, growth, condition*); unwholesome (*effect*)
عَلَيْهِ (في كشف حساب)	debit (*side*)
عَمٌّ (: العم)	uncle (*paternal*)
عَمَّ	prevail; be common, become rife or universal, extend to all members of community, be accessible to all
عَمَى	blindness
~ الثلج	snow blindness
~ اللون (الألوان)	colour blindness
~ ليلي	nyctalopia, night blindness
عِماد	mainstay, backbone, chief support
~ (رتبة عسكرية)	general
عِمادة (بلدية)	mayoralty
~ (كلية ، معهد علمي)	deanery
~ (أسرة)	headship
عَمارة	building
~ (: معمار)	architecture
عُمالَة ، عُمولَة	commission
عَمَّة	aunt (*paternal*)
عَمَدَ (: قصد)	intend, have in mind, mean
~ (إلى)	resort, have recourse (*to*)

عَمَّدَ (: طهر) — baptize; purify, cleanse
عُمْر — age, life, lifetime
عَمَّرَ ، عُمِّرَ (: عاش طويلاً) — live or last long, survive for long
عَمَرَ (مكانًا) — inhabit, frequent
~ (راجع عبد)
عَمَّرَ (١) (: بنى) — build
عَمَّرَ (٢) (: طوّر) — develop, build, construct, reclaim (*land, etc.*)
عُمْران — development, construction, building
عُمْرة — small or minor pilgrimage, pilgrimage rituals
عَمْرة (اجمالية) — overhaul
عُمْري — life (*estate, interest, etc.*), for life, *ad vitam*
عُمْق — depth
~ (تفكير أو ما إليه) — profundity, profoundness
عَمَّقَ — deepen
عَمِلَ — make, do (*duty, wrong, best, etc.*); perform, work, labour; operate (*abroad, on request, etc.*), act
~ بقانون — apply or carry out a law
يعمل بقانون — a law shall take effect, come into force or be operative (*as from...*)
عَمَلٌ — work, labour; employment
~ (: فعل) — act, action, deed
~ (: ممارسة) — practice
~ (: شغل) — business
~ (معين) — task; job
~ تكتلي (جماعي) — teamwork
~ مهين — drudgery
~ فني — skilled labour
نزاع ~ — trade dispute, labour dispute
عِمْلاق — giant
عُمْلَة — currency, money
~ (: نقد) — cash
~ صعبة — hard currency
~ ورقية — paper currency
عَمَلي — practical, practicable
~ (اطلاقًا ، من حيث الصلة) — pragmatic

عَمَلي (للبحث في شأن) — working (*lunch, visit, etc.*)
عَمَلِيًّا — in fact, in practice; practically
عَمَلِيّة — operation; working; process (*of construction, digestion, etc.*)
~ جراحية — surgical operation
عَمَّمَ — generalize (*a law, etc.*), universalize; make common, extend to all
~ (منشورًا ، كتابًا ، الخ..) — circulate
عَمُود (١) — column, pillar; shaft
عَمُود (٢) — line (*of descent or ancestry*), lineage; side
~ (: أصل) — root of descent, stem
~ (ذكور) — male line
عمود فقريّ — spine, vertebral column
عمود نسب — lineage, line
عَمُودي (: مباشر من حيث النسب) — lineal
~ [هندسة] — perpendicular
عُمومًا (: بوجه عام) — generally, at large, as a whole
عُمومي (راجع عام)
عَميد (: سيد جماعة) — master, chief
~ أسرة — head of family (*or house*)
~ بلدية — mayor
~ (كلية ، سلك دبلماسي ، مجمع) — dean
~ (راجع عماد)
عَميق — deep, profound
~ (المعنى ، عسير الفهم) — abstruse
عَميل — dealer, monger
~ (: عين لجهة اجنبية) — agent
~ (: زبون) — client, customer
عَمِيم (راجع عام)
عَنْ — from (*act, person, position of authority*), for, for the benefit (*of*), on behalf (*of*)
عَنا (: خضع) — succumb, submit, yield
عَنَى (١) — mean, intend, signify, purport, imply
عَنَى (٢) (: خص ، اتصل) — concern, pertain, relate, be of interest to, involve
عَناء — fatigue, toil, weariness
عِنان — rein, bridle
عِنايَة — care, attention; consideration, regard, deference

عِناية (: اجتهاد)	diligence
~ خاصة	special care
~ الرجل المعتاد	ordinary care
~ فائقة	extraordinary care
~ قصوى	utmost care
~ لازمة، ~ مستحقة	due care
عَنْبَر [دارج] (في مستشفى)	ward
~ (في سفينة)	hold
عُنَّة	impotence, sex-inadequacy
عِند (: مع ، بحوزة)	with, in the possession of
~ مكان ، الخ..	at, in
~ (: حين ، لدى)	on, upon
~ الطلب	on call, on demand
عِندما	when, at the time that
~ (: حال)	on (*arrival, termination, etc.*)
عُنْصُر (١)	element; component, ingredient, constituent
عُنْصُر (٢)	race, stock; subspecies
عُنْصُريّ	racial, ethnic, ethnologic
~ (: يلتزم التمييز العنصري)	racist
عُنْصُريّة	racialism
~ (: التزام التمييز العنصري)	racism
عُنْف	violence, force; coercion
~ (: مراغمة)	compulsion, coercion
عَنَّف (: وبخ ، بكت ، زجر)	berate, scold, upbraid; reproach severely; rebuke
عُنفوان	prime (*of youth*), height (*of power*)
عُنُق	neck
~ [عامية]	scrag
عُنقود	bunch
عَنْكَبوت	spider
~ احمر	spider mite, red spider
~ اوروبي (: ذئب العناكب)	tarantula
عُنْوان (مكان ، شخص ، الخ..)	address
~ (كتاب ، بحث ، الخ..)	title, rubric
~ برقي	cable address
~ بريدي	postal address
~ (كبير في جريدة أو ما إليها)	headline
عَنْوَة	force, violence
~ (: مراغمة)	coercion
عَنيد	obstinate, stubborn, obdurate, dogged
~ (: لا يلين)	unyielding, tenacious
~ (: لا يذعن لقيد)	unruly, refractory
عَنيف	violent
~ (: شرس)	ferocious
عِنِّين	impotent
عَهْد (١)	promise; pledge, plight
~ (: ارتباط)	engagement
~ (: ميثاق)	covenant
~ شفوي	parole
عَهْد (٢) (: زمن ، عصر ، آونة)	epoch, era, time
~ (: زمن لا حصر لطوله)	aeon (*eon*)
~ (: ملك ، حكم)	reign, regime
عَهِدَ (بشأن للغير)	entrust, commit (*thing to person*), commend, confide (*responsibility to somebody*)
~ (لشخص بواجب)	charge (*person with some duty*)
عِهْدَان	warranty, surety, bond, pledge
عُهْدَة	responsibility, charge, trust
عَهَرَ (راجع زنى)	
عِهْر	prostitution, harlotry
عَوائد (: غلة)	proceeds, makings, turnover, avails, yield
عَوارٍ ، عَواريات (مغرم) [مواد بحرية]	average
~ بسيط أو خاص	simple or particular average
عواريات كبرى أو عامة	gross or general average
سند عوار	average bond
عَوامّ (راجع عامة)	
عَوَّامة (لهداية السفن)	buoy
~ نجاة	life buoy
~ (كالكرة الخاوية أو قطعة الفلين)	float
عَوَج (: اعوجاج)	crookedness
~ (: عدم استقامة)	improbity, unevenness
~ (: ميل لغرض خاص دون الحق)	deviousness, tendentiousness
عَوَّج	bend, twist, pervert (*facts, etc.*)
عَوْد	return, recurrence; reversion
~ (: تكرار)	recovery; repetition
~ إلى اجرام	recidivism
~ إلى وطن	repatriation

عَوَّد accustom, habituate, acclimatize
~ (على مشاق) inure (*someone to hardships*)
عَوْدَة (إلى دخول بلد) regress
عَوَّرَ (: أفقد بصر إحدى العينين) (*to*) blind in one eye
عَوْرَة loin, private part, privates, intimate part of body, shame (*as in: cover one's shame*), nakedness
~ (: مأخذ ، عيب) flaw, imperfection, shortcoming, defect, blemish, evil (*trait, characteristic*)
عِوَض compensation, indemnity, recompense
~ (: وفاء بعقد أو ما إليه) consideration, inducement
~ (: بدل شيء) in lieu of, instead of (*something*)
~ كافٍ [قانونًا] good consideration
~ مجدٍ (: معادل للوفاء) valuable consideration
عَوَّض (خسارة) make up for, offset (*loss*)
~ (الغير) make good, compensate, indemnify; recompense
~ (أثر شيء من خسارة أو ضعف أو ما إلى ذلك) offset, counterbalance
عَوَّق (راجع عاق)
عَوَّل (على) rely (*on or upon*), depend (*on or upon*), count (*on*), reckon (*on*)
عَوْم buoyancy, floating power
قابل للعوم buoyant, able to float
عَوَّم (: انقذ من افلاس ، عجز أو ما إليه) float
عَوْن (: مساعدة) aid, assistance; succour, help
~ (: مساعد) aider, helper, assistant; auxiliary
عَويص (: مشتبك ، معقد) complicated, complex, involved, intricate, knotty
عُوَيْلِم subkingdom
عِيٌّ (: حبسة) aphasia, anepia, bradyphasia
عِيادة (طبيب) clinic
عِيار standard, measurement, caliber
~ ناري gunshot, report
عِياريّ standard (*measure, level, etc.*)
عِيال dependants
عَيْب fault, defect; flaw; imperfection; blemish
~ (محبب) foible
عَيْب الرَّد defect allowing restitution option (*or rescission of sale*)
(مهما بلغت عيوب بضاعة) (*with all faults*
عَيَّب (: جعل ذا عيب ، نَسب إلى عيب) vitiate, render defective or imperfect; decry (*judgment, opinion, act, etc.*), find fault (*with person, conduct*)
عِيد feast, festivity, public celebration
~ (: ذكرى) anniversary
عَيَّر (: نسب عارًا إلى الغير) impute dishonour (*to*), condemn as disgraceful or disreputable
عَيْش living; survival, subsistence (*on allowance, food, etc.*)
عَيِّل dependant, dependent
~ قانوني legal dependant
عَيَّن appoint (*an official, a date, etc.*); nominate (*a successor*); designate (*a chairman*), retain (*an attorney*)
~ (: أقام ، نصب) institute
~ (: خصص) assign (*task, duty*)
~ (: حدد) specify, fix
عَيْن (١) eye
~ (: سيد ، شريف ، شيخ ، الخ . .) master, nobleman, celebrity, notable, senator
~ (: عقار) realty, immovable
~ (: طليعة ، طليعة جيش) forefront, vanguard
~ (: نبع) spring, fount or fountain
~ (: خيار) choice or choicest, best
عَيْن (٢) (: ذات) same, selfsame, very
عَيْنًا in kind, in specie
عَيِّنة sample, specimen
بالعينة by sample, per sample
عَيْنِي (: عقاري) real
~ (: عينًا لا نقودًا أو ما إليها) in kind
~ (: يتصل بالعين أو البصر) ocular, ophthalmic (*clinic, treatment*)

غ

غائِب — absent

~ (: متغيب) — absentee

~ (: متخلف عن حضور واجب) — contumacious

غائِر — sunken, hollow; deep-set, submerged (*portion*)

~ (: سجن في قلعة) — dungeon

غائِط (١) (: سهل منخفض) — lowland; level depression

غائِط (٢) (: تبرز) — excrement, stool

غائِلة (راجع مصيبة)

غابَ — absent (*oneself*), keep (*oneself*) away

~ (: أصبح في غيبوبة) — lose consciousness, faint

~ (: عزب عن فِكْرة) — escape (*one's mind*), slip (*from memory*)

غابٌ — bush, jungle; wilderness

غابَة — forest, wood; woodland

غابِر (راجع سالف)

غاثَ — succour (*a person in need*), aid (*somebody*), relieve (*war victims*)

غادَة — maiden, damsel, girl, young unmarried woman

غادَرَ — depart (*from*), leave (*a place*), quit (*town*), move (*from*)

غادِر — treacherous, perfidious, treasonable

~ (: يتوثب لمكر) — insidious

(شخص) ~ — treacher; traitor

غـار (: كهف) — cave, cavern; cove

غارَ — cave in, sink, plunge (*in debt*), immerse (*in water*)

غارَة — raid, incursion, sudden descent (*upon something*), (*predatory*) invasion

غارِق (بالماء) (راجع غاصّ)

غازٌ — gas

غازٌ (: كاز) — kerosine (*kerosene*)

~ طبيعي — natural gas

~ تغليف سطحي — casing-head gas

غازَلَ — court, make love to, woo, flirt (*with*)

غازولين — gasoline, petroleum

غازِيّ — gaseous

غاصَ — plunge, immerse, sink, immerge

غاصٌّ (بالماء : غارق) — waterlogged, soaked with water

غاصِب — usurper (*of power*), wrongful seizor; ravisher

غافَلَ — take unawares, surprise, (*attack or*) take by surprise

غالٍ — expensive, costly, high-priced, dear

غالى (في بيان شيء) — exaggerate, overstate (*a case*)

~ في ثمن (مطلوب) — overcharge

~ في دفع (أداء) — overpay

غالِب — prevalent or prevailing, dominant (*person or thing*)

~ (: غالبية) (راجع أكثرية)

غالِبًا — frequently, often

غالَطَ — prevaricate, quibble, equivocate; confuse (*an issue*)

غامَرَ — venture (*one's life for a cause*), brave (*a situation*)

~ (بشأن) — risk, stake, wager, gamble

~ (لربح محتمل) — speculate

غامِض — ambiguous, equivocal, vague, indistinct, obscure (*position*), unintelligible (*speech*)

~ (راجع خفي)

غاوٍ (: ضال) — aberrant (*group*), deviate, stray (*boy*), misguided (*person*)

غايَة (: هدف ، غرض) — purpose, object, aim, end

(*as in: to this or to a certain end*), motive, intent (*to revenge*)

غايَرَ (: خالف) be at variance (*with*), be in conflict (*with*), diverge (*from*); contravene

~ (: عارض ، اختلف) disagree (*with*), differ (*from*)

غَبَّ absorb (*lesser penalty*); gulp (*down something*)

غَباء (: غباوة) idiocy, imbecility, foolishness, moronity

غَبَرَ (راجع مضى)

غَبَرة (: غبار) stirred dust, flying or airborne dust

غِبطة delight, joy, pleasure

غَبَنَ aggrieve, treat unfairly or unjustly

غُبْن injustice, inequity, unfairness

غَبِيّ idiot, imbecile, fool, simpleton, moron

غَثّ (: غير سمين) lean, scrawny, spare

~ (كلام : رديئه ، فاسده) incoherent, irrelevant, bad, foolish

غُثاء scum, froth

غَثَيان nausea

غَدٌ (: الغد) tomorrow, morrow, next or following day

~ (: المستقبل) (*the*) future

غَدا (راجع أصبح)

غَداة (يوم معين) the day after or following

غَدّار (راجع غادر)

غُدَّة gland

~ احليلية جانبية para-urethral gland

~ انبوبية عنبية acinotubular gland

~ تناسلية gonad

~ دمعية lacrymal gland

~ جنبية درقية glandula parathyroidea

~ درقية thyroid gland

~ درقية تائهة aberrant thyroid

غداني adenoid

غديّ glandular, adenoid

غَدْر treachery, perfidy, breach of faith

~ (: استيلاء الموظف على أمانة) peculation

غَدَرَ betray, break faith; act treacherously, be perfidious or act perfidiously

غَدَرَ (: اختلس أمانة حالة كونه موظفاً) peculate

غَدير pool

غَذّى nourish (*hatred*), aliment, feed

~ (: ربَّى ، درَّب) nurture (*a viper*)

غِذاء nourishment, nutrition, alimentation, food

غِذائي (: غايته التغذية) alimentary

~ (: به فائدة غذائية) nutritious, nourishing

غَرَّ deceive, delude, beguile

غِرٌّ (: بلا خبرة ، حديث عهد بشأن) novice, raw, colt

~ (جندي) recruit

غَرَّى glue, agglutinate

غِراء glue

غَرابة strangeness, singularity, oddity, peculiarity, mystery (*mysteriousness*)

~ (: شذوذ) eccentricity

غِرار (: مثال) according, (*in the*) likeness (*of*), after (*person or thing*), (*in the*) manner (*of*)

غَرامة fine, mulct, amercement

~ خسائر بحرية مشتركة general average

غَرَبَ go, be gone, retire

~ (: غادر ، ابتعد) depart, move away

~ (كالشمس ، الخ ...) set, sink out of sight

غروب (الشمس) sunset

غَرْب west, occident

نحو الغرب westward

غِرْبال sieve; riddle

غُرْبة (*condition or country of*) expatriation

غَرْبَلَ winnow, sift, sieve, garble

غَرْبِيّ western, occidental

~ (: من الغرب ، كهبوب الريح أو ما إليه) westerly

غِرَّة (على غرة) unawares, by surprise, suddenly, unexpectedly

غَرَّرَ (بـ) lure, inveigle, decoy, beguile, entrap

~ (لفاحشة) entice, seduce

غَرَر [عقود] aleatory (*contracts*)

غَرَزَ drive (*through, into*)

غُرْزة stitch

~ مدمنين (: محششة) joint

غَرَسَ plant (*shoot, seed, etc.*); fix firmly

غرَس (عادة ، خلقًا ، روحًا ، الخ . .) instil, implant
غرَض purpose, object, motive, end; use
~ (: هدف) target
~ خيري charitable use
غرَف scoop, ladle out (*food*), carve (*something*)
غُرْفة room, chamber
~ مداولة conference room, deliberation chamber
~ مشورة chambers, camera
~ (في) سفينة cabin
غرِق drown; sink (*of boat, etc.*), founder, get submerged
~ (في دين ، رذيلة ، الخ . .) plunge, sink (*in debt, vice, etc.*)
غرَق sinking, drowning, submergence, foundering (*of a ship, a scheme, etc.*)
غرِم lose, pay (*debt, obligation, fine*), suffer disadvantage
غرَّم fine, mulct, amerce
غُرْم loss, disadvantage, detriment
غروب sunset
غُرور conceit, personal vanity
غريب strange, singular, odd, peculiar, mysterious
~ (: به شذوذ) queer, eccentric
~ (شخص) stranger
~ (: غير شائع أو مألوف من نبات أو فاكهة أو غيرهما) exotic
غريزة instinct, innate impulse or propensity; intuition
غريزي instinctive; intuitive
غريغُوري (تقويم ، الخ . .) Gregorian (*calendar*)
عهد ~ Gregorian epoch
غريم adversary, opponent, antagonist
غِرْيَن silt (*carried by a torrent*)
غزا invade, maraud (*a fortress*), raid, pillage (*a town*)
غزارة profusion, abundance, plentifulness
غزَل spin (*thread*)
غزْل spin, spinning
غزْوٌ invasion, incursion

غزوة raid, invasion, incursion (*by enemy force*)
غزير abundant, plentiful
غسَقٌ dusk
غسِق (: اظلم) dusk, become dark
غسَل wash, lave, clean, remove dirt
غُسْل (: وضوء) ablution
غُسُل complete washing of body
غسيل washing; cleaning
~ (: ثياب أو ما إليها) laundry
غشَّ cheat, swindle, cozen, defraud; deceive
~ بضاعة (: خلطها بمواد رخيصة أو غريبة عن المطلوب) adulterate, load
~ (في لعب زهر أو ورق أو ما إليه) palm off
غِشّ fraud, deceit, trickery; cheating, swindling
~ (بسبيل المزج) adulteration, doctoring
~ بر أو مبرة (يؤتى لوجه خير) pious fraud
غشا to come to, to befall
غشَّى veil, haze, obscure (*vision, etc.*), overshadow (*action, etc.*)
~ (راجع غطى)
غِشاء film, diaphragm, membrane
~ (: غلاف) sheathing, casing
~ (مخاطي) mucosa
غشّاش cheat, swindler, double-dealer; adulterator (*of foodstuffs*)
غشاوة haze; veil, cloud
غشِي to come to, to befall; to cover, envelop or veil
غُشِي (على شخص) faint, lose consciousness, become unconscious
غشيان ، غُشية syncope, faint
غشْية (: غيبوبة في غير مرض) trance; stupor, partly suspended animation
غصَّ choke (*with*), jam (*roads*), fill to suffocation
غصَب usurp, seize wrongfully
~ (انثى أو ما إلى ذلك) rape, ravish, violate
غصْب usurpation, wrongful seizure (*of goods*)
~ (اموال) rapine
~ (عِرض ، مقدسات أو ما إليها) rape, ravishment,

violation

غُصْن — branch, bough, shoot

غَضّ (البصر عن غلطة ، منظر ، الخ ..) — overlook (*slip*), turn from (*sight*), glance aside, avert (*one's eyes*)

غَضّ — tender, soft, supple

غَضاضة — defect, imperfection, blemish; shortcoming

غَضِب — be angered or irate, get enraged or infuriated; take offence

غَضَبٌ — anger, rage, ire, indignation, fury, wrath

~ شديد — passion

سريع الـ ~ — irascible, touchy, choleric, testy, cranky

غُضْروف — cartilage, gristle

~ ليفيّ — fibrocartilage

~ مُخاطيّ — mucocartilage

غَضَن (: غَضَّن) — wrinkle, line (*in a face*); crease (*on cloth*); crimp

غَضُوب — irate, choleric

غَطّ (في نوم) — breathe heavily, snore

غَطّى — cover, cap; overlay (*something on another*), coat

~ (: اخفى ، ستر) — conceal, screen

غِطاء — cover; coverage or covering; blanket

~ (عملة ، إصدار ، الخ ..) — backing

~ (وعاء) — lid, top

~ (: سقف) — roof

~ محرِّك (أو ما إليه) — hood

~ [طيران] — cowl, cowling

غَطْرَسة (راجع عجرفة)

غَطَس — dive, sink, immerse; plunge (*in water, vice, gambling, etc.*)

(غطاس — *diver*)

غَطَّس — immerse, dip, immerge

غَفا — doze, fall asleep, nap

غَفَرٌ (: حرس) ، غَفير — watch, guard, vigil

غَفَرَ — pardon, forgive, condone; remit (*sin, etc.*); overlook (*error*)

غُفْران — pardon, forgiveness; indulgence; remission

غُفْل (: لا يحمل توقيعًا أو علامة) — anonymous, unmarked

~ (: شخص لا وزن له) — insignificant

~ (من أرض) — uncultivated

غَفَلَ (راجع سها)

غَفْلَة (راجع سهو)

غَفْوَة — doze, nap, light sleep

غِلّ (أغلال) — fetter(s), shackle(s)

~ يدين — handcuffs, manacles

~ (دفين) — malice (*aforethought*)

غَلَّ — yield, bear fruit, produce (*more than enough*)

غَلا — be expensive or costly or dear

غَلَى — boil

~ (برفق) — simmer

غَلاء — high cost, expensiveness (*of tickets, prices, etc.*)

غِلاف — sheathing (*of a bomb*), casing of (*a well*), case, cover

~ كتاب — back

~ خارجي (لكتاب) — jacket

~ (: قشرة صدفية) — shell

غُلام (: صبي) — lad

~ (: تابع ، خادم) — valet, page, servant

~ (: عبد) — slave

غَلّايَة — boiler

غَلَب — defeat, beat, carry the day, discomfit (*in battle*); vanquish, win

~ (: تغلب على شيء) — overcome, surmount

~ (: فاق ، ظهر على شيء) — surpass, prevail over; gain ascendancy, predominate

~ (: كان أشد ، أوضح ، الخ ..) — persist, be more marked

غَلْب — defeat; overthrow (*of a tyrant*)

~ (ساحق) — rout

غلَّب — give precedence (*to an opinion over another*)

غَلَبَة — victory, triumph

~ (: رجحان) — predominance, preponderance

غَلَّة — produce, yield, output, crop, fruit, returns, proceeds

غَلْصَمة [احياء] — epiglottis

غَلَط — error, mistake (*on his part*); wrong (*assumption*), incorrect (*answer*), improper (*measurement*)

~ في تسليم — misdelivery

~ في توجيه — misdirection

~ مادي — material error

~ مطبعي — misprint

غَلِط — err, make a mistake, slip

~ في تاريخ — misdate

~ في عد — miscount

~ في قراءة — misread

غَلَّط — fault (*somebody or something*), find fault (*with*)

غَلْطة — error, mistake, slip, fault, lapse (*of memory, tongue, etc.*)

غَلَّظَ (عقوبة أو ما إلى ذلك) — aggravate (*penalty*), render heavier, stiffen (*fine*), harshen, augment severity (*of*)

غِلظة — rudeness (*of speech*), coarseness (*of manner*); callousness (*of heart, feeling*), crassness (*of folly, stupidity*)

غَلَّف — envelop, encase, wrap, coat (*with zinc, silver, etc.*)

~ بئرًا — case a well

غَلْق — closure

~ الرهن (: منع المدين من افتكاكه) — foreclosure

غَلَق — close, shut (*up, down, off, out*), block (*access*), bar (*passage*)

~ (رهنًا : حرم من افتكاكه) — foreclose (*a mortgage*)

غُلُوّ (: مبالغة) — exaggeration

~ (: تَصَلُّب) — implacability, inflexibility

غَلَيان — boiling, ebullition

~ (خفيف) — simmering

غَليظ (المادة) — thick (*solution, paper*), thickset (*person*), stodgy

~ (: خشن ، غير مؤدب) — rude, rough (*person*), uneducated, vulgar, callous (*treatment*), offensive (*behaviour*); coarse (*speech*)

~ (معاملة ، عقوبة) — harsh, severe (*treatment, penalty*)

غَليظ (يمين) — solemn (*oath*)

غليل — thirst

~ (: حِقْد) — malice

غَمّ (راجع كدَّر)

غمامة — cloud

غُمَّة — gloom, melancholia

~ (: حُزن) — anguish, sadness

غَمَد (: جعل السيف أو الخنجر في غمده) — scabbard, sheathe

~ (: اغمد ، ادخل في شيء) — sheathe, plunge

~ (: ستر ، غطى) — cover up, veil, conceal

غِمْد — scabbard, sheath

غَمَر — inundate, flood, overwhelm; submerse or submerge

~ (: بلل حتى اشبع بالماء) — drench

غمرة — agony, hardship (*agonized*) struggle

غَمَز — wink, blink

~ (: كبس بين الاصابع) — pinch

غَمَس — dip, immerse, plunge

غَمَضَ — prevaricate, equivocate; become ambiguous, indistinct or equivocal; be obscure or unintelligible

~ (: اغمض) — shut, close (*eyes, etc.*)

غَمَطَ (الحق) — deny, negate, impugn

غُموض — ambiguity, indistinctness, equivocality, obscurity (*of significance, import, etc.*), unintelligibility

غُمِيَ (على) (راجع إغماء)

غِنًى (: ثراء) — wealth, riches; affluence, prosperity

غَنِم — gain (*an advantage*), seize as prize, achieve (*independence*); win

غُنْم — gain, advantage, profit

~ (راجع غنيمة)

غَنيّ — wealthy, rich, well-to-do; affluent, prosperous

غَنيمة (: اسلاب ، غنائم) — booty, loot, spoil(s)

~ بحرية — prize

غَوَى (: ضل ، انحرف) — stray, deviate, lapse into sin or folly

غوّاص — diver

غَوَّاصة submarine

غَواية (راجع زيغ)

غَوْث relief

~ (: عون في حاجة) succour, aid

غَوْر (: عمق) depth

~ (: انخفاض) depression, hollow

غَوْص immersion, immergence

~ (في اعمال ، مشاغل ، الخ..) absorption, engrossment

غُوطَة thicket, dense growth

غَوْغاء mob, rabble, riffraff

غَوْغائي mobbish, riotous, tumultuous

حكم غوغائية mob rule

غُول ogre, ghoul

غولة ogress

غِياب absence, nonattendance

~ (: عدم مثول امام محكمة) nonappearance

~ (ينطوي على عدم الامتثال لامر حضور) contumacy

~ احتمالي probable absence

~ اضطراري necessary absence

~ جرمي وخطأي absence *cum dolo et culpa*

~ خياري voluntary absence

غِيابيًّا in absence, *in absentia,* by (*or in*) default, *in contumaciam*

الغَيْب the unknown, the future

غَيْبَة absence

غِيبَة backbiting, slander

غَيْبوبَة coma, profound unconsciousness

~ (: انعدام شعور) torpor

~ (في غير أحوال المرض) (راجع غشية)

غَيْث rain

غَيْر other

~ اتحادي nonfederal

~ اجتماعي nonsocial

~ اجرامي noncriminal

~ اختياري nonelective, nonselective

~ إرادي involuntary

~ ارتباطي noncommittal

~ استمراري noncontinuous

~ اشتراكي nonsocialist

غَيْر أصلي spurious, nongenuine

~ اعتدائي nonaggressive

~ اقتصادي noneconomic

~ الزامي nonobligatory

~ آلي nonmechanical

~ إنسان nonman

~ أهل unqualified, ineligible, incompetent

~ تام (كامل) imperfect

~ تام (ناجز) inchoate

~ تبادلي nonreciprocal

~ تجاري noncommercial

~ تجلطي nonclotting

~ تصاعدي nonprogressive

~ تقاعدي nonpensionable

~ تقليدي nontraditional

~ تمييزي nondiscriminatory

~ تنافسي noncompetitive

~ ثابت unestablished, unproved, unsubstantiated

~ جائز impermissible, inadmissible

~ جامعي nonacademic(al)

~ جدلي noncontroversial

~ جذري nonradical

~ جوهري immaterial, irrelevant

~ حاسم indecisive

~ حزبي nonparty

~ حقيقي untrue

~ حي nonliving

~ دائم nondurable, nonpermanent

~ دستوري (: لا يتصل بالدستور) nonconstitutional

~ دستوري (: يتنافى مع الدستور) unconstitutional

~ ديني nonreligious

~ ذي بال inappreciable, insignificant

~ رجعي nonretroactive

~ سائغ undue (*influence, etc.*), improper

~ سامّ nonpoisonous, nonvenomous, nontoxic

~ سَوي uneven

~ شخصي nonpersonal

~ شرعي unlawful, illegal

~ شيوعي noncommunist

غَيْر صاحٍ (: فاقد الوعي) unconscious
~ صاحٍ (: ثمل) inebriate
~ صالح للملاحة unseaworthy
~ صحيح untrue
~ طبيعي unnatural
~ عضو nonmember
~ عضوي inorganic, nonorganic
~ عملي nonpractical
~ عنصري nonracial
~ فعال inactive, ineffective; passive
~ فني unskilled
~ قابل (لشأن) incapable of (*interpretation*), unreceptive (*to education*), insusceptible (*to infection*), beyond (*cure*), not subject (*to alteration*)
~ قابل لاحتراق (لاشتعال) noncombustible
~ قابل لارسال بالبريد nonmailable
~ قابل لاستئناف inappealable
~ قابل لاسترداد irrecoverable, irrepleviable
~ قابل لافتكاك irredeemable
~ قابل لإيجار illocable
~ قابل لبيع nonsalable
~ قابل لتبديل (لتغيير) incommutable
~ قابل لتجديد nonrenewable
~ قابل لتجزئة indivisible
~ قابل لتحات noncorrosive
~ قابل لتحويل (إذا كان نقدًا وما إليه) inconvertible
~ قابل لتداول nonnegotiable
~ قابل لتصرف (للانتقال إلى الغير) inalienable
~ قابل لتفنيد (أو دحض) irrefutable
~ قابل لتلف nonperishable, nondeteriorative
~ قابل للتنفيذ unenforceable, inexecutable
~ قابل للحياة nonviable
~ قابل للرد nonreturnable
~ قابل للكسر infrangible, nonbreakable
~ قابل للطعن incontestable, beyond challenge, unchallengeable
~ قابل لنقض (أو رجوع) irreversible, irrevocable
~ قاتل nonfatal, nonlethal
~ قانوني illegal, unlawful

غَيْر قهري noncoercive
~ كافٍ inadequate, insufficient
~ كفء incompetent; unfit
~ لائق unfit (*for service, etc.*), noneligible
~ لائق (أدبيًّا) improper; unethical, unworthy (*of name, position, etc.*)
~ لائق (لشأن معين) unfit
~ مائي nonaquatic
~ مادي immaterial; nonphysical, incorporeal
~ مألوف unfamiliar
~ مألوف (: لم يسبق له مثيل) unprecedented
~ مالي (: لا يقوم على مال) nonpecuniary
~ مؤكد uncertain, precarious
~ مؤمن nonbeliever
~ مأمون unsafe; insecure
~ مباح impermissible
~ مباشر indirect
~ متزن irrational
~ متزوج ، ~ متزوجة unmarried, single
~ متسق uneven, not uniform
~ متشابه dissimilar
~ متفرغ part-time (*worker, employee, etc.*)
~ متوازن unbalanced
~ متوج uncrowned
~ متوقع unexpected, untoward
~ مُجدٍ useless, impolitic
~ مجزأ undivided
~ محارب nonbelligerent
~ محتمل improbable
~ محدَّد indefinite, indeterminate
~ محدود unlimited
~ محسوس intangible, imperceptible
~ مذنب not guilty
~ مرئي ، ~ منظور nonvisual (*flight, etc.*), invisible
~ مربح (: لغير الكسب) nonprofitable
~ مركب noncompound
~ مستثمر uncultivated, unseated (*land, etc.*)
~ مستحق undue, unaccrued
~ مستطاع العلاج (أو الجبر) irremediable
~ مستطاع التعويض irreparable

غير مستعمل unused
~ مستوٍ uneven
~ مستوثق منه unascertained
~ مسجل nonregistered
~ مسكر nonintoxicant, nonintoxicating
~ مسمى unnamed, indefinite
~ مسمى (: مغفل الاسم) anonymous
~ مسموع inaudible
~ مسوًّى unadjusted
~ مشروط unconditional
~ مشروع unlawful, illicit, illegal
~ مصَفًّى unliquidated
~ مصوِّت nonvoting, nonvoter
~ مضبوط imprecise
~ مطروق untrodden (*road*), unused
~ معصوم fallible
~ معقول unreasonable
~ مفهوم unintelligible, incomprehensible
~ مقاتل noncombatant
~ مقبول inadmissible, unacceptable
~ مقتنع dissatisfied
~ مقسط unfair
~ مقوَّم (مقيَّم) unvalued (*insurance policy*)
~ مقيم nonresident
~ مكتوب unwritten (*law, etc.*)
~ مُكْسِب (راجع غير مُرْبح)
~ ممانع passive
~ مميز indiscriminate
~ منازَع indisputable
~ مناسب unsuitable, inapt
~ منتج unproductive, barren, unproducer (*well, etc.*)
~ منتج (من حيث الاثبات) inconclusive

غَيْر منتظر unforeseen, unexpected, untoward
~ منتظم irregular
~ منجز unfinished, outstanding
~ منصف unfair, inequitable
~ منطقي illogical
~ منظور (راجع غير مرئي)
~ منقوص intact, whole, undiminished
~ منقول immovable
~ مهذب uneducated
~ مهرب noncontraband
~ مهني nonprofessional, nonoccupational
~ مواطن noncitizen
~ موصٍ (: بلا وصية : مجهل) intestate
~ موضعي (محلي) nonlocal
~ موضوعي irrelevant; immaterial
~ وفي unfaithful
الغير third party (*parties*)
غيَّر change, alter, modify; commute (*punishment, etc.*); convert (*currency, bonds, etc.*)
~ (جذريًّا من حال إلى آخر) mutate
~ (: نوَّع ، لوَّن) diversify, vary
غَيْرة jealousy
غَيْط tillage, cultivated land
غَيْظ indignation, anger
~ شديد rage
غِيلة deceit, treachery
~ (: اغتيال) treacherous or secret assault, assassination
غَيْم (راجع سحاب)
غيَّم (غيَّمت) cloud, overspread with clouds, be cloudy
غيور jealous

فائت past, bygone; outmoded (*custom, dress, etc.*)
~ (المدة) expired, terminated, lapsed
~ (الاجل من حيث الاستحقاق) overdue
فائدة benefit, advantage, interest, welfare; gain
~ اجمالية gross interest
~ بسيطة simple interest
~ تأخيرية moratory interest
~ صافية net interest
~ مركبة compound interest
~ النسيئة interest for deferment of settlement (*of debt*)
فائز winner; victor
فائض surplus, surplusage, overplus
~ (على حاجة) surperfluous, redundant
~ مستهلك consumer's surplus
~ منتج producer's surplus
~ من سكان overspill, surplus population
فائِق (: فوق الجميع) uppermost, top, topper; topping (*contestants, colleagues, etc.*), transcendent
~ (: متفوق) dominant, prevailling, outstanding, paramount (*right, title, etc.*)
فِئة category, rate
~ المقابلات [تأمين] rate of premium
~ (نقد) denomination
~ (لاغراض التصنيف أو ما إليه) category
~ (: جماعة) band, group
فاتَ pass, elapse; glide by (*as of time, etc.*), move by
~ (: انقضى) terminate, expire
~ (من ربح) missed (*gain*), lost (*opportunity*)

فاتَحَ initiate discussion, open up (*negotiation, etc; with another*), make overtures, approach (*to facilitate purpose*)
~ (: سهَّل) facilitate (*sale, etc.*)
فاتِح (: قاهر) conqueror, vanquisher; victor
~ (من حيث اللون) light
فاتِحَة commencement, beginning, inaugural (*act, etc.*), exordium (*of a speech*), opening (*chapter*)
فاتِر lukewarm (*support*), tepid; wanting enthusiasm
فاتِك fatal (*attack*), mortal (*enemy, fear*), deadly (*weapon*), lethal (*gene, herb, chamber for killing animals*), murderous (*encounter, action, person*), pernicious (*habit, disease, etc.*)
فاتُورة bill, invoice, note
~ نقل (شحن) freight note
فاجَأ surprise, take (*somebody*) unawares, attack unexpectedly or suddenly
فاجِر lewd, licentious, obscene, salacious, lascivious (*intention, act*)
فاجرة (يمين) false oath, perjury
فاجِع disastrous, catastrophic, calamitous
فاجِعَة (راجع مصيبة)
فاحِش (: باهظ) prohibitive, excessive, exorbitant (*price*), rank (*injustice*)
~ (مذاق ، رائحة) rancid, foul, offensive
~ (: بذيء) obscene, gross, ribald, scurrilous, indecent
فاحِشة obscenity, (*gross*) indecency, immorality, lewdness
فاحِص examiner, tester

فاحِص حسابات — auditor (*of accounts*)

فاخَرَ — pride oneself on (*one's achievements, ancestry, etc.*), take pride (*in*)

فادِح — grave (*deficit*), serious (*discrepancy*); weighty, enormous (*loss, etc.*), exorbitant (*fee, price, etc.*), excessive

فارَ — boil, erupt, seethe; flurry, become agitated, burst (*into anger, tears, etc.*)

فارّ (: هارب) — fugitive, runaway

~ من جندية — deserter

فارِس (: خيّال) — horseman, horse-soldier, cavalryman

~ (لقب) — knight

فارِط (راجع سابق)

فارِغ — empty, void

~ (: بياض) — blank

~ (: شاغر) — vacant

~ (: اجوف) — hollow, inane (*speech, person*)

~ (: لا عمل لديه) — disengaged, at leisure

~ (وزن) — tare

فارَقَ — depart (*life*), dissociate (*oneself from group*), leave, detach (*oneself from person or thing*), part with, sparate from

~ (: باين، باعد) — differ, vary (*from*), diverge (*from*)

~ (: ترك) — leave, quit

~ الحياة — depart, pass away

فارِق (: مميِّز بين شيء وآخر) — distinguishing, differentiating; discriminating

~ (: حاجز) — bar (*as in: colour bar*), impediment

~ (راجع فرق)

فازَ — win, gain (*position, favour, etc.*), earn, get (*nothing, the best of something*)

~ بالتزكية — win by uncontested election

~ (: فاق على غيره) — excel (*others*)

فأس — axe

فاسَخَ — rescind (*contract*) mutually, agree to rescind or on rescission

فاسِخٌ (شرط) — resolutory or resolutive (*condition*), dissolving

~ (للبيع) — redhibitory (*of sale*)

فاسِد — corrupt, foul, bad, vile, impure

فاسِد (من حيث المادة : عفن أو ما إلى ذلك) — putrid, rotten, deteriorated

~ (: منحل الأخلاق) — degenerate, depraved

فاسِق (: زانٍ) — lecher, fornicator

~ (: فاجر) — deviant, profligate

فاشٍ — rife, widespread, diffused, widely known, divulged or revealed (*secret*); prevailing or prevalent (*custom*)

فاشِل — (*be a*) failure, failed (*of person, scheme, etc.*); unsuccessful

~ (من حيث الكفاية أو الأثر) — deficient, ineffectual

فاصَلَ — separate (*from*), break (*with*), detach or disengage (*oneself from*)

فاصِل (: حاجز) — bar, barrier; separator

~ (: ستار) — screen, shield

~ (: حد) — mete, boundary; party (*structure, wall, etc.*)

~ (: باتٌّ) — definitive, conclusive

~ (بين فترتين) — interval, break, intermission

~ (: فراغ بين شيئين) — interstice

فواصل (كتابة) — punctuation

فاصِلة — comma

فاضَ — overflow (*bank, side, etc.*), flow over (*bounds*), flood, inundate (*a place*)

~ (على : تجاوز) — exceed

فاضِح — flagrant, scandalous, infamous, disgraceful, ignominious (*act*)

فاضَلَ — compare

فاضِل — virtuous, gentlemanly; righteous (*person*)

فاعِل — doer, actor

~ (سوء) — perpetrator

~ اصلي — principal actor

~ خير — do-gooder

~ شر — wrongdoer

فاقَ — exceed, surpass, excel (*all other exertions*), transcend (*limits*), outstrip (*rivals, candidates*)

فاقَة (راجع فقر)

فاقِد الأهلية — incapacitated

فاقِد الوَعي — unconscious

فاقِع pure, bright

فأْلٌ augury, portent, omen

~ حسن good omen (*forboding, augury, etc.*)

ذو ~ حسن auspicious, propitious, of good omen or augury

فالِج paralysis

فانٍ mortal (*creature*), subject to death

فانُوس lantern

~ ريفي (فانوس ريح) hurricane lantern

~ سحري magic lantern

فاوَضَ negotiate, confer (*with on matter, settlement, etc.*)

فبراير (شباط) February

فَتًى boy, lad, young man

~ (: خادم) valet

فتاة girl, lass; maiden, young unmarried woman

فُتات crumbs (*of bread*), bits, small fragments

فتَّتَ break or tear into bits; corrode (*as by chemical action*)

فَتَحَ open (*debate, session*), unlock (*door*), unfasten, turn on (*light, gas, etc.*), commence (*bidding, speech*)

~ (باب المرافعة) lead or open (*case for defence*)

~ بالقوة force or force open (*a window*)

~ (: قهر ، استولى على) conquer

فَتْح opening; commencement; conquest

فُتْحَة opening, aperture

~ (: ثغرة) hole, gap, cleft, interstice, orifice; hatch

~ (: مخرج ، متنفس) outlet, vent

~ ذات غطاء scuttle

~ (في سفينة) hatchway

~ [انشاءات] span

فَتَرَ cool, lose enthusiasm, calm

~ (الماء أو ما إليه) become tepid or lukewarm

فَتْرَة (قصيرة) spell

~ (قصيرة فاصلة) interval

~ (: حصة ، مدة من زمن) period

~ (مقررة أو معلومة) term

~ عصبية climacteric

فَتَّش search, inspect (*books, work, etc.*), visit (*ship*)

~ (الاشخاص سطحيًّا) frisk (*persons*)

~ تفتيشًا بسيطًا frisk

~ تفتيشًا دقيقًا أو فاحصًا ransack, rummage

فَتَق rend, tear (*apart*); rupture

فَتْق (داء) hernia

فَتَك put to death, do in, murder

فَتَل spin, twist, twine, entwine

فَتَنَ (: سحر) infatuate; fascinate, enchant, charm

~ (بين الناس) incite discord or division or commotion, agitate, promote sedition, incite to rebellion

فِتْنَة (: سحر) infatuation; fascination, charm

~ (بين الناس) sedition, insurrection, incitation of division or discord, incitement

فَتْوَى legal counsel, opinion, advice

فُتور tepidity; coolness (*in commission of crime*); absence of enthusiasm

فَتيلة wick; filament

فِجٌّ (: يعوزه النضوج) raw, green, immature

~ (: يعوزه الصقل أو التربية) crude, unrefined, coarse

فُجائي sudden, unexpected; abrupt (*departure, act, etc.*)

~ (: صِدْفِيّ ، غير منتظر) fortuitous (*occurrence, charge*), unforeseen (*disaster, inheritance*)

فَجْأة suddenly, at (*or all of*) a sudden, unawares, by surprise

فُجَّة (: هوَّة) abyss, gulf

~ (راجع شق)

فَجَرَ (راجع كَذَبَ)

فَجْر dawn, aurora

~ (: بداية) prime

فَجَّر detonate, explode

~ (مصادر ثروة) tap (*resources*)

فَجَعَ bereave (*by death*), distress, afflict, grieve

فَجوة gap, cavity, pit; crack, yawn

~ (في بناء أو مصنع أو منجم لنور أو تهوية أو غير ذلك) shaft

~ (: نقرة) groove, niche, hole, recess

فُجور lewdness, lechery, debauchery, licen-

tiousness, obscenity, salaciousness, lasciviousness
فُجور (كفجور الصحافة أحيانًا) prostitution
فَجيعَة distress, affliction, bereavement, calamity, disaster
فَحّ hiss
فُحْش excessiveness, exorbitance
~ (: قبح مذاق ، رائحة ، الخ..) rancidity, offensiveness
~ (: بذاءة) abuse, obscenity, grossness, ribaldry, scurrility
فَحَصَ examine, test (*condition, etc.*), try, scrutinize (*details, statements, etc.*), inspect; inquire into, investigate
~ (حسابات ، قيودًا) audit
~ (مؤلَّفًا علميًّا) preview
~ (اصواتًا في انتخاب) canvass
~ (معدنًا) assay
~ (بسبيل المقابلة والتحقيق) collate
فَحْص (: اختبار ، تدقيق ، تفتيش شأن) examination, test; trial; scrutiny (*of details*), inspection
~ (: استطلاع ، تحقق من شأن) investigation, inquiry (*into matter*)
~ (: استعراض لشأن) survey
~ (حسابات أو ما إليها) audit
~ (مؤلف علمي قبل نشره) preview
~ (معدن) assaying
~ (نقد) pyxing
فَحْل male, manful
~ (: مُفضَّل ، مبرَّز) dominating, distinguished, prominent
فَحَمَ (راجع افحم)
فَحَّمَ char, burn to charcoal
فَحْم حَجَري coal
~ دقيق breeze, duff
~ كوك coke
~ نباتي charcoal
تراب ~ coal dust
رماد ~ coal ash
كسّارة فَحْم حَجَري coal breaker
مخزن ~ coal bunker
فَحْوَى meaning, purport, significance, tenor (*of document*)
فَحيح (أفعى) hissing (*of a snake*)
فَخّ trap, snare, gin
~ (امين المظهر) booby trap
~ آدمي mantrap
فَخّاري ceramic
فَخْذ [انساب] stirp, lineage, line of descent
~ (من جسد) thigh
فَخري honorary (*degree, post*); unpaid, voluntary (*undertaking, work, etc.*)
فَخُور proud
فَدَى ransom, redeem for (*a pecuniary or otherwise*) consideration
فِداء ransom
كبش ~ scapegoat
فداحة gravity, seriousness, enormity, exorbitance (*of price, demand, etc.*)
فَدان (انكليزي : ٤٨٤٠ ياردة مربعة) acre
فَدَح (راجع اثقل)
فِدْيَة ransom
فَرَّ flee (*country, pursuers, etc.*), make off (*with loot, stolen property, etc.*), run away, scuttle; elope (*with lover, etc.*); abscond (*from debtors, police, etc.*); shun (*duty*)
~ (من جندية) desert
~ من سجن break jail
فَرى (راجع شقَّ ، قطع ، فتّت)
فِرار flight (*from a country*), running away, escape, elopement (*from a husband*), elusion (*of difficulty, trouble, etc.*), evasion, desertion (*of place, duty, etc.*)
~ من سجن breaking jail
فِراسة insight, discernment, penetration with understanding
فِراش bed, bedding
~ (: أثاث) furniture, furnishing(s)

فِراش الزوجية : matrimonial bed
طريح ~ : bed-ridden
فَراغ (١) : emptiness, space; void; vacuity, vacancy, vacantness
~ (من عمل) : leisure, freedom from work, disengagement
~ (فاصل بين جسمين) : interstice
~ مطلق : vacuum
~ (مكان ، ملك) (راجع شغور)
فَراغ (٢) (: تصرُّف بمال الغير) : alienation, conveyance, transfer
فِراق : separation (*between husband and wife*); leave-taking, departure
فَرَجٌ : relief, ease
فَرْج (: شق) : slit, cleft, crack
~ (: عضو تناسل) : vulva, vagina
فِرجار : compass
فَرِح : be delighted (*with*), be happy
فَرْخ (طير أو نبات أو غير ذلك) : young, offspring
~ (ورق) : sheet
فَرْد : individual, single, a particular being, single human being
~ (: رأس) : poll (*tax, etc.*)
(فردًا فردًا : (*severally*
فَرديّ : individual; several (*estate, property, etc.*); single; separate
فَرَزَ (جيدًا من خبيث ، غربل) : cull, garble
~ (حصصًا أو ما إليها) : part, divide; apportion (*shares, etc.*)
~ (شيئًا من غيره) : single out, sort out
~ (اصوات منتخبين) : canvass (*canvas*)
~ (: ميَّزَ) : distinguish
فَرْز : partage, apportionment, division (*of shares, etc.*)
~ (اصوات) : canvass (*of votes*)
فَرَس (: انثى خيل) : mare
فَرْسَخ (٣ أميال) : league
فَرَشَ : overlay, lay out, spread out
~ مكانًا : furnish
فَرْش (: متاع) : effects (*as of house*)
فَرْش (: أثاث) : furniture
فُرْصة : opportunity, circumstance, occasion
~ (: عطلة مدرسية) : vacation, holiday(s)
فَرَضَ : exact (*fee, money, etc., from*), impose (*duty*), levy (*tax, duty, etc.*), ordain (*moderation, a set of rules*)
(نَصِيبٌ مَفْروضٌ : (*ordained portion*
فَرْض (١) : ordainment, imposition, obligation, duty, task; requirement
~ (ديني أو ما إلى ذلك) : precept
~ منطقي : premise
فَرْض (٢) : supposition, hypothesis, assumption, presumption
فَرْضيّ (: تقديري) : hypothetical, assumed, suppositional; presumptive (*evidence; heir ~*)
فَرَّط : fail to keep or preserve, waste, squander (*funds, inheritance*)
فَرْع : branch, subsidiary (*of company, etc.*), ramification, subdivision, bough, shoot (*of tree, etc.*); tributary (*of river*)
~ (: سليل) : descendant, scion (*of a wealthy family*)
~ مباشر : lineal descendant
فَرْعيّ : subsidiary, ancillary, auxiliary
~ (: جانبي ، غير مباشر) : lateral, collateral
فَرَغَ (١) (: تصرَّف للغير بمال) : alienate, convey, transfer
فَرَغَ (٢) (من شأن) : dispose (*of*), finish (*with*), bring to completion, come to an end of (*task, undertaking, etc.*)
فَرَّغَ : discharge, unload
~ (وعاء ، مصدرًا ، الخ ..) : empty out, deplete, drain; exhaust (*air, vessel of contents, etc.*)
فَرْق : difference, disparity, discrepancy
فَرَّقَ : divide, part, separate
~ (: ميز بين) : differentiate, distinguish, recognize difference
~ (بين اصدقاء) : sow discord
~ (: وزع) : distribute, divide, apportion
~ (حشدًا) : disperse (*crowd*), scatter

فِرقة (: جماعة) — group, sect
~ (: مجموعة) — unit
~ عسكرية — division
~ مسرحية (أو ما إلى ذلك) — troupe, company (*of actors, acrobats, etc.*)
فرق مقاومة شعبية ، فرق مرابطة — militia
فَرَك — rub; scrape (*to remove something*)
فُرْن — oven, furnace
~ الدست [ميتالورجيا] — cupola
فُروسيّة — horsemanship, horse riding
فَريد — unique, single, singular, sole
~ (: لا مثيل له) — unequalled
فَريسة — prey (*killed by animal*); victim (*of aggression, dirty habits, etc.*)
فَريضة — ordainment, precept (*of a doctrine*), imposition (*of class, system*), binding obligation; task, duty
فَريق (:جماعة ، مجموعة) — group, team; unit
~ (في عقد ، خصومة أو ما إلى ذلك) — party
~ (: جانب) — side
~ عمال — gang
~ مظلوم — party aggrieved
~ معتدى عليه — party injured
~ وشريك — party and privy
فَزَر — cut, burst open, break apart
فَزِعَ — panic, be terrified or frightened
~ إلى — refuge, seek shelter or take refuge in
~ إلى شخص (: استغاثه) — seek succour, appeal to person or call out for help
~ (: هب) — startle or be startled (*from sleep*), jump from or hustle (*to*)
فَزَعٌ (: خوف) — panic, alarm, fear, fright; dread (*of*), phobia
فَساد — corruption (*of rulers*), mischief
~ (تَعفُّن) — deterioration, decomposition, decay
~ (: انحلال اخلاق) — depravity, degeneration
فَسَحَ — make way, make room (*for somebody*)
فَسَخَ — revoke, rescind (*sale, contract, etc.*), countermand, annul, recall, disaffirm, repudiate (*decision, settlement, etc.*); dissolve (*agreement, etc.*)
فَسَخَ حكمًا — quash, set aside, vacate, reverse
~ (راجع فاسخ)
فَسْخ — revocation (*of agreement*), rescission (*of sale*); disaffirmance, repudiation; dissolution, countermand, annulment, recall; quashing (*of judgment*), setting aside, reversal
~ بيع — redhibition (*of sale*)
فَسَد — corrupt; deteriorate, go bad
~ (: تعفن أو ما إلى ذلك) — decay, putrefy, decompose
~ (: ساء ، تدهور) — worsen or grow worse, degenerate
فَسَّد (راجع أفسد)
فَسَّر — interpret (*law*), explain, elucidate (*theory*), clarify, construe (*provision*), expound (*statement*)
~ (راجع تفسير)
فَسَق — act unrighteously or wickedly, practise injustice
~ (: جامَعَ حَرامًا) — fornicate, commit fornication
فِسْق — lechery, lasciviousness
~ (راجع فجور)
فَسيح — spacious, ample (*in extent*), expansive, roomy (*residence, centre, etc.*)
فُسَيفِساء — mosaic
فَشا (: انتشر) — spread, become rife or widespread, be diffused, be widely known
فَشِلَ — fail, fall short (*of mark, purpose, success, etc.*), be unsuccessful
فَشَلٌ — failure, want of success; ineffectualness
~ (: انهزام) — defeat
فَصَّ (: انتزع ، فصل) — extract; separate, disconnect, detach
فَصٌّ (: حجر كريم) — precious stone
~ (: نتوء مستدير) — lobe
~ (: حدقة العين) — eyeball
فَصاحة — eloquence
الفِصْح (عيد) — Easter
فَصَل (١) — separate, divide, part (*sides, two*

fighters, etc.*), detach (*parts*); disconnect, disengage, disjoin; segregate or isolate (*individual, class, etc.*); seclude, screen

فَصَل (: قطع) — sever, cleave, break

~ من خدمه — discharge, dismiss

فَصَل (٢) (في نزاع ، فضّ) — determine, decide, settle, bring to an end or conclusion

فَصْل (من عمل ، وظيفة أو ما إليها) — dismissal, discharge, lay off, cashiering (*from military service*)

~ (: عزل ، تفريق) — segregation, separation

~ (: قطع) — severance, disconnection

~ (في مدرسة) — class, form

~ (من الفُصول الأربعة ، دورة ، فترة) — season, term

~ (في رواية ، كتاب) — act, chapter

~ قضائي — law term

فَصْلٌ (اقطاعي) — vassal

فَصَّل — detail, elaborate, enlarge, speak at length

~ (: اوضح) — specify, describe

~ مفردات (جزئيات) — itemize

فَصْلي — terminal (*examination, fees, etc.*)

فَصَم (علاقات أو ما إليها) — sever, rupture

فَصْم — severance, rupture

فَصيح — eloquent

فَصيلة — race (*as in: human* ~ , *feathered* ~), genus, species, family (*of allied genre*); group (*of persons, animals, plants*)

فَضّ (: أنهى ؛ رفع جلسة أو ما إليها) — conclude, terminate; adjourn, rise (*as court, parliament, etc.*)

~ (: سَوّى) — settle (*dispute*)

~ (ختمًا) — break or open (*seal*)

~ (راجع فصل)

فَضاء — space, air

فُضالة — residue, remainder, leftover, remnant

فِضَّة — silver

فَضَح — traduce, expose (*to shame or opprobrium by slander*), reveal or unmask (*corruption, immorality, fault, etc.*)

فَضَّل — prefer, choose or choose rather, like better, esteem above (*another*); favour (*person*) before others

فَضْل — merit; charity, grace (*of God*), bounty

بفضل — by merit of

بفضلِ (: بمساعي) — through the good offices of

فضلاً عن — let alone, much less; apart from, besides, in addition to; furthermore, moreover

فَضَلات — leavings, remnants

فَضْلة — residue, remainder, remnant, leftover

~ (خبز ، طعام) — crumb

~ احتمالية (معلقة على شرط) — contingent remainder

~ شركة — cross remainder

~ قاصرة (على شخص أو زمن معين) — vested remainder

~ معدن — scrap (*of metal, etc.*)

صاحب ~ (له الحق فيها) — remainderman

فُضول — officiousness, intromission, intrusion

~ باطل — vicious intromission

فُضولي — officious, intrusive, prying; meddlesome

فَضيحة — scandal, infamy, ignominy, opprobrium, disgrace, shame

عَرَّضَ لفضيحة — hold up (*or expose*) to public scandal

فَضيلة — virtue, moral excellence, morality, uprightness; merit

~ (في النساء : عفة) — chastity

فِطام — weaning, detachment

فَطَرَ (١) (: خلق ، ابتدع) — create; invent

فَطَرَ (٢) (: اكل أو شرب بعد صيام) — break the fast

فِطْرَة — nature, creation

(: غريزة) — instinct, innate impulse

فِطْريّ (: بدائي) — primitive

~ (بحكم الطبيعة أو الخلقة أو الغريزة) — innate, instinctive

فَطَمَ — wean; detach (*affections*) from

فَطِنَ أو فَطُنَ (لشأن أو به) — learn, grasp, understand, comprehend (*something*)

فَطِنٌ — shrewd, perspicacious, astute

فِطْنة — acumen, shrewdness, astuteness, perspicaciousness, discernment

فَطيم — weanling

فَظّ — vulgar, coarse, rude
~ (اللسان) — scurrilous
فظاظة — rudeness, coarseness, grossness
فَظيع — heinous, abominable, shocking, outrageous (*behaviour*)
فعّال — effective, efficacious, effectual; efficient; active; instrumental (*in achieving good results*)
فعّاليّة — efficacy, effectiveness; efficiency; instrumentality (*of diplomacy, etc.*)
فَعَل — do, act, carry out
~ (: ارتكب) — commit
فِعْل — act, deed, action
~ (: عمل) — practice
~ ضارّ — tort, malfeasance
افعال (متكررة خبيثة) — practices
فِعلاً — in fact, in effect, actually, indeed; truly, really
فِعليّ — effective, actual, virtual, in fact; active; positive; current
فُقّاعة — bubble
فَقَدَ — lose, suffer loss; miss, fail to keep; forfeit (*right, etc.*)
فِقدان — loss; deprivation; perdition; forfeiture
~ اهلية — incapacity
~ الذاكرة — amnesia
~ الصوت — aphonia
~ اللياقة — disqualification
~ الوعي — unconsciousness
~ قدرة التعبير الكتابي — agraphia
فَقْر — poverty, privation, penury, want, indigence, destitution
~ دم — anemia
فِقْرة — paragraph, clause; section
~ اضافية (لاحقة في عقد أو ما إليه) — rider
~ (مِن عمود فقري) — vertebra
فَقَسَ — hatch, emerge from an egg
~ (الطير) — incubate, sit upon eggs so as to hatch them
فَقْس — hatch, brood of hatched young

فَقَط — only, solely; mere, merely; exclusively
فَقِهَ — understand, comprehend, conceive
فِقْه (: قانون بوجه عام) — jurisprudence
~ (مسيحي أو اسلامي) — canon law
~ (شريعة) — doctrine (*Islamic, etc.*)
~ تحليلي — analytical jurisprudence
~ مقارن — comparative jurisprudence
فِقهي — juristic
فقيد (: مفقود) — lost
~ (: متوفى) — late (*president*), deceased (*tyrant*)
فَقير — poor, indigent; pauper
~ (: مُعدِم) — destitute
فَقيهٌ (في القانون الكنسي أو الشريعة الاسلامية) — canonist
~ (: حقوقي ، خبير في علم القانون) — jurist, jurisconsult
~ (: معلم ، عالم) — pundit
فَكَّ — break (*seal, etc.*), release (*prisoner*), set free, disengage (*forces, troops*)
~ (قطعًا) — disassemble, dismantle
~ (: افتك) — redeem, win back
~ رقبة — manumit
~ رموزًا — decipher, decode
~ رهنًا — dismortgage
~ قيدًا — unfetter, unfasten
فَكٌّ — jaw
فَكَّر (في شأن) — think, reflect (*on*), ponder (*situation*), muse (*over*), meditate (*on*), contemplate
فِكرة — idea, notion, impression (*about person, thing, etc.*), conception, image
فَكّك — dismantle, take to pieces
فَلَّ — break
فَلَى (موضوعًا) — scrutinize, examine thoroughly
فَلاة — wild land, wilderness (*area*), waste, wasteland, barren or uncultivated land
فَلّاح — farmer, husbandman
~ (أجير) — farmhand
فَلّاحة — farmerette
فِلاحة — farming, tillage; husbandry
~ (: زراعة) — agriculture
فِلاحيّ — arable (*land*), tillable

فَلَجَ paralyze, palsy
فَلَحَ farm, cultivate, till
فَلْحِيّ rural (*land*), rustic (*habits*)
فَلَّسَ (الغير) bankrupt, reduce to bankruptcy
~ (: استنزف مَوارِدَ) deplete resources
~ (راجع افلس)
فَلَقَ sunder, rend, break apart, split
فَلَكٌ orbit; range or sphere of activity, etc.
علم الفلك (وهو غير التنجيم astronomy (*astrology*
فُلْك ark (*of Noah*)
~ (: سفينة عادية) boat, ship
فَمٌ mouth
فَنّ art; artistry
~ (: خبرة فنية) skill; technic (*technique*)
~ ميكانيكي artifice, mechanical skill
فِناء (: ساحة) yard, court, enclosure
فَناء annihilation, utter destruction
فنار (: منارة) lighthouse, beacon
فنّان artist
فَنَّدَ refute, confute, disprove, overthrow (*by argument, evidence, etc.*)
~ (بردٍّ داحض) rebut (*statement, claim, etc.*)
فُنْدق hotel
~ (للمسافرين) inn
فَنِيَ perish, cease to exist, be annihilated, be destroyed
فَنِّي technical; skilled (*labourer, hand, etc.*)
~ (: يتصل بالفن أو الاعتبارات الفنية) artistic, aesthetic
فَنِّيّات (علم) technology
فِهْرِس index, table of contents
فَهِمَ understand, comprehend, grasp significance
~ (: عَلِمَ) learn
~ (: قدَّر قيمة شأن) appreciate
فَهْم understanding, comprehension; appreciation
~ (: إدراك الحقائق) conception (*of facts, ideas*)
فَوات (: انتهاء مدة) expiry or expiration
~ (: انقضاء ، مرور) passage, elapse or lapse

فَوّار effervescent
فُوب (: واصل سطح المركب) F.O.B., f.o.b. (*free on board*)
فَوَّتَ lose, miss, fail to (*obtain, seize, etc.*); forfeit (*right, etc.*)
فَوْج group
~ (عمال) gang
فَوْرَ (: حال) as soon as, immediately (*a thing occurs*), on (*occurrence*)
فَوْرًا immediately, forthwith, on the spot, instantly, presently, outright
~ (: دون استعداد) offhand
فَوَران ebullition, boiling
~ (راجع فورة)
فَوْرة flurry, nervous commotion, sudden burst or gust, outburst, passion, fervour
فَوْري immediate, instant; instantaneous, prompt, spot (*service, transaction, coverage of news*)
~ الاستيفاء (من دَيْن أو ما إليه) callable
فَوَّض authorize, empower; commend (*self, thing to God*), entrust (*for care, etc.*); commission (*officer, ship, etc.*), sanction (*act, expenditure*)
فَوْضَى confusion, disorder, chaos; disarray (*as of ranks, troops, etc.*)
~ (: اضطراب ، هَرَج) racket
~ (: انعدام الحكومة) anarchy, absence of government
~ (: انعدام القانون) lawlessness
فَوْضَوِيّ (: ثائر على أي سلطة قائمة) anarchist; anarchistic
~ (: عديم النظام ، لا يخضع لِ) disorderly, unruly, refractory
فَوْضَوِيّة anarchy, anarchism
~ إجرامية criminal anarchy
فَوْق up, above, on, upon
~ (: اكثر) over, more
~ (طاقة) beyond (*capacity*)
~ ، فما ~ upwards, upwards of

فُولاذ	steel
~ لا يصدأ (مانع للصدأ)	stainless steel
فُوه (راجع فم)	
فُوَّهة	opening, vent, outlet, nozzle (*of hose, etc.*)
~ (بركان)	crater
في	in (*week, month, year, etc.*), on (*day*)
~ أو حوالى	on or about
~ الملف	on file
فَيْء (١) (راجع ظل)	
فَيْء (٢) (راجع غنيمة)	
فِيتو (: انا امنع)	veto
~ ضمني	pocket veto
فَيْصَل	(*supreme or ultimate*) judge, arbiter
فَيْض ؛ فَيَضان	flood, inundation; spate (*of words, etc.*); deluge
فِيلَجَة (: شرنقة)	cocoon
فَيْلَق	corps

ق

قائد leader; helmsman
~ طائرة أو سفينة pilot
~ عسكري military leader, general, commander
قائم (١) actual, in being, existent or existing; standing; present, current; of (*or in*) force, effective, active
~ (: منتصب) upright
~ (كتشريع أو ما إليه) in force, valid; standing
~ (: يستند إلى شأن) based (*upon*), resting (*on argument, evidence, etc.*), standing (*on thing*)
~ (: ماثل من شأن) arising
~ (: متوافر) available
~ (: قيِّم على برنامج – يتولاه بالمسؤولية) sponsor
~ بشأن in charge
~ بشأن عن الغير (بالنيابة) acting
~ بأعمال (مفوضية أو سفارة) *chargé d'affaires, chargé des affaires*
~ بأعمال مؤقت *chargé d'affaires ad interim*
قائم (٢) (من وزن أو ايرادات أو ما إليها) gross
قائمة (١) list, roll, table, inventory (*of items, goods, etc.*), roster (*of duty officers, etc.*), index (*of forbidden publications, etc.*), catalogue; bill
~ (: ركيزة) buttress
~ اسئلة questionnaire
~ جرد stock sheet
~ جسر (على ضفة نهر أو واد) abutment
~ حساب invoice
~ حمولة manifest
~ سوداء blacklist
~ شحن manifest, bill of lading
قائمة (٢) (: رجل حيوان . أحد أطرافه) leg, limb

قائمقام district officer
قاب (: مدى ، مسافة) distance, extent
قابض (: مسيطر) controlling (*authority, interest*); holding (*company, etc.*), dominant
~ (: يعمل على شد أو تقلص) astringent (*factor*), styptic (*effect*)
قابِل consentient, assentient, acceptor (*of bill, etc.*)
~ للحياة (: فيه مقومات دوامها) viable
قابلية للحياة viability
قابَل (١) meet, see
~ (: استقبل) receive
~ جميلاً ، الخ.. return (*favour, etc.*)
~ (: جابه . واجه) confront, face, bring face to face, encounter, counter (*attacks, arguments, etc.*)
قابَل (٢) (: وازى) correspond, match, counter
~ بالمثل reciprocate
قابلة (تتولى التوليد) midwife
قابليّة susceptibility, responsiveness, liability
قاتَل fight (*in battle, etc.*); quarrel, brawl, wrangle, squabble
~ (: نازع في شأن) dispute (*claim*), contend (*with person for something, ~ with problems, etc.*)
قاتِل (١) (: قتّال) fatal, mortal (*wound, mistake, etc.*); deadly (*weapon, etc.*), murderous, lethal (*tongue, chamber, etc.*), pernicious (*habit, action, etc.*), homicidal
قاتِل (٢) killer
~ (متعمد) ، قاتلة murderer, murderess
~ (مأجور) assassin

قاتِم dark (*colour*), deep (*blue*)
~ (ظلام) pitch (*darkness or blackness*)
قاحِل (ـة) barren, bare, desolate, arid
~ (: مَوات) lifeless, bleak
قادَ lead, conduct, direct, head, guide, ply (*witness, etc.*)
~ إلى دعارة pander
~ سفينة navigate
~ سفينة (: ارشدها إلى دخول ميناء أو قناة أو ما إلى ذلك) pilot
~ سيارة drive
~ طائرة pilot
قادِح (راجع قاذِف)
قادِر able, capable, fit, apt
~ على إعالة ذاته self-supporting
~ على كسب able to earn
قادِم forthcoming, shortly to appear (*or transpire*), next; approaching
~ (: مستقبل) future (*benefit, event, etc.*)
قاذِف (١) (: قادح) libelous, defamatory, slanderous
~ (شخص) slanderer
~ في حد ذاته libelous *per se*
~ حكمًا libelous *per quod*
قاذِف (٢) (حُمَم ، قنابل ، الخ..) launcher, catapult
قاذفة (قنابل) bomber
قارٌ bitumen, tar, pitch
~ فحم coal tar
قارئ reader
قارَبَ draw near, approach, approximate
قارِب boat
~ آلي motorboat
~ شراعي sailboat
~ عبور ferryboat
~ كبير schooner
قارّة continent
قارِص severe (*cold*), biting
قارَضَ advance money to be invested for common profit
قارِض (: قاضم) rodent; gnawing
قارَنَ compare, contrast
قارَنَ (مليًا ليتثبت من صحة شيء) collate (*copies, writings, etc.*)
قارُورة bottle; flacon
~ (بغلاف واقٍ) flask
~ كيماوية chemical bottle
قارِّي continental
قارِيّ (من القار ، قيري) bituminous
قاسَ measure, appraise or estimate (*by some criterion or standard*), take measurements (*of something*)
~ (شيئًا على آخر) analogize, draw an analogy (*between*), compare (*by analogy*)
قاسٍ hard, cruel (*person, destiny, etc.*); unkind; severe (*winter*), stern, harsh, inclement (*weather*), rigorous (*climate*)
~ (: بلا شعور) callous, unfeeling, insensate (*practice*)
قاسَى suffer (*hardship, adversity, etc.*), endure, experience, bear, undergo, tolerate (*pain, distress, etc.*)
قاسَمَ share (*thing*) with, divide (*thing*) among (*self and others*)
قاسِم divisor
~ (: فاصل) divisional, party (*wall*)
~ صحيح [حساب] submultiple
قاصَّ (: قابل دينًا بآخر ، أجرى عملية مقاصة) set off, clear, deduce or deduct
~ (: عاقبَ) punish, penalize; discipline, chasten
قاصٍ (: بعيد) remote, distant, outlying, far-off or faraway
قاصِد رسولي nuncio (*papal or otherwise*)
قاصِر limited, confined, restricted (*provision, title, etc.*)
~ (: دون سن الرشد) minor, under-age
~ (: مولًى عليه) ward
قاضٍ judge, magistrate
~ جنائي criminal judge, judge of assize
~ محقق examining magistrate, inquiry judge
~ (: رئيس (قضاة) محكمة عليا) chief justice
قاضي استئناف (أو محكمة عليا) – مستشار justice

قاضي صلح magistrate, justice of the peace
قاضي محكمة تفتيش inquisitor
قاضي الموضوع trial judge
قاضي الوفيات المشتبه فيها coroner
قاضَى (: لاحق قضائيًّا ، رفع الدعوى) sue (*person*), prosecute, bring suit or action at law (*against*), proceed legally (*against*)
قاطِبَة whole (*world, people*), all (*of something*); entirely
قاطِرُ سفينة lodeman
قاطِرة (سفينة) towboat, tug (*or tugboat*)
~ (سيارة) tow car
~ (سكة حديدية) locomotive
قاطَع interrupt, break in (*with remark, question, etc.*)
~ (بضاعة ، اجتماعًا ، الخ...) boycott
~ (: نبذ شخصًا بسبب عقيدة أو مبدأ أو ما إلى ذلك) ostracize
قاطِع sharp, keen
~ (: باتّ) definitive, categorical, absolute, unqualified; final, conclusive (*ruling*)
~ طريق (عام) bandit, highway robber, brigand
~ ـة (سن) incisor
قاع (: قعر) bottom, underside, basement
~ (بحر ، نهر) bed, floor
قاعَة hall, auditorium
قاعِدة (: نظام) rule; standard, norm, basis, infrastructure (*of organization, party, etc.*), footing
~ (لعمليات ، أساس) base; groundwork, foundation
~ إجراء rule of procedure
~ جارية (متبعة) rule of practice
~ ذهب gold standard
~ سفينة keel
~ الفضة silver standard
قواعد الاسناد (: تنازع القوانين) conflict of laws
قافِلة caravan (*of camels, pilgrims*), convoy (*of ships*), column (*of cars*), motorcade
قالَ say; state, utter, tell
~ (: تكلم) speak

قالَب die, cast, mould
~ (: اسلوب) style
~ سك (عملة) coining die
~ طباعة matrix
قامَ (: وقف ، نهض) stand, rise (*against somebody,* ~ *from a sitting position*), emerge (*out of difficulty, question, etc.*)
~ (: استند إلى ، صدر عن) rest (*upon*), spring (*from*)
~ (بمراسم) officiate (*as host, chairman, etc.*)
~ (بعمل ، واجب أو شأن) perform (*a function*), discharge, fulfill, accomplish (*a useful act*)
قامَة (قياس بحري) fathom
~ (راجع مفردها : قيِّم)
~ (: قدٌّ ، طول) stature (*as in: short of stature*)
قامَر gamble; stake
~ (: غامر بشيء) wager, hazard, risk, venture, speculate
قاموس dictionary, lexicon
قانِصة [احياء] gizzard
قانون law, *lex*; code
~ إجراءات جنائية penal (*criminal*) procedure code
~ إجرائي adjective law
~ الاحضار (أو الجلب) *habeas corpus* act
~ إداري administrative law
~ أساسي organic law
~ اساسي لشركة أو مؤسسة articles of association, articles of incorporation
~ اغتنام prize law
~ الانتقام (: المعاملة بالمثل) *lex talionis*
~ (انشاء مؤسسة عامة أو ما في حكمها) charter: act of a legislature defining the franchise of a corporation
~ بحري maritime law
~ برلماني statute
~ البلاد *lex terrae*
~ بمرسوم decree-law (*law by decree*)
~ تجاري commercial law (*code*)
~ تشريعي (: وضعته الجهة التشريعية المختصة) statute
~ تقادم statute (*or law*) of limitations

قانون تناقص الغلة — law of diminishing returns
~ تناقص المنفعة — law of diminishing utility
~ جنائي (عقوبات) — penal code, criminal law
~ (حماية) الملكية الأدبية — copyright law
~ (حماية) الملكية الصناعية — patent law
~ الدعوى (الدعاوى : السابقات) — case law, law of the case
~ دولي — international law
~ دولي خاص — private international law
~ دولي عام — public international law
~ الديانة — *lex religionis*
~ رأفة — act of grace
~ سياسي (ينظم أوضاع الحكومات) — political law
~ شعبي — folk law
~ ضرائب — revenue law
~ الطبيعة (القانون الطبيعي) — law of nature (*natural law*)
~ عرفي (: احكام عرفية) — martial law
~ عرفي (: ينشأ عن العرف) — consuetudinary law
~ عفو — indemnity law
~ عقاري — real, or real estate, law
~ العلم (: قانون دولة العلم) — law of flag
~ فِقْهِي — juristic law, canonical law
~ القاضي — judge-made law
~ كنسي — canon law
~ المحكمة — *lex fori*
~ المحل — *lex loci*
~ محل الجرم — *lex loci delictus*
~ محل العقد — *lex loci contractus*
~ محل الفعل — *lex loci actus*
~ محل المال — *lex rei sitae*
~ المرافعات — civil procedure code (*or law*)
~ مكتوب — written law
~ مهمل (: لا سبيل إلى تنفيذه) — dead letter
~ موضوعي — substantive law
~ الموطن — *lex domicilii*
~ نظامي — statute or statute law
~ وضعي — positive law
~ (وضعي) — act (*of parliament, congress, assembly, etc.*)
مشروع ~ — bill, draft law

قانوناً (: بحكم القانون) — in law, legally speaking
قانوني (: يساير القانون) — legal, lawful; valid
قانونية — legality; validity
مرسوم بقانون — (راجع مرسوم)

قاهِر — compelling (*condition*), imperative
~ (ظرف أو ما إليه) — *force majeure*
~ (: لا يغالب) — irresistible (*power*)

قاوَلَ — contract, enter into contract (*for erection of wall*), engage a contractor
~ (على عمل : مقاولة) — engage for piece-work
~ — (راجع فاوض)

قاوَم — resist, oppose, withstand (*pressure*), counter, counteract, forbear (*temptation, etc.*)

قايَض — barter, truck (*something for another,* ~ *with person for something*); swap, exchange, trade (*bananas for guns*)

قِبالة — midwifery, art of assisting childbirth
علم أو فن القبالة — obstetrics

قَبَّان — platform scale, platform balance

قِبانة — weighage, weighing charges

قُبَّة — dome, cupola

قُبْح — ugliness, hideousness
~ (عمل أو سلوك) — wickedness

قَبْر — grave, tomb

قَبَرَ (: دفن) — bury, enter, entomb; submerge (*differences, misunderstandings, etc.*), conceal

قَبَضَ (على زمام أمر ، أمسك) — hold, grasp, maintain a grasp on
~ (: شدَّ على شيء ، قبض عليه بشدّة) — clutch, clench, hold fast
~ (: تقاضى ، جمع) — collect (*a sum due*), receive, cash (*bill, value of cheque, etc.*), collect money
~ (على مجرم ، ظنين ، الخ..) — arrest, apprehend
~ (: امسك ، سحب) — withhold, retire, withdraw

قَبْضَة — grasp
~ (: سيطرة) — hold, control
~ (من شيء : حفنة) — handful

قَبْضة (: مقبض) — handle

قِبْط — Copts

قِبطيّ — Coptic

قَبَع — remain (*in the same place*), remain withdrawn, stay put, retire (*into*), sit, crouch

~ (: صاح) — scream, grunt (*as of pig*)

قَبِلَ — accept, receive with approval, assent, consent to, accede to, agree to

قَبْل — before, prior to, preceding, *ante* (*meridiem*, ~ *natal*), ahead of (*person or thing*)

قِبَل (: في مواجهة) — before, toward (*person, thing*)

~ الكافة — before (*all*) the world, before all persons, universal

قَبَّل — kiss

قِبْلَة — direction of prayer

~ (روّاد) — centre of attraction, Mecca of visitors

~ (: غاية ، هدف) — goal, aim, main objective

قَبَلي — tribal

قَبَلِيَّة — tribalism

قَبْو(ة) — vault; arch

~ (: دهليز مَقبُوّ) — archway, arcade, arched passage

قَبُول — acceptance, receiving with approval, consent, assent; accession

~ اضطراري — *acceptance au besoin*, acceptance of necessity

~ بسيط أو عادي — clean acceptance

~ بعد نكرة (أو احتجاج) — supra protest acceptance

~ تشريف (: قبول السند لمصلحة الغير أو بالواسطة) — acceptance for honour

~ جزئي — partial acceptance

~ سكوتي — tacit acceptance, sufferance

~ صريح — express acceptance

~ ضمني (راجع قبول سكوتي)

~ في البار (إحدى جمعيات القانون المعتمدة لممارسة المحاماة) — call to the bar

~ مجاملة — accommodation acceptance

~ مشروط — qualified acceptance

~ مطلق — absolute acceptance

قَبُول مع التحفظ — acceptance under reserve

قَبيح — ugly, hideous (*character*); offensive (*behaviour*), abusive (*language*), scrurrilous (*person*), evil

قَبِيل (راجع ضامن ، كفيل)

~ (: من قبيل) — by way of (*charity, duty*), as (*a favour, an obligation, etc.*)

قُبَيل — a short while before; nearly (6 *o'clock*)

قَبِيلة — tribe

رجال ~ — tribesmen

قَتَّال (راجع قاتِل)

قِتال — fight, fighting, combat

~ (: عراك) — quarrel, brawl, wrangle, squabble

~ (: نزاع في شأن) — dispute (*or disputation*), contention

قَتَر (راجع قتَّر)

قَتَّرَ (على نفسه) — stint (*oneself of food, etc., in order to give others*)

قَتَل — kill; slay, murder, take the life (*of somebody*), deprive of life

~ بعد محاكمة غوغائية — lynch

~ غيلة — assassinate

~ (راجع ضروب القتل)

قَتْل (: مجرد إماتة لا يكشف عن طبيعتها أو دوافعها) — killing, homicide, manslaughter

~ الأب — patricide, parricide

~ الأخ — fratricide

~ الأخت — sororicide

~ الأنثى — femicide

~ جنائي — felonious homicide

~ الجنس (القضاء عليه) — genocide

~ الجنين — feticide

~ خطئيّ (غير متعمد) — manslaughter

~ خَطئيّ (ينطوي على تقصير) — culpable homicide

~ الذات — self-murder, self-destruction

~ رحيم (غايته إراحة المصاب بعلّة لا يرجى شفاؤها من عَذاب مستمر) — euthanasia

~ صدفة — homicide by misadventure

~ الضيف ، ~ المضيف — hospiticide

~ العدو — hosticide

قَتْل عمد (مع سبق الإصرار) murder
~ غير متعمد manslaughter
~ الفرْع prolicide
~ قَصد voluntary or willful homicide
~ مباح justifiable homicide
~ بمركبة vehicular homicide
~ معذر excusable homicide
~ الملك regicide
~ الوالد (أحد الوالدين) parenticide
قَحَط be rainless, be droughty
~ (راجع اجدب)
قَحْط (: احتباس المطر) rainlessness, drought, aridity
قَدَّ (راجع قطع)
قُدَّاس mass
قَداسة holiness
قَدَحَ (راجع قذف)
قَدْح (راجع قذْف)
قَدَحٌ cup, tumbler
قَدَرَ can, be able or capable; be competent or qualified, have (*something*) in one's power
القَدَر fate, destiny
~ (: المقدَّر من هلاك أو ما إليه) doom
قَدْر amount, degree, extent, magnitude
قِدْر cauldron; pot (*earthen or metal*)
قَدَّر estimate, calculate; assess (*tax*), appraise, rate (*value, etc.*)
~ (: ادخل في اعتبار أو حساب ، تصوَّر) assume, presume, consider, anticipate, imagine, reckon (*risk, weight, loss*), ponder (*a matter*), contemplate
~ (: أخذ بعين التقدير) appreciate
قُدرة ability, capability, capacity, aptitude, faculty, power
~ (كامنة) potential or potentiality
قُدْس sanctuary, holy
قَدَّسَ sanctify, hallow
قدسية holiness, sanctity
قَدِم come, arrive; move toward, approach, accost; originate from (*country, place, etc.*)

قِدَمٌ old age, ancientness; obsolescence, antiquity; primitiveness
~ (في وظيفة : اقدمية) seniority
قَدَمٌ foot (*of man, beast, bird*); claw (*as in: cat's claw*), paw (*of bird of prey*)
قَدَّم present, introduce (*speaker, etc., into presence*), offer (*help, suggestion, etc.*), submit, raise (*objection*), bring (*charge, complaint, suit, etc.*), bring forward (*matter, case, etc.*), produce, show (*cause, evidence*); tender (*resignation, claim, money, etc.*), proffer (*gift, service, warrant, etc.*); advance (*plan, proposal*); propound (*question, problem, scheme for consideration*); prefer (*appeal, action, etc.*); adduce, cite (*evidence, instance, etc.*)
~ (شيئًا على آخر) give precedence (*precedency*) or priority or preference (*to one thing over another*)
~ (امتحانًا) sit for, or give, examination
~ (بيِّنة أو ما إليها) produce (*evidence*)
~ (شخصًا إلى آخر) introduce (*one person to another*)
~ (حسابًا عن أعمال) render (*account*)
~ تاريخ (محرَّر) antedate
~ لمحاكمة arraign (*person, etc.*)
قُدْوَة (حسنة) exemplar, model, (*good*) example
قُدوس Holy
قُدوم arrival, coming
~ (: ظهور) advent (*of great person*)
~ (: اقتراب) approach
قَدير Almighty
قِدِّيس saint
قَديم old, ancient
~ (: فات أوانه) obsolete, antiquated (*custom, fashion, tongue, etc.*), outmoded, archaic
~ (: بدائي) primitive
قَذًى mote
قَذِر dirty, filthy, squalid (*house, existence, etc.*)

قَذِر (: فاسد ، تعافه النفس) foul, loathsome
~ (: منحط) base, vile
~ (: فاحش) obscene, sordid, smutty; abusive (*words, etc.*)
قَذَرٌ dirt, filth; squalor
~ (: غائط) excrement
قَذَفَ (١) throw, hurl, thrust; spout forth, gush, jet, project, launch, pelt (*missile, etc.*)
قَذَفَ (٢) (: قدَح) libel, defame, slander, vilify
~ (: قصف) shell, bombard
قَذْف (١) (بضاعة في بحر أو ما إليه) jettison, jetsam
قَذْف (٢) شفويٌّ (: قدح) slander
~ (بسبيل النشر أو الكتابة أو الرسوم) libel, defamation
قَذيفة projectile, missile
~ مدفع cannon ball
~ (لم تنفجر) dud
قَرٌّ (راجع برد)
قُرْء (راجع وقت ، حيض)
قَرَأ (كتابًا أو ما إليه) read
~ (سلامًا ، تحية أو ما إلى ذلك ، أبلغ) convey, address (*greetings, etc.*)
~ (: جمع ، ضمَّ) compile (*material*), gather, assemble, collect
قرأت (الحامِلُ) (راجع وَلَدَت)
قَرَا (راجع تتبع)
قِراءة reading
قَرابة ، قُرْبى kinship, relationship, parentage, affinity
~ الحواشي collateral affinity
~ دم (: قرابة شديدة) consanguinity
~ مباشرة direct affinity
شبه ~ quasi affinity
قِرْأة (: وباء) epidemic, pestilence
~ (: مرض بلدي ، يتبع بلادًا دون غيرها) endemic (*disease, etc.*)
قَرَاح (: خالص) pure, clear, spotless
~ (: ارض لا ماء فيها ولا نبات) arid wasteland
قَرار decision, ruling, resolution, adjudication, award, decree

قَرار (: حكم) judgment
~ (محلفين) finding, verdict
~ إبطال زواج تمهيدي decree *nisi*
~ إدانة judgment of conviction
~ إعسار decree of insolvency
~ إفلاس adjudication of bankruptcy
~ بطلان decree of nullity
~ ترضية [محلفين] compromise verdict
~ تنظيمي regulatory decree, pragmatic sanction
~ توزيع تركة decree of distribution
~ جزئي [محلفين] partial verdict
~ خاص [محلفين] privy verdict
~ رسو مزاد (أو بيع) adjudication of auction or sale
~ عارض interlocutory decree
~ عام [محلفين] general verdict
~ علني [محلفين] public verdict
~ غُرْم [محلفين] adverse verdict
~ قرعة verdict by lot
~ قطعي [تطليق] decree absolute
~ كاذب [محلفين] false verdict
~ محكمين (تحكيم) (*arbitral or arbitration*) award; arbitrament
~ مختوم (: مقفل) sealed verdict
~ مفتوح open verdict
~ موجَّه [محلفين] instructed verdict
~ نصيب chance verdict
~ نهائي final verdict
قَرارة (راجع قَعْر)
قَراري (: استمراري) perpetual
قِراضة advancement of money to be invested for common profit
قَرّاضة (*cutting*) nippers, clipper
قِران matrimony, marriage
قرئي endemic (*disease*)
قُرْب nearness, closeness, proximity
~ (: وشوك حَدَث) imminence
~ (: صداقة ، رفع تكليف) intimacy
قَرُبَ near, draw close or near, approach, impend (*of danger*), become imminent (*of event, fact, etc.*)

قَرَّب (: قارب) — draw closer, bring nearer, approximate (*between*); close gap (*between views, etc.*), press (*something*) to

~ (: وفق) — reconcile (*between*)

~ (: وضع جنبًا إلى جنب) — juxtapose

قُرْبى (راجع قرابة)

قُربان — offering, sacrifice (*ceremoniously offered to God*)

قَرَح — wound; ulcerate

قُرْحَة — ulcer, chancre, sore

قُرْحيّ — ulcerous

قَرَّر — decide, determine, rule, adjudicate; resolve (*doing or to do something, ~ upon action, ~ that nothing should induce him to change his mind*)

~ (: وضع لائحة ، قرارًا ، نظامًا) — regulate

~ (: أنهى ، سوّى ، صفّى) — settle, liquidate

~ (بشأن) — declare

قَرَصَ — nip, pinch

قُرْص — disc, disk (*as in: sun's disc*)

~ (: حبة من شيء) — tablet

~ (أرقام تلفون أو ما إليه) — dial

~ ثقيل (معدني) — discus

قُرصان — pirate, freebooter

قَرْصَنَة — piracy; unauthorized use of another's literary production or invention; freebooting

عمل ~ — act of piracy

قَرْض ، قِرْض — loan, advance; impress (*from government*)

~ بلا ضمان — advance unsecured

~ على رهنية — advance on mortgage

~ قصير الأجل — short loan

~ مستند — advantage against security

قَرَض — gnaw, nip, nibble; clip

قَرَط (راجع قطع)

قُرْط — ear-ring

قِرطاس (: قسيمة دفع) — coupon

~ (: صفحة ، ورقة) — page, paper

قِرطاسيّة — stationery, writing material

بائع قِرطاسيّة — stationer

قَرَّظ — praise, commend, review (*book*) favourably

قَرَع — knock (*at a door*), rap (*firmly on something*)

~ (بثقل أو قوة) — thump

~ (: رنّ جرسًا) — sound (*bell*), ring, toll (*on occasion of grief*)

قَرَّع (راجع عنّف)

قُرْعة — lot

قُرْمة — stump, stub

~ (: كعب مستند) — counterfoil

قِرْمِزيّ — pink, red, scarlet

قِرْميدة (قرميد) — tile(s)

قَرَنَ — couple (*an idea with a person*), associate (*one thing with another*); link (*to*), pair (*off with somebody*), unite (*between*), bring (*things*) into close proximity

قَرْن (حيوان أو ما ماثله) — horn

~ (: مئة سنة) — century

قِرْن (: نظير) — equal, peer, match, fellow

~ (: ند) — rival

~ (: زوج) — team (*of oxen, etc.*)

قَرَوِيّ (: ريفي) — provincial, rural

~ (من حيث المتانة أو البساطة) — sturdy, rustic, plain

~ (: يعوزه الصقل) — awkward, uncouth

قَريب — near, close, at hand

~ (: وشيك الوقوع) — imminent, impending (*danger, etc.*), soon forthcoming, hanging threateningly

~ (: في المتناول) — handy

~ الشبه — closely resembling (*something*)

~ (: ذو قرابة ، من الأقارب) — akin (*to*), relative, relation, affine

~ أدنى ، ~ أقرب — next of kin

قريبًا — shortly; soon

~ من (: على وجه التقريب) — about, nearly, approximately, in the region of, approaching, bordering (*on*)

قَرْيَة — village, settlement

قَرْيَة صغرى (: ضيعة)	hamlet
قَرين (: زوج)	husband; mate
~ (: صاحب)	associate, companion
قَرينة (١)	presumption
~ البراءة	presumption of innocence
~ الشك	benefit of doubt
~ طبيعية	natural presumption
~ قانونية	presumption of law
~ غير قابلة لاثبات العكس	irrebuttable presumption
~ قاطعة	conclusive presumption
~ مزجية	mixed presumption
~ الواقع	presumption of fact
~ قوية	violent presumption
~ الحياة ، ~ التعاقب في الموت	presumption of survivorship
قَرينة (٢) (: زوجة)	wife
قُزَحِيّة	iris
قَزَمٌ	midget, dwarf
قَسّ	priest
قَسا	harden, be cruel, act cruelly, treat unkindly, be severe or stern, act severely or sternly, treat ferociously or be ferocious
قَسَرَ (راجع اكره)	
قَسْر (راجع إكراه)	
قَسَّطَ	divide into installments, pay by installments
قِسْط (دراسي أو ما إلى ذلك)	fee
~ (: دفعة دورية)	instal(l)ment
~ تأمين	insurance premium
~ (: مقدار محدود من شيء)	ration
قَسَمَ	divide, divide in half, partition, apportion
قِسْم	section, division
~ (: جزء ، وزيعة ، نصيب)	part, portion, lot
~ (في سجن ، مستشفى أو ما إلى ذلك)	ward
قَسَمٌ (راجع يمين)	
قَسَّمَ	divide; apportion, allot
~ (: وزَّع)	distribute, parcel out
قِسْمة	division, partition; distribution
~ (: وزيعة)	portion, part, lot
قِسْمة (: حظ)	destiny, fate
~ غرماء	*pro rata*
(غير قابل للقسمة	(*indivisible*
قَسْوَة (: غلظة في معاملة أو ما إليها)	cruelty, unkindness
~ (: شراسة)	fierceness
~ (: شدَّة ، صرامة)	severity, sternness
قِسِّيس	priest, curate, clergyman
قَسِيمة	parcel, plot (*of land*)
~ (طيران ، ربائح)	coupon
قَشٌّ	straw (*for bedding, etc.*)
قُشارة	flake, scale
قَشد	skim
قِشدَة	cream
قَشَّر	skin, peel, shell (*remove shell of*), hull (*peas, beans, etc.*)
قِشْرَة	peel, skin (*of fruit, etc.*), shell (*of egg, nut, pea, etc.*), hull; crust (*as of earth*)
قِشْري	crustaceous
قِشريات	crustaceans
قَشَطَ (راجع نزَع)	
قَشَع	dispel; remove (*cloak, mask, etc.*), drive away (*clouds*)
قُشَعْريرة	chill, sensation of coldness
قَصَّ (١) (: روى)	recount, relate, narrate, tell (*tale, story, etc.*)
قَصَّ (٢) (: جزَّ)	shear, clip (*wool, etc.*), cut
قصا (راجع بَعُدَ)	
قَصّاب (راجع جزار)	
قِصَاص	punishment, penalty, punition
~ (المِثْل)	*lex talionis*, parity (*of punishment*), law of parity or equality
قَصَّاص (أثر)	tracer (*of footsteps, etc.*), tracker
قُصاصة	cutting (*as of magazine, etc.*), clipping (*: paper ~*), scrap (*of paper*)
قَصافة	brittleness; fragility
قَصَبة (: عود قصب)	cane
~ (ساق)	shank
~ صيد	rod
~ (بندقية أو ما إليها)	barrel
~ (عمود ، سهم ، الخ..)	shaft

قِصَّة story; account (*of a war*), narration
~ شعرية epic
~ مسلية anecdote
قَصَدَ intend, mean, signify, purpose, have in mind (*as goal or purpose*), aim at, set out (*to do, etc.*), head for
قَصْد intention, intent, purpose, motive, design, *animus*
~ خاص special intent
~ عام general intent
~ (: معنى) intendment, significance
~ مصمم premeditated design
دون ~ by mischance, unintentionally
قَصديّ intentional, wanton, willful, deliberate
قَصْدير tin
قَصَرَ limit (*access, enjoyment, etc.*), restrict, confine
~ (: حدَّد نطاق شيء) constrict (*range*), circumscribe
قَصْر palace, mansion
~ (: منزل ضخم) mansion-house
قِصَرٌ (: عدم الكفاية من حيث الطول) shortness
~ (: نقص ، عدم كفاية) inadequacy, insufficiency, shortcoming
~ بصر (فعلي) myopia
~ نظر shortsightedness
قَصَّر fail, fall short (*of*), default or make default
قَصف (: سريع الانكسار) brittle, fragile, frail
قَصَفَ (بمدفعية أو طائرات أو غيرها) shell, bombard
~ (: كسر) snap, break
قَصَم break, destroy
قُصور shortcoming, deficiency, insufficiency, inadequacy; failure
~ (في واجب) omission (*of duty*)
قَصِي (راجع قاصٍ)
قَصير short
~ (: وجيز) brief, curt
~ البصر myopic, myope
قضى (: حكم ، فصل) judge, rule, adjudicate, pass judgment, sit in judgment, adjudge
(*sale in favour of somebody*)
قضى (: قرَّر) determine, decide (*case*)
~ (: أنجز ، قام بشأن) do, perform, finish, carry out, accomplish, deal with
~ (دينًا) settle, satisfy (*debt, obligation*)
~ على (شيء) destroy, deal death blow to, dispatch
قَضاء (١) (: جهات القضاء) judiciary, magistracy; judicature, judicial authorities, courts in general
~ (: حكم أو ما إليه) judgment, ruling, decision
قضائي juridical, magisterial
قَضاء (٢) (: إنجاز) performance, discharge, satisfaction, accomplishment
قَضاء (٣) (: قدر) fate, destiny
قضاء وقدر act of God
~ (: سوء الطالع) misadventure, misfortune
قَضَب (راجع قَطَع)
قَضَمَ snap; gnaw (*at*)
قَضيب (١) bar, rod
قَضيب (٢) (: ذكرٌ) penis, phallus
قَضِيَّة case, suit, action at law, cause (*of action*), legal proceeding
~ مقضية *res judicata*
~ (راجع دعوى فيما يتعلّق ببعض أنواع القضايا)
قضيتا قياس (راجع قياس)
قَطّ (: ابدًا) at all, ever; in the least
قِطٌّ cat
قِطار train
~ (: قاطرة سكة حديد) locomotive
قطارة (أجرتها) (*towage, towing charges*)
قَطّار distiller
قُطارة distillate
قَطّارة dropper
قِطاع sector (*as in: private ~ , economic ~ etc.*), strip, branch (*of trade, etc.*), area
قَطّاعي retail
بائع ~ retailer
سعر ~ retail price

قُطْب pole
~ شمالي North Pole
~ جنوبي South Pole
قُطْبي polar
قُطْبيّة polarity
قَطَرَ (١) (: جرَّ) tow, tug, pull, draw
قَطْر towage
قَطَرَ (٢) (: سالت منه قطرات) drip
قُطْر country; territory, region, province
~ دائرة diameter
قَطَّرَ distill, still (*water, liquor, etc.*)
قَطْران tar, pitch
قَطْرة drop
~ صغيرة droplet, tiny drop
قُطْريّ (١) territorial, regional, provincial
قُطْري (٢) (: خبير معادن) assayer
قُطْريّ (٣) (نسبة إلى قطر دائرة) diametric(al), diametral
قَطَعَ cut, cut down, mow (*grass, etc.*); chop (*wood*); sever, break (*relations*), rupture, discontinue (*dealing, trade, etc.*), occlude (*supplies*)
~ (مسافة) traverse, travel; cross, cover (*distance, etc.*)
~ (: بتر) amputate (*arm, leg, etc.*)
~ رأسًا behead, decapitate
~ إلى اربعة أجزاء [عقاب قديم] quarter
~ (شريحة) slice
~ (حديثًا أو ما إليه) interrupt
~ (خطًّا) intersect (*a line at a certain point*)
قَطْع cutting, mowing; severance, rupture, discontinuance; traverse, travel, coverage; amputation, beheading, decapitation; interruption (*of communication, etc.*)
~ (: خصم) discount
~ طريق (: سلب ، تشليح) banditry, robbery, brigandage
~ طريق عام highway robbery
~ عرضي cross-section
~ زائد hyperbola

قَطْع مكافئ parabola
قِطْعة piece, fragment, slice; part
~ أدبية literary composition
~ أرض plot of land
~ سلاح firearm
~ عمل job
~ غيار spare part
~ نقد coin
شغل بالقطعة work by the job, piecework
قَطْعيّ absolute, peremptory (*writ*), categorical (*statement*), definitive, final, conclusive (*proof*), imperative (*order*)
قَطَفَ pick, pluck, reap (*the whirlwind, fruits of failure*)
قَطَنَ reside, dwell, settle, domicile
قُطْن cotton
قَطيع herd, flock (*of goats*)
قَطيعة severance (*of relations*), breaking apart, disaffection, estrangement
قَعَدَ sit
~ (: امسك عن فعل) withhold
~ (عن واجب ، تخلف) omit, fail to perform
قُعْدي idler, indolent, slacker
قَعَّرَ (راجع قاع)
قُعود (عن واجب) omission, failure (*of performance*); neglect (*of duty*)
قفا (اثرًا) (راجع اقتفى)
قَفا back, rear (*of a thing*)
قُفّاز glove
~ (بلا أصابع) mitten
~ (لحماية الأصابع في مبارزة أو ما إليها) gauntlet
قَفْر desolate, waste, wilderness
قَفَزَ jump, leap (*forward, over a fence*)
~ (عن نقطة : تجاوز) skip (*a letter, a point*)
~ (من طائرة) bail out
قَفَص cage; barred cell for prisoners
~ اتهام dock
قَفَلَ close (*the gate*), shut, bar (*passage, etc.*)
~ (: حجب) screen, exclude
~ (: أنهى) conclude, finish, terminate

قَفَل (تفليسة ، الخ ..) — wind up (*bankruptcy, etc.*)

قَلّ — decrease, dwindle (*as of funds, provisions, etc.*); diminish

~ (عن مستوى معين) — fall short (*of a minimum, etc.*)

قلادة — necklace

~ (: وسام) — medal or medallion, order, decoration

قلاقِل — disturbances, riots

قَلَبَ — turn (*a page*) or turn over (*something*), twist, distort (*facts, news, etc.*), overturn (*car*), capsize (*boat*), turn (*picture*) upside down, upset (*plan*), reverse (*succession*), invert (*position*), overthrow (*government*), subvert (*order*)

قَلْب — heart

~ (: صميم ، وسط ، لب) — core (*of a matter: rotten to the ~*)

~ (: رحمة) — compassion, pity

~ (: عاطفة) — affection

~ (: شجاعة) — courage

قَلَّب (مشكلة ، موضوعًا) — turn (*problem*) over, dwell in thought, ponder (*an action*), weigh carefully, muse (*over*), meditate (*upon*)

قُلَّب (: كثير التقلب) — inconstant, unstable, shifting

~ (شخص) — fickle, capricious

~ (المزاج) — mercurial

قَلْبِيّ (: يتصل بالقلب) — cardiac

قِلَّة — smallness (*of amount*), scantiness, shortage (*of staff, supplies, etc.*); paucity (*of a quantity*), fewness (*of members, words, etc.*)

~ (: نُدورة) — scarcity, dearth

~ (قيمة) — insignificance, triviality

~ (سكان) — sparseness

~ (امدادات أو ما إليها) — meagreness, exiguity

قَلَّد (١) (: حاكى) — imitate, mimic (*somebody's voice*), ape (*others*)

~ (: نقل عن) — copy

~ (عملة ، امضاء ، محررًا أو ما إلى ذلك) — counterfeit, feign, fake, sham, forge

~ (راجع حذا)

قَلَّد (٢) (سلطة ، وسامًا الخ ...) — invest (*with authority, powers*), vest; confer (*medal, honour*), grant

قَلَع (راجع انتزع)

قَلْعة — castle, fortress; citadel (*of liberty, learning*), stronghold

قَلَقَ (راجع أَقْلَقَ)

قَلِقَ — be preoccupied (*about*) or worried (*with*), be perturbed or disconcerted

قلّل (: انقص) — lessen, diminish (*effect*), reduce (*loss*), cut short (*a period*), curtail (*liberty, right, impact*), shorten (*distance*)

~ من شأن — belittle, depreciate, minimize (*a potentiality*)

قَلَمٌ (١) (للكتابة) — pen

~ حبر — fountain pen

~ رصاص — pencil

قَلَمٌ (٢) (مكتب) — bureau, office

~ استخبارات — intelligence department

~ تحر — investigation department

قلَّم — pare; trim

قَلَنْسُوَة — bonnet

قِلْوِيّ — alkaline

شبه ~ ، قِلواني — alkaloid

قِلْوِيَّة — alkalinity

قَليل — little, small, scanty (*food, attention, etc.*), scarce, sparse (*population*), meagre (*portion*), exiguous (*amount*)

قِمار — gaming, gambling

قُماش — textile, cloth; fabric (*covering, tape, etc.*)

قُمامة — garbage, refuse, trash, offal, rubbish

~ (: مخلفات) — leavings

قِمَّة — top

~ (: اوج) — acme, pinnacle

~ (جبل) — summit

~ (ضغط أو حركة) — peak

~ (موجة) — crest

~ (مثلث أو غيره) — apex, vertex

~ (: نقطة قصوى) — climax

قَمْح — wheat

قَمَر moon; satellite
شروق القمر moonrise
غروب القمر moonset
كسوف القمر lunar eclipse
قمريّ lunar
قَمْرة (: غرفة في سفينة) cabin
قَمَط clamp, fasten tightly, hold firmly
قَمَعَ (ثورة أو ما إليها) quell (*resistance*), repress, suppress (*rebellion*), put down
~ (: أخمد ، قهر) quench (*fire, flame*), subdue (*a savage people*)
قَمْع repression, suppression
قِنّ serf
قَنّى channel, cut a channel
قَناة (: قنال) canal, channel, duct
~ (: خندق لمرور الماء) gutter
~ باطنية culvert
~ نفايات sewer
~ ماء aqueduct
~ سفن (: تصلح لعبورها) ship-channel
قَنّاص sniper; marksman
قِناع mask (*masque*), disguise, cloak
~ (يغطي الرأس وجانبًا من الوجه) domino
قَناعَة contentment, satisfaction
قَنال (راجع قناة)
قِنَّب hemp
~ هندي Indian hemp
قُنْبُلَة shell, bomb
~ لم تنفجر dud
قَنَصَ (راجع اصطاد)
قُنْصُل consul
~ عام consul-general
~ بالوكالة pro-consul, acting consul
قنصلي consular
قسم ~ consular section
نائب ~ consular agent
قُنْصُلِيّة consulate
~ عامة consulate general
قَنَط ، قَنُط ، قَنِط (: يئس) despond, despair, be dejected

قَنَط (من محاولة) give in, give up (*hope, something, etc.*)
قَنْطَرة gantry, bridge
قَنِعَ (: رضي) be content (*with*) or contented, feel satisfied (*about something*)
قَنِعٌ (: قانع) content (*with his lot*), contented, satisfied; satiate (*person*)
قَنَّع (: ستر بقناع) mask, disguise (*one's face*), masquerade; cloak (*purposes, thoughts, etc.*)
~ (: أرضى) satisfy, content (*somebody*), appease (*him*)
قنَّن codify
تقنين codification
قُنوط despondency, despair, dejection
قنوع content, contented, satisfied
قَهَرَ (: تغلب) conquer, overcome (*difficulties*), vanquish, surmount, defeat (*thing, person*)
~ (على شأن) (راجع أجبر)
قَهْر (على شأن) compulsion, coercion
قَهْرًا by force, forcibly, coercively, involuntarily, with strong hand
قَهْري compulsory, coercive, forcible, mandatory, involuntary
قُوى faculties
~ جسدية physical faculties
~ عقلية mental faculties
قَوّى strengthen, reinforce, invigorate (*spirit, speech, etc.*); enhance (*pressure*) heighten (*description*), intensify (*efforts*)
قَوّاد (: وسيط دعارة) procurer, pander, pimp, whoremaster
قَوّادة panderess
قَوام figure; carriage, bearing
قِوام mainstay, backbone (*of economy, industry, etc.*), staple, sustaining element, chief support
~ (حياة) sustenance, living or livelihood, support
~ (: أساس) mainstay, foundation

قِوامَة guardianship, curatorship, tutelage; custodianship; superintendence

قُوت nutriment, sustenance; food

قُوَّة force, strength, power; faculty

~ (مراغمة) violence, compulsion

~ التكافؤ valence, valency

~ جاذبة مركزية centripetal force

~ حافزة motivating power or driving power

~ طاردة مركزية centrifugal force

~ غاشمة brute (*brutal*) force

~ قاهرة *force majeure,* superior or irresistible force

~ مسلحة armed force

~ نابذة مركزية centrifugal force

بالقوة by force, forcibly

قَوْس arch, arc, bow

~ (كتابة) bracket; parenthesis

(قوسا كتابة – حاصرتان (*parentheses*

قَوَّس arch; hog, bend

قَوَّض demolish, destroy (*system*), raze (*town, building*), tear down, smash

قَوَّل attribute false statements (*to*), malign (*somebody*)

قَوْل statement, speech, utterance

قَوْم people, folk

~ (: مواطنون) compatriots, countrymen

قَوَّم (اعوجاجًا) right, rectify, correct; adjust, remedy (*defect, evil, etc.*)

~ (ثمنًا) (راجع قيَّم)

قَومي national (*government, debt, etc.*)

~ (: من دعاة القومية) nationalist

قَوميّة nationalism

قَونَصَة (راجع قانصة)

قَوِيَ (على أمر : قَدر عليه) overcome (*hardship*), overpower (*person*), get the better of, be more than a match (*for*)

~ (راجع تَقَوّى)

قَويم right, straight, upright, righteous, just

قَيْء vomit, emesis

قِيادة leadership, headship; command

قيادة (آلة) control

قِياس analogy, (*between things or of one case to or with another*), likeness, similarity (*of proportion*); measure; scale; parallel

~ (: معيار ، درجة) criterion, standard

(قضيتا القياس [منطق] (*premises*

قِياسيّ analogous, showing likeness; comparative, relative

~ (: حسب قياس أو تصميم مقرر) standard, standardized

قِيافة trail-tracking, detection, pursuit

قِيام (١) rise, emergence

~ (: وقوف) standing

~ (بشأن) discharge, performance, fulfilment, accomplishment

قِيام (٢) (: بدء رحلة : مغادرة مكان) departure

~ (: اقلاع طائرة أو ما إليها) takeoff

قِيامة (يوم) resurrection (*day*)

قَيْح pus

قَيْد (١) record, entry, item (*on record*); booking

قَيْد (٢) (: ضابط ، حد) restriction, limitation, restraint, curb (*on prices, etc.*), inhibition (*to activity, freedom, etc.*)

~ (: رباط) ligature

~ يدين (راجع غلّ يدين)

قَيْد (٣) (: امتياز للغير على حق) lien

قيْد (٤) (: رهن ، تحت) under, pending

قضية ~ النظر pending lawsuit, *lis pendens*

قَيَّد (١) record, put on record, enter (*in list, book, etc.*), list, register, set down in writing

~ على حساب debit (*against a customer*)

قَيَّد (٢) restrict, limit, restrain, peg down (*price of pound at a lower value*)

~ (: لجم ، كبح) curb, bridle, check, inhibit (*liberty*), qualify (*entry, participation, etc.*)

قَيَّد (٣) (: عقل ، أوثق بغل أو غيره) fasten, fetter chain

قَيدوم سفينة (: مقدمتها) bow; prow

قِيْر ، قار bitumen, tar, pitch

قيراط (مساحة) 1/24 th (*of total area*)

قِيريّ bituminous

قيَّم (: قوَّم) evaluate, appraise; assess (*tax, etc.*)

(أعاد تقييم شيء (*reappraise*

قَيِّم (١) (: وصي) guardian, curator

~ (: حارس) custodian, keeper

~ (: مشرف) superintendent

~ شحنة بحرية supercargo

قَيِّم (٢) valuable, of value; worthy, meritorious (*service, etc.*)

قَيِّمةٌ curatrix

قِيمة value, worth; significance; degree of excellence; relative utility

~ اجمالية gross value

قِيمة اختصاصيّة (لا يقوم الاختصاص إلا بتوافرها) jurisdictional value

~ اسمية nominal value

~ ايجارية rental value

~ بدل (أو تبادل) value in exchange

~ حقيقية true value

~ خالصة clear value

~ الدعوى case value, amount in controversy

~ سوقية market value

~ صافية net value

~ ظاهرية face value

~ عادلة fair value

~ مبادلة (راجع قيمة بدل)

~ مستوفاة value received

~ مسماة face value

قِيميّ (: على أساس القيمة) *ad valorem* (*tax, duty, etc.*)

ك

كآبة sadness, depression, dejection, sorrow, melancholia

كائِن being (*as in: human ~*), existing (*difference, fault*), entity

~ (عضوي : تركيب عضوي) organism

كابَدَ suffer, sustain, experience (*tyranny*), endure (*hardships*), bear, undergo

كابَرَ prevaricate, equivocate

~ (: عاند في حق) act cussedly

كابَلَ (راجع سوَّف)

كابُوس nightmare, incubus

كاتِب (ج. كتبة) clerk

~ (: مؤلف) author, writer

~ تحت التمرين للمحاماة articled clerk

~ جنايات clerk of assize

~ عمومي scrivener

~ عدل notary public, notary

~ محكمة clerk of court

كتَّاب اتهامات clerks of indictments

كاتَبَ write to, correspond with, communicate with (*others by letters*)

كاتِمُ صوت muffler, silencer

كاثوليكيّ Catholic

كاثوليكيّة Catholicism

كادَ (١) (للغير) plot to injure, spite (*somebody*)

~ (: خدع ، أوقع في سوء) deceive, ensnare

كادَ (٢) (: أوشك) border, verge on, be on the point of, be about to (*occur, act, etc.*)

كاذِب (شخص) liar, teller of lies

~ (بيان ، كلام أو ما إليه) false, untrue, untruthful, mendacious, lying (*tongue, etc.*)

~ (: زائف) phony

كارٌ occupation, profession; trade, craft, mystery

كارِثة (: فاجعة أو مصيبة في أرواح أو أموال أو هزيمة شاملة) disaster

~ (: مصيبة عظيمة يليها شقاء بالغ بعيد المدى) calamity

~ (: نهاية مفجعة لوقائع أو أحداث) catastrophe

~ (: طامة كبرى تنزلها عوامل وقوى طبيعية أو اجتماعيّة) cataclysm

~ (: محنة ، سوء طالع) misfortune

كأس (من زجاج) glass, tumbler

~ (ذات ساق وقاعدة) goblet

كاسِب profitable, lucrative (*scheme*), remunerative (*work, post, etc.*)

كاسِح overwhelming, sweeping, crushing

كاسِحَةُ ألغام minesweeper

كاشَفَ (راجع أطلَعَ)

كاشِف revealer, revealing, telling; detector, tracer (*bullets, etc.*)

~ (راجع كشّاف)

كافٍ sufficient, enough, ample, adequate (*pressure, provisions*), good (*care, reasons, etc.*)

كافأ reward; repay (*favour*), recompense, remunerate (*for services*)

كافّة (: الكافة) world, all the world

~ شيء (: جميعُه) all, whole, entire, total

كافّةً wholly, entirely, totally

كافَح struggle, strive

كافِر unbeliever, infidel

~ (: وثني) heathen

كافِل (قاصرٍ ، أو غيره) guardian, sponsor

~ (: كفيل) bailsman, surety, security (*for payment, satisfaction*)

كافُور camphor

كالَ (: قاس) measure, gauge (*air pressure*)

كالَ (: وزن) weigh
~ [مساحة] survey
كامِل (من كل وجه) perfect
~ (: تام ، لا فراغ فيه) full (*house, authority, liberty, etc.*), complete, integral (*combination term, parts, etc.*)
~ (: غير منقوص) intact, whole, entire
~ هيئة المحكمة full bench of the court, the court en banc (*as in: case will be heard en banc*)
كامِن (خطر أو ما إليه) lurking; concealed
~ (: متوافر في شيء) latent, existing (*in thing, etc.*), inherent (*power, risk, etc.*)
~ (ليفاجئ أو يهجم) waylaying, lying in wait (*for somebody*)
كانْتُون canton, territorial division of a country
كانون الأول (ديسمبر) December
كانون الثاني (يناير) January
كاهل shoulders
كاهن (راجع كهنة)
كاوٍ scorching (*heat, sun, etc.*); burning; caustic (*acid, remark, etc.*)
كبَّ spill, let out
كَبَا fall (*on one's face*), slip, stumble, trip (*over*)
كَبَّاس automatic, mechanical
~ (: زنبرك ، رفّاس) spring; press-button
~ [آليات] piston
كُبَّة (: لفافة من أسلاك أو خيوط) coil, hank (*of wire, rope, etc.*), loop
كَبَتَ repress, curb (*feelings*), suppress; restrain (*liberty*)
كَبْت repression, curb, suppression; restraint (*on liberty, sentiment, etc.*)
كَبَحَ check (*advance*), bridle (*temper*), rein or draw rein; arrest (*movement*), curb (*liberties*)
~ (: ضبط) control, restrain
كَبْح check, restraint, bridle, arrest, control
كَبِد liver

كَبَّدَ inflict (*damage*), cause (*loss, etc.*)
كِبَر old age, advanced age; aging
كَبِرَ (في السن) grow old (*or older*)
~ (: تقدمت به السن) age
كَبَّر (راجع ضخَّم)
كُبْرى largest, greatest (*of all*)
~ (من حيث السن) oldest
~ (مشاكل ، مشاريع ، الخ..) major (*problems, enterprises, etc.*)
كبرياء pride, dignity
~ (: تكبر) arrogance, haughtiness
كِبريت sulphur
~ (مُعد للشعل) matches
كِبريتيّ sulphuric
كَبَسَ press, compress, exert pressure, apply weight (*on something*)
~ (: ضغط ، عصر) squeeze
كَبْسُولة (تفجير) primer, priming, cap
~ (: قذيفة فضاء تحمل أشخاصًا أو اجهزة) capsule
كَبْش ram
~ فداء scapegoat
كَبَّل manacle, handcuff (*thief*), fetter, shackle (*feet*)
كَبْل (: قيد لليدين) manacle, handcuffs; fetters
كَبْوة fall, slip, stumble, trip
كَبير large, big, great; elder (*in community, etc.*)
~ (: كريم ، سمح) liberal, lavish, magnanimous, forgiving
~ (: راشد) adult, grown-up
~ (في وظيفة ، ترتيب ، الخ..) chief, senior, head
~ السن aged, old, advanced in age, elderly
~ تشريفات master of ceremonies
كَبيسة (سنة) leap year
كِتاب book
~ (: خطاب) letter
~ أبيض white paper
~ اعتماد letter of credit
~ اعتماد (دبلماسي) letter of credence, credential(s)
~ مقرر textbook
كِتَابةٌ writing

كِتابةٌ سرية — cryptography
~ باليد — calligraphy
كِتابةً — in (*or by*) writing
كِتابيّ — written, in writing, literal (*proof, etc.*), clerical (*error*)
كَتّان — linen; flax
بذر ~ — linseed, flaxseed
كَتَبَ — write, write down, pen, record in written form, draw (*will, contract, etc.*), inscribe (*initials*)
كَتِف — shoulder
~ (: لوح أو عظم ~) — scapula
كَتَفَ (: شد اليدين إلى الخلف) — bind (*arms, etc.*) back, pin down shoulders
كَتَّل (: جمع اشخاصاً ذوي صفة طبيعية أو اعتبارية) — group, combine
~ (شيئًا : جعله ركامًا متماسكًا) — agglomerate; amass
كُتْلة (: مجموعة) — bloc, combination, group
~ (من شيء) — chunk; mass
كَتَم — withhold (*news*), hold back, suppress (*the truth*), keep (*from person, etc.*), conceal, hide
~ (صوتًا) — muffle
كِتمان — concealment, suppression, withholding, keeping (*from*)
~ (: محافظة على سرية شأن) — secrecy, silence (*about something*), reticence
كَتُوم (راجع متكتِّم)
كُتَيِّب — booklet, pamphlet, handbook
كَتيبة (عسكرية) — battalion; phalanx
~ النصر — phalanx of victory
كتائب — phalanxes, phalanges
كَثافة — density (*of population, air, etc.*), compactness (*of texture*), thickness (*of snow, hair, etc.*)
كَثَب — closeness, proximity, nearness
عن ~ — at first hand, closely, at close range, at close quarters
كَثُر — abound, be plentiful or copiously available

كَثْرة — abundance, plenty, plentifulness, ampleness
~ (: تعدُّد) — plurality
كَثَّف — condense (*air, liquid, etc.*), thicken (*mixture, hedge, etc.*)
كَثيب — dune
كَثير — plentiful, much (*of quantity*), abundant (*growth*), copious (*vocabulary, comment, etc.*)
كَثيف — dense (*fog, population*), thick (*hair*), close (*texture*), compact (*form, etc.*)
كُحْل — kohl, antimony; alcohol, pure spirit of wine, liquor
كَحَّل — apply kohl, darken eyelids with kohl
كُحول — alcohol
~ (: مشروبات كحولية) — liquors
~ نبيذية — vinous liquors
كُحولي — alcoholic (*drink, mixture, etc.*)
كَدَّ — labour, exert (*oneself*), drudge
~ (: كافح) — struggle
كَدَح — toil, labour or work hard, exert oneself, drudge, fag
كَدَّر — offend, displease, anger, vex
~ (: شوَّش ، بَلبل ، غمَّ) — upset, perturb; distress
~ (ماءً ، علاقة) — trouble, disturb
كُدْس — pile, heap, stack, accumulation; mass
كَدَّسَ — accumulate, amass (*riches*), pile (*stones, table with food, etc.*), heap (*things up, ~ things together*)
كَدَم — contuse, bruise
كَدْمة — contusion, bruise
كَذا (هكذا) — so, thus
كَذَب — lie, tell a lie or a falsehood, speak falsely
كَذِب (مقالة ، ادعاء ، تهمة ، الخ..) — falsity, falsehood, mendacity; mentition
~ (راجع كذبة)
كَذَّبَ — belie (*somebody*), give the lie to (*statement, supposition, etc.*), falsify
كِذْبة (: كذب) — lie, untruth
~ (في شأن تافه) — fib

كذبة بيضاء (مُعذرة) white lie
كذلك thus, so
~ (: مثل ذلك ، أيضاً) likewise, also, *idem*, same, the same
~ (: المذكور) ditto
كَرَّ (على عدو) charge, fall upon (*enemy*), make an onset, attack
كُرّاس booklet
~ (: منشور لدعاية أو ما إليها غير مجلد) pamphlet
~ (ارشادات أو تعليمات) manual, handbook
كَرامة dignity, honour
~ (: سمعة تترتب على مجهود ، سبق ، الخ..) prestige
كَراهِيَة hate or hatred, odium, dislike
~ (متناهية) detestation, abhorrence, loathing
على ~ أو كره (: على مضض) reluctantly
~ (راجع كره)
كَرْب great anguish, distress, plight
كَرَبَ (: اشتد) become more acute, severe or distressing
~ (: غمَّ) distress, upset
كِرباج whip; lash
كُرَة ball
~ (ارضية) globe
~ (: جسم كروي) sphere
كَرَّر repeat
~ (رأيًا ، قولاً ، الخ..) iterate
~ مرارًا reiterate
~ (عملاً ، تدبيرًا ، الخ..) duplicate
كَرَّس devote (*to duty*), dedicate (*self to a profession*), consecrate (*to worship, charity, etc.*)
كِرْسَنَّة vetch, vetchling
كُرسُوع (القدم) ankle, talus
كُرسي chair; seat
~ قضاء judgment seat
~ علمي (: استاذية) chair, professorship
~ كهربائي electric chair
صاحب الكرسي (: الرئيس) chairman
كَرَم generosity, liberality; magnanimity
كَرْم (: بستان) orchard

كرم (عنب) vineyard
كَرَّم honour, regard with honour
كَرْمة (عنب) grapevine
كَرِهَ dislike, hate
~ (بشدة مع امتعاض أو تقزز) detest, abhor, loathe
كُرْه hatred, loathing, odium, abhorrence
~ الاجانب xenophobia
~ الأوساخ rhypophobia
~ الاولاد misopedia
~ البشر anthropophobia
~ التعري nudophobia
~ الحياة misopsychia
~ الرجال androphobia
~ النساء gynephobia
كُرَويّ spherical, globular
كُرَيَّة (دم) corpuscle, globule, hemocyte
~ (: حبة كروية من ذخيرة متفجرة) pellet
كريم generous, liberal
كَرِيه hateful, disagreeable, odious, abhorrent, detestable
~ (من حيث الرائحة أو ما إلى ذلك) rancid, rank, foul, putrid
كَسا dress (*oneself*), clothe, attire (*person in silk, etc.,* ~ *somebody*), invest (*somebody or something in or with, etc.*)
كِساء clothing, apparel, personal attire; covering
كَساد (في اسعار ، تجارة ، الخ..) slump, depression
نوبة ~ depression phase
كَسَبَ gain, profit (*by something*), earn (*a thousand pounds, a living, etc.*), win (*a prize*); acquire (*ownership, advantage, a good name, etc.*)
كَسْب gain, profit; advantage
~ حيازة أو ملكية acquisition of possession or ownership
~ غير مشروع illicit gain
~ مادي lucre, monetary gain, material profit
كَسَحَ overpower (*a defence*), overwhelm (*the enemy*), crush

كسح (: قهر) defeat
كَسَحٌ (: ارتخاء احدى الرجلين) foot drop
كَسَدَ slump, come to a standstill, find no market, sell badly, be in little (*or no*) demand
كَسَرَ break (*the law*), commit a breach (*of covenant*), violate (*an agreement*), transgress, break open (*cabinet, door, safe*); crush (*stones, etc.*)
(كسَّارة (*crusher*
كَسْر (من مواد ، ادوات أو ما إليها) breakage
~ (قوانين أو ما إليها) infraction, violation, infringement
~ (عظام ، جسم صلب وما إلى ذلك) fracture
~ (حسابي) fraction
~ عشري decimal
كِسْرة piece, fragment (*of a broken vase*), crumb, slice (*of bread*)
كَسَفَ eclipse
~ (راجع حَجَبَ)
~ (: ردَّ في اهانة) snub, rebuff, slight
~ (: خيَّب) disappoint
كَسِلَ laze or idle (*about*), be lazy or indolent, spend (*one's*) time in idleness or indolence
كَسَلٌ laziness, indolence, idleness
كسلان lazy, indolent
كِسْوَة ، كُسوة dress, suit, costume, attire (*e.g. holiday attire*)
~ رسمية (خاصة بجهة معينة) uniform
~ (سهرة) evening dress
~ قضائية (*judicial*) robe
كُسوف eclipse
كَسيح cripple, crippling, decrepit; paralytic (*person*)
كَشَّاف scout
~ (: مكتشف) explorer
~ (: كاشف عن موجات ، معادن أو ما إليها) detector
~ (نور) searchlight
~ (فتى) boy scout
كشّافة (فتاة) girl scout; girl guide
كَشَطَ (: محا) scrape out, erase, scratch, expunge
كَشْط scraping (*part of a deed*), scratching, rasure or erasure, expunction
كَشَفَ uncover, disclose, unfold, reveal, expose, bring to light, divulge (*secret, etc.*)
~ (فلاة ، منطقة أو ما إليها) explore, scout, reconnoiter
~ (: نمَّ عن) betray (*incapacity, malice*)
~ (راجع أبدى)
~ (: أزال) dispel, allay (*fear*), alleviate (*suffering, distress, etc.*)
~ ظُلامة redress grievance
~ عن جريمة detect, uncover, etc.
كَشْف list, index, table
~ (: استكشاف ، تنقيب) exploration
~ (: بيان، حساب) statement of account
~ (للتعرف على مناطق عسكرية أو ما إليها) reconnaissance, reconnoitering
~ (جزئيات بضاعة أو ما إليها) inventory
~ (حساب) bill, invoice
~ (: سجل) record
~ (: قائمة بضائع ، اموال شخص ، موجودات ، الخ..) inventory, catalogue
~ (مشتركي تلفون) directory (*telephone*)
~ (مكلفين بواجبات مقررة – نوبة) roster
~ اتعاب fee-bill
~ ذمة (في طابق افلاس) statement of affairs
~ زمن (لبيان مواعيد عمل واجب) time check
~ طريق (: بيان اسماء ركاب) waybill
~ معاملات عقودية (يضعه محرر عقود –كاتب عدل– بما تم على يده من معاملات) repertory
كَشْفيّ exploratory (*report*); scouting (*movement, etc.*)
كَظَمَ repress, suppress, check, subdue, restrain (*anger*)
كَعْب heel
~ (: كوبون ، سند صرف) talon
~ (: شيك ، كمبيالة ، مستند) counterfoil
كُعْبُرة knob; lump

كَفّ (: ظاهر يد) palm
قراءة الكف palmistry
كَفَّ abstain (*from*), refrain (*from*), forbear (*from doing something, to do something*)
كَفّ (: امتناع) abstention (*from*), forbearance (*from something*), inhibition (*from*)
كَفَى suffice, meet or satisfy need, be sufficient or enough; last (*a day, a lifetime, etc.*)
كُفْء ، كُفُؤ qualified, competent, capable, fit, eligible
كَفاءة qualification, competence, accomplishment, capability, fitness
كِفاح struggle, self- exertion, earnest endeavour, fight
كَفّارة penance, atonement, expiation
كَفاف sufficiency, sustenance (*wage, level, etc.*)
كَفالة bail, security (*for debt, etc.*), bond, surety, suretyship, guaranty, warranty
~ جوفاء straw bail
~ قاصر wardship
سند ~ bail bond
عقد ~ contract of suretyship
قدم ~ give or offer bail
نكل عن ~ jump bail, forfeit bail
(وضع تحت ~ (*remand on bail*
كِفاية sufficiency, adequacy, competency; efficiency (*of production, management, etc.*)
~ ذاتية self-sufficiency, autonomy
كِفَّة pan
~ ميزان scalepan
كَفَّرَ blaspheme, utter a blasphemy
كَفَّرَ (عن ذنب) atone (*for*), expiate; make retribution (*for*)
(جعل الجاني يكفر عن فعله (*exact retribution from the culprit for his act*
كُفْر (بوجود الله) atheism
~ (راجع إلحاد)
~ (: تفوُّه ضد الذات الإلهية) blasphemy
كَفَلَ ، كَفِلَ (: تولى معاش أو رعاية قاصر) assume guardianship or wardship (*of*), maintain
~ (: ضمن) warrant, guarantee; vouch for (*truth, genuineness, etc.*)
كَفَلَ (ملتزمًا) be, become or go bail (*for*)
~ (موقوفًا) bail (*out*)
كَفَل (: مؤخر دابة) rump, buttocks
كَفَنَ ، كَفَّنَ shroud
كَفَن shroud
كَفيف (راجع مكفوف)
كَفيل (راجع كافل)
كَلَّ (راجع تَعِب)
~ (حَدًّا) go blunt, become dull
كُلّ all, whole (*truth, heart, etc.*), any, every (*person, etc.*), each
كُلُّ مَن whoever, whosoever
كُلٌّ من every one of, each
كِلا (: كل من اثنين) either, both
~ (راجع أي)
كُلّاب dog, gripping device; grip
~ (: صنارة) hook
كَلال fatigue, exhaustion
~ (: تعب) weariness, tiredness
كلام speech
كَلَب (داء) hydrophobia, rabies
كَلِب rabid, rabiate
كَلَحَ (: عبَسَ) scowl, frown
~ (: بهِت لونه) wilt, lose freshness
كِلْس calcium oxide
~ (: جير) lime
كِلْسي (: يشبه الكلس أو يحتوي عليه) calcareous
~ (: يحتوي على كلس) calciferous
كَلَّفَ (١) charge (*with*), require, instruct, direct, enjoin, call upon, ask for
~ بحضور cite, summon, serve summons on
كَلَّفَ (٢) (من حيث الثمن) cost, call for, require
كَلفاني أو غلفاني galvanic
كُلْفة trouble, inconvenience, painstaking, pains (*as in: to take pains*)
كَلْفَنَ ، غَلْفَنَ (: طلى كهربائيًّا بالزنك) galvanize, coat with zinc
كَلَّم speak or talk (*to*), converse, engage in conversation

كَلَّمَ (: خاطب) address (*somebody*)
كُلَّما whenever, whensoever
كَلِمَة word, term
~ (: حديث) chat, discourse
~ (الله عز وجل) gospel, command
~ سر password, watchword
~ شرف parole
كُلْوَة ، كُلْيَة kidney
كُلِّيّ total, entire, utter (*ignorance*), complete (*success, failure, loss, etc.*)
كُلِّيًّا wholly, entirely, altogether
كُلِّيّات generalities, universalities
كُلِّيَّة college; faculty
كَلِيل (نصل أو ما إليه) blunt (*edge*), dull (*point*), obtuse
كَم (: كمية ، مقدار) *quantum*; quantity, amount
~ ؟ (: أي مقدار؟) how much?
كُمّ sleeve
كَمَّ (فمًا) muzzle (*newspaper, person, etc.*), restrain (*from expression*)
كَمأة mushroom, fungus
كَمّاشة pincers
كَمال perfection
~ (: تنزه عن العيوب أو المآخذ) faultlessness, flawlessness
~ (: تمام) completeness, fullness (*of growth*)
كَماليّ (: يفيض عن حاجة ، ينطوي على بذخ) luxurious, luxury
كَماليّات luxuries
كِمامة (واقية) mask
~ (تقيد حرية الكلام) muzzle
~ (تدس في الفم لتمنع الكلام أو الصياح) gag
كَمْبيالة promissory note, bill, note of hand
~ رجوع redraft
~ صورية kite, *pro forma* bill, windmill
~ طويلة الأجل long bill
~ غير مستحقة (: لم تستحق بعد) running bill
~ قسط تأمين premium note
~ مقبولة على بياض skeleton bill
صورة ثانية من ~ second of exchange

كَمَّل complete, supply deficiency (*of papers, provisions, etc.*), supplement (*revenue, salary, etc.*)
كَمَن (في شيء) lurk (*in speculation*), inhere (*in*), be concealed (*in*), exist or abide (*in*)
~ (لمفاجأة أو هجوم) ambush, waylay, lie in wait or in hiding
كَمِّيّ (: على أساس الكمية ، باعتبار المقدار) quantitative (*consideration, choice, etc.*)
كَمِّيَّة quantity, amount
~ اختصاصية (لا يستقيم الاختصاص إلا بتوافرها) jurisdictional amount
كَمين ambush
كَنّى nickname
كِناية metonymy
كَنَّة (: زوجة الابن) daughter-in-law
كَنْز treasure
~ لقية ، ~ صدفة treasure-trove
كَنَسِيّ ecclesiastic(al)
كُنْه essence, substance, gist
~ (: مغزى) purport, significance
كُنْيَة (: لقب دارج) nickname, familiar name; alias (*of person*)
كَنيس synagogue
كَنيسة church
~ صغرى chapel
~ كبرى (: كاتدرائية) cathedral
كِهانَة (راجع عرافة)
كَهْرَبَ (: شحن بالكهرباء ، سخر لتوليد الكهرباء ، زوّد بالكهرباء) electrify
~ (: قتل بالكهرباء) electrocute
كَهْف (راجع غار)
كَهَنَة ، كُهّان clergy, priests, clerics, ecclesiastics
كَهَنوتي ecclesiastic, sacerdotal
كَوى (ملابس أو ما إليها) iron
~ (بحديد ملتهب لغرض طبي أو غيره) cauterize, brand
~ (بتأثير حرارة) scorch; burn
كُوبون (: شهادة ربح) coupon, dividend warrant
كُوَّة scuttle, aperture
~ (في سفينة) hatch

كوة في قلعة embrasure
~ كبرى main hatch
كَوْثَل (سفينة : مؤخرتها) stern, aft (*of ship*)
كُوخ hut
~ (: منزل ريفي) cottage
~ حقير hovel, shack, shanty
كَوكب planet
كَوَّم (راجع كدَّس)
كُومة ، كَوْمَة (راجع كُدْس)
كَوْن universe
كَوَّن form, formulate, constitute (*a quorum, a state, etc.*); make up; raise (*army, etc.*)
~ (: انشأ ، خلق) originate, create
كَوْني cosmic
نظام ~ cosmos
كَيْ (: لكي) so as, so that, in order to
كَيٌّ branding, cauterization
~ (ملابس أو ما إليها) ironing, pressing
~ (: صلي ، احتراق بتأثير حرارة) scorching
كِياسَة judiciousness, tact, astuteness
~ (في تصرف أو ما إليه) *savoir faire*
كَيَّال gauger
كِيان presence (*of person or thing*), existence, standing, being
~ (: وجود فعلي) entity (*of state, people, body*)
كَيْد spite, malice, malevolence, ill will
كَيْديّ spiteful, malicious (*act*), vexatious
كِيس (: جيب من نبات أو حيوان به سائل) sac
كِيس (خيش) sack
كَيِّس judicious, tactful, astute
كَيَّف modify, characterize (*a description*), adapt (*something to a certain condition*), acclimatize, mold to conform to (*standard, state, etc.*); condition (*temperature, pressure, etc., to a certain state*)
كَيفيَّة method, manner, mode, fashion, system, way (*of doing things*)
كَيَّل measure
كَيْل measure, measurement
~ (: مقياس) scale
كِيمياء chemistry
~ تحليلية analytical chemistry
~ تركيبية (تتناول تركيب الذرات في الفضاء وما إلى ذلك) structural chemistry
~ حيوية biochemistry
~ شعاعية radiochemistry
~ صناعية industrial chemistry
~ صيدلة pharmacochemistry
~ عضوية organic chemistry
~ غذائية food chemistry
~ غير عضوية inorganic chemistry
~ فيزيائية physical chemistry
~ كهربائية electrochemistry
~ لا عضوية abiochemistry
كِيميائي (متخصص) chemist
~ (تأثير ، تحليل ، الخ ..) chemical

ل

لائحة (: مشروع قانون) bill (*before legislature*), draft law

~ (بلدية ، بوليس ، سجن ، دائرة رسميّة ، الخ..) by-law, regulations

~ (داخلية في برلمان) standing orders

~ (محكمة) rules of court

~ ادعائية ؛ ~ جوابية pleading

~ صحيحة (في قرارات الاتهام) true bill

لا إراديّ involuntary (*act, movement, etc.*), without choice

لائق fit (*thing or person*), suitable (*for purpose*), appropriate (*measure*), proper (*thing to do*), becoming (*behaviour*), qualified (*for position*), eligible (*for service, marriage, etc.*), decent (*act*)

~ (: ملائم) convenient

لاءم suit, befit (*living, person, etc.*), be convenient or adapted (*to purpose*)

لائمة (راجع لوم)

لأبٍ (من حيث القربى) paternal (*uncle, relation, etc.*)

لابَسَ attend (*act, behaviour, etc.*), accompany (*circumstance*), surround (*things, facts, etc.*)

لاجئ refugee

~ سياسي political refugee

لاحَ (: بدا) seem, appear, come into view; give the impression; dawn (*upon*)

لاحَظ note, notice, observe; remark

لاحَقَ prosecute (*lawsuit, etc.*)

~ (: تابع ، انطلق في اثر شيء ليدركه) follow up, pursue, chase (*a fugitive*)

~ تهمة press a charge

لاحِق subsequent (*action*), following (*figures, instructions, etc.*); eventual (*failure after continued laziness*)

لاحِق (من حيث المكان في جملة أو غيرها) latter, post-(*natal, entry, etc.*)

لاحِقة (: عبارة أو أكثر ملحقة) postscript, *post-scriptum* (*p.s.*)

~ (: شيء ملحق أو مضاف) addition, addendum, appendix

لاذَ shelter (*in*), take shelter or refuge (*in*), resort (*to*)

لاذِع biting, stinging, caustic (*comment*); pungent (*remarks*)

~ (: تهكمي) sardonic (*smile*)

لازِم essential, needful, necessary

~ (: حيوي ، أساسي) vital, cardinal

~ (: من النواقص الضرورية) wanting, lacking

~ (: لا يستغنى عنه) indispensable

~ (: مقتضى من فعل أو تصرف) due (*care, respect, etc.*), proper

لازَمَ keep (*to*), cling or adhere to; accompany (*thing or person*)

~ (: تقفى) keep track of, shadow

لازمة (: من المسلَّمات) corollary

~ (: من لوازم شيء) prerequisite

لاسِع pungent, stinging, caustic

لاسِلْكي wireless

لاشَيء nothing, naught, nil

لاصَقَ abut (*on a building, a tract of land, etc.*), adjoin (*something*), touch

لاطَ بـ sodomise

لاطَمَ crash against, be in collision (*with*)

لاعَبَ play (*team, country, person*)

لاغٍ null, null and void, naught; revoked,

annulled, superseded (*by promulgation of a subsequent law*)

لاقَ (بشخص أو شيء) befit (*person, thing*), suit, become (*a man, as in: envy does not ~ you*); be proper or appropriate

لاقى incur (*resistance*), encounter, meet (*with*), face, come up against, cope with, contract, sustain, endure, contend (*with difficulties, complications, etc.*)

~ (: احتمل) suffer, endure

لاك (راجع مضغ)

~ (راجع عابَ (في))

لأمَ (الجرحُ) cicatrize, heal up

~ (راجع أصلح)

لامَ blame, reproach, find fault (*with person or thing*)

~ (: أنب) censure, rebuke; reprove

لأمٍّ (من حيث القربى) maternal (*aunt, uncle, etc.*), uterine (*brother, etc.*)

لُؤم meanness, malevolence, wickedness

لامَسَ (كحدود أو ما إليها) touch, adjoin, lie in contact, abut (*on*)

لامِع (: برّاق) lustrous, shining, glossy

~ (: ذكي ، ألمعي) bright, brilliant

~ (من حيث طيب السمعة والتفوق) illustrious

لانَ soften; relent, slacken, relax

~ (: اذعن) yield, succumb, defer (*to another's view, will, etc.*)

(لا يلين) (*relentless, inexorable, inflexible; obdurate*

لانهائية infiniteness, infinitude, boundlessness

لانهاية infinity

لاهُوت (: إلٰهية) divinity, godhood

~ (علم) theology

لئيم mean, malevolent, wicked

لايَنَ treat leniently, appease, compromise

~ (: لاطف ، داهن) coax, cajole

لُبٌّ (: ج ألباب) gist, pith, essence, tenor (*of a speech*), substance (*of an argument*), core; quintessence (*of something*)

لَبّى respond, answer; heed (*call*), hark or hearken

~ (: هبَّ) rise or rally (*to call, etc.*)

لُبّاد felt

لِباس dress, clothing, clothes; apparel, attire

~ رسمي (خاص بأفراد معينين) uniform

~ سهرة evening dress

~ مدني mufti, civilian dress or clothes

لَباقة tact, tactfulness; address (*in coping with difficult situations*), *savoir faire*; resourcefulness

لَبَّد compress, amass

لِبْدة (قضائية) wig

~ (لتغطية صلع أو لزينة) periwig, peruke, toupee, false hair

لَبِسَ wear, dress, don (*a hat*), put on (*shirt*)

لَبْس misunderstanding or misconception; ambiguity, confusion

لَبِق tactful, resourceful, apt, adroit

لَبَك confuse, complicate, confound, embarrass

~ (: حير) disconcert

لَبيب witty, smart, bright, mentally alert

لِثَة gum, gingiva

لَثَمَ kiss

لَثْمُ الكتاب المقدس (في اداء اليمين) kissing the Book

لَجَّ (في خصومة) be obdurate or unyielding or obstinate

~ (: ألحف) insist, persist

لجأ (ليحتمي) refuge (*in*), take refuge (*in a cave*), seek shelter or sanctuary or asylum

~ (لعمل ، اجراء ، جهة) resort (*to violence, arbitration, etc.*), have recourse (*to*), revert (*to savagery, threats, etc.*)

لَجاجة obduracy, obstinacy; importunity

لِجام bridle

~ (: ما يوضع منه في فم الدابة) bit

لَجْنَة committee

~ فرعية sub-committee

~ لغرض معين (لهذا الغرض) *ad hoc committee*

لُجوء seeking refuge or shelter or asylum or

sanctuary; resort, recourse

لِحاء (شجرة) — bark (*of a tree*), rind

~ (يستعمل للأغراض الطبية) — cortex

لِحام — welding, soldering

~ (: مادة اللحام) — solder

لَحْد — grave

لَحَسَ (راجع لعَق)

لَحْظَة — instant, moment, second

لَحظيّ — momentary, instantaneous

لَحِقَ (: تلا) — follow, ensue; supervene

~ (: خلف) — succeed

~ (: انطلق في أثر شيء) — pursue, chase, give chase (*to*)

~ (: ادرك وجاوز) — overtake

~ (: حلّ بشيء من أذى أو ما إليه) — befall

لَحَمَ (معدنًا مع آخر) — weld, solder

~ (: جمع أو سبك في كيان واحد) — fuse (*two things*), blend (*interests, etc.*)

لَحْم — meat; flesh

~ ودم — flesh and blood

لُحْمَة (راجع قرابة)

~ (نسيج) — weft

لَحْميّ ، لَحيم — fleshy, pulpy

~ [نبات] — tuberiferous

لَحْن — tune, tone

لَحَن — err grammatically

لَحَّن — compose music

لَحْنيّ — tuneful, melodious

لَخَّصَ — summarize, condense, perorate (*a speech*), abridge (*a statement, a book, etc.*)

لَدى (: في حوزة) — in possession of, with, in (*or under*) the hand of

~ (: عند) — on, at

~ الطلب — on demand, on call

لَدَغَ — sting

~ (الثعبان) — bite

لَدْن — malleable; plastic

لَدَّن — soften, anneal

لَزِج — sticky, viscous, viscid

لَزِمَ — be needful or necessary, be wanting or lacking

لَزِم — abide

~ (قانونًا ، حدًّا ، نظامًا) — abide (*by law*), keep or keep to (*certain order, limit*), confine or limit oneself (*to*), maintain (*course, regimen*)

لُزوجة — viscosity, viscidity

لُزوم (راجع ضرورة)

لُزوميّ — compulsory, imperative, mandatory (*order, act, etc.*)

لِسان — tongue

~ (: لغة) — language

لَسَعَ — sting, prick

لَسَنٌ (راجع فصاحة)

لَسِنٌ (راجع فصيح)

لِصّ — thief

~ (مساكن وما إليها) — burglar

~ بحري (: قرصان) — sea-rover, freebooter, pirate

~ طريق عام — robber

~ معتاد — common (*or habitual*) thief

لَصِقَ — stick, post (*placard on a wall*), cling, hold fast, cleave, adhere

لُصوصي — thievish, larcenous, furtive

لُصوصية — thievery, furtiveness

~ بحرية — freebooting, piracy

لَطَّخَ — stain, sully, smear, smudge, blemish, mar, taint; denigrate (*name, reputation, etc.*)

لَطْخة — smear, stain, blemish, blotch

لَطَّفَ (من حدة ، وقع ، الخ.) — attenuate, extenuate, mitigate, soften, cushion (*a blow, loss, etc.*), assuage (*anger, pain*)

لَطَمَ — slap, strike

~ (: ارتطم بشيء) — bump (*against*), collide (*against*), knock (*against*)

لَطْمة — slap

~ (: ضربة) — thud, blow

لَطيف — gentle, kind, kindly (*nature*)

~ (: معتدل) — mild (*in behaviour, effect, bearing*)

لُعاب — saliva

لُعابي — salivary

لَعِبَ	play
~ (بشيء . اتَّخذَه كأُلعوبة)	toy, trifle (*with*), treat playfully
~ (: قامر)	gamble (*on reputation, salary, etc.*)
~ (: مزح)	jest
~ (: سلك في غير جد)	behave (*or conduct oneself*) frivolously
لَعِب	play, recreation
~ (: قمار)	gambling, gaming
~ (: نصيب)	lottery
~ (: مداعبة)	dalliance
لُعْبة (ج ألعاب)	game
~ (: أُلعوبة)	toy, plaything
لَعِق	lick
~ (الماء)	lap
لَعَنَ	curse, damn, anathematize, execrate
~ (: نطق بكفر)	blaspheme, swear
لَعْنَة	curse, malediction, execration, damnation
لَعين (: عليه اللعنة)	damned, cursed; anathema
لَغى	abrogate (*law*), annul, nullify (*judgment*), revoke (*agreement*), cancel; supersede, set aside (*order, decree, etc.*)
لُغة (: لسان)	language, tongue
لُغْز	riddle, puzzle, enigma, conundrum
لَغَط	din, hubbub
~ (: هرج)	turmoil, tumult
لَغْو	nonsense, thoughtless or stupid talk, grammatical error
~ (في الحلف)	(راجع إثْم)
لُغَوي	linguistic (*science, institute*), lingual (*sound, aid, study*)
لَفَّ	roll, furl, curl (*up*), coil, wrap, wind
~ (: طوى)	envelop; fold
لِفافة (: لفة ، لفيفة)	roll, coil, cylindrical twist (*of tobacco, etc.*), hank
~ (مكتوبة ، سِفْر ملفوف)	scroll
لَفَت	turn, move round, direct or draw (*attention to*)
~ عن	turn from (*a sight*)
لَفَظ	pronounce, utter, speak, say
~ بوضوح	articulate, enunciate
~ الروح ، الأنفاس	give up the ghost, expire
~ (: نبذ)	ostracize (*from group, society, etc.*)
لَفْظ (: نطق)	pronunciation, utterance; expression
~ واضح	articulation, enunciation
واضح اللفظ	articulate
لَفْظي	phonetic(al)
~ (: شفوي)	verbal (*promise, agreement, etc.*)
لَفَّق	fabricate (*tale*), trump up (*charge, excuse, etc.*), concoct, invent, forge (*lie, etc.*), frame up (*a story*), doctor (*statements*)
لِقاء	meeting, gathering, reunion, rendezvous
~ (بين خصوم)	encounter
~ (خطوط أو ما إليها ، تقاطع)	junction, intersection
~ مقرر	appointed meeting, rendezvous
لقاح	vaccine
~ (تناسل)	sperm, semen
لَقانَة	quickness of understanding or perception; instruction
~ (: بداهة)	intuition
~ حرفة (: تعليمها)	indenture
لَقَّب	call, style (*oneself philosopher*); entitle; nickname (*a person*)
لَقَبٌ	title, nickname; descriptive name, designated or assumed name; style
~ (: اسم عائلة)	surname
لَقَّح (بمصل)	inoculate, vaccinate
~ (لتناسل)	impregnate, fecundate
~ (نباتًا)	pollinate
لَقَط (: التقط)	pick, pick up, take hold (*of*), seize and hold firmly
~ (الثوب : رقعه أو أصلحه)	patch up, mend
لُقَطَة	find; trove, something found
لُقْمَة	morsel, bit
لَقَّن	impart (*understanding*)
~ حرفة	indent, teach trade
~ (شاهدًا جوابًا أو ما إليه)	lead (*a witness*)
~ (مبدأ ، غرسه في نفس شخص)	infuse, imbue

لَقِيَ find, come across or upon, meet, discover, encounter (*complications, difficulties, etc.*)

لَقِيط foundling

لَكَمَ box, punch, strike with fist

لَكِنَ lisp, pronounce falteringly

لُكْنَة lisping, faltering pronunciation

لِكَيْ so as, so that, in order that

لَمَّ (متفرِّقًا) rally, muster (*scattered forces*)

لَمَحَ glance, catch sight (*of*), glimpse, sight, take a quick look at

لَمَّحَ hint, insinuate, imply, suggest, intimate indirectly

لَمْحَة glance, glimpse, glimmer

~ (: نظرة خاطفة إلى موضوع) short account, fleeting view or look

لَمَسَ touch; lie in contact

~ (حدًّا أو ما إليه) adjoin, abut

~ (شعورًا) offend, wound

~ (: امتد إلى شيء) extend (*to*), reach

لَمَع glitter, shine; glisten

لَمَّع burnish, polish, give lustre (*to*), make (*a surface*) glossy

لَمَعان glitter, sparkle

~ (سطحي) gloss, lustre

لَهُ (: جانب دائن) credit side

~ وعليه credit and debit

~ وعليه (من مزايا ومآخذ) pro and con, for and against

لها (عن) (راجع سها)

~ (بِـ) divert or amuse oneself (*with*), engage one's attention (*in*)

~ (مع انثى) dally with

لَهَبٌ flame; flare

لَهَثَ pant, gasp, breathe spasmodically or heavily

لَهِج (بشيء : أولع به) dote (*on something*), be fond (*of*), love (*a certain thing*)

لَهْجَة (: لغة) language, tongue

~ (اقليمية) dialect

لَهْجَة (عامية ، بومية لا تراعى فيها القواعد الصحيحة) vernacular

لَهِفَ be anxious or preoccupied (*about*); miss poignantly

لَهْفَة regret, anxiety (*about*)

~ (: شوق) yearning, craving (*for*)

لَهْو diversion, amusement

لَوَى twist, distort (*facts, etc.*)

~ (مفصلاً أو ما إليه) wrench, wring, dislocate; contort (*face, etc.*)

~ (: لفَّ) coil, twine, entwine

لِواء (من اقليم أو بلد) district

~ (من جيش) brigade

~ (: راية) standard

لَوازِم essentials, prerequisites, things vital or cardinal

~ (: تجهيزات ، معدات لازمة لشأن) implements, equipments, necessary tools or appliances; outfit

~ (حربية ، عسكرية) ordnance

لِواط sodomy, buggery, paederasty (*pederasty*)

لُوتَرِيّة lottery

لَوَّث pollute (*air, water*), contaminate (*food*), befoul; soil (*clothes*), dirty, defile, sully; taint (*reputation*)

لَوِث go mad, become insane, be out of one's mind

لَوْثَة ، لُوثَة (راجع جنون)

لَوَّحَ wave (*thing or to someone*), beckon (*to*), signal (*to*)

لَوْح board, plank, sheet (*of glass, etc.*), slab (*of stone, wood*), plate, table

~ (زجاج) pane

~ (راجع ألواح)

لَوْحَة board; slab (*of stone*), plaque

~ اعلان notice board

لَوْزَة (: الغدة) tonsil

لُوطِيّ active homosexual, sodomite; paederast

لَوْلَبٌ screw

لَوْم blame, reproach

لَوْم (: تأنيب) censure, rebuke, reproach
لا ~ (على شخص) (*person*) is blameless or irreproachable
لَوْن colour; shade
لَوَّن colour (*card red*), paint (*wall*), tinge (*as with blood*)
~ (: صبغ) dye
لِياقة (لشأن ، اهلية) aptitude, suitability, fitness; qualification, eligibility
~ (ادبية : ذوق ، اصول معاملة) propriety, decency, decorum
لِيبرة (: رطل انكليزي = ٤٥٣,٦ غرامًا تقريبًا) pound (*lb.*)
لِيْفَة fibre (*fiber*), fibra
لِيفيّ fibrous

لَيْل ، لَيلة night
زمن الليل nightfall, night-time, night-tide
لَيْلي nightly, by night, nocturnal (*bird, travel*)
لِين softness, gentleness, tenderness, leniency, mildness
لَيِّن soft, tender; mild, lenient (*treatment, etc.*), gentle; mellow, easy (*life*), comfortable, idle (*job, etc.*)
~ (: طريق ، طروق ، رخو) malleable, pliable
لَيَّن soften (*an effect*), assuage (*pain*), mollify (*tone, anger, etc.*)
لُيونَة softness, tenderness, gentleness
~ (: قابلية للطرق) malleability, pliability

م

ماء water
~ أمونيا ammonia water
~ ثقيل (كثافته تزيد العُشر عن كثافة الماء العادي) heavy water
~ حلو fresh water
~ شرب potable (*or drinkable*) water
~ عكر troubled water
~ فيضان flood water
~ مستغل developed water
~ مقدَّس holy water
~ نزاز percolating water
~ (راجع مياه)
مائت (: محتضر) moribund, dying
مائج wavy, undulatory (*surface*), undulating
مُؤاخَذ answerable, responsible, amenable, blameful or blamable, culpable (*negligence, homicide, etc.*)
مائدة table
~ أكل dining table
~ لعب gaming table
~ مستديرة round table
مائع liquid, fluid
مائل slanted or slanting, inclined, bent, oblique (*line, figure, etc.*)
~ (: معوج) crooked, devious, tortuous
~ (: متحيز) partial, tendentious, biased
مؤامَرة plot, conspiracy, intrigue, machination (*to discredit the government*)
~ (لقلب حكم أو اغتصاب سلطة) cabal
مائي aquatic
~ (المادة أو التكوين) aqueous
مَآب (: منقلب ، مرجع) return, reversion; recourse
مُؤبَّد (: مدى الحياة) for life
مُؤبَّد (سجين محكوم بالسجن مدى الحياة) lifer
مأبون paederast (*pederast*), catamite, sodomite's minion
مات die
~ (: لفظ أنفاسه) expire, pass away
مُؤتمر (بين وفود أو مبعوثين أو نواب) congress
~ (بين اعضاء ذات المنظمة أو الجهة) conference
~ صحفي press conference
~ عسكري parley
~ كنسي synod
مؤتمَن trustee, trusted person, fiduciary (*agent*)
مُؤثِّر (١) (: محرك للشعور) touching, moving, poignant (*scene*)
مُؤثِّر (٢) (: ذو تأثير) of influence (*over person, etc.*), influential, effective
~ (: ذو أثر) effective, effectual
~ هبوطي (في سوق مالية) bearish influence
ماثَل resemble (*person, quality, thing, etc.*), be akin (*to*), be similar (*to*)
مأثور (من قَوْل) maxim, traditional or inherited (*pattern of life, saying, practice*)
ماجَ undulate, wave
مؤجِر lessor
~ (مسكن) landlord
~ من الباطن sub-lessor
مؤجَّر leased (*premises, estate, land, etc.*)
مُؤجَّل postponed (*meeting, hearing*), adjourned (*hearing*), deferred (*payment, process, etc.*)
مأجور (لاغتيال أو إرهاب) goon
مَأخَذ objection, criticism, reprehension
~ (: قصور ، عيب) shortcoming, defect, fault
~ (: ضعف خلقي كالشرب وما إليه) frailty, foible

مؤخَّر deferred; delayed, retarded; postponed
~ (راجع مؤخرة)
مُؤخَّرًا lately, of late, recently
مُؤخَّرة rear (*of an army*); back (*part*), hind
~ (: دبر) buttocks
~ (: ذيل) tail
~ سفينة stern, hind part of ship
ماخُور brothel, bawdy house
مُؤدَّى (: نتيجة ، نهاية) consequence, result, outcome, end
~ (: مدلول) purport, intendment, intent, significance, import
مُؤدَّب polite, civil, courteous, gallant
مُؤدِّب (: مُرَبٍّ ، مهذِّب) tutor, educator
~ (: تأديبي) disciplinary
مأدبة banquet
~ غداء luncheon
~ عشاء dinner (*reception*)
مادَّة (من قانون أو لائحة أو ما إلى ذلك) article
~ (: فقرة من وثيقة قانونية) clause
~ (: عنصر) material, substance (*of crime*)
~ (: جوهر الاشياء الحسية) matter
~ (اتهام : إحدى (أو أحد أوجه) تهم عدة موجهة لشخص أو جماعة) count
مادِّي material (*error, omission*); physical (*possession*), corporeal
~ (: مالي) pecuniary
~ (: محسوس ، ذو بال) tangible, palpable; substantial, concrete
مادِّيّة materiality
مُؤذٍ harmful, injurious, damaging, noxious (*food, gas, etc.*); obnoxious (*literature, odour, etc.*)
مَأذون (به) permissible, allowable
~ (من معهد علمي : خريج) graduate
مأذون شرعي marriage officer; officer authorized to solemnize marriages
مارٌّ (: عابر) transient, passing (*remark, crisis, etc.*)
مأرَب (راجع قصد)
مُؤرِّخ historian
مُؤرِّخ (: راوية) chronicler
مُؤرَّخ dated, tested
مارَسَ exercise (*right, activity, etc.*), use
~ (: تعاطى) practice (*medicine, law, fraud, etc.*)
مارس March
مارِق apostate, renegade, withersake
مازَجَ (راجع خالَطَ)
مأزِق predicament, quandary, position of embarrassment, strait, distressful or difficult situation, jam
ماسٌ diamond
ماسَّ (راجع لَمَسَ)
مأساة tragedy
~ (: مصيبة) disaster, misfortune
مُؤسَّسة (: منشأة ، منظمة) organization, foundation, institute or institution; firm (*: business firm composed of two or more persons*), corporation, concern (*as in: going or flourishing* ~)
~ عاملة going concern
ماسُورة pipe; conduit
~ (بندقية أو ما إليها) barrel
ماسوني freemason
ماسونية freemasonry
ماشٍ (ج. مشاة) walker, pedestrian(s)
ماشَى (راجع مشى)
ماشِيَة (: مَواشٍ) livestock, cattle
ماضٍ (: الماضي) past; bygone (*relation, time, etc.*)
ماطَلَ (: مَطَلَ) procrastinate, stall, delay, play for time, protract intentionally
ماعِز goat
ماعُون ، **ماعونة** (: سفينة لتفريغ السفن الكبيرة أو تحميلها) lighter, hoy, barge
مأفُون moron, feebleminded
مُؤقَّت temporary (*arrangement*), impermanent, momentary; provisional (*government*)
~ (لحاجة حاضرة فقط) (*ad*) *interim* (*officer, measure, etc.*)
~ (: عابر) transient
مُؤقِّت timer, timekeeper

ماكِر guileful, wily, deceitful

ماكِس (: مكاس) exciseman, toller

مأكل food

مأكُول foodstuff, edible

مالَ bend, slant, sway, take oblique course, tilt (*on one side*), heel, tip, list; lean (*over*), incline, tend (*toward an idea or to favour a certain side*)

~ (عن شيء : اعْرَضَ) turn away (*from*)

~ (راجع انحدر)

مالٌ (: شؤون مالية) finance (*department, expert, etc.*)

~ (: نقود) money; lucre

~ (: ثراء) wealth, riches

~ (: ملك) property; estate

~ (متوافر ، رأسمال) fund(s)

~ احتياطي reserve fund

~ تأمين ، ~ توفير (لحساب مستخدمين) provident fund

~ تحت الطلب (أو التصرف) liquid fund

~ ثابت real estate, realty, immovable property

~ رشوة boodle

~ منقول personal estate, personalty, movable property

~ (راجع مُلك)

مالِح salty, saline (*soil, spring, lake, etc.*)

مُؤلِّف author, writer; composer (*of a poem, an opera, etc.*)

مالِك owner, proprietor

~ جزئي part owner

~ متضامن joint owner

~ مشترك co-owner

~ معروف reputed owner

ما لَمْ unless (*something takes place*), except (*if*)

~ يثبت العكس unless otherwise proved

مألُوف familiar; conventional (*weapons, etc.*)

~ (: عادي ، عام ، شائع ، شعبي) ordinary, common, popular

~ (: ليس فيه تكلف) intimate, affable

~ (: يعرفه الخاص والعام ، ركيك) banal

ماليّ ، مالية financial (*discussion, ruin, etc.*) fiscal (*year*)

ماليّ ، مالية (: نقدي) pecuniary (*reward, motive, etc.*)

~ (: من رجال المال) financier

مأمَن (: محل أمان) place of safety; security (*from*)

~ (: ملجأ لامان) refuge, shelter, sanctuary

~ (: ملجأ لسفن أو ما إليها) haven

مؤمِن believer, faithful

مُؤمَّن insured (*thing or person*)

مُؤمِّن (: مؤمِّن لديه) insurer, underwriter, insurance company

مأمُور functionary, official

~ (: خادم) servant

~ ضبط قضائي investigation officer

مأمُوريّة function, mandate, office, task, duty, commission

مَأْمول prospective, anticipated (*profit*), expected, hoped for, looked forward to, sperate

مأمُون (الجانب) safe, harmless, innocuous

~ (: محل ثقة) trustworthy

مُؤَن supplies, provisions

مؤنث feminine

مانِح giver, granter (*grantor*), donator, donor, conferrer (*of right, title, authority, etc.*)

مانَعَ disapprove (*of something*), refuse assent, veto, deny grant (*of request, etc.*)

مانِع preventive, obstructive (*factor, force, etc.*), preclusive

~ (: عائق) obstruction, impediment, hindrance

~ (: اعتراض) objection, thing to the contrary

~ (: مُوقِف ، صادّ) arrester

~ (: عارض لأهلية أو غيرها) disability, bar

~ (: مضاد) anti-(*malaria, rust, aircraft, freeze, etc.*), resistant (*e.g. stain-resistant, fire-resistant*)

~ (: حاجز بين شيء وآخر) buffer (*device, state, etc.*)

ماهِر skillful, skilled (*worker*), proficient

مُؤهِّل qualification; accomplishment (*fitting to some position or work*), attainment

مُؤهَّل (لشأن) qualified, eligible (*for post, marriage, etc.*)

مأهول (راجع آهل)

ماهِيَّة (١) nature; description, substance; significance, import
ماهِيَّة (٢) (راجع مُرَتَّب)
مأوَى shelter, quarter
~ (يستعان به على شأن ، سبيل) resort, recourse
مَؤُونة (: مُؤَن) provision(s), stock (*of needed materials*), supplies
~ (الحياة أو جسم) sustenance
مايو May
مُباح permissible, tolerated (*practice*), allowable
مباحِث investigations
مبادئ (صناعة ، فن ، سلوك ، الخ..: أصول أولية) rudiments (*of craft or industry, art, behaviour, etc.*)
~ (: اسس) (راجع مبدأ)
مُبادَأة (: مبادرة) initiative, overture, preliminary (*or introductory*) step
مُبادَرة (راجع مبادأة)
مُبادَلة exchange (*of products, diplomatic relations, etc.*)
~ (: مقايضة) barter
~ (: مقايضة بالمثل) reciprocity
مُباراة contest, match (*of some sport*), race, competition, tournament (*of fencing, etc.*)
مُبارِز duellist, dueller, fighter, prizefighter
~ (: منازل ، محارب) combatant
مُبارَزَة duel, combat
مُباشِر (في مكتب أو ما إليه) janitor, messenger
~ (في محكمة) usher, crier
~ (: غير دائر) direct, immediate
~ (على عمود نسب) lineal
~ (: أقرب) proximate (*cause, etc.*)
مُباشَرَة (شأن) carrying out, performance, undertaking, exercise (*of power, privilege, etc.*), use
مُباشَرَةً (حالاً) directly, immediately, forthwith
~ (: وجهًا لوجه) point-blank, forthrightly
(غير مباشرةٍ (*indirectly ; obliquely*
مُباغِت (راجع مفاجئ)
مُباغَتَة (راجع مفاجأة)

مُبايَعة (راجع بيعة)
مُبتَدأ (: بَدء) beginning, commencement, initiation
~ (في النحو : مسنَد إليه) subject
مُبتَدِئ beginner, initiate
~ (: مستجد) novitiate, novice
مبتذل (من حيث الشيوع أو الفهم) commonplace, banal, trite
مُبْتَسَر (: سابق لأوانه) premature
مَبْحَث (: بحث) discussion
~ (: موضوع) theme, subject, topic, rubric
مَبْدأ principle, comprehensive rule, fundamental doctrine
مُبْدِئ starter, initiator
مَبْدَئِيّ initial, starting (*point*), preliminary (*proceeding*)
مُبَدِّل (راجع مُغيِّر)
مُبَذِّر squanderer, wasteful, spendthrift, prodigal (*person*)
مَبَرَّة charity; benevolence
~ (مؤسسة) charitable institute, eleemosynary corporation
مِبْرَد file
مُبَرِّد cooler, coolant (*usually a fluid*)
مُبَرِّر justification, excuse
~ (شكلي) pretext (*for invasion*)
~ (: تبريري) justificatory (*act*), vindicatory
مُبْرَز(ة) exhibit
مُبَشِّر (بدين) missionary
~ (بشأن قبل وقوعه) foreteller
مِبْضَع lancet, scalpel
مُبَطَّن lined (*coat, etc.*)
مَبْعوث envoy, legate, emissary
~ (دبلماسي) envoy
~ بابوي emissary, legate
~ فوق العادة envoy extraordinary
مُبْكِر early, sooner than anticipated
~ النضوج precocious
مَبْلَغ amount, sum
~ اجمالي sum in gross
~ محكوم به sum adjudged

مَبْلَغ محل نزاع — sum in dispute

~ مقطوع — lump sum

مُبَلِّغ (عن جريمة أو فعل أو غير ذلك) — informer; relator

~ (بسبيل التجسس) — stag

مَبْنى (: عمارة ، بناء) — building, structure, fabric

~ كبير — edifice

مُبْهَم — ambiguous, equivocal, obscure, inscrutable; vague (*declaration*)

مَبيت — lodging, putting up or staying for the night, night accommodation

~ (: سكن) — housing, accommodation

مُبَيَّت — prepense, premeditated, aforethought

مُبيح (: مجيز) — permissive, tolerative or tolerant (*of*)

مَبيض — ovary

مَبيضيّ — ovarian

مَبيع ، مَبيعات — sold

مذكرة مبيعات — sold note

مُبَيِّن (: مشير لشأن) — indicator, pointer

~ (: يبين خفايا أو احوال شيء) — demonstrator

مُبين — open, manifest

مَتَّ (إلى : اتصل بـ ، هَمَّ) — relate (*to*); concern; have affinity or connexion (*with*), be akin or related (*to*)

مَتَى ؟ — when?, at what time?

~ (: حينما ، بينما) — when (*a thing has happened*), while

مُتاجِر (يتعامل بشأن) — trafficker; dealer (*in*) (*contraband, arms, etc.*)

مُتاجَرة — traffic (*in commodity*), dealing (*in consumer goods*), trafficking (*in arms, drugs, contraband, votes, etc.*), trading (*in textiles, sugar, slaves, etc.*)

مُتأخِّر — late, tardy (*payment*), overdue (*rent*)

~ (: تجاوز حينه المعتاد) — belated

~ (بفعل شيء) — retarded, delayed

~ أجر أو ضريبة — back pay or tax

مُتأخِّرات (مما وجب أداؤه) — arrears

مُتاخِم — contiguous, adjoining, adjacent, next (*in position*)

مُتارَكة (بين زوجين) — separation

أمر ~ — separation order

مُتأصِّل — innate (*fear of something*), inveterate, deep-seated (*hatred*), inbred (*love of one's country*); inherent (*weakness*)

مَتاع (: أمتعة) — effects, personalty (*personal property*), chattel(s)

أمتعة خاصة — personal effects

مُتآمِر — intrigant, intriguer, plotter

مَتانة — sturdiness, solidness, stoutness; force or forcefulness; firmness; staunchness, vigour

~ (حجة) — cogency

~ (راجع متين)

مُتبادَل — mutual, reciprocal (*respect, interest, etc.*)

مُتَبايِن — dissimilar (*tastes*), unlike (*characters*), disparate (*views*), different (*purposes*)

مُتَبَحِّر (: ضليع) — erudite (*person, etc.*), well-versed (*in poetry, sciences, etc.*), possessing extensive knowledge, pundit

مُتَبَصِّر — circumspect, perspicacious (*person*), shrewd, having insight or keen vision

مُتَّبَع (من عادة ، تدبير ، الخ..) — prevailing (*custom*), common, observed, accepted in practice or practiced; current (*system, procedure, etc.*)

مَتبوع (بالنسبة لتابعه) — master

~ (في مسير) (راجع رائد)

مَتبوعة (دولة) — suzerain (*state*)

مُتَتابِع — successive, consecutive (*days, events, etc.*)

مُتَجانِس — homogeneous (*complex*), uniform (*of structure, etc.*); consistent (*parts*)

مُتَجاوِب — responsive

~ (: متعاون) — cooperative, cooperating

مُتَجاوِز (لحد معين) — excessive, in excess (*of*) or exceeding (*certain limit*), surpassing or transcending

~ (: متعدٍّ على حدود الغير) — trespasser; invader, encroaching (*person*)

مَتْجَر — shop; store

~ كبير — department store

مَتجَر (: مركز تجارة) emporium
صاحب ~ shopkeeper
مُتَجَوِّل itinerant (*preacher, judge, etc.*), traveling (*salesman, agent, etc.*)
مُتَحَجِّر petrified (*relics, feeling, etc.*); stony
~ (: فاقد الشعور) insensate, deadened
مُتَّحِدٌ (: منضم) united, consolidated
مُتَحَصِّلات (بيع ، مشروع أو ما إليه) proceeds; returns
مُتَحَمِّس (لشأن) enthusiast, enthusiastic, zealous
مُتَحَيِّز partial (*to women; ~ verdict*), inclined (*to*), biased or prejudiced (*in favour of*)
مُتَخَلِّف (عن وفاء) defaulter, in default (*of payment or performance*), being behind (*in discharge of obligation*), behindhand, in arrear (*with payment*), arrear
~ (عن حضور تقتضيه محكمة) contumacious
~ (في حضارة أو حياة أو ما إلى ذلك) backward, primitive
~ (: فضلة شيء ، المتبقي منه) residue (*of estate*)
~ في أداء in arrear with payment
مُتَخَمِّر fermented
مُتَداخِل (: مختلط ، ملتبس) confused, intermingled, concurrent (*judgments*)
~ (: غليظ الجسم) thickset, heavily built
مُتداوَل in circulation, circulating, floating
~ (: شائع) current, common
مُتَدَخِّل intervening (*party*), interposing, intermediate (*party*), interceding, interfering (*factor*)
~ (شخص) intervenor (*intervener*)
~ (: متطفل) intruder
~ (لتوفيق) mediator
مُتَدَيِّن religious, pious (*person*), devout (*Christian, Moslem, believer, etc.*)
مِتْر metre (*meter*)
مِتْرِيّ metric
مُترابِط coherent, consistent
مِتْراس bolt, bar for fastening a door
~ (لدفاع) barricade; rampart, bulwark
~ (: جدار قصير لدفاع) parapet

مُتَراصّ (: مرصوص) compact, compressed
مَتْرَبة (راجع فاقة)
مُتَرجِم translator
~ (شفوي بين متكلمين) interpreter
مُتَرَدِّد hesitant, undecided
~ (: غير راغب) reluctant, disinclined
~ (: غير ثابت) infirm
مِتْرَسة (عسكرية) emplacement
مُتْرَف luxurious (*living*), sybaritic, sumptuous (*clothes*), self-indulgent (*person*)
مَتروك left over, relinquished
~ (: مهجور) deserted, abandoned
~ (: سائب من مال أو ما إليه) waif, derelict
مُتَزَعْزِع (راجع متقلقل)
مُتَّزِن rational (*conduct*), reasonable (*act*); dispassionate (*opinion, judgment, etc.*), serious, sober, balanced (*decision, measure, etc.*), well-balanced
~ (: هادئ) sedate
مُتسامِح tolerant (*religion*), indulgent (*leader*)
~ (: لين) lenient
مُتَسانِد (من بينات أو حجج) coherent, consistent; reciprocally supporting, interdependent
مُتَّسِق uniform, even-(*handed dealing*), ordered or orderly
مُتَسَلْسِل in series, serial (*order*), chain (*reaction, effect*)
~ (راجع مسلسل)
مُتَسَلِّط oppressive, despotic, domineering, overbearing, masterful
مُتَسَلِّم receiver, recipient
مُتَسَوِّل mendicant, beggar
مُتَشابِك entwined, entangled
~ (: متداخل ، عويص) intricate, involved, complex
مُتَشابِه similar, alike, analogous, akin (*in character*), parallel (*cases*)
~ الشكل uniform, consistent
مُتَشاكِل homologous, having the same structure or constitution

مُتَشَرِّد vagrant, vagabond, rogue, ribaud, bum
~ (: ليس له سكن أو مستقر) wanderer
مُتَشَعِّب ramified, branching
~ (: متعدد الوجوه أو الانواع أو الفروع أو ما إلى ذلك) manifold, multifarious
مُتَصَرِّف (للغير بملكية) alienor, conveyor
مُتَصَرَّف له alienee
مُتَّصِل linked, connected, related, affined
~ (: متواصل) unbroken, continuous
مُتَصَلِّب (في حال أو موقف أو ما إلى ذلك) rigid; inflexible, intransigent, irreconcilable, uncompromising, adamant
مُتَضارِب (راجع متناقض)
مُتَضامِن joint (*partners, efforts, etc.*); consolidated, combined, joined
مُتضامِنًا مُتكافِلاً ، مُتضامِنين مُتكافلين jointly and severally, in joint and several capacity
مُتَضَرِّر (: مضرور) victim, injured (*party*)
مُتَضَعْضِع (: متزعزع) shaky (*system*), rickety (*frame*)
مُتَضَلِّع (راجع ضليع)
مُتَطابِق identical, congruent (*figures*)
مُتَطَرِّف extremist, immoderate, excessive, intemperate
مُتَطَفِّل (شخص) intruder, interloper
~ (: ينطوي على تطفل) intrusive (*act*)
مُتَطَوِّع volunteer
مَتَّع (النفس) enjoy oneself, have a pleasant or delightful time
مُتَعاقِب successive, consecutive
مُتَعاقِد contractor
~ من الباطن subcontractor
مُتَعاوِن cooperative, cooperating
~ (: ملبٍّ) responsive
~ (: شخص يتعاون مع عدو) collaborator
مُتْعِب (: مجهد) arduous, strenuous; exhausting, fagging (*work, duties, etc.*)
~ (: يقتضي كدًّا أو جهدًا غير قليل) toilsome, laborious
~ (: مُمِلّ) tiresome

مُتْعَة joy, bliss, delight; enjoyment, delectation
زواج ~ temporary marriage (*fixing dower and period*)
مُتَعَدٍّ (على حدود الغير) (راجع متجاوز)
مُتَعَدِّد multiple (*homicide*), manifold (*deception*), multifarious
مُتَعَصِّب (: متزمت) fanatic, bigot, zealot
مُتَعَهِّد contractor, promisor, covenanter, entrepreneur
مُتَعَهَّد له promisee, covenantee
مُتَغايِر dissimilar, varied; heterogeneous (*parts, elements*), inconsistent (*statements*), uneven (*treatment, handwriting, etc.*), incompatible (*measures, equations, etc.*)
مُتَغَيِّب absentee
~ (: غائب) absent
~ بلا اذن [بحرية] straggler
مُتَفاوِت uneven, unequal, discrepant (*treatment*)
مُتفَجِّر explosive
مُتفرِّج (على شأن) spectator, onlooker or looker-on
مُتَفَرِّغ (عامل ، موظف ، الخ..) full-time, wholly
~ (لشأن) dedicated (*to*), entirely engaged or taken up (*by*)
غير ~ part-time (*worker, employee, etc.*)
مُتَفَرِّق divided (*opinion, property*), disunited, dispersed (*people, things, etc.*), separated (*into parts*)
مُتفرِّقات (راجع متنوعات)
مُتَفَوِّق dominant or predominant, uppermost, prevailing (*prices, authority, etc.*)
~ (: فائق) outstanding (*courage, person, etc.*), pre-eminent; paramount (*right, title, rank, etc.*)
مُتَقاعِد pensioner, emeritus (*soldier*), retired (*civil servant, general, businessman, etc.*), on retirement
مُتَقَبِّل acceptor
مُتَقَدِّم (في ورود) preceding, foregoing (*clause*), former, prior (*date*)

مُتَقَدِّم (في وضع تحصيل ، الخ..) advanced; ahead (*of others, etc.*)
~ [منطق] premises
مُتَقَشِّف ascetic, person leading austere or Spartan life, practising simplicity
مُتَقَطِّع intermittent, discontinuous
مُتَقَلِّب fluctuating, oscillating (*rates*); shifting (*scene*)
~ (: غير مستقر) unstable or instable
مُتَقَلْقِل (راجع متضعضع)
متكافِلون ومتضامِنون jointly and severally
مُتَكَتِّم secretive (*person*), silent, reticent
مُتَكَلِّف (: عن غير طبيعة) artificial (*behaviour*), factitious, feigned, unspontaneous (*act*)
مُتلازِم ، مُتلازِمان concurrent, running parallel, simultaneous
مِتْلاف squanderer, profligate (*son*), wasteful, prodigal, wastrel, waster
مُتَلَبِّس (بفعل) in the act, *in flagrante*, redhanded
~ بجريمة *in flagrante delicto*
مُتَلَقِّن مِهنة apprentice, learner of a craft
مُتَمارِض (: متظاهر بالمرض) malingerer
مُتَماسِك coherent (*conclusion*), consistent (*mixture*)
مُتمَرِّد mutineer
~ (على النظام أو الأوامر) insubordinate, disobedient
~ (: فرد ثائر) rebel, insurgent; rioter
مُتمَرِّس apprentice
مُتمِّم (: مكمل) complementary, integral (*part of something*)
~ (: خاتِم أو مُنْهٍ لشأن) completing, concluding, finishing (*measures, touches, etc.*)
مُتَمَوِّل [شريعة] having significant property
غير ~ having insignificant property
مَتْن text, purview (*of decree, law, etc.*), body (*of document*)
~ طائرة ، باخرة on board an aeroplane, a ship
مُتنازَع (: محل نزاع) contentious, litigious (*point*), disputable (*question*)
~ (: محل جدل) controversial

مُتنازِل (عن حق أو ما إليه) assigner (*assignor*), releaser or releasor; transferor
مُتنازَل إليه assignee, grantee, releasee
~ (: محوَّل إليه) transferee
مُتناسِق coordinated, uniform, consistent, coherent
مُتنافِر inconsistent, incongruous, discordant; incompatible (*with law, custom, contract, etc.*), irreconcilable (*with constitution, etc.*)
مُتناقِض inconsistent, mutually repugnant, discordant, lacking harmony; incompatible (*with*)
مُتنزَّه recreation ground, park
مُتنقِّل mobile, shifting, ambulatory; devolutionary (*from one person to another*)
مُتنوِّع various, variable, multifarious, diverse
متنوِّعات (: متفرقات) sundries, miscellaneous (*articles, etc.*)
مُتهافِت incoherent, inconsistent
مُتهتِّك immoral, dissolute (*person, thing*), debauchee (*of person*), lascivious (*act*)
~ (محررات ، صور ، رسوم أو ما إليها) pornographic
متهوِّر rash, impetuous, reckless, indiscreet
مُتوارَث hereditary (*title, disease, etc.*)
~ (: يتناقله خلف عن سلف) traditional (*custom, practice, belief, etc.*)
~ (: متأصل) innate (*hatred, habit, etc.*)
مُتوازٍ parallel
~ (من حيث التشابه) analogous, similar
مُتوازِن balanced
مُتواصِل continuous, incessant
~ (: مستمر) perpetual
مُتوافِر available, obtainable, accessible (*resources*)
~ بكثرة plentiful, abounding
مُتوتِّر tense, high-strung (*state of concern*), stiff (*-necked, upper lip, etc.*), tight
مُتورِّم swollen, turgid, tumid; inflated
مُتوسِّط (: وسيط – متدخل بين جهتين) intermediate (*distance, difference*)

مُتوسط (: وسط بين طرفين) mean (*distance, difference*); middle
~ (: معدَّل) average, mean (*temperature, annual rainfall, etc.*)
مُتوطِّد established (*rule, peace, etc.*), prevailing, firm
مُتوطِّن settled, established (*in permanent abode, etc.*)
~ (كمرض أو ما إليه) endemic (*disease, etc.*)
مُتوفَّى dead, deceased, decedent, defunct; late (*president, uncle, etc.*)
مُتوقَّع (راجع منتظر)
مُتيَسِّر available
available (*transport*), possible (*access*), realizable, obtainable (*food*)
مَتين (من حيث المادة والمقاومة) sturdy, solid, tough, enduring, resistant, stable (*economy, etc.*)
~ (من حيث القوة المعنوية وما إليها) forceful (*argument, speech, etc.*), formidable, cogent (*evidence*)
~ (في موقف ، مطالبة أو ما إلى ذلك) firm, steadfast
~ (في عقيدة وما إليها) staunch, vigorous
مِثال (راجع غِرار)
مَثّال (راجع نحات)
مَثالِب demerits, faults, defects
مِثاليّ ideal
~ (: قدوة حسنة) model (*for imitation*), exemplar, paragon
~ (: مثل أعلى) abstract (*justice, love, etc.*)
مَثانة bladder, urinary bladder
مُثَبِّط disincentive (*method*), discouraging (*effect*), disheartening (*failure*)
مَثْعَب siphon
مِثْقاب drill
~ يدوي hand drill
مُثْقَل (بحقوق أو اعباء أو ما إليها) onerous (*estate*), burdened, charged (*with obligations, etc.*); overworked or overburdened (*student, executive, etc.*), weighted down (*by debt*)

مِثْل (١) (: شبه ، يشبه) like (*a person or thing*), similar (*to*), as (*fools, children, etc.*)
مِثْل (٢) (: نظير – في معاملات بيع أو ايجار أو ما إليها) kind
اجرة ~ rent of equivalent (*premises*)
اداء المثل payment in kind
~ (راجع ند)
مَثَلٌ example, instance, illustration, parallel
~ اعلى ideal, standard (*of perfection, excellence, etc.*); paragon
~ (يقتدى به) model, exemplar
مضرب ~ proverbial
مَثَلَ ، مَثُل appear (*before*), stand in the presence (*of*)
مَثَّل (: ساق مثلا) instance, cite (*or give*) an example
~ (: صوَّر بكتابة أو رسم أو غيره) illustrate, depict
~ (: قام مقام جهة) represent
~ (في فيلم أو على مسرح ، حاكى الممثلين في تعبير أو غيره) act, dramatize
~ (شيئًا بآخر : شبه ، سوَّى شيئًا بآخر) liken something to another, equate
مَثَلاً for example, for instance
مُثَلَّث triangle
~ قائم الزاوية right-angled triangle
~ متساوي الاضلاع equilateral triangle
~ متساوي الساقين isosceles triangle
~ مختلف الاضلاع scalene triangle
~ منفرج الزاوية obtuse triangle
~ الشكل triangular
مُثلَّثات (علم) trigonometry
مِثْلِيّات (من اشياء) fungibles, fungible things
مُثْمِر fruitful, prolific
مُثَنَّى double, dual
مُثير provocative, irritative, exciting, incensive (*argument, etc.*)
~ (للشعور – شيء) emotive
~ (للقلاقل – شخص) agitator, troublemaker
~ (: داع للبلبلة) disconcerting

مَجّ spew forth, vomit (*something*)
~ (: نبذ) ostracize, exclude (*from society, etc.*)
مُجاز (من جامعة أو ما إليها) licentiate, graduate
~ (بيان) metaphor; allegory
مُجازاة (: مكافأة) reward, remuneration
مُجازَفَة risk, hazard; peril
مَجاعة famine, starvation
مَجال (: ميدان) field, sphere, area, region, province (*of science, etc.*)
~ جَوِّي airspace
~ (: مُتَّسَع) room, space
~ (: مدى ، امتداد) range, extent, stretch (*of imagination, etc.*), scope, purview
~ (: فرصة) opportunity; good chance, favourable circumstance
مُجامَلَة nicety, punctiliousness, ceremony, courtesy
~ (دولة لاخرى) comity
~ قضائية judicial comity
~ (: اطراء) compliment
مَجّانًا gratis, gratuitously
مَجّاني gratis, gratuitous, free (*of charge*)
مُجاهَرَة (: مصارحة) openness, forthrightness, frankness
~ (باعتراف) avowal
مُجاوِر neighbouring; adjacent
~ (: يحد ، يلاصق) adjoining, contiguous
مُجاوَرَة adjacency, contiguity, neighbourhood
~ (: قرب) proximity, nearness
~ (: وضع مجاورة) juxtaposition
مُجتَمَع society, community, social group
~ مدني civil society
~ منظم polity, organized society; state
مَجْثَم (طيران) apron
مُجْحِف unfair, unjust, inequitable
مُجْدٍ useful, availing or of avail, beneficial
~ (لبلوغ غاية) instrumental
مُجِدّ diligent, earnest, keen, hardworking, painstaking, assiduous; industrious (*person*)

مَجَّد glorify
مُجَدَّد renovated, renewed
~ (من حيث الهيئة) redecorated (*house*), refurbished
مُجَدَّدًا (: من جديد) anew, afresh, newly
~ [محاكمات] *de novo*
مَجْرى course, stream, downstream, path, direction of movement
~ ملاحي (نهري) fairway
مُجَرَّب proven, tried, tested, checked (*for accuracy, safety, etc.*)
مَجَرَّة galaxy, Milky Way, nebula
مُجَرَّد (: لا ينطوي على ميل) objective, unbiased, unaffected
~ (: عارٍ) bare, naked (*contract, obligation, etc.*), nude; mere (*lie, brag, etc.*)
~ (راجع محض)
~ (: مثالي ، نظري) abstract
~ (من تأثير ، صلة ، سلطة ، الخ..) free, rid, divested (*from influence, relation, authority, etc.*)
مِجْرَشَة (يدوية) quern
مِجْرَفَة shovel
مُجْرِم criminal; felon, malefactor
~ سياسي state criminal, political criminal
~ عائد recidivist
~ معتاد habitual criminal
مُجرِميَّة criminality, culpability; malfeasance (*of public official*)
~ واحدة *par delictum*
مُجْزِئ (: كافٍ) adequate, sufficient (*supplies*)
مَجْزَرَة (راجع مذبحة)
مِجَسّ (ـة) feeler; tentacle; probe (*for examining a cavity*)
مجلّة magazine, periodical, journal
مَجْلِس council; board; house
~ ادارة board of directors (*or of direction*)
~ امة parliament
~ الامن Security Council
~ تشريعي legislature, legislative council
~ ثورة junta

مَجْلِس حرب war council
~ شيوخ senate
~ العموم House of Commons
~ قضاء judicial council
~ كرادلة conclave
~ اللوردات House of Lords
~ مبعوثين house of delegates
~ الملكة الخاص privy council
~ نواب house of deputies, house of representatives
~ وزراء cabinet, cabinet council, council of ministers
مَجْمَع gathering, congregation; place of assembly
~ (: هيئة منتخبين) college (*electoral*)
~ كرادلة college of cardinals
~ كنسي chapter
~ لغوي academy of language
~ مطارنة (أساقفة) synod of bishops
مُجَمِّع accumulator
مُجَمَّع (دوائر ، مكاتب ، الخ..) compound
مُجْمَع unanimous, agreed unanimously
مُجْمَل outline (*of a scheme*), synopsis (*of a book*), abstract (*of a speech*), résumé, prospectus
~ (: عام ، يعوزه التحديد والدقة) generic (*term*), general or generalized (*statement*), sketchy (*description*)
مَجموع (: حاصل جمع ارقام) sum
~ (كلي) total, grand total
~ (: جميع شيء ، كله) whole, entire
~ (: جملة شيء أو أشياء ، مجموع اجمالي) aggregate
~ (من اشخاص) plurality (*of persons*)
~ (في مكان أو شيء) assembled, gathered, collected
مَجموعة group (*of persons or things*), body (*of laws, traditions, etc.*); collection (*of things*)
~ (: كومة) cumulation of (*rags, customs, etc.*)
~ تشريعات statutes at large
مَجنون mad, madman (*or madwoman*), insane

مَجنون (مفيق) lunatic
مَجْنيٌّ عليه victim
مَجْنيٌّ عليه مُشترِك (أو ممهد للفعل الواقع عليه) participant victim
مِجْهَر microscope
~ مركب compound microscope
مِجْهَري microscopic
مُجْهِض abortive, amblotic
~ (: باعث على اجهاض) abortifacient
مُجَهَّل (الاسم أو الهوية) misnamed, obscure of identity, ambiguously or equivocally identified
~ (: لا يحمل اسمًا) anonymous
مجهود effort, endeavour
مجهول unknown
مُجَوَّف (راجع اجوف)
مُجَوهَرات jewelry
مُجيب replier
~ (: على دعوى أو غيرها) respondent
مَجيد illustrious (*person*), glorious (*work, past, page, etc.*), splendid (*thing*)
مُجير harbourer (*of a fugitive*), shelterer, giver of refuge (*to somebody*)
مُجَيِّر (راجع مُظَهِّر)
مُجيز (راجع مبيح)
مَحا erase, rub out (*writing, etc.*); efface (*inscription*), obliterate (*unpleasant memories*), blot (*out*), expunge (*shame, passage in writing, name*)
~ (: شطب) delete (*name, record, etc.*)
مُحابٍ partial (*person, judgment, etc.*), inclined, biased (*person, view, etc.*)
مُحاباة partiality, predilection; favouritism, bias or prejudice or prepossession (*in favour of something*)
~ الاقارب nepotism
مُحاثَّة (كهربائية) inductance
مُحاجَّة (: جدل) argument; controversy
~ (للتمرين) mooting
مُحاذٍ (*lying*) along, alongside (*ship, river, etc.*)

مُحاذٍ (: مجاور) contiguous, immediately adjoining
~ (: مقابل) facing, opposite
مُحارِب fighter, warrior, soldier
~ (ـة) (بلَدٌ أو دَوْلَة) belligerent, warring, in a state of war
~ [شريعة] armed robber, bandit, brigand
مَحارَة oyster
محارِم prohibited degrees of marriage, relations within prohibited degrees
مُحاسِب accountant
~ تأمين actuary
~ قانوني ، ~ محلف chartered accountant
~ معترف به certified accountant
مُحاسَبَة (: فن الحسابات) accountancy
~ (: مراجعة الحسابات) audit
~ (على تقصير: مساءلة) impeachment, calling to account
مَحاسِن merits, advantages, virtues
~ (: وجوه راحة أو ترفيه أو تسلية أو ما إلى ذلك) amenities (*of place*)
مُحاصٌّ (في شركة بسيطة : محاصة) shareholder, partner or copartner
مُحاصَّة (: شركة بسيطة) partnership, copartnery
مُحاضِر lecturer
مُحاضَرَة lecture
مُحافِظ (١) governor (*of bank, locality, etc.*); warden (*of prison, port, etc.*), keeper (*of seal, etc.*)
مُحافِظ (٢) (راجع مواظب)
~ (: يلتزمُ قديم الأُمور والعادات) conservative; old-fashioned
مُحافَظَة province, administrative district
~ (سلطة ، عمل) conservancy (*authority, work*)
~ (على شيء من تلف أو ضياع) safekeeping, maintaining (*efficiency, machinery*) or maintenance (*of efficiency, etc.*), preserving or preservation, keeping (*from injury, deterioration, etc.*)
مُحاكاة simulation, imitation

مُحاكاة (: تقليد سطحي) mimicry
مُحاكَم (: رهن محاكمة ، امام محكمة) on trial, at bar
~ (: شخص رهن محاكمة) prisoner
مُحاكَمَة trial, hearing
~ امام هيئة محلفين trial by jury
~ جهيضة abortive (*trial*)
~ سياسية (: موضوعها جرم سياسي) state trial
~ علنية public trial
~ مجددة (أو جديدة) trial *de novo*
~ مستعجلة speedy or expeditious trial
~ مستقلة ، ~ منفصلة separate trial
قدم لمحاكمة arraign, bring to trial
مُحال assigned, transferred (*to, etc.*); committed (*to chamber of indictment, etc.*)
~ إليه (: من صدر التحويل إليه) assignee, transferee, remittee
مُحال (راجع مستحيل)
مُحامٍ advocate, counsel, lawyer, legal attorney, attorney at law
~ تحت التمرين articled clerk
~ مساعد junior counsel, devil
محامي اجراء [نظام انكليزي] solicitor
محامي الادعاء prosecution counsel
محامي الدفاع defending counsel or counsel for the defence
محامي مرافعة [نظام انكليزي] barrister
محامي الملكة Queen's Counsel (*Q.C.*)
المحامي العام advocate general
كبير محامي التاج (: رئيس النيابات) Lord Advocate
(التحق بمكتب محاماة للتمرين (*become articled to a law firm*
(راجع تمرن)
مُحاماة legal profession, legal practice
~ (: دفاع عن شأن) defence, advocacy
~ (: دراستها : قانون أو دراسات قانونية) law, jurisprudence
مُحاوَلة attempt, trial
مُحايد impartial, neutral, detached (*witness*)
~ (: مقسط) fair
~ (: مجرد عن الميل) unbiased, objective (*decision, view, etc.*)

مُحَبَّب granular, granulate or granulated
مُحتاج needy, necessitous (*person*), impoverished or poverty-stricken
مُحتال (: نصّاب) swindler, imposter, deceiver, fraud
مُحترف professional
مُحْتَرَم respectable (*person*), reputable (*firm*), distinguished (*scholar*)
~ [شريعة] valuable (*property, goods*)
مُحْتَسِب controller (*of execution*), execution officer, superintendent (*of justice*), probate officer
مُحْتَشِد crowded (*room*), congested (*area*)
مُحْتَضِر moribund
~ (: في لحظة الموت) *in extremis*
مُحْتَكِر monopolizer, monopolist
مُحْتَلّ occupier, occupant
مُحْتَمَل (: غير مستبعد) probable, likely, contingent (*interest, benefit, title*)
~ (التنفيذ أو التدبير) feasible
~ (: يتسنى حمله) bearable, supportable, tolerable
مُحْتَوى (: محتويات ، مشتملات) content(s)
~ (: كنه) substance, gist (*of a declaration, advice, etc.*)
مَحْتوم inevitable
مَحْجَر (لقطع الحجارة) (*stone*) quarry
~ صحي quarantine
مُحَدَّب (: محدودب) cambered, slightly convex
مُحْدِث creator (*of trouble*), author (*of act*), cause (*of disruption*), originator (*of chaos*)
مُحَدَّد fixed, determined, prescribed, specified; limited, confined, restricted
~ (راجع محدود)
مُحْدِق impending, imminent (*danger*), hanging threateningly (*over one's head*)
مَحْدود limited, confined, restricted
~ (من كل ناحية) circumscribed
مِحراب 'altar', mihrab
مِحْراث plough
مُحَرِّر (١) editor (*in newspaper, etc.*), writer (*of document, etc.*)
محَرِّر عقود (: كاتب عدل) notary, notary public
مُحَرِّر (٢) liberator, emancipator
مُحَرَّر (١) instrument in writing, writing, deed, written act
~ (: مكتوب) written, in writing, on paper
~ الزامي writing obligatory
مُحرَّر (٢) liberated, set free, emancipated
مُحَرِّض instigator, abettor, inciter
~ (على شغب) agitator
~ على اضراب picket
مُحْرِق incendiary (*bomb, etc.*), scorching (*heat*), burning; scathing (*comment*)
مُحَرِّك engine, motor
~ (: دافع) motive, impulse, motivating force, incentive, impetus (*to trade, sacrifice, etc.*)
مُحَرَّم proscribed, forbidden, banned, taboo; anathematized, execrated
مَحْرِم (ج. مَحارِم) relation within prohibited degree of marriage, prohibited degree
مَحَزّ groove
~ طلقة (نارية) cannelure
مَحْسوب (١) computed, reckoned, calculated (*in pounds*)
~ (: معدود) counted
مَحْسوب (٢) (: احد محاسيب منافقين) minion, servile dependent
مَحْسوس (: ملموس) tangible, palpable, perceptible
~ (: مادي) corporeal, physical, material
مِحَشّ mower, scythe
مَحْشَشَة (: غرزة) opium joint, marijuana den
مَحَّص (: صفى أو نقى من شوائب) purge, clear, purify
~ (: اختبر) try, test, examine, investigate
مُحَصِّل (ضرائب ، حسابات ، الخ..) collector, bill collector, runner
مُحْصَنَة (: عفيفة) chaste, pure
~ (: متزوجة) married (*woman*)
مَحْصور restricted, limited
~ (: مقيد) restrained
~ (: مشروط) qualified (*approval, entry, etc.*)

مَحْصور (كالميراث في طبقة من ورثة أو ناحية دون أخرى) tail (: *estate tail*)

مَحْصول crop, yield; product

~ (من حصاد) harvest

مَحْض (: خالص ، مجرد) pure (*Arab*), naked (*lie*), mere or sheer (*coincidence, etc.*)

مَحْضَر (جلسة ، اجراء ، تحقيق ، معامل ، الخ) minutes (*of meeting, etc.*), procès-verbal or verbal process (*of inquiry, facts, etc.*); record (*of session, proceeding, inquiry, transaction, etc.*)

مُحْضِر process-server, summoner, summons server, bailiff, law officer

~ (مدني) paritor

كبير محضرين high bailiff, chief summons server or paritor

مَحَطّة station

~ سكة حديد railway station

~ طيران aeronautical station

ناظر ~ station master

مَحْظور forbidden, prohibited, debarred, banned

~ (: غير جائز) impermissible

~ (تمشيًا مع اخلاق أو دين أو دفعًا لأخطار خاصة) taboo

~ (: محظورات – مهربات أو ما إليها) contraband

محظورات (القانون صراحة أو ضمناً) permissions

مَحْفَظة wallet, flat leather case

مَحْفوظات (دائرة) archives, records

امين ~ archivist

مُحِقّ (: على حق) (*to*) be in the right, rightful

~ (: صائب) right, correct

~ (: له حق في شأن) entitled (*to allowance, privilege*)

مُحَقِّق (: مستنطق) investigator, interrogator, inquiry officer, investigating officer, examiner; inquisitor

~ تأمين insurance adjuster

قاضٍ ~ investigating magistrate

مِحْقَنة syringe

مُحْكَم (: ليس محلا لعيب أو مأخذ) flawless, faultless (*work*), perfect

مُحْكَم (: وثيق) tight, secure

~ (: دقيق ، مضبوط) precise, exact; correct, thorough, exhaustive (*search, study, etc.*)

~ الاقفال hermetically closed

مُحَكِّم ، حَكَم arbitrator; referee, umpire

مُحَكِّمة arbitress

مَحْكَمة court, tribunal

~ ابتدائية court of first instance

~ اثبات (أو تحقيق) الوصايا court of probate

~ إدارية ، ~ قضاء اداري administrative causes court

~ استئناف court of appeal

~ استئناف جنائي court of criminal appeal

~ استئناف عسكرية court-martial appeal court

~ استئناف عليا high court of appeal

~ استئناف كنسية (تابعة لرئيس اساقفة كانتربري) Arches Court

~ استئناف مدنية civil court of appeal

~ استئنافية appellate court

~ اسقفية consistory court

~ اغتنام prize court

~ اغتنام دولية international prize court

~ افلاس court of bankruptcy

~ انصاف : لا تتقيد باحكام القانون court of equity

~ بداية court of first instance

~ بكامل هيئتها court in bank

~ بوليس police court

~ تحقيق court of inquiry

~ تحقيق الوصايا (راجع محكمة اثبات الوصايا)

~ تعقيب court of review, Court of Cassation

~ تمييز Court of Cassation, Supreme Court

~ جنائية ، ~ جنايات criminal court, assize court

~ جنح misdemeanours court

~ جنح مستأنفة misdemeanours court of appeal

~ صلح conciliation court

~ الطلاق وقضايا الزوجية court of divorce and matrimonial causes

~ العدل الدولية International Court of Justice

مَحْكَمة عسكرية — military court, court-martial
~ عليا — Supreme Court
~ قانونية (: تتقيد بنصوص القانون) — court of law
~ لاهاي — Hague Tribunal
~ مجلس الملكة الخاص — Court of Queen's Bench
~ محالة إليها الدعوى — court above
~ محالة منها الدعوى — court below
~ محدودة الاختصاص — court of limited jurisdiction
~ مختصة — court of competent jurisdiction
~ مختلطة — mixed tribunal
~ مدنية — civil court
~ مطالبات — court of claims
~ مِلّيّة (أو دينية) — spiritual (*or religious*) court
~ الموضوع — trial court or court of merits
~ النجم — Star Chamber
~ نقض — Court of Cassation
مَحْكوم (: صادر فيه حكم بسجن أو ما إليه) — convict, adjudged guilty
~ (: سجين) — prisoner
~ (بهلاك ، ضياع ، الخ..) — condemned (*to death, etc.*), doomed
~ به (من دين) — judgment debt
~ عليه (: مدين صدر عليه حكم) — judgment debtor
~ له (: دائن بيده حكم) — judgment creditor
~ له — judgment beneficiary
مَحَلّ (: موضع ، مكان) — place (*of business, etc.*), locality, position, lieu, venue (*of jurisdiction, action, etc.*), premises
~ (: نقطة) — spot
~ (: موقع) — site; location
~ اقامة (: موطن) — domicile
(راجع موطن)
~ ثقة — reliable, dependable
مُحِلّ (من مسؤولية : معذر) — justifiable, excusable, exculpating (*motive, excuse, reason, etc.*)
مَحَلَ ، مَحِلَ — suffer want of rain, be subject to prolonged dryness, be fruitless or sterile
مَحْل — drought, aridity, water famine; destruction of corps (*through want of rain*)

مَحْل (: لا يثمر ، عقيم) — fruitless or sterile
مَحَلَّة — locality, quarter
مِحْلَج (قطن) — gin, ginning mill or machine
مُحَلَّف — juror, juryman
~ (: مستحلف : من حلف يمينًا لشأن) — sworn (*person, etc.*)
هيئة محلفين — jury
مُحَلَّفة — jurywoman
هيئة محلفات — jury of matrons
مُحَلِّل — analyzer, analyst
~ نفساني (: خبير تحليل نفسي) — psychoanalyst
~ (يضفي صفة المشروعية على شيء) — legitimizer, legalizer
مَحلول — solution
~ ملحيّ — brine
مَحَلّي — local, domestic
~ (الصنع ، الانتاج ، الخ..) — home-(*made, produced, etc.*)
~ (: داخلي) — internal
مَحْمُول (في عبارة منطقية) — predicate
~ (على الهواء) — airborne
مَحْمِيَّة — protectorate
مَحَنَ — test, try
مِحْنَة — ordeal, trying experience, predicament, plight, test, misfortune
~ (: همٌّ ، ضيق) — distress, adversity, tribulation
~ (راجع كارثة للمقارنة)
مَحْو — erasure, effacement, obliteration, blotting out, expunction
~ (: شطب) — deletion (*from record, list, etc.*)
مِحْوَر — pivot, axis
~ (دعاية ، نشاط ، الخ..) — centre (*of propaganda, activity, etc.*)
~ (آلي) — axle
مِحْوَريّ — pivotal, axial
مُحَوِّل — transformer
~ (راجع محيل)
مُحَوَّل إليه (راجع محال إليه)
مُحَيَّا — countenance, visage, face
مَحيص (راجع مناص)
مُحيط (: ملم بشأن) — aware (*of*), informed (*of*),

knowing (*something*), cognizant (*of*), conscious (*of a fact*)

مُحيط دائرة) circumference

~ (: بيئة) environment, surroundings, setting, milieu

~ (: اوقيانوس) ocean

~ (: نطاق يلوذ بشيء ، خط محيطي) perimeter, outline, contour, surrounding

~ (: أطراف مدينة أو ما إليها) periphery

~ (راجع بيئة)

مُحِيق (راجع مُحْدِق)

مُحِيل (للملكية أو حق عقاري أو ما إليه) assigner or assignor

~ (: مُحوِّل) transferor, remittor

مُخّ brain, cerebrum

مُخاتِل (شخص) trickster, cheat, deceiver

~ (: عمل ، شيء) surreptitious, stealthy, deceptive

~ (غدّار) insidious

مُخاتَلة chicanery, trickery, deceit or deception, subterfuge

مُخادِع deceitful, misleading, trickster

~ (ترد في المحامي المنطوية اعماله المهنية على الخداع) shyster

مُخادَعَة subterfuge, deception

مَخاض (: طلق) labour, travail

مَخاضَة ford; brook

مُخاط mucus

مُخاطيّ mucous

مُخاطيّة mucosity

مخاطِر risks, perils

مُخاطَرة risk, peril, hazard

مَخافَة fear, dread, apprehension

~ (لا تخلو من جُبن) trepidation

مُخالَصَة quittance, release, acquittance, discharge (*from obligation, debt, etc.*)

~ (: إبراء من مطالبة) quitclaim

~ نسبية quittance *per tanto*

سَنَدُ ~ (: إبراء من مطالبة) quitclaim deed

مُخالَط lunatic, insane

مُخالِف (: مناف لشأن) against, contrary (*to*), diverse from, opposed (*to*), in conflict (*with*)

مُخالِف (: خارج عن رأي جماعة) dissenting (*dissenter*)

~ (لحقيقة – شيء) untrue, incorrect

~ (لشرط أو واجب – شخص) defaulter

~ لقانون (شخص) law violator, offender, lawbreaker

~ للمرة الاولى (شخص) first offender

~ للنظام (شركة أو ما إليها) *ultra vires*

مُخالَفَة (: عدم اتفاق على شأن) disagreement

~ (: اختلاف في معاملة ، خروج على قاعدة) discrepancy

~ (لرأي جماعة) dissent

~ (يعاقب عليها قانونًا) contravention

مَخاوِف fears, apprehensions; forebodings; suspicions, misgivings

مَخْبأ hideout, place of concealment or hiding

~ (يستتر به أو يلجأ إليه) shelter, refuge

مُخْبِر informer; informant, intelligencer

~ صحفي reporter; correspondent

~ (: راوية لشيء) relator

~ عمومي common informer

مُخْتار elected (*domicile*), chosen, (*something*) of choice, selected, picked

مُخْتَبَر laboratory

مُخْتَزِل stenographer

مُخْتَصّ (: صاحب اختصاص) competent (*court*)

~ (: صاحب شأن) concerned (*person, etc.*), interested

~ (: صحيح) proper, appropriate (*authority, etc.*)

~ أصلي بوظيفة (: صاحبها الأصلي) incumbent

مُخْتَصَر (: مقتضب) abbreviated, abridged, summarized, curtailed, condensed

~ (: موجز) curt (*reply*), laconic (*style*), concise (*speech*)

~ (: فحوى) brief, summary, abstract, compendium, synopsis, abridgement

~ (: مُبسَّط يقتصر على ما يلزم) streamlined

مُخْتَلّ (العقل) insane, mad, deranged

~ (: طائش ، مجنون ، لا يقره العقل) foolish, crazy, frenzied (*decision, etc.*)

~ (التوازن أو النظام أو غيره) unbalanced,

disordered, out of balance

مُخْتَلِط mixed

~ (: فوضى) confused

(محاكم مختلطة (mixed tribunals

مُخْتَلِف different, dissimilar (*habits, styles, etc.*), diverse, various, disparate

مَخْتَنَق (في ممر) bottleneck

مَخْتُوم sealed

~ (: يحمل ختمًا أو طابعًا) stamped

مُخَدِّر narcotic, opiate, drug, stupefacient, dope, inducing narcosis

~ (: منوِّم لأغراض الجراحة) anaesthetic

مِخْدَع closet

~ للخزين larder

مَخْدُوم master

مُخَرِّب (: داعية تخريب) destructionist, saboteur

مَخْرَج exit, way-out

~ (: متنفَّس) outlet, vent

مخارج [معاملات مصرفية] outs

مُخْرِج (سينمائي) producer

مِخْرَطَة lathe

مَخْرُوط cone

~ (على شكل معين) wrought, cut, fashioned

مَخروطيّ conical

مَخْزَن store, shop

~ (راجع مستودع)

مُخَصَّصات appropriations, allotments

~ (كالحصص المرصدة لجهات معينة) quotas

~ ملكية civil list

مُخْطِئ at fault, mistaken

مِخْطاف ، أنْجَر anchor

مُخَطَّط chart, plan; timetable (*showing planned order of events*)

مَخْطُوبة (للزواج) betrothed, fiancée

مَخْطُوط (: مخطوطة) manuscript

مُخَفِّف mitigating, attenuant, attenuating, extenuating

~ (توتر أو ما إليه) relaxant

مَخْفِيّ concealed, hidden, occult (*science like astrology, ~ powers of the cosmos, etc.*)

مُخِلّ prejudicial, against (*rules, law, etc.*), contrary (*to*)

~ بآداب immoral

~ بقاعدة (: شاذ) irregular

~ (: شخص مخل بعقد أو واجب) defaulter, in default

~ (: مخطئ) at fault

~ (: مقصر في أداء دين) delinquent

مُخْلٌ crowbar

~ صغير jimmy

مِخْلَب claw

مُخْلِص sincere (*person*), genuine (*gesture*), disinterested (*advice, service*)

مُخَلِّص (بضائع) clearing or clearance agent

مَخلوق creature

~ غريب monster, monstrous (*unnatural or strange*) creature

مُخَمِّن appraiser, valuer

~ (لأغراض الضريبة) assessor

مَخْمُور (راجع سكران)

مُخَوَّلٌ له (راجع مصرح له)

مُخّي cerebral

مُخَيْخ cerebellum

مُخَيْخيّ cerebellar

مُخَيِّلة imagination, fancy

مُخَيَّم camp

مَدَّ stretch forth (*arm, wire between posts , etc.*), extend, elongate, prolong (*a line, a visit, etc.*); protract (*in time or space*), distend, enlarge (*term, period, etc.*), stretch (*arm, one's neck, etc.*), lay (*a cable, a line, etc.*)

مَدٌّ (: المدّ) extension, elongation, prolongation, protraction, distension

المدُّ للمشتري [في بورصة] call-over

مَدٌّ (مياه بحر أو نهر) tide

~ (: اندفاع) surge

مَدِّيّ tidal

مَدًى range, scope, extent (*of certain length, one's power, etc.*), sweep

~ (مستطاع الوصول) reach

مَدًى (: مسافة خُلو من عوائق) clearance
بعيد المَدَى long-run (*relations, exchanges*), long-term (*planning, investment, etc.*)
~ (راجع مدة)
مُداخَلة intrusiveness, intrusion, interposition
مِداد (راجع حِبْر)
~ (: طريق) way, method
مَدار (١) orbit; circle
(مداري (*orbital*
~ (: مجال نشاط ، نفوذ ، الخ..) sphere (*of activity, influence, etc.*)
(مداري (*spherical*
~ (: محور) centre (*of activity, etc.*), focus
(مداري (*central*
~ بحث terms of reference
مَدار (٢) tropic
~ الجدي Tropic of Capricorn
~ السرطان Tropic of Cancer
مُداعَبَة (كلامية) pleasantry, playful conversation
مُداواة (: معالجة) treatment, therapy, medication
~ (: استشفاء ، علاج) remedy, cure
~ أحيائية biotherapy
~ بالاطعمة bromatherapy
~ بالاكسيجين oxygenotherapy
~ بالأمصال orotherapy
~ بالحرارة thermotherapy
~ بالحرارة المشعة radiotherapy
~ بالداء isotherapy, isopathy
~ بالدم hematotherapy
~ بالسموم toxinotherapy
~ بالصوم peinotherapy
~ طبيعية physiatrics, physiotherapy
~ بالكهرباء electrotherapy
مُداوَلة deliberation, discussion
مُدبَّر (: مبيَّت ، سبق به التفكير) deliberate, prepense, premeditated
~ (: ملفق) framed, trumped-up (*charge, etc.*)
~ (: وليد مؤامرة أو خطة) plotted, devised, contrived
مُدبِّر author (*of plot, act, etc.*), framer, originator, mastermind; plotter
مَدْبَغة tannery
مُدَّة duration (*of crisis*) period, time (*of war, scarcity, etc.*); term
~ (: حقبة ، اوان ، عصر) era, epoch, age
~ البرود (: برود الاعصاب في الجرائم) cooling time
~ باقية unexpired term
~ مستوفاة satisfied term
مُضيُّ المدة (: تقادُم) prescription
مُدَجِّل ، دَجّال quack, charlatan
مَدَحَ praise, laud, extol (*somebody's courage, merits, etc.*)
مُدَّخَر (ات) saving(s)
مَدْخَل entrance, entry, way in
~ (: منفذ إلى شيء) access, approach (*to place or thing*)
~ (ماء ، هواء ، الخ..) inlet; intake
~ (: باب إلى شيء) doorway
~ (منجم) adit
~ هوائي air-intake
مِدْخَنَة funnel; chimney
مَدَد reinforcement, succour, help
~ (: غوْث) relief
مَدَّد extend, prolong; enlarge (*term, scope, etc.*)
مَدَرٌ (راجع حَضَرٌ)
مُدَرِّب trainer; coach
مَدْرَج (اقلاع الطائرة) runway, take-off run
~ (: حلبة سباق أو مباريات أو ما إلى ذلك) grandstand
مُدَرَّج (: مقسم إلى درجات) graduated
~ (: مرتب على درجات) gradated
مُدَرِّس teacher, instructor; tutor
مَدْرَسة school
~ توجيهية (ثانوية) high school, secondary school
~ خاصة private school
~ داخلية boarding school
~ عمومية common school
مُدَرَّعة armoured (*car, craft, etc.*)
~ (: سفينة) cruiser
مُدْرِك (راجع مميِّز)
مُدَّعٍ (: مطالب) claimant

مُدَّعٍ (: المدعي في دعوى)	plaintiff
~ عامّ	prosecutor, public prosecutor, prosecuting attorney
المدَّعى عليه	defendant
~ في مواد الطلاق وفي درجة النقض	respondent
~ شريك (في مواد الزنا مع احد الزوجين)	corespondent
المُدَّعي	plaintiff
~ بالغلط (: من استصدر أمرًا بمراجعة حكم على أساس ما به من غلط)	plaintiff in error
~ المرغم (: من ألزم بالانضمام إلى الدعوى)	involuntary plaintiff
~ المستفيد (: من رفعت الدعوى لصالحه)	use plaintiff
مِدْفَع	cannon, gun
مَدْفَن	cemetery, burial place
~ (: ضريح ضَخم)	mausoleum
مَدفُوع	paid, disbursed (*of sum, cash, etc.*)
مُدَقِّق حسابات	auditor
مَدْلُول	significance, intendment, purport, meaning
مُدْمِن	addict, addicted
~ حشيش	muggle head
~ سكر	habitual drunkard
~ مخدرات	drug addict, dopehead
مَدَّنَ	civilize
~ (: هَذَّبَ)	refine, educate
مَدَنِيّ	civil
~ (: يتصل بمدينة أو مواطنين أو شؤون مدنية)	urban, civic
~ (: غير عسكري)	civilian
~ (لباس)	mufti
مَدَنِيَّة	civilization; refinement (*of thought, taste or manners*)
مُدَوَّنة (قانونية)	code
مُدَوَّنات (حكم)	record (*of judgment*)
مُدْيَة (: سكين)	knife
~ جيب	pocket knife
~ جيب بمقبض قوي	jack-knife
~ (: خنجر وما إليه)	dagger
~ (: خنجر رفيع)	stiletto
مُدْيَة (: خنجر طويل مستقيم الحد)	dirk
مَديد	extensive, vast, immense
~ (: طويل الأمد)	long, perdurable
مُدير	director; manager (*of hotel, club, business, etc.*)
~ (تركة)	administrator (*of estate*)
(مديرة تركة	(*administratrix of estate*
~ جامعة	rector
~ مدرسة	principal, headmaster
~ قانونًا (أو شرعًا : كالوالد بالنسبة لأولاده القصَّر)	administrator-in-law
مُديرة	manageress
~ مدرسة	headmistress
مَدين	debtor; indebted (*for*); debit (*side, etc.*)
~ راهن	mortgagor
~ ترتَّب عليه حق امتياز	lienee
جانب ~	debit side
حساب ~	debit account
رصيد ~	debit balance
(مَجمُوعة مَدينة	(*total debit*
مَدينة	city
~ كبرى	metropolis
مَديني	urban (*planning*), urbanite (*person*)
مَديُون	debtor, in the red, indebted (*for sum, service, etc., to*)
مُذْ (راجع منذ)	
مَذاق (راجع طعْم)	
مُذاكرة (في شأن)	deliberation, advisement
~ (: بحث في موضوع)	discussion
مَذبح (: مكان لقتل الحيوانات)	slaughter-house, abattoir; shambles
مَذبَحَة (: مجزرة)	massacre; butchery; carnage
~ منظمة شاملة	pogrom
مِذعان (: سلس الانقياد أو الحكم)	amenable, tractable, docile, submissive (*person*)
مُذَكَّر	masculine
مُذَكِّرة	memorandum, note, diplomatic communication, *aide-mémoire*, reminder
~ (إلى جهة قضاء)	submission
~ (دفاعية أو جوابية)	pleading, brief

مُذَكِّرة احتجاج — note of protest
~ اختصاص (: تشرح دواعي قيام الاختصاص) — jurisdictional statement
~ افتتاح دعوى — original process
~ ايضاحية ، ~ تفسيرية — explanatory note
~ تنبيه — *note memoir*
~ حضور (: دعوتية) — process
~ حُضور واحضار — *subpoena duces tecum*
~ شفهية (أو شفوية) — *note verbale*
مَذْكور — mentioned, stated, recorded
~ آنفًا — said or aforesaid, aforestated, aforementioned, hereinbefore mentioned
~ تاليًا (فيما يلي) — hereunder, hereinafter mentioned
مُذْنِب — guilty, culpable, blameworthy
غير ~ — not guilty
مَذْهَب — faith, school of thought (*or of faith*), doctrine; practice
~ (: طريقة ، عقيدة) — school
مِذْياع — microphone, loudspeaker
مُذيب — solvent
مُذيع — announcer
مَرَّ — pass, move past, elapse, go or glide by (*as of time*), go over or through
~ على — pass over, sweep across
~ عن (شأن : تجاوز عنه) — overlook
~ بـ (شيء) — pass across
مُرابٍ — usurer, lender for interest
مُراباة (راجع ربا)
مُرابحة (راجع ربا)
مِرآة — mirror
~ (: انموذج مثالي) — exemplary model
مُراجحة — set-off
~ الكمبيو — arbitrage or arbitration of exchange
مُراجِع (: فاحص حسابات) — auditor
مُراجَعة (: إعادة نظر لاغراض القضاء ، تدقيق أو فحص) — review
~ (: نظر مجدَّد لتعديل أو تصحيح أو استزادة من دراسة) — revision; reexamination

مُرادِف — synonym
مَرارة — gallbladder
مُراسِل — correspondent
~ (: مخبر صحفي) — reporter
مُراسَلة — correspondence, communication by letter
مراسلات (رسمية) — dispatches
مَراسِم — ceremonies, protocol
~ (: شكليات) — formalities
مدير ~ — chief of protocol, master of ceremonies
مُراعاة — observance, compliance (*with laws, rules, etc.*)
~ (شعور الغير : الاهتمام به) — deference (*: in deference to somebody's feelings*)
~ شعور (شخص) — deference (*to person*)
مع ~ (نص أو حكم) — subject to
مُراغَم (راجع مُكره)
مُراغَمة — compulsion, coercion, force, against (*the*) will, constraint
مُرافِع — defending counsel
مُرافَعات — procedure (*civil*)
مُرافَعة (أمام محكمة) — argument, pleading
~ (لتمرين طلبة الحقوق) — mooting
~ ختامية — closing speech
~ شفَوية — oral argument (*or discussion*)
(فتح مرافعة — (*open argument*
مُرافِق — attendant, accompanying, concomitant (*circumstances, evidence, etc.*)
مُرافَقة — association (*with*), consortship, company
مُراقِب — controller
~ (: مشرف) — supervisor, superintendent
~ (: ملاحظ عمل ، مصلحة ، الخ..) — overseer
~ (منشورات أو مراسلات أو ما إليها) — censor
~ سلوك — probation officer
مُراقَبة (لأغراض الضبط والتوجيه) — control, supervision
~ (منشورات أو مراسلات أو ما إليها) — censorship
~ (بسبيل التحري) — surveillance
مَرام (راجع مطلب)

مِراذ training, practice, exercise
مُراهِق adolescent; hebetic
مُراهَقة adolescence; puberty
مُراهِن bettor, wagerer
~ نصّاب welsher
مُراهَنَة wager, bet, betting, gamble
مُراوِغ sly, foxy, wily
مُراوَغَة slyness, trickery, cunning
مَرْئي visible, manifest, apparent, visual (*flight, etc.*); seen
مُرَبٍّ educator
~ (: خبير تربية) educationist
مُرَبِّية nursemaid
مُرَبَّع square; quadrate (*area, space, etc.*)
مَرَّة time, occasion
~ واحدة once
(أو مَرَّتَيْن) twice
ثلاث مرات thrice, three times
مِرَّة (: صفراء) bile, gall
مِرْتاج (راجع مِزلاج)
مُرَتَّب salary, stipend, allowance, pay
~ (: مكافأة) remuneration
مدير (أو رئيس فرع) المرتبات paymaster
مَرْتَبَة (: مستوى) rank, level
~ (: رُتبة) grade, rate
~ (: طبقة) class; category
مُرْتَجَع (من ضريبة أو رسوم) drawback, rebate
مُرْتَجِل improvisator, improviser; extemporizer
مُرْتَجَل improvised, extemporaneous, impromptu
مُرْتَدّ (عن دين أو عقيدة أو ما إلى ذلك) apostate, renegade, defector
مُرْتَزَق means of living, source of provision
مُرْتَزِق (جندي أو غيره) mercenary
مُرْتَشٍ bribe-taker, corruptible (*person*)
مَرْتَع fertile pasture-land, rich pasturage or grazing land
مُرْتَفَع (مرتفعات) height(s)
مُرْتَفِع elevated (*highway, ground, etc.*); raised (*above standard, prices, etc.*)
مرتفع (: عالٍ) high, tall (*building, etc.*)
مُرْتَفِق (شخص) usufructuary
~ (عقار) dominant (*estate*)
مُرْتَفَق به servient (*estate*)
مُرْتَكِب (جُرمًا أو ما إليه) perpetrator (*of an offence*), guilty (*of default*), having committed (*a felony*)
مُرْتَكَز (: نقطة ارتكاز) fulcrum, support
مُرْتَكِض (جنين) quick (*foetus*)
مُرْتَهِن (دائن) pawnee, mortgagee, pledgee
مَرْج meadow; level grassland
~ (: سهل ، منبسط) plain, flat
~ (لرعي أو صيد) range
مَرَجٌ confusion, perturbation, racket, turmoil
مَرْجان coral
مَرْجِع (: حجة ، جهة يرجع إليها) authority, reference, source of citation
~ مقرر (دراسي) textbook
مِرْجَل caldron, boiler
~ (لغلي الخيوط أو ما إليها) kier
مَرِحَ be or make merry, be in high spirits, rejoice
مَرَح merriment, mirth, gaiety
مِرْحاض latrine, lavatory
مُرَحِّل (صوت أو صورة من نقطة إلى أخرى) relay
مَرْحَلَة stage, point, leg (*of a long journey*)
~ (من زمن تنطوي على مصاعب أو ظروف خاصة) juncture
~ (في مسابقة جماعية) relay
مُرَخِّص (: جهة مرخصة) licensor, licensing authority
مُرَخَّص له licensee
مِرْخَم (: جهاز حضانة) incubator
مَرْدود ، مَرْدُودات (من مبالغ مستوفاة) refund, refunds
~ (: مرفوض) rejected or refused, overruled (*as of objection*), disallowed, unacceptable
مِرْذاذ atomizer

مِرْزَبَّة sledge, sledgehammer
مَرْسًى anchorage, berth
مِرْساة anchor
مُرْسَل (من مصالح أو ما إليها) indeterminate
~ (من قول أو دفاع) unsubstantiated
~ إليه (رسالة) addressee
~ إليه (بضاعة) consignee, receiver
مُرْسِل sender (*of letter*), consignor (*of goods*), shipper
~ (سلكي أو لاسلكي) transmitter
مَرْسُوم decree, ordinance, decretal, edict
~ بابوي bull
~ بقانون decree-law, decretal law
مُرَشِّح (سوائل) filter
~ (لانتخاب أو تعيين) nominator
مُرَشَّح candidate; nominee
~ (الرَّشيح من السائل) filtrate
مُرْشِد (: دليل سُفُن) pilot
~ (لشأن) guide
~ (: مُرَبٍّ) educator
مَرْصَد observatory
مَرْصُوص (راجع متراص)
مَرِض fall ill, be taken by illness, become sick (*with pneumonia, etc.*)
مَرَّض sicken
مَرَضٌ (: انحراف الصحة) illness, infirmity (*through age, etc.*), sickness; malaise (*as in: economic ~*)
~ (: داء) disease
~ (: عاهة) ailment
(علم امراض النساء (*gynecology*
~ لا يُرجى شفاؤه incurable illness
~ الموت last illness, *in extremis*
مُرْضِعَة wet nurse
مَرَضِيّ pathologic, pathological, clinical (*case, report*), morbid (*state*)
~ (: بسبب المرض) sick (*leave, allowance*)
مُرَطِّب humidifier, moistener
مَرْعًى pasture, pasturage, grazing land, pasture land

مُرْغَم compelled, under compulsion or coercion, obliged (*to act, do, etc.*), forced, constrained
مُرْغِم compelling, coercive; imperative (*gesture, condition, etc.*)
مَرْغَمة (: كَرْه) coercion, compulsion, unwillingness
مَرْفأ port, harbour
~ (: محل أمان لسفن وما إليها) haven (*for ships, etc.*)
مِرْفاع crane, winch
~ (: برج رفع لحفر الآبار) derrick
~ ذراعي jib crane
~ صغير jack
مِرْفَق ، مَرْفِق elbow
مِرْفَق (عام) public utility
~ (لتيسير شيء أو انجاز عمل) facility
مَرَق (من دين ، مبدأ أو ما إليه) apostatize or commit apostasy, renegade, defect
مَرْقَد (: مهجع) bunk, sleeping place
مَرْكَب (راجع سفينة)
مُرَكَّب compound (*interest*), composite (*plant, illustration, etc.*); component, complex
مَرْكَبة vehicle, carriage, waggon
~ آلية motor vehicle
مَرْكَز centre; middle point
~ (: موقع) position, situation
~ (: مقام ، مكانة ، اعتبار) station, rank, standing
~ (: محل تركيز) focus
~ (بوليس ، غفر ، الخ ..) post
~ (: منصب) office
~ (راجع وظيفة)
مَركَزِيّة centralism, centralization
مُرَكِّم ، مِرْكَم accumulator
مَرْمًى (رماية) range
~ (: هدف ؛ غاية) goal; aim, object, motive
مَرَمَّة overhaul
مَرِن flexible; supple, resilient, elastic
مَرَّن train, drill, exercise, form or fit by instruction

مَرْنَحَة (: مقدمة سفينة) prow
مَرْهَم ointment; pomade
~ (علاجي) salve
~ (مُسكِّن) unguent
مُروءة (راجع نَخوة)
مُرَوِّج circulator
~ (لمبدأ أو شأن) promoter, advocator
مِروَحة fan
مِرود stake
مُرور passage, elapse (*of time, period, etc.*)
~ (: حركة مرور) traffic; flow
~ (: عبور دون توقف) transit
~ (: عبور من مكان) passage
حق ~ right of way
~ زمن prescription
مُرونة flexibility, suppleness; resilience, elasticity
مَريض sick, ill, invalid
~ (: شخص مريض) patient
~ (: منحرف الصحة) indisposed
مِزاج temper, temperament, nature, disposition
مُزاحَمَة competition, vying (*with another for position, etc.*)
~ (: مدافعة) obtrusiveness, jostle or jostling, shoving
~ (: اقحام النفس) intrusion
مَزاد (علني) auction, public sale
(منادي المزاد) (*auctioneer*
مُزارِع (: يفلح الارض على اساس المزارعة) crop-sharer, cropper or farmer cropper
~ (: مهنته الزراعة) farmer
مُزارَعة crop-sharing, grain rent, champerty
مَزاعِم (راجع زعم)
مُزامِن (كهرباء) synchronizer
مُزاوِل (طب ، محاماة ، الخ..) practising (*lawyer, doctor, etc.*), practitioner
مُزاوَلة (شأن) exercise (*of right, etc.*), practice (*of profession*); use (*of power*), engagement (*in trade, business, etc.*)
مُزايِد (في بيع) bidder
~ أكبر (: صاحب العرض الأكبر) highest bidder, outbidder
مُزايِد إيهامي ، مُزايد صوري by-bidder, puffer
مُزايَدة (راجع مزاد)
مَزَجَ mix, admix, blend (*sorts of tobacco, coffee, etc.*), commingle; merge (*interests, different species, etc.*)
مُزْدَحِم crowded, thronged, packed (*with people, goods, etc.*)
~ (بسيارات أو ما إليها) congested
مُزْدَوِج twofold, dual (*personality, etc.*), double (*-deck, boiler, -faced, edge, etc.*)
~ (: مكرَّر) duplicate
مَزْرَعَة farm, plantation
~ وتوابعها (أو ملحقاتها) farmstead
مَزْعُوم pretended, feigned, alleged; professed (*regret, faith, etc.*)
مَزَّق tear (*apart*), lacerate (*skin*), rend (*hair, clothing in anger*); shatter (*unity, hopes, etc.*), disrupt (*relations*)
~ (اوصال شيء : فصل شيئًا عن آخر في عنف) cleave, rive, rip, wrench
مِزلاج (: مرتاج لاحكام غلق باب) bolt; catch
مَزْلَقان (لاصلاح السفن) slip
~ (سكة حديدية) level crossing
~ (: خط جانبي) turnout, railway siding
مُزْمِن chronic (*disease, etc.*), inveterate (*habit*)
مُزوَّد supplied, provided (*with*)
~ (ببضاعة ، لوازم أو ما إليها) stocked
~ (: مجهز) equipped
مُزوَّر false, falsified (*certificate*), forged (*seal, signature, etc.*), phony (*cheque, document, etc.*), spurious (*coin, note, etc.*), bogus (*diploma*), dud (*degree, bill*)
مَزِيَّة quality, attribute, property, virtue, advantage
مَزيج mixture; combination (*of several kinds*), blend (*of different shades, of Turkish and Syrian tobacco, etc.*)
~ (مما هب ودب) medley, hotchpotch
مُزيَّف false (*coin*), forged (*document, etc.*),

counterfeit, bogus (*cheque*), phony, spurious, snide
مُزيِّف falsifier, forger, counterfeiter
مَسَّ affect, undermine (*right, privilege*), infringe (*patent*), breach (*law, regulations*), impair (*order, harmony*)
~ (: عنى ، خَصَّ) concern, relate
~ (: لمس ، اثر في شأن) touch, influence
~ (: خدش) offend, hurt (*one's feelings, etc.*), wound
مَسٌّ (: جنون) insanity, mania
مُساءلة (: محاسبة على تقصير) impeachment, calling to account
مُسابَقة contest, competition
~ (رياضية غالبًا) race
~ (بسبيل فحص لاختيار الانسب) competitive examination
مَسّاح (اراض : خبير مساحة) surveyor
مِساحة area, tract
~ (: مسح) survey
~ جوية aerial survey
مُساحَقة lesbianism
مُساحَلة (راجع ملاحة ساحلية)
مَسار course, path
~ اقلاع طائرة take-off flight path
مساس (بقانون أو حق) violation, infringement, breach
~ (: تَعَدٍّ) encroachment, trespass
~ (بسُمعة) disparagement
مُساعِد assistant, helper, aid; auxiliary (*branch, force, etc.*)
~ قائد adjutant
مُساعَدة help, aid, assistance
~ مالية financial aid
~ نقدية (لشخص) purse
مسافة distance
مُسافِر traveller
~ (بواسطة نقل) passenger
~ (على قدميه غالبًا) wayfarer
مُسافَنة (: تعقيب الشحن على واسطة اخرى) transshipment

مَسألة matter, question
~ (رياضية) problem
~ قانونية question of merits
~ قضائية judicial question
~ مفتوحة open question
~ موضوعية question of merits
~ واقع (: تتصل بالواقع دون القانون) question of fact
مُسالِم peaceful, peaceable
~ (: يعارض اللجوء للسلاح) pacifist
مَسامّ (الجلد) pores (*of the skin*)
مَسامَة (مسام) pore(s)
مَساميّ porous
مُساناة yearly, by the year, annually
مُسانَدة support
مُساهِم contributor, contributory, sharer; shareholder, stockholder
~ عمري أو مدى الحياة tenant of stock for life
مُساهَمة contribution (*to a project*), participation (*in*), sharing (*act, undertaking, etc.*)
مُساوٍ equal, equivalent, par (*value, etc.*)
مَساوِئ demerits, disadvantages, defects (*of person or thing*), drawbacks (*of plan, stratagem*)
مُساواة equality, parity
مَسؤول (عن شيء ، امام جهة) responsible, liable (*for loss, damage, etc.*), accountable, answerable (*to parliament*)
~ (: خاضع لشأن) amenable (*to the law*)
~ (عن مكان : صاحب سلطة أو شأن فيه) someone in authority, person in charge
مَسؤوليّة responsibility; liability, amenability; peril: (*at one's* ~)
~ (: ولاية على شأن) charge (*of something*)
~ تقصيرية omissive responsibility, responsibility (*or liability*) for laches
~ عن تقصير liability for omission
~ خطئيّة fault liability
مُساوَمة chaffery or chaffering, haggling (*with person,* ~ *for or about price*), bargaining

مُسايِر (لقاعدة أو رأي أو غير ذلك) consistent, compatible (*with*), in agreement (*with rule, provision, etc.*)

مُسايَرة consistence, compatibility (*with*), conformity, concordance (*with*)

~ (: ترضية ، ملاطفة) appeasement

مُسبِّب (: سبب) cause, causative (*factor*); motive (*force, energy*)

مُسبَّب grounded, substantiated, motivated (*order, finding of court, etc.*)

مُسبَّق (راجع معجل)

مَسْبَك foundry

مُستأجِر tenant, lessee, lease-holder

~ (حجرة أو جزء من منزل) roomer

~ (سفينة ، طائرة) charterer

~ انفرادي tenant in severalty

~ رضائي tenant at will

~ على الشيوع tenant in common

~ عمري life-tenant or life- renter

~ متجاوز tenant at sufferance

~ مساناة tenant from year to year

~ من الباطن ، ~ باطني under-tenant, sub-tenant, sub-lessee, tenant paravail

~ منفرد single tenant

~ نظامي (ينظم اجارته قانون معلوم) statutory tenant

مستأجرون متضامنون joint tenants

مُستأنس (راجع أليف)

مُستأنِف appellant

مُستأنَفٌ عليه (أو ضده) appellee, respondent

مُستبِدّ arbitrary, tyrannical, despotic (*rule, person, etc.*)

مُستتِر hidden, concealed, ulterior (*motive, etc.*)

~ (: كامن غير ظاهر) latent

مُستَجير refugee, seeker of asylum or sanctuary

مُستحَبّ desirable, agreeable, recommendable

مُستحسَن desirable, advisable, commendable, appropriate; expedient

~ (: مهذب ، حكيم) politic (*comment, remark, etc.*)

مُستحِق due, owing, mature (*as of bill*)

~ (الاداء) mature

مُستحِق (الأداء على شيء) chargeable (*on article, service, etc.*)

~ في وقف beneficiary

مُستَحكِم entrenched, deeply rooted

مُستَحيل impossible, incapable of being or of occurring, insuperably difficult

~ (: لا يقبله العقل) absurd, physically and morally impossible

مُستخدَم servant, employee

مُستخدِم employer

مُستخرَج (من محرر) transcript, copy, reproduction, duplicate

~ (: مُشْتق) derivative

مُستدير round, circular

مُستديم permanent (*disability, etc.*), lasting, enduring

مُسترجَع ، مسترجعات (من مبالغ مستوفاة) refund, refunds

مُسترحِم suppliant

مُستَساغ agreeable, tolerable, permissible; (*barely*) acceptable

غير ~ disagreeable, unacceptable, displeasing

مُستَشار adviser

~ سفارة councillor, head of chancery

~ قانوني legal adviser, counsellor

~ محكمة استئناف أو محكمة عليا justice

~ ملكة (أو ملك) queen's (*or king's*) counsel

مُستشاريَّة (محكمة) justiceship

مُستشفًى hospital

~ صغير (للمرضى الخارجيين) clinic

~ (: مصحة للاستشفاء والراحة) sanatorium

~ (لمختلف الامراض) polyclinic

مُستطاع possible, feasible, capable of being realized, practicable

~ الادراك realizable; available, obtainable

~ (: محتمل) likely

مُستطيل (قائم الزوايا) rectangle

~ (غير قائم الزوايا) oblong

~ (الشكل) rectangular

مُستعار sham, false (*name, appearance, etc.*), assumed (*title*), feigned, pretended (*business, scholar, looks, etc.*)
~ (: مقترض) on loan, loaned or lent
مُستعجَل urgent, expeditious
~ [قضاء] summary (*jurisdiction, matters, etc.*)
مُسْتَعِر ablaze, aflame, afire
مُستعرِض transverse, transversal
مُستعْصٍ vexed (*question*), difficult (*to solve*), puzzling (*matter*)
مُستَعْمِر (أنشأ مستعمرة) colonizer
~ (يحكم بلاد الغير) imperialist
مُسْتَعْمَرة colony, settlement
مُستعير (من العارية) borrower, mutuary
مُسْتَغِلّ exploitive (*class, act, person*)
مُستفيد (: منتفع) beneficiary
~ (من دفع) payee
~ ثالث third party beneficiary
~ عمري (: ذو راتب عمري) annuitant, termor
مُستفيض (راجع مسهب)
مُستقبَل future (*time, tense, etc.*)
مُستقِرّ stable (*government, rate, etc.*), firm, firmly established
~ (: ثابت – من سعر ، وضع أو ما إلى ذلك) unvarying, constant, steady; fixed
~ (في رأي ، تصرف) steadfast
~ (: آيل من حق أو سلطة أو ما إلى ذلك) vested
مُسْتَقَرّ point (*or place*) of stability or firmness
~ (: غاية) aim, end, finality
مُستقِلّ independent
~ بذاته autonomous
~ (راجع منفصل)
مُستقيم (خط ، طريق أو ما إلى ذلك) straight, direct, undeviating
~ (في خلق أو معاملة) straightforward, upright (*person*); conscientious
~ (: عادل ، شريف) just, honest, righteous
مُستَكِنّ dormant
حمل ~ dormant gestation
مُستلزَمات (لشأن) prerequisites, requirements; demands
مُسْتَلِم (راجع متسلم)
مُسْتَمِرّ continuous (*crime, easement*), continual, unceasing, persistent (*ailment, nuisance*)
~ (: استمراري) perpetual
~ (بفضل دوام صيانته) perennial
مستميت suicidal, desperate
مُسْتَنْبَت experimental farm or plantation
~ (: مشتل) nursery
مُسْتَنَد (: وثيقة) document, instrument
~ (: بينة ، سند يعول عليه) evidence (*of title, right, etc.*), testimony, proof, reliable indication (*of fact, right, etc.*)
~ (أداء) voucher
مُستَنَدِيّ documentary (*credit, etc.*)
مُستَنْطِق (راجع محقق)
مُسْتَنْقَع swamp, marsh
~ (: اوحال) slough, bog
مُستَهْتِر reckless, irresponsible, rash, indiscreet, wanton (*conduct, act, etc.*)
~ (اخلاقيًّا ، جنسيًّا) profligate, licentious
مُسْتَهَلّ (راجع مطلع)
مُستَهلِك consumer
مُستَهلَك consumed, spent, expended
~ (: استهلاكي) consumer (*goods, etc.*)
فائض ~ consumer surplus
مُستوٍ level, plane, flat, even (*surface, ~ handed treatment, etc.*), smooth
مُستَوى standard, level
~ (: درجة) rate (*as in: first or second ~ , low ~ , etc.*)
مُستودَع (: مخزن) store, repository or repositorium, depository, warehouse, storehouse or storeroom, magazine
~ اسلحة arsenal, armory
~ جثث mortuary, morgue
~ حبوب granary
~ حطب bunker
~ لوازم أو مؤن جيش depot
مَسْتُور covert, covered over, cloaked

مَستُور (في معاشِه) barely well-off (*in life*)
مُستَوْرَد imported; introduced (*into country, etc.*)
مستوردات imports
مُستَوْصَف dispensary
مُستَوطِن domiciled, settled; established
~ (عائد للبيئة ، خاص بها) endemic (*habit, condition, disease*)
مِسَجَّة trowel
مَسجِد (: جامع) mosque
مُسَجِّل recorder, registrar
~ عام registrar general
~ (: قام بتسجيل حق أو غيره لدى مرجع مختص) registrant
مُسَجَّل (ببريد أو غيره) registered
~ (حق ملكية) title (*of record*)
مَسجون (راجع سجين)
مَسَح (١) (: ازال) wipe, (*off or out*), remove, erase, expunge (*shame, insult, etc.*)
~ (: شفى) heal, cure
~ (باليد) pass palm over; stroke
~ (: استل) draw (*from sheath*)
~ (بممسحة) swab, mop
مَسَحَ (٢) (ارضاً : اخرج مقاييسها أو ابعادها) survey (*land, etc.*)
مَسْح (: إزالة) erasure, removal
~ (: شطب) expunction (*of a passage*), deletion
~ باليد passage (*of palm over...*), stroking
~ أرض survey, surveying
مِسحاج (: فارة) plane
~ تخديد router
مَسحوب (من مال أو غيره) drawn
~ عليه (: من لزمه الاداء) drawee
مَسحوق powder
مَسَخَ (: شوَّه) disfigure, deform, distort
~ (: حوَّل ، بدَّل) transmute, transform (*to worse*)
مُسَخِّن heater
~ [طبيعيات] calorifacient
~ ماء geyser
مُسَدَّد (١) (: مصوب) aimed, levelled (*at*), point-blank

مُسَدَّد (٢) (: مستوفى) settled, satisfied, paid squared (*up*)
مُسدَّس pistol, revolver, gun or handgun
~ الاضلاع (أو الزوايا) hexagon
مَسدود (: مقفل) closed (*door, economy*)
~ بمواد معرقلة clogged
~ (: لا يؤدي إلى أي مكان) dead-end
مَسَرَّة (راجع غبطة)
مَسرَح stage, raised platform
مُسرسَب hypochondriac
مُسرِف (في صرف وما إليه) spendthrift, prodigal (*person*)
~ (في لبس ، طبع أو ما إلى ذلك) extravagant
~ (: فاسق ، متلاف) profligate
مَسروقات stolen goods
من تسلم ~ resetter
مُسَطَّح flat, level, plane
مسطرة (للرسم) ruler
~ (: عَيِّنة ، رَسم) sample, pattern
مُسطَرين (راجع مسجة)
مَسْعى effort, exertion, endeavour
~ (: طلب) instance, request
مَسعور rabid, hydrophobic
مَسْقَط drop
~ الرأس place of birth
مَسَكَ (: قبض على شيء) hold, take hold of, grasp, clutch, seize
~ (حسابًا ، دفترًا ، الخ..) keep (*account, book, etc.*)
مَسْك دفاتر book-keeping, keeping of books
مُسكِر intoxicant, inebriant
~ (: مشروب كحولي) alcoholic drink
مَسكِن house, dwelling (*place*); habitation
~ (جنود) quarter
مُسكِّن calmative, sedative
مسكَنَة (: فقر) poverty
~ (: ذل) misery, abasement, humiliation
مسكين (: فقير ، محتاج) poor, miserable, needy, indigent
مِسَلَّة obelisk
مُسَلَّح armed (*force*)

مَسلَخ (: سَلخَانة) slaughterhouse, abattoir
مُسَلْسَل serialized, seriated, in series
مَسلَك (: درب) route, way; road (*adopted*), course
~ (: كار ، حرفة) pursuit, vocation
~ (: سلوك) behaviour, conduct
~ (: اثر أو خط مسير) track
مَسلَكيّ professional, vocational (*training, work, etc.*)
مُسَلَّم به postulate, granted, agreed, undisputed
~ (: مسلَّمة ، لازمة) corollary
مُسَلَّمَة axiom
مُسَمًّى onymous, named
~ (أجَل ، سِعْر) fixed, quoted
مِسمار nail; pin
~ (مسنن أو ~ فولاذي يثبت بطلقة نارية) bolt
~ تثبيت anchor bolt
~ تأمين securing pin
~ بلا رأس brad
~ رئيسي king-pin, king-bolt
~ لولبي (ملولب) screw
مَسمَع (راجع سمع)
مَسموع audible
مَسموعِيَّة audibility
مِسَنّ sharpener, grinder, whetting stone
مُسِنّ old, advanced in years (*or age*), aged, elderly person
مَسنَد (: متكأ) support, rest
~ (: قاعدة) stand
مُسَنَّن serrated, indented, toothed
مُسَنَّنة gear
مُسهَب (: مستفيض ، مطول) detailed, elaborate; enlarged (*version of book, etc.*)
مِسواة حروف طباعة planer
~ سبك strickle
مُسَوَّدة rough copy, draft or original draft; sketch, outline
~ أولى protocol
مُسوِّس carious, affected with caries, decayed
مُسوِّغ justification, excuse, sufficient cause
مُسيء (شخص) offender, wrongdoer, tort-feasor

مُسيء (: منطو على إساءة) offensive, wrongdoing
~ (: ضار ، مؤذ) harmful, noxious, pernicious
مَسيخ (: مشوه الخلقة) mutilated, grotesque, monstrous; comically distorted
~ (: ليس له طعم أو لا ملح فيه) insipid, tasteless; banal
مَسير(ة) distance
~ (: خط سير) course, route
مَسيرة (بسبيل الاحتجاج على شأن) protest march; demonstration (*against something*)
مَسيل (ارتفاق) flow (*easement*)
مُسَيْلِمة (: نظيره عند الغربيين) Ananias (*: a historical liar*)
مَشى walk, go on foot; walk away
~ (: انطلق ، تقدَّم) go (*forth or about*), make progress
~ (: ذهب ، انقضى) pass, elapse, begone
~ (: ماشى) associate (*with vagabonds*)
~ (: سلك) behave, conduct oneself
~ (: تقدم) advance, make headway
مُشاة (على اقدامهم) pedestrians; walkers
~ (من عساكر) infantry
مُشاجَرة (كلامية) quarrel, wrangle, brawl, affray
~ بالكلام والضرب altercation, fight
~ صبيانية squabble
مُشارَطة stipulation, fixed condition
مُشارَكة partnership, copartnership, joint venture
~ (في شعور أو غيره) sharing (*feeling, act, etc.*); participation, contribution (*to an enterprise, a charitable service, etc.*)
مُشاع (ارض ، ملك ، الخ..) commonage, common, community (*property, etc.*)
~ (: مشترك بين جماعة) intercommon
مَشاعِر (: احساسات) sentiments, feelings
~ (: حواسّ) senses
مُشاغِب agitator, troublemaker, troublesome (*person*)
~ (: باعث على ضوضاء) rioter (*student, etc.*)
مُشاهِد spectator, onlooker
مُشاهِدَة spectatress

مُشاهَرةً monthly, by the month
مُشاوِر adviser, consultant; counsellor
~ (محل ثقة) mentor
مُشاوَرة consultation, taking counsel; deliberation
مُشبَع saturated (*with moisture, etc.*), imbued
~ (: مليء) replete (*with something*)
مَشبوه suspect, suspicious (*person*), questionable (*character, behaviour, etc.*)
مَشتًى winter resort
مُشتَبِك entangled, enmeshed
~ (في مشاكل ، مصاعب ، الخ..) embroiled
~ (: متداخل ، ملتبس) involved, intricate
مُشتَبَهٌ (فيه) (راجع مشبوه)
مُشتَبِه (راجع مُلتَبِس)
مُشتَرٍ (: المشتري) purchaser, buyer
~ حسن النية innocent purchaser, buyer in good faith
~ (في بيع لحساب ضريبة) tax purchaser
مُشترِط stipulator
مُشترِع (راجع مُشرِّع)
مُشتَرَك (: شائع النفع أو الاستعمال أو الصلة أو ما إلى ذلك)
common (*enjoyment, use, ancestor, etc.*)
~ (الملكية ، الادارة ، العمل) joint (*ownership, management, action, etc.*), conjoint
~ (بين زوجين) community (*property*)
مُشترِك (في مؤسسة ، عمل ، الخ..) subscriber
~ (في فعل أو ما إليه) participant
(مشترِكين أو متضامنين) (*jointly*
مُشتعِل ablaze, aflame, on fire
مُشتَقّ derivative
~ (: ناتج) product
~ فرعي by-product
مُشتكٍ complainant
مَشتَل nursery
مُشتمِل inclusive (*of*), including (*something*), comprising, embracing, covering (*costs, insurance, etc.*)
مُشتهِر (بشأن) reputed, famed or famous (*for*); renowned (*for its good resorts*), celebrated (*for its wines*); notorious (*thief*)
مَشحون charged, loaded (*with dust, energy, etc.*)
مُشدَّد aggravated (*penalty, offence, etc.*); intensified (*search, effort, etc.*), rigid, stringent (*orders, discipline, etc.*), drastic (*measure*), strict
مُشدِّد (ظرف أو ما إليه) aggravating
~ (: يزيد من وقع شيء أو قوته) intensifying
مَشدود tight, tense, taut (*of string, fibre, nerve, etc.*)
مُشَرشَر (راجع مسنن)
مِشرَط (جراحي) lancet, scalpel
مُشرِّع legislator, lawmaker
مُشرِف (١) supervisor (*of branch of business or administration of school, unit, etc.*), superintendent
~ (: ناظر ، ملاحظ) overseer
~ عقاري ، ~ زراعي land steward
مُشرِف (٢) (: مُطِل) overlooking, affording view (*of*), looking down upon
مَشرِف (مكان) periphery; border
~ (: مكان مشرف على ما حواليه) vantage (*position*)
~ (: عتبة ، سبيل إلى شيء) threshold; approach
مَشرِق (راجع شرق)
مَشروب drink, beverage
~ روحي alcoholic drink, liquor, spirituous beverage
مَشروط stipulated, laid down by condition
مَشروع (: قانوني) lawful, legitimate, licit, legal
~ قانون draft law, bill
~ عمراني ، تجاري ، الخ.. project, scheme, enterprise, undertaking
~ (ينطوي على مجازفة) venture
مَشروعيّة legality, legitimacy
مَشَطَ comb (*wool, ~ out something, etc.*)
~ (مكانًا من ادران أو ما إليها) scrape, rake
مِشْط (عادي) comb
~ (ذخيرة نارية) charger, magazine of bullets
مِشعَل torch, flambeau

مُشعِل	kindler, igniter; lighter
مُشعْوِذ	imposter, charlatan, quack (*physician, etc.*)
مَشغَل	shop, factory
~ (ميكانيكي ، ورشة)	workshop
مُشغِّل	actuator (*of a mechanism*); operator (*of an enterprise*)
مَشغول (: غير شاغر ، منشغل بشأن)	occupied
~ (: مرتبط)	engaged
~ (بشؤون أو اعمال)	busy
مَشغول (: مطروق)	wrought
مَشغوليّة (: انشغال)	occupancy; engagement
مَشقّة	hardship, difficulty
مُشكِل	(راجع معضل)
مُشكلة	problem, intricate question
مَشكوكٌ فيه	doubtful, dubious; questionable, suspicious
مَشلول	paralyzed, palsied
مَشمول	covered, comprised, contained
~ بالنفاذ	self-executing (*judgment*)
مِشنَقة	gallows
عود ~	gibbet
مَشهَد	scene; spectacle
~ (: منظر)	view
مَشهود	open (*to public*), flagrant (*offence, violation, etc.*)
المشهود (: يوم القيامة)	judgment or resurrection day
~ (: يوم جامع)	day of great assemblage
مَشهور	famous, famed, reputed (*father of child, ~ very honest, ~ to be the best mechanic, etc.*), renowned, celebrated
~ (برذيلة)	notorious (*thief, swindler*)
~ (من رأي أو مذهب)	prevailing, prevalent, widely or generally accepted
مَشُورَة	counsel, advice; deliberation
غرفة المشورة	chambers, *camera*
مَشيئة (: ارادة)	will, volition
~ (: رغبة)	wish, pleasure
مَشيب (سِن)	old age
~ (شعر ابيض)	grey hair
مِشيَة	walk; step, gait, manner of walking
~ (: سلوك)	conduct, comportment, behaviour
مُشيَّد	built-up (*area, section*), constructed, erected
مَشيمَة	placenta
مَصّ	suck, draw (*liquid into mouth*)
المص	suction
مُصاب	affected (*by insanity, cancer, etc.*), afflicted (*with arthritis, headache, etc.*)
~ (: نازلة ، بلوى)	affliction, distress, bereavement (*by death, etc.*), misfortune
~ (: نتيجة كارثة أو اعتداء أو ما إليه)	victim, casualty
مُصادَرة	confiscation
مُصادَفَةً (: بسبيل المصادفة)	accidentally, by accident, incidentally, by chance or coincidence
~ (في حادث أو ما إليه)	by misadventure
مُصادَقة (: موافقة على شأن)	attestation, authentication
~ (: تأكيد ، قَبول)	confirmation, sanction, approval
~ (شخص : اتخاذه صديقًا)	fraternization (*with*), making friends (*with*)
مُصارَعة	wrestling; fighting (*of bulls, etc.*)
مَصاريف	expenses, costs (*of lawsuit*), outlay
~ مُخطَّطٍ أو تصميم	lay-out expenses
~ تحصيل	costs of collection
~ تنفيذ	costs of execution
~ ورسوم	costs and charges
~ عامة (ثابتة) كاجرة المباني واقساط التأمين والانارة والمرتبات وما إليها	overheads
مَصاعب	(راجع مشاق)
مَصاغ (: حلي)	trinkets or trinketry
~ (: مجوهرات)	jewelry
مُصالَحة (: توفيق)	reconciliation (*between hostile parties, views, etc.*)
~ (: اتفاق على تسوية خلاف مع معسر أو دين عليه أو ما إلى ذلك)	composition, arrangement
~ على دين ربوي	chevisance
~ على تساهل	compromise
مُصاهَرة	affinity, relationship by marriage

مَصَبّ flow
~ نهر river mouth, estuary
مِصْباح lamp
~ ريحي (لا يتأثر بالريح) hurricane lamp
~ سحري magic lamp
~ كيروسين (كاز) kerosene lamp
مَصَحَّة (: عيادة لعلاج أو استشارات طبية) clinic
~ (: مستشفى) hospital
~ (لامراض صدرية أو نقاهة) sanatorium
مُصَحِّح corrector
~ (: مقوِّم الاعوجاج) rectifier
مُصحف Qur'an
مِصَدّ buffer (*state, device, etc.*)
~ (: درع يقي صدمة أو ما إليها) shield
~ (مركبة) fender
مَصْدَر (١) origin, source; inception
~ (فعل) author (*of crime, plot, etc.*)
~ (: ينبوع) spring, fount
~ (: وسيلة) means (*of living, etc.*)
مَصْدَر (٢) (مصادر) resource(s)
مُصَدَّق (: محل ثقة) creditable, reliable, believable
~ (من جهة عليا لاغراض الموافقة) sanctioned
~ (بما يلزم من شهود واصول) attested
~ (: موثق) authenticated, authentic
~ (: معتمد كشيك مصرفي أو ما إليه) certified
مُصِرّ (على شأن) determined (*to do, to be, etc.*)
~ (: ملح ، متمسك بشأن) insistent, pertinacious
~ (: مصمم) deliberate, willful (*action, offence, etc.*)
مُصَرَّح (به) permissible, allowable, authorized (*of act or fact*)
~ (أو مخوَّل) له authorized (*to visit a restricted area*), empowered (*to give orders, act as attorney*), licenced (*to drive a bus*)
مَصْرَع death (*by violence*), place of assassination
مَصْرِف (لتصريف سوائل) drain
~ (: مجرى تصريف) sewer
~ (: بنك) bank
مَصروف expense, expenditure, outlay
مَصروف (: في شأن) disbursement
~ (راجع مصاريف)
مُصْطَنَع feigned, simulated (*innocence*), pretended (*displeasure*)
~ (: كاذب ؛ مستعار) false (*appearance, pride; hair*), artificial
~ (: مادة مصطنعة ليستعاض بها عن مادة اصلية) synthetic
مِصْعَد lift, elevator
مُصَفٍّ (: يتولى تصفية شركة أو تفليسة أو ما إلى ذلك) liquidator
مِصْفاة filter; drain
~ (للاستعمال المنزلي وما إليه) strainer
~ بترول refinery
~ هوائية air-drain
مَصْفَق stock exchange, bourse
مَصْقول slick, sleek, smooth, glossy
~ (: مهذب ، مثقف) refined, cultured, polished (*style, language, etc.*)
مَصْل serum
مُصَلًّى place of worship or prayer
مَصْلَحَة (: شأن) interest; concern
~ (: خير) welfare, benefit
~ مُرْسَلة absolute interest
مُصَمِّم deliberate (*action*), determined; premeditated (*design*), prepense
مَصْنَع factory, manufactory
~ (وملحقاته) plant, mill; works
مُصَنَّع artificial, feigned
~ (: منتوج صناعي يؤدي وظائف منتوج طبيعي) synthetic
مَصنوع manufactured, made (*of, etc.*)
مصنوعات manufacture(s), works
~ (خشبية ، يدوية ، الخ..) woodwork, handwork, etc.
مُصَوِّت (: ناخب) voter
~ (راجع منتخب)
مُصَوِّر photographer
مَصُون (: لا يأتيه باطل ، مقدس) inviolable or inviolate, sacrosanct

مَصُون (: مضمون ، أمين) secure, safe
مُصيبة disaster, calamity, catastrophe; misfortune
~ (راجع كارثة للمقارنة)
مِصْيَدة trap, snare, gin, catcher
مَصيدة سمك (: محل لصيده) fishery
مَصير end, outcome, issue, fate, destiny
تقرير المصير self-determination
مَصيف summer resort
مَضَّ hurt, pain, ail, offend
مَضى pass, go past, elapse, lapse, begone; slip by (*or away*)
~ (: انصرف من مكان) depart
~ (في عمل أو شأن) proceed
مُضادّ counter (*attack, action, etc.*), adverse (*effect*), unfavourable
~ (: مقاوم) anti-(*aircraft, tank, etc.*), resistant (*to*) or resisting (*change, etc.*), resistor
~ (: معاكس ، مخالف) opposite (*direction, policy, etc.*), contrary (*to customs, rules, etc.*), against
مُضارّ (بشأن أو حال) (راجع ضار)
مُضارِب speculator
~ على صعود [بورصة] longs bull
مُضاربة speculation
~ (في سعر) undercutting
~ (للفوز في مناقصة) underbidding
مضاربات مفتعلة [بورصة] manipulations
مُضارَّة (راجع ايذاء)
مُضاعَف double, multiple (*of something*), twofold
~ (راجع مزدوج)
مُضاعَفات complications, complexities, serious developments
مُضاف added (*to thing*), appended, annexed
~ إلى زمن مستقبل contingent (*use, right, event, etc.*)
مُضاهاة (: مقابلة خطوط أو ما إليها) confrontation, collation
مُضايِق annoying, irritating (*of nerves*), vexing, disturbing (*matter, situation, etc.*), bothersome (*person*), irksome (*work*)

مُضايَقات (الراحة العامة) (*public*) nuisance
~ في حد ذاتها nuisance *per se*, nuisance at law
~ فعلية (بحكم الظرف الذي يلابسها) nuisance in fact
مُضايَقة annoyance, (*act of*) annoying, disturbance; vexation, botheration
~ (: معاكسة ادبية أو في ممارسة حق) molestation
مَضْبَطَة remonstrance, collective certificate or representation (*in writing*)
مَضْبوط (: صحيح) correct, right, apposite
~ (من حيث الدقة) precise, accurate, exact
مُضحِك (: يثير الضحك ، هزلي) funny, exciting laughter; humorous (*remark*), jocular (*act*), facetious (*person, thing*)
~ (: يبعث على السخرية) ridiculous, laughable
~ (: محل سخرية) laughing-stock
مضخَّة pump
~ هواء air pump
مُضَخِّم enlarger, amplifier (*of volume, magnitude, etc.*)
مُضِر (راجع ضار)
مُضْرِب (عن عمل أو ما إليه) on strike, out (*as in: the miners are* ~)
مَضرور (راجع متضرر)
مَضَض (على) reluctantly, aversely, against one's will
مُضْطَرِب (شخص) distraught, perturbed;
~ (: قلق) worried, upset, disturbed, troubled; confused (*thought, action*); unbalanced (*decision, mind*), unsteady (*hand*), turbulent (*waters, mob*)
مُضعِف (: موهن) debilitant (*strain, effort, etc.*), enfeebling, weakening, impairing (*effect, act, etc.*)
مَضَغ chew, masticate
مُضْغَة morsel, fragment
مِضمار field, sphere, theatre (*of art, labour, etc.*); province (*of sport, science, etc.*)
مُضمَر tacit, implicit, ulterior, unseen
~ (: عقلي) mental
مَضمون (١) certain (*victory, advantage, etc.*), secure, assured, guaranteed

مَضمون (: مشمول بضمان) secured, bonded
~ (: مضمون له : منتفع بالضمان المعطى لمصلحته) recognizee, warrantee
مضمون (٢) (: محتويات ، مفهوم) content(s), significance, purport, tenor
مُضيّ elapse, passage
~ (: انتهاء) expiration
~ المدة (: تقادم) prescription
مُضيء (راجع نير)
مُضيف host
مُضيفة hostess
مَضيق strait
~ (: نقطة اشتداد الضيق في ممر) bottleneck
مَطَّ stretch, expand, elongate; extend
مُطابِق (لشأن) identical or identic, exactly alike
~ (: موافق لغرض ، شأن ، مقياس ، الخ..) fit or fitting, apt, exact
مُطابقة identity
~ (: موافقة في رأي ، مسايرة) concurrence (*of opinion, etc.*), conformity (*with rule, creed, etc.*)
مَطار airport, aerodrome
~ قيام airport of departure
~ وصول airport of destination
ارتفاع المطار airport elevation
اهلية مراقبة المطار airport control rating
حركة المطار airport traffic
مركز المطار الهندسي airport reference point
النهايات الجوية الصغرى لمطار airport meteorological minima
مُطارِد pursuer, chaser
مُطارَد pursued, chased
~ (: هارب) on the run
مُطارَدة chase, pursuit, pursuing closely
~ صيد coursing, game
~ مستمرة hot pursuit
مَطّاط (مادة) rubber
~ (: قابل للمط) elastic, springy
مُطالِب claimant, demandant
~ (بعرش أو ما إليه) pretender

مُطالَب accountable, liable (*for payment, indemnity, etc.*), chargeable
~ (في حساب ، معاملة ، الخ..) in the red
مطالبة claim, demand
مطالَعَة study, perusal; submission (*by prosecution, containing motions, to court concerned*)
مَطبعة press, printing press
مُطْبِق blinding (*ignorance, fanaticism, etc.*), suffocating
~ (: سجن غائر) dungeon
مطبوعات printed material
~ (: صحافة وما إليها) press
مَطْبُوعة publication, printed material
مطحنة mill; grinder
مَطَر rain
مطران bishop
مُطَّرِد steady (*success*), continuous; persistent (*nuisance, deficiency, etc.*)
مِطْرَقة hammer, mallet
~ (القاضي أو بائع المزاد) gavel
مَطروق (طريق ، مكان) travelled (*road, place*), frequented
مَطعون ضِدَّه (امام محكمة عليا أو ما إليها) respondent
مِطفأ ، مِطفأة extinguisher
مَطَلّ (١) (على ساحل أو ما إليه) outlet, opening (*for trade, etc.*)
مَطَلّ (٢) (: واجهة) front, frontage
مَطَل (راجع ماطل)
مَطلَب object, purpose, goal, aim; motive
مَطْلَع beginning, start, commencement
~ (السند المبين لاوصاف الفرقاء) premises
مُطَّلِع (: ملم باحداث أو تطورات أو غير ذلك) informed, aware, abreast (*of events, developments, etc.*), insider
~ (: واسع الإلمام) well-informed
~ (: عالم بفن أو باصول علم) learned, versed (*in subject, etc.*)
مُطْلَق absolute, unconditional
~ (: تام ، كامل) complete, final, perfect

مُطْلَق (السراح) at large, released, at liberty, free
مُطلَّقة divorcee
مَطلوب demanded, required, wanted, needed
~ (حساب مدين) debit account
~ (من مقتضيات لازمة) prerequisite, requisite
مُطْمَئِن tranquil, free from anxiety or preoccupation, unworried, having (*one's*) mind at rest
~ (: واثق من نفسه) self-confident, self-possessed, self-assured
مطْمَع pretension, pretence; claim, aspiration, ambition; design
مطموس effaced, obliterated, blotted out; imperceptible
مِطواع submissive; malleable
مُظاهرة demonstration, show (*of some sentiment*)
~ (: مسيرة احتجاج على شيء) protest march
مِظلّة umbrella
مُظلِم dark
~ (: قليل النور) dim (*room, future, etc.*)
مَظلوم aggrieved (*party, etc.*); grieved, distressed; victim of injustice
مَظهَر aspect, look, appearance, semblance (*of truth, etc.*), looks
~ (: ستار) cloak (*of piety*), pretext (*of naiveté*)
مُظهِّر (: مجيِّر) endorser
مُظهَّر إليْه (: مُجيَّر إليه) endorsee
مع with, together (*or along*) with, in unison with
~ ذلك nevertheless, nonetheless; yet, however
معًا (: سوية ، جمعًا) together, jointly, in one mass
~ (: في ذات الحين) simultaneously, at one time
مُعادٍ (: عدائي) hostile, unfriendly, inimical (*feeling, act, attitude, etc.*)
~ (: ند) antagonist
مَعاد (راجع آخرة)
~ (راجع رجوع)
مُعادٌ (: اعيد فيه النظر لتصحيح وتحسين) revised
مُعادَلة equation
معاذير pretexts, false excuses

مُعارِض objector, opposer; dissenter
مُعارَضة opposition
~ (: مخالفة ، عدم موافقة) objection, dissent, disapproval
معارف (وزارة) (*ministry of*) education
~ (موسوعة) encyclopedia
معاش (راجع مرتب)
~ كنسي benefice
~ (: تقاعد) pension
حال على ~ retire on pension, pension off
احالة على ~ retirement on pension
مُعاشرة association (*with vagabonds, thieves, etc.*), cohabitation (*between man and woman*)
مُعاصِر contemporary; coeval, contemporaneous, during (*a certain act or occurrence*), simultaneous, coincident, synchronous
مُعافًى healthy, sound (*chest*), well
مُعاقبة (راجع عقاب)
مُعاكِس (راجع مضاد)
مُعامِل coefficient
~ تكافؤ coefficient of equivalence
مُعامَلة treatment (*of others*), handling (*of things*)
~ (: تعامل) dealing (*with*); bargaining
~ (تجارية) transaction, deal
~ المثل reciprocity
المعاني (عِلم) semantics
مُعاهدة treaty; compact
~ سلام ، ~ صلح treaty of peace
مُعاوِن (راجع مساعد)
مَعايِر defects, faults, flaws, imperfections
مُعايِر (: معدِّل) modulator, adjuster (*adjustor*), regulator, calibrator
مُعايَرة modulation; metering (*valve, jet, etc.*)
مُعايِن inspector, viewer
مُعايَنة inspection, view (*of object, land, etc.*); visitation (*right of*)
تذكِرة ~ record of inspection
مَعبد temple
مَعبَر access, inlet, way in
~ (تعدين) adit, shaft

مُعبِّر expressive
~ (: مُفصِح) articulate
مُعتاد (: اعتيادي) habitual, customary, usual (*functions*), ordinary (*activity*), common (*practice*)
~ (على شيء) accustomed, used (*to do a certain thing*), in the habit (*of doing*), wont (*as in: he is wont to eat once a day*);
مُعتَدّ (بذاته) conceited or self-conceited, vain, self-affected
مُعتَدٍ (: المعتدي) aggressor
معتدًى عليه victim of aggression
~ (: مظلوم) aggrieved
معتَدِل moderate (*person, view, etc.*), temperate (*climate, language, etc.*), fair (*climate, prices, etc.*)
~ (: غير شديد ، ليِّن) mild
~ (: معقول) reasonable
معتَرِض objector
معترضة (جملة) parenthesis
مُعتَصَم inviolable place, refuge, sanctuary, shelter; asylum (*for criminals, debtors, etc.*)
مُعتقَد (ات) belief(s), conviction(s)
مُعتقَل (شخص) detainee, internee
~ (حرب) prisoner of war
~ (مكان) place of detention, concentration camp
مُعتَلّ (: عليل) infirm (*person, mind, judgment, etc.*), invalid
~ (: به مرض) sickly
مُعتمَد accredited
~ (: مصدق ، كشيك أو ما إليه) certified
~ (: اهل لاعتماد) reliable
~ تجاري factor
مَعتوه (راجع مجنون)
مُعجَّل advance or down (*payment, etc.*), anticipated, hastened
مُعجَم lexicon, dictionary
مُعْدٍ (مرض أو ما إليه) infectious, contagious
مَعْدى (راجع مَعدِل)
مُعَدّات implements, tools, appliances, instruments
مِعداد abacus
مَعِدَة stomach
مُعَدَّل average; mean (*temperature, rainfall, etc.*)
~ (: نسبة ، قياس) rate
~ (راجع وسط)
مَعْدِل (: معدى) alternative (*way*), (*other*) choice or option
مُعدِم destitute, indigent, impoverished, suffering extreme want
مَعدِن mineral, metal
معدني mineral, metallic
مُعَدِّية (: سفينة عبور) ferryboat
مَعْذِر pretext, false excuse
مُعْذِر (راجع مُحِلّ)
معذرة excuse
مُعَرَّب Arabicised
مَعَرَّة disgrace, reproach (*to humanity, civilization, etc.*), shame, opprobrium
مَعْرِض (تجارة ، صناعة) exhibition, fair
~ (يفرد لشيء معين) show
مَعرِفة knowledge, learning
~ (: تعرُّف على شيء) acquaintance or familiarity (*with*)
مَعروف (١) (: معلوم) known
~ (: مشهور ، ظاهر) reputed, apparent (*: heir apparent*)
مَعروف (٢) (: حُسنى) favour, kindly regard, good (*turn*), benevolence
~ (: لطف ، لين) kindness, leniency
معزِّز (: دافع ، مساند) booster
~ (لبينة أو قول أو ما إلى ذلك) corroborative, supportive
مِعزَقة hoe
مَعْزِل seclusion, secluded place, retirement
في معزل (*far removed from, (stands) apart (from), at a distance (from)*)
مَعزول isolated, insulated (*wire*), segregated, secluded (*from society*)
مُعسِر (: عاجز عن وفاء) insolvent

معسِر (: فقير) impoverished
مِعْصَرة press
مِعصَم wrist, carpus
مَعصوم infallible, unerring, faultless, impeccable
مُعضِل (مشكل) problematic, puzzling
مُعطٍ (: واهب) giver, donator
مُعطىً datum, information, factual material
~ ، مُعطَيات postulate(s), datum (*data*), basic factual material(s)
~ (: مقدمة منطقية لنتيجة) premise(s)
مِعطَف (مهني أو علمي) gown; robe
~ عادي overcoat, loose garment
~ حرير (يلبسه حامل لقب مستشار ملكة silk gown (*Q.C.*
مُعطيَات (راجع مُعطى)
مُعفىً exempt; immune, free
~ من الضريبة tax-free, exempt from tax
~ من الأجرة rent-free
~ (: حصين) من الاجراء (أو الدعوى) immune from process
مُعقَّد knotty, intricate, involved, complicated, complex
مَعقِل refuge, den (*of resistance*), bed (*of vice*)
مُعَقَّم sterilized
~ (: عقيم) sterile
مِعقَمة sterilizer
مَعقول reasonable, matter of judgment, rational
مُعَلّىً paramount, supreme
مُعَلاّة [رياضيات] vinculum
مُعلَّق suspended, hung
~ (: لم يفصل فيه) pending
~ (: قائم على شرط أو غيره – شرطي) dependent (*upon condition: conditional*)
مُعلِّق (في صحف أو اذاعة) commentator
مَعلَم (ج معالم) (: أثر) trace, vestige
~ (يدل على موقع) landmark
~ (: موضع) place, location
مُعلِّم teacher (*of science, etc.*), instructor (*in college, etc.*)
~ (خاص) tutor
~ (في حرفة) master (*of an art or trade*)

مُعلِن (في جريدة) advertiser
~ (في صحيفة دعوى) plaintiff, petitioner; notifier
مُعلَن (في صحيفة دعوى) defendant, respondent, notified party
مَعلوم (: واضح ، ميسور الفهم) obvious, evident, understood; easily seen
(ليكن معلومًا لديك أن ... (*Take notice that...*
مَعلومات data, information
مِعمار (: مهندس معماري) architect
مَعْمَل (ج. معامل) factory; mill; laboratory; works
~ تكرير refinery
المَعمورة the world over, the whole (*inhabited*) world
مَعمول به in force, effective, of force, valid, operative, applicable
مَعْنًى meaning; intent, sense
~ (: مدلول ، مفهوم) significance, purport, import
مَعنَوي (: ادبي) moral (*consideration*)
~ (: قانوني) juridical (*person*)
~ (: لا مادي) incorporeal (*property*)
مَعنَويات morale, spirits (*good or bad*)
مَعنيّ concerned, interested, intended
مَعْهَد institute, educational institution, school
مَعْهود familiar, known, habitual
مُعْوَجّ crooked, devious (*methods*), oblique, bent, tortuous (*road*), twisting (*course*); dishonest (*person*), snide (*merchant, bargain, etc.*)
مُعْوِز needy, necessitous, impoverished
~ [قانون] pauper
مُعَوِّض compensator; countervailing (*measure, payment, etc.*)
مِعوَل axe, pickaxe, mattock
مَعُونة aid, assistance
~ (: غوث) succour, relief
~ مالية (لمشروع أو جهة) subsidy, subvention
~ نقدية (لدراسة أو غيرها) purse
مَعْي ، مِعًى enteron, gut, intestine
مِعيار criterion, test (*of efficiency, mettle, endurance, etc.*), standard (*of judgment*), scale

مِعيار متقلب — sliding scale
~ (لكيل) — gauge
مَعيب — defective, imperfect, faulty (*construction, part, method, etc.*)
مُعِيد (في جامعة أو اكاديمية أو ما إليها) — postgraduate, fellow (*of a college, academy, etc.*)
~ (لشأن) — restorer, retriever
مُعِير — lender, mutuant
مَعيشة — living, livelihood
مُعيل — supporter
مُعِين — helper, aider; aiding, contributing (*factor*)
~ (: مشارك) [جرائم] — accessory
~ اثناء الفعل — accessory during the fact
~ بعد الفعل — accessory after the fact
~ قبل الفعل — accessory before the fact
مَعين — content (*of study, learning*), fountain, spring
مُعَيَّن (في وظيفة أو لمهمة) — appointee, nominee
~ (: محدد) — fixed, appointed (*time, etc.*), designated (*person, thing*), specified
~ (: دون غيره ، بصورة خاصة ؛ معلوم ؛ واضح) — specific (*fact*), definite (*method*), determinate (*policy*)
مُعيَّن [رياضيات] — rhombus
~ منحرف [رياضيات] — trapezium
مُعَيِّن — designator, appointor
مُغادرة — departure, setting out
مَغارَة — cave, cavern
مُغارِس — cropper, share-cropper
مُغارَسة — cropping, share-cropping
مُغافَلة (راجع مفاجأة)
مُغالٍ — immoderate (*eating, feelings of sorrow, etc.,* ~ *exposure to heat*), excessive (*charges*), exaggerative (*description*), intemperate (*habits*)
مُغالَطة — quibble, equivocation, prevarication
مُغامِر (: ينطوي على مغامرة) — adventurous (*person*), venturesome, hazardous, risky (*undertaking, investment, etc.*)

مُغامِر (شخص) — adventurer, given to risks
مُغامرة (: عمل أو مشروع ينطوي على خطر) — adventure, venture
~ (: مجازفة) — risk
مُغايِر (لشأن) — at variance (*with the law*), discrepant (*in certain respects*); inconsistent (*with good morals*), contrary (*to established usage*)
~ للحشمة — immoral
مُغايَرة — variance, discrepancy, inconsistency; disparity (*between ranks, shares, etc.*)
مُغتَرِب — expatriate (*employee*)
~ (راجع أجنبي)
مُغَذٍّ — nutritive, nutritious
المغرِب (بلاد) — Northwest Africa
المغرب (: مراكش) — Morocco
مُغرِض — tendentious, biased
مِغرَفة — scoop, ladle
مَغْرَم [شؤون بحرية] (راجع عوار)
~ (: غرامة) — fine, mulct
~ (راجع غُرم)
مَغرور (راجع معتد بذاته)
مَغزى — significance, purport, intent or intendment, import, meaning
~ (: لب ، فحوى) — gist, essence, sense
مِغْزَل — spindle
مَغشُوش — adulterated (*flour, mineral, goods*), doctored (*wine*)
مَغشيٌّ عليه (راجع مغمى عليه)
مَغْص (: تشنج وقتي) — cramp
مَغْفِرَة — remission (*of sin*), forgiveness (*of offence*), pardon
مُغْفَل (مجهل ، لا يحمل توقيعًا) — anonymous, unnamed
مُغَفَّل (: ناقص الفطنة والذكاء) — stupid, dull, dense, imbecile, dunce
مُغِلّ (: ذو غلة) — fruitful, profitable
~ (: ذو منفعة مادية) — lucrative
مُغَلَّظ (من يمين أو عهد أو ما إلى ذلك) — solemn
مَغلوط — erroneous, mistaken (*view, calculation, etc.*)
~ في سرد تواريخ — anachronic

مُغمىً عليه unconscious, faint
مَغْمور (الاصل) (راجع مجهول)
مَغنَط magnetize
مِغنطيس magnet, lodestone
مِغنطيسي magnetic
مَغْنَم (راجع غُنم)
مَغيب (شمس) (*sun*) set or setting
مُغيث (راجع مُنجد)
مُغِير invader, marauder
مُغيِّر changer
~ (: مبدل كهربائي أو غيره) dephaser, commutator
مُفاتَحة overture, initiative toward agreement; approach (*for negotiation, etc.*)
مُفاجِئ sudden (*departure*), unexpected (*visit*), abrupt (*termination of, etc.*), surprise (*attack*); precipitate or precipitous (*change*)
مُفاجأة (مباغتة) surprise, taking by surprise or unawares
بسبيل المفاجأة by surprise, surprisingly, suddenly
مَفاد (راجع مفهوم)
مَفازة vast desert, waterless waste or wilderness
مُفاعِل reactor; reactive
مُفاعَلة reaction
~ [كهرباء] reactance
مُفاوَضة negotiation, discussion, talk
مِفتاح key
~ كهرباء switch
~ (لغز ، جريمة ، معضلة ؛ الخ..) clue (*clew*)
~ عام (يفتح اقفالاً عدة مختلفة) master key
~ ربط (آلي) wrench, spanner
مُفترٍ calumniator
مُفترِس predatory (*animal*), rapacious (*animal*), of prey (*: bird of prey*)
مُفتَرَض hypothetical, conjectural; assumed, supposed; putative (*father*)
مُفتِّش inspector
~ سفن searcher (*of ships, etc.*), water- bailiff
مُفتَعَل willful (*negligence*), wanton, deliberate (*act or omission*)

مُفتَعَل (: قصدي ، ارادي) intentional, voluntary (*killing*)
~ (: زائف) phony, false
مَفتوح open (*door*), unclosed (*letter*), patent (*writ*)
مُفحِم silencing (*by argument*), overpowering, dumbfounding, demolishing (*evidence, etc.*); cogent proof, irrefragable
مَفَرّ escape, evasion (*of damage, injury*)
مُفْرَد single; sole
~ (: وحيد) solitary
~ (من حيث الصيغة) singular
مُفرَدة (من قائمة ، قيد ، فاتورة ، الخ..) item, entry (*on list, record, bill, etc.*)
مُفرِط (راجع مغال)
مُفرِّط irresponsible, negligent
~ (: متلاف) prodigal, profligate, spendthrift
مفروض (راجع فَرض)
مَفسَدة evil, source of evil, harmful, pernicious, baneful, injurious
~ (: ضَرَر) harm, injury, mischief
مَفصِل joint
~ [هندسة] knuckle
مُفَصَّل detailed, itemized (*account*), marked into distinct parts
~ (: واضح) distinct, intelligible, clear; articulate (*speech*)
مُفصِّلة (باب) hinge
مَفطوم weanling
مُفعَم fraught (*with menace, promise, etc.*), replete, full
مَفقود missing, lost (*property, person, etc.*)
~ (من حق ، لجراء عدم استعمال أو ما اليه) forfeit or forfeited (*title, etc.*)
مُفكَّك disrupted, disjointed, out of joint; shattered; broken (*apart*)
~ (: منقسم) divided
مُفلِس bankrupt
~ متنازل (عما يملك لدائنيه) cessionary bankrupt
مَفهوم (١) (: مدلول) meaning, intendment (*of law, etc.*), import, significance, purport

مفهوم (٢) (: واضح ، متفق عليه) understood, clear, intelligible, fully apprehended; agreed
~ (ضمنًا) implicit
مُفوَّض authorized (*to act, do, etc.*), empowered, commissioned, delegated (*authority*)
~ (: شخص يحمل تفويضاً يلزمه القيام بمهمة معينة) mandatory; commissioner (*of police, prisons, etc.*)
~ (وزير ، ممثل دبلوماسي) plenipotentiary
وزير ~ minister plenipotentiary
مُفوِّض (: منتدب) mandator; authorizer
مفوضَة (من عقوبة أو ما إليها) discretionary (*penalty*)
مُفوَّضيَّة legation
مُفيد beneficial; advantageous, profitable
~ (: مساعد على شأن) favourable (*wind*)
مُقابِل corresponding (*term, effect, etc.*)
~ (: أمام) facing, opposite, across (*from*)
~ (: ضد) against
~ (: جانب أو وجه مقابل) obverse (*side of coin, etc.*)
~ (: نظير) in return (*for*), in exchange (*for*)
~ (خسارة ، خدمة) recompense, remuneration
~ (في المطالبات والاجراءات وما إليها – راجعها تاليًا) cross-
~ (استئناف ، طلب ، الخ..) cross-(*: ~ -appeal, ~ -demand, etc.*), counter (*: ~ -claim, ~ -plot, ~ -attack, etc.*)
~ وفاء (: عوض) consideration; reward
مقابلة (: مواجهة) confrontation
~ (: موازنة) comparison
~ (: استقبال) reception
~ (: لقاء بموعد) meeting, rendezvous
~ (مع ملك أو رئيس جمهورية أو زعيم ديني الخ..) audience
~ (بين خطوط أو ما إليها) (راجع مضاهاة)
مقاتل fighter
مُقاتَلة fight, fighting, quarrel, brawl
مُقارَبة (بين شيئين) approach, approximation
~ (بين دولتين : تخفيف من توتر) *détente*
~ (: وضع شيء إلى جانب آخر) juxtaposition
مُقارَن comparative

مُقارَنة comparison
~ (بين خطوط) collation, confrontation
مُقاصَّة (ديون) setoff (*set-off*), clearance
~ (معاملات وعقود بين تجار العمالة) ringing up
~ (استنزال مبلغ من آخر) deduction
مُقاضاة prosecution, institution of legal proceedings (*against*), suing
~ (احد رجال الدولة أو كبار المسئولين) impeachment
مُقاطَعة (١) district, region, province
~ سويسرية canton
مُقاطَعَة (٢) boycott
مَقال ، مقالة article, essay
مَقاليد (سلطة) reins (*of authority, power*)
مَقام (١) (: مركز ديني ، ضريح) shrine
مَقام (٢) (شخص : بدلا منه أو نيابة عنه) in place or stead (*of*), as representative (*of*) or acting for
مَقام (٣) (راجع مركز)
مُقامِر gambler
~ (: مجازف) plunger (*of person*), reckless, speculator
مُقامَرة gambling, gaming
~ (: مجازفة) speculation, recklessness
مُقاوِل contractor
~ من الباطن subcontractor
~ (: يعمل على أساس المقاولة) jobber
مُقاوَلة piece-work, work by the piece, job-work
~ (: التزام تعاقدي) contractual obligation (*or agreement*), contractual engagement
(المقاول) (*jobber, piece-worker*
مُقاوِم (راجع مضاد)
مُقاوَمة resistance, opposition
~ سلبية passive resistance
فرق ~ شعبية militia
مُقايَضة barter or bartering, truck (*as in: have no ~ with, etc.*), exchanging (*commodity for another*)
مَقبَرة cemetery, burial ground
~ صغيرة graveyard
مِقبَض (: ممسك) holder, handle

مِقْبَض (خنجر أو سيف)	hilt
~ (كروي)	knob
مقبول	admissible (*before court*), acceptable
~ امام (محكمة معينة)	admitted before (*a certain court*), entitled to practise before (*supreme court, etc.*), member of (*supreme court or appellate bar, etc.*)
~ (في امتحان)	satisfactory, barely adequate
~ (سبب ، عذر أو ما إلى ذلك : وجيه . كاف من حيث الاساس ، مقنع)	good (*reason or excuse*), well-founded, cogent
مَقَتَ	hate intensely, detest, loathe or have a loathing (*for*)
مُقتَبَس	adopted, accepted; copied
مُقتَبَل (: مطلع عمر أو ما إليه)	prime, earliest stage, beginning (*of, etc.*)
مُقتَرَحٌ	suggestion, proposition, proposal: recommendation
مُقتَرِض	borrower, mutuary
مُقتَصِد	economical, sparing (*of time, in expenditure, etc.*)
مُقتَضى	exigence; requirement, demand(s); purport (*of provision, etc.*)
بمقتضى	(راجع وفق)
مُقتَضَب	(راجع موجز)
مُقتَطَف	excerpt, extract (*from article, speech, etc.*), adaptation (*from a book, an article, etc.*)
مِقداح	trigger
مِقدار	amount, quantity, measure, rate, degree, sum
~ (قسط تأمين)	rate (*of premium*)
~ مؤمن عليه	amount covered
~ مقنن	ration
مُقدَّر (: كائن بحكم الاقدار)	destined, predestined, foreordained
~ (: مقيَّم)	evaluated, assessed (*for taxation, etc.*)
مَقدِرَة	ability, capability, capacity, power
~ (: اهلية لشأن ، قدرة فنية)	aptitude, skill
مُقدَّس	holy, sacred; sacrosanct
مُقدَّم	atecedent (*in time or order*)
~ (: له الاسبقية أو الأولوية أو الأفضلية)	having precedence, having priority or preference
~ [عسكري]	major
~ [منطق]	premise(s)
مُقدَّمًا	in advance, beforehand; *ab ante, ab antecedente*
~	(راجع معجل)
مُقدّمات (استنتاج منطقي)	premises
مُقدِّمة (كتاب ، حديث ، مقال ، عمل أو ما إلى ذلك)	introduction, preliminary or preliminaries (*to a conference*); prelude (*to action, to another disaster, etc.*)
~ (: طليعة)	fore, forefront, vanguard
~ سفينة	(راجع جؤجؤ)
~ (منطقية لنتيجة)	premise, postulate
مقدور	power, capacity, capability
مُقذِع (من كلام أو تهم أو غيرها)	offensive, insulting, outrageous (*speech, words, charges, etc.*)
مَقرّ (جيش ، حزب ، الخ..)	headquarters
~ (: مركز نشاط ، اعمال ، الخ..)	centre (*of activity, business, etc.*)
~ (: موضع)	location, place
~ (حكومة ، محكمة ، الخ..)	seat (*of government, etc.*), house
مُقرِّر (محكمة)	reporter; rapporteur
~ (لجنة أو هيئة)	referendary
~ (بشأن)	declarant; declarer
مُقرّ (١) (: حصل به التقرير)	declared, stated
مُقرَّر (٢) (: صدر به قرار)	decided, determined
مُقرَّر (٣)	(راجع محدد)
~ دراسي (: كتاب)	textbook
~ علمي (: نهج)	academic course
~ علمي (: منهج)	syllabus
مُقرِض (: معير)	lender, mutuant, creditor
مَقروء	legible
~ (: واضح)	plain, clear
مُقسِط	fair, equitable, just
مِقَصّ	scissors

مِقَصّ (للجز) 'shears
مَقْصَد ، مَقْصِد (: وجهة) destination
مُقصِّر (في واجب ، عهد أو ما إلى ذلك) defaulter
~ (: فاشل) failure
~ (: معيب) defective, deficient
مِقصَلة guillotine, scaffold
مَقصور limited (*to person or thing*), confined (*to*), restricted (*to persons, things, etc.*); circumscribed (*acts, interests, etc.*)
مَقصورة (: قمرة) cabin
مَقْضِي (: مقرَّر ، صدر فيه حكم) decided, judged, adjudged or adjudicated
~ به (: شيء مقضي به أو قضية مقضية) *res judicata*
مِقطَرة still, distillery
مِقطَع (: آلة قاطعة) cutter, cutting device
مَقطَع (هجائي في كلمة ، أو وقف في جملة) syllable; punctuation mark
~ (: فقرة) paragraph, section
~ (: نقطة تقاطع طريقين) crossroad
~ (كلمة مركبة) hyphen
~ طولي longitudinal section
~ عرضي أو مُستعرض cross-section
مَقطوع (من مبلغ أو ما إليه) lump (*sum, payment, etc.*)
~ (: اجمالي) global (*account, etc.*)
مَقعَد seat
~ (: كرسي) chair; pew (*in church*)
~ (: ردف) buttocks
مُقعَد paralytic; cripple, decrepit, invalid; disabled (*soldier, worker, etc.*)
مُقَعَّر concave, hollowed inward
مِقلاع sling
مُقْلَة eyeball
مُقلَّد (: تقليد ، شكلي) imitation (*jewelry*), simulated (*medal*), sham, mock (*-modesty, battle, etc.*); fake
مَقلوب upside down, overturned, inverted
مُقنِع convincing, cogent (*argument, etc.*), persuasive (*method, person, etc.*)
مُقنَّع masked, disguised, cloaked; masqueraded
مَقُول (مَقولَة) assertion, contention

مُقَوِّم (: احد مقومات شيء) component (*part*), constituent
مِقياس measure or measurement, scale
~ (: معيار) criterion
~ (: مقدار) degree, rate
~ فكري calibre
مُقَيَّد limited, restricted, qualified
مقيِّد restricting, restraining, checking, curbing (*freedom, movement, action*); qualifying (*privilege, title*)
~ للحرية custodial (*penalty*), restraining (*of liberty*)
مُقيم resident (*person, envoy, etc.*)
غير ~ non-resident
مُقَيِّم (: مقدِّر ، مثمِّن) appraiser, valuator, valuer
~ (لاغراض ضريبة) assessor
مُكابَرَة prevarication, cussedness, equivocation
مُكابِل (: تسويفي) dilatory
مُكاتَبَة (راجع مراسلة)
مُكافِئ equivalent, equal
مُكافَأة reward; gratuity, recompense, remuneration (*for service, etc.*)
~ نقدية (للدراسة أو ما إليها) purse
مَكان (راجع محل)
مَكانة position, standing; status (*social, political, etc.*)
~ (اعتبارية) prestige
~ (: مرتبة) rank, station
مُكبِّر enlarger
~ (صوت) amplifier
~ (: مجهر) magnifying glass, microscope
~ (: عدسة تكبير) magnifier, loupe
مِكبَس press; compressor (*of gases*)
مَكتَب office
~ (: طاولة كتابة) desk
~ (: قلم) bureau
~ طيران (مركزي) air terminal
~ عمل labour exchange
~ العمل الدولي International Labour Office
مَكتبة library

مَكتبة (لبيع الكتب) bookstore; bookseller's
~ (لبيع القرطاسية) stationery; stationer's
مُكتتِب subscriber
~ (باسهم) underwriter, shareholder
مُكتتَبٌ به (من رأس مال أو ما إليه) underwritten (*capital, etc.*)
مُكتشِف discoverer
~ (جغرافي) explorer
مُكتمِل complete, full
~ (: تام ، حاصل بتمامه وحسب اصوله) consummate
مَكتوب (: محرَّر) in writing, written
~ (: مقدَّر) predestined, foreordained
مَكتوم (: لم يبح به أو يكشف عنه) undisclosed (*facts*)
~ (: سري) confidential; secret, held in secret
مَكَثَ (راجع أقام)
مُكثِّف condenser
مَكَرَ (بشخص) dupe, double-cross, trick, cheat, deceive
مَكْر guile, trickery, wile, deceit, cunning, duplicity
مُكرَّر repeated, duplicate or in duplicate
~ (مادة أو نص قانوني) *bis*
مُكَرِّر (: تكرَّر منه الاجرام) (راجع عائد)
مُكْرَه (: مراغم) compelled, constrained, forced, coerced
~ (بعامل القوة) under duress
مكروه (من عمل) disliked, reprehensible, disapproved
مَكْس excise, impost, imposition; toll
مَكَسَ undervalue, rate unfairly (*at less than fair price*), offer less than real worth
مَكْسَب gain, profit, avail, acquisition
~ عرضي casual advantage or gain
مُكْسِب (لمنفعة مادية) lucrative (*activity, scheme, etc.*), profitable, remunerative; gainful; advantageous
مِكشاف detector
مِكْشَط scraper, skimmer
مَكشوف uncovered, exposed, overt (*treason*), open (*to attack*)
~ (: عارٍ) bare (*chested*)

مَكفوف blind
مَكفول (: مضمون) guaranteed
~ محكمة (مولى عليه) ward of court, charge
مُكلَّف (بشأن : مهيمن عليه أو مسؤول عنه) in charge
~ (: مختص أصلي بوظيفة) incumbent
~ (بضريبه) taxpayer
مَكْلوب (: مصاب بالسعار) rabid, hydrophobic
مُكَمِّل (راجع متمِّم)
مَكْمَن ambush
مَكَّن enable, empower
مَكِنَة possibility, capability; potentiality
مُكْنَة power, force, ability, faculty
مُكَوِّن constituent, component (*part*)
مَكِيدة intrigue, plot, conspiracy
~ (: مقلَب) machination
~ (: احبولة) entrapment
مُكَيِّف conditioner, adapter
مُكَيَّف conditioned, adapted
~ الضغط pressurized
~ الهواء air-conditioned
مَلَّ (: سئم) weary (*of*), be bored (*with*), get fed up (*with*); tire (*of living, talking, etc.*)
مَلأ fill, fill up or fill in (*form, etc.*)
~ (: زوَّد) replenish (*stores, one's wardrobe, etc.*)
~ (: حشا) stuff
مليء solvent, able (*financially*)
مُلائم convenient, suitable or suited (*to purpose, etc.*), fitting, agreeable
~ (في موضعه أو حينه) opportune, timely (*measure, act, etc.*), propitious
مَلابِس clothes, clothing
~ (راجع لباس)
مُلابِس (لوقائع ، اعتبارات ، الخ..) attending (*facts*), accompanying (*considerations*), concomitant (*circumstances*)
ملابسات attendant considerations; surrounding or accompanying circumstances
مَلاَّح seaman, mariner
~ (بحري) navigator
~ جوي flight navigator

مَلاَّح فلكي astronaut
مِلاحَة navigation
~ جوية air navigation
~ ساحلية cabotage, territorial navigation
~ فلكية astronavigation, astronautics, celestial navigation
صالح للملاحة (بحر ، نهر ، الخ..) navigable
صالح للملاحة (قارب أو ما إليه) seaworthy
مَلاَّحة salt-marsh, salt-pit, salt-works
مُلاحِظ overseer, supervisor
~ عمال foreman, ganger
~ (في مؤتمر أو اجتماع أو ما إليه) observer
مُلاحَظَة note, notice, observation, remark
~ (أشخاص يخشى منهم) surveillance
مُلاحَقَة (راجع تعقيب)
مَلاذ refuge, shelter; shield (*from distress, danger, etc.*), retreat of safety
مُلازِم (: مرافق) concomitant, accompanying, attendant (*as in: poverty and its attendant evils*)
~ (عسكري) lieutenant
مُلاصِق touching, abutting, contiguous, adjoining
~ (جار) abutter
ملاصقة (وضع مجاورة) juxtaposition
مِلاط (بناء) mortar
مِلاك (موظفين ، الخ..) cadre, establishment
مَلاَّك landed (*proprietor*), real estate owner
مَلامِح countenance, looks, expression, features of face
مُلامِس touching, in contact (*with*), adjoining (*something*), contiguous
مُلَبٍّ responsive, answering; sympathetic or sensitive (*to*), approving
مَلبوس (ج. ملبوسات) clothing, wearing apparel, wear, article(s) of clothing
مِلَّة religion, faith, creed, law, norms
مُلتَبِس confused, indiscrete; involved, intricate; blurred, indistinct
~ (راجع مُعضِل)

مُلتَزِم (: وجب عليه الاداء) obligor
~ (توريد أو بناء: متعهد) contractor
~ (له استغلال شيء نظير أجر) lessee, holding or undertaking party, farmer (*as in tax-farming*)
~ (اعمال) entrepreneur
~ (لنهج معلوم) committed (*to principle, action, cause*), dedicated, deeply concerned
مُلتقى meeting (*place or point*), conjunction
~ (في مكان متفق عليه) rendezvous
~ (خطوط ، طرق ، الخ..) intersection, junction
~ (آراء) concurrence, agreement (*in opinion*)
مُلتَمَس (: التماس) petition
~ (من جماعة للحيلولة دون شأن) remonstrance
مُلتَهِب aflame, ablaze; afire
مُلتَوٍ crooked, twisted; wry
~ (: معوج من تصرف أو ما إليه) devious (*behaviour, method*), underhand (*deal*), irregular (*contract, bargain*)
~ (: منحنٍ ، غير قائم) twisted (*line*), distorted (*shape*), crooked, bent
مَلْجأ refuge, shelter
~ (مصابين ، الخ..) asylum
~ (: مرجع أو تدبير يركن إليه) resort, recourse
~ (: معتصم) sanctuary
مُلِحّ importunate, persisting, persistent
~ (من ظرف أو ما إليه) compelling (*circumstance*)
~ (راجع مِلحاف)
مِلْحاف importunate, persistent, pressing in solicitation, dun
مُلْحَق (١) supplement (*of newspaper, etc.*), schedule (*to law, regulations, etc.*)
~ (: تابع) adjunct, addition
~ (بملك أو عقار اساسي أو ما إليه) appurtenant
~ (بوليصة) rider
~ (وثيقة ، حجة ، الخ..) appendix, appendage, addendum
~ (وصية) codicil
مُلحَق (٢) (بسفارة أو ما إليها) attaché
~ بحري naval attaché

مُلحَق تجاري — commercial attaché
~ ثقافي — cultural attaché
~ جوي — air attaché
~ صحفي — press attaché
~ عسكري — military attaché
مِلحيّ — saline
مُلزِم — binding, obligatory, mandatory, compulsory, compelling (*considerations, duty*)
~ (: وجب له الاداء) — obligee
~ لطرفٍ واحد — unilateral
~ (راجع ملتزم)
مِلزَمة (: مشد ثابت من حديد أو خشب) — vise
مَلزَمة (من كتاب) — signature, quire
مُلَطِّف (من وزن ، وقع ؛ الخ..) — softening (*element*), mitigating, extenuating (*circumstance*), attenuating; emollient or softening (*effect, etc.*)
~ (من ألم) — palliative
مَلعَب — playground, sports ground
~ (لكرة أو ما إليها) — field
مَلعون — accursed, damned, damnable, anathema (*of practice, name, etc.*)
مِلَفّ (: اضبارة) — file, dossier
~ دعوى — case file, case record
مُلَفَّق — fabricated, invented, trumped up (*charge, etc.*), concocted (*story, excuse, etc.*)
مَلِقَ (راجع تملّق)
مُلَقَّب (بكذا) — alias; so-called, commonly named, nicknamed, otherwise known (*as*...)
مِلْقَط — tongs (*for grasping coal*)
~ نار — fire-tongs
مَلِك — king; monarch, sovereign
مَلَكَ — own, possess, hold as property, have legal title (*to*)
مُلك — property, estate; tenement, holding
~ موروث — patrimony
~ اشتراكي (بين زوجين) — community property
~ انفرادي — estate in severalty
~ ايصائي — testamentary estate

مُلك ثابت (أو عقاري) — real property or estate (*realty*)
~ خادم (مرتفق به) — servient estate
~ خصوصي — private property
~ شخصي (: مال منقول) — personal property (*personalty*)
~ شخصي غير مادي — incorporal personal property, incorporal personalty
~ شخصي مادي — corporal personal property, corporal personalty
~ عقاري (راجع مُلك ثابت)
~ عمومي — public property (*or domain*)
~ (أو مال) مختلط — mixed property
~ مخدوم (: مرتفق) — dominant estate
~ مشترك — common property
~ مشروط (: ملكية مشروطة) — qualified property
~ مطلق — absolute property, domain
مَلَّك — enfeoff, invest with ownership
مَلِكة — queen, female sovereign or monarch
~ أمّ — queen mother
~ حاكمة — queen regnant
مَلَكة — talent (*for*), natural endowment, aptitude (*for*), bent (*for*), knack (*for*), gift (*for*)
مُلكي (: محل ملكية) — proprietary, privately owned, object of ownership
مَلِكي (حزب أو ما إليه) — monarchic, monarchical (*system of government*)
~ (: ملوكي) — royal (*family, household, etc.*)
مَلَكية (نظام) — monarchy
مِلْكيّة — ownership, property, proprietorship
~ أدبية — copyright, literary ownership
~ تامة — perfect ownership
~ خالصة — exclusive ownership
~ صناعية — industrial ownership, patent
~ غير تامة — imperfect ownership
~ مطلقة — freehold, absolute ownership
اصل ~ — root of title
~ (راجع ملك)
مَلَل — weariness (*with*), boredom (*with*)
مُلِمّ (بعلم أو فن أو ما إلى ذلك) — versed, learned

(*in art, poetry, etc.*); conversant (*with subject*)

مُلِمّ (راجع محيط)

مُلِمَّة affliction, distress, adversity, misfortune

مَلموس (راجع محسوس)

مُلَوَّث polluted, contaminated, befouled; infected, desecrated (*place, shrine*)

مُلوحَة salinity

مَلوم blameworthy, blameful, reproachful, culpable (*negligence, homicide, etc.*)

مُلَيِّن emollient, mollifying (*effect*), softening; soothing (*ointment, etc.*)

~ (المعدة) laxative, aperient

مُمارِس (لمهنة) practitioner (*of profession*), practicing (*lawyer, journalist*)

مُمارَسَة (: تعاطٍ ، استعمال) practice, use, exercise (*of right, power, etc.*)

مُماسّ tangent

مُماطِل dilatory, procrastinative

مُماطَلَة procrastination, vexatious delay

ممانَعَة resistance, opposition, refusal; reluctance

مُمتاز distinguished; excellent; eminent, towering (*achievement, etc.*)

~ (سهم) preferred, privileged

مُمتلِئ full (*of*), surfeited (*with*), replete (*with*), fraught (*with peril, hatred, etc.*)

مُمتَلَكات belongings, possessions, property

مُمتَنِع (عن رَد) unresponsive

~ (عن تعاطي شيء) abstentious

~ (عن اذعان ، نزول عن شأن أو مسايرته) unyielding, uncompromising

~ عن تعاون uncooperative

~ عن اداء واجب [قانون] cessor

مُمَثِّل representative

~ دبلماسي envoy, emissary

~ عمال (في مشغل أو ورشة) shop steward

~ (سينمائي) actor

ممثلة actress

مَمَر passage, pass, path

~ (: ممشى) alley, aisle

مَمَر (: خط مرور) course

~ (: قناة) channel

~ ضيِّق catwalk

~ تحويل by-pass

مُمَرِّض male nurse

مُمَرِّضة nurse

مِمْسَحة swab; mop, wiper

مَمْشى aisle, passage

مُمْكِن (راجع مستطاع)

مُمِلّ irksome, tedious, wearisome, tiresome (*person, thing*)

مَمْلَكة kingdom; realm

مَمْنوع (راجع محظور)

مُمَهِّد (: تمهيدي) introductory, preliminary

~ (لفعل أو مساهم في تحقيقه) contributory (*negligence, element, etc.*)

مُمَوِّل (: قابل للتداول) [شريعة] exchangeable

~ (يقدم المال اللازم لعمل أو مشروع) financier, investor

~ (: مالك) proprietor, owner

~ (: دافع ضريبة) taxpayer

مموِّن supplier

مُميت fatal, mortal, deadly (*enemy, shot, etc.*), lethal

مُمَيِّز distinctive (*feature*), distinguishing (*mark, characteristic*)

~ (: مدرِك) capable of discretion

مِن from

~ ثم thence

~ ذلك الحين فصاعدًا thenceforth

~ حيثُ wherefrom, whence

مَنَّ (: أنعَمَ) bless (*with*), confer (*upon*), bestow

~ (: عَدَّد معروفًا) enumerate boastfully or arrogantly, remind (*person*) of favour (*you have done him*)

مَناب (راجع مقام)

مُناخ climate; weather conditions

مُناخي climatic

مُنادٍ crier; herald

مُناداة (: مجاهرة بعقيدة أو سياسة أو غير ذلك) profession,

	open declaration (*of faith, calling, etc.*)
مُناداة (: دعوة لمبدأ أو غيره)	open advocacy (*of principle, etc.*)
~ (: إعلان حال أو حدث أو غير ذلك)	proclamation; public or formal announcement
مَنار	lighthouse, beacon (*to guide ships; of virtue*)
مَنارة	lighthouse, beacon
مُنازَعَة	dispute (*: labour ~*), disputation; controversy (*on or about a point of law, title, etc.*), contention
~ (راجع نزاع)	
مُناسِب	suitable, convenient; agreeable
~ (: في محله ، لائق)	fit or fitting, appropriate, apt, proper, opportune, propitious
~ (: ناجع)	expedient
مُناسَبَة (: فرصة ، ظرف)	occasion, circumstance, opportunity
مناسِك (حج)	rituals, set formularies, holy rites
مناسِل (راجع غدة تناسلية)	
مناص (: محيص ، مهرب)	escape, way out, alternative, refuge
مناط (: عِلَّة)	cause, source or origin
مُناظَرة	argumentation, debate; discussion
مَناعَة	immunity
مُنافٍ (راجع مخالف)	
مَنافِذ	inlets, outlets, accesses
~ (: مداخل لمكان)	approaches
~ نور (: مناور)	lights
~ (إلى منجم)	adits
مُنافِسٌ	rival, competitor, contestant, contender
مُنافَسَة (على شأن)	competition, contest (*between rivals*), rivalry
مَنافِع	benefits, advantages, interests, utilities
~ (منزل)	services (*bathrooms, kitchens, etc.*)
~ عامة	public utilities
مُنافِق	sycophant, servile, self-seeking, adulator
~ رخيص	minion
مَناقِب (: خصال حميدة)	virtues, merits, good qualities or attributes
مُناقِص	bidder (*for contract*), tenderer
مُناقَصَة	bidding, bid or bids, tender(s)
مُناقِض	contradictory, contrary
~ (لمصلحة)	adverse (*to interest, etc.*)
مُناكفة	bickering, brawling
مُناهِض (لمصلحة أو شأن)	adverse, counter, running counter or against
مُناوِب	alternate, on duty
~ (شرطي)	patrolman
مُناوَبة (في عمل ليلي ونهاري)	shift
مُناوَرَة	manœuvre (*maneuver*), army training exercise
~ (: حيلة عسكرية)	trick, stratagem
مُناوَشَة	skirmish, encounter, rencounter
مِنبَر	pulpit (*used by preacher*), tribune, forum
~ (: مِنصَّة)	platform
مُنبَسِط	plane, flat, level
مَنبَع (: مصدر ، أصل)	source, origin
~ (: ينبوع)	fount, fountainhead
~ (: باعث ، بادئ)	author (*of plot, act, etc.*)
مُنَبِّه (: موقظ)	awakening, arousing
~ (شخص)	awakener
~ (إلى واجب)	admonishing
~ (: باعث على نشاط)	stimulative, stimulant
~ (: مُحذِّر)	cautioning, warning
مَنبوذ	outcast; repudiated, ostracized (*from society*)
~ (هندي)	pariah
مُنتِج (: مثمر)	productive, producing, fruitful, producer (*well, country, etc.*), effective, useful or serving useful purpose
مُنتَخِب	elector
مجمع منتخبين ، هيئة منتخبين	electoral college
مجموعة منتخبين (: كافة منتخبي جهة أو بلد أو شعب)	electorate
مُنتَدَب	mandatary or mandatory (*person or state*); delegated (*judge*)
مُنتَشِر	widespread; scattered, strewn; diffused (*learning, light, etc.*)
~ (: شائع)	common, rife

مُنتَصَف middle, centre
~ (جسم : خصر) waist
~ طريق midway
مُنتَظَر awaited, anticipated (*relief*), expected, foreseen (*event*); prospective (*successor, ruler, profit, etc.*)
مُنتَظِم regular, orderly, uniform; in line
مُنتَفِخ (: متضخم) swollen
~ (: ممتلئ بالريح) inflated
~ (راجع متورم)
مُنتَفِع (: ممارس لحق انتفاع) usufructuary
~ (: متمتع بشيء أو مستعمل له) user
~ (راجع مستفيد)
مُنتَهى (: نهاية) end, finish
~ (: طرف اقصى) tip, extreme, terminus
~ (: حد اقصى لنفقات) ceiling
~ (: اقصى ما يستطاع توافره) utmost (*care, attention*), ultimate
مَنتوج product, produce, production
~ (: مقدار ناتج) turnout
مَنْجًى escape
منجد (: مُغيث) salvager, succourer
مُنجَز complete(d), finished, achieved (*success*), consummate (*work*)
مِنجَل sickle
مِنجَلة vise
مَنجَم mine
عامل ~ miner
~ فحم coal mine
~ (وملحقاته من أبنية وغيرها) colliery
مُنَجِّم (يتنبأ بتأثير النجوم في حياة البشر) astrologer
مَنَح grant, accord (*approval, warm reception, etc.*), give, award
مِنحَة grant, gift
~ (: إكرامية) bonus, bounty
مُنحَدَر slope, descent, downward slant or inclination, downhill
مُنحَرِف (: غير مستقيم ، معوج) crooked, bent, indirect, oblique, devious
~ (أخلاقيًّا) pervert, deviate

مُنحرِف الصحة indisposed
مُنحَلّ dissolved (*parliament, etc.*)
~ (إلى حين) adjourned
~ (: متفرق) dispersed, broken up
~ (: ذائب) melted, in soluble state; decomposed
~ (أدبيًّا) degenerate
~ الخلق (جنسيًّا) pervert, sexual pervert, profligate (*person*)
مُنحَنى curve, bend; turn
منخَر nose, nostril
مُنخفِض low, depressed
مُنخفَض (من أرض) lowland, depressed (*area*)
مُنخُل sieve
مُندَثِر (: إمَّحى) obliterated, expunged
~ (: ميت) dead
مَندوب (عن جهة أو دولة) delegate
~ (: مفوَّض) commissioner
~ بابوي internuncio
~ تأمين insurance commissioner
مُنذ since (1940, *yesterday, etc.*)
~ (: قبل) ago (*: a century ago*)
مَنزِل home, house, residence
~ (: شقة في عمارة) flat, apartment
مَنزِلَة place, position
~ (: درجة) rank, degree
~ (: اعتبار) estimate
مَنزِليّ (يتصل بحاجيات المنزل أو استعماله) domestic, home-(*made, ~ article, etc.*), household (*goods*)
مُنَزَّه (راجع معصوم)
مُنسَجِم consistent (*with*), in agreement (*with*), concordant, uniform
~ (من حيث الوقع أو غيره) tuneful, harmonious
مَنسوب (: مستوى) level
~ مطلق absolute level
~ (من حيث الصلة) related (*to*), ascribed or imputed (*to*)
مَنسوج (ج. منسوجات) texile(s), yarn, woven or knit cloth
مَنشَأ (راجع مصدر)

مُـنشئ founder (*of a newspaper, society, institution, etc.*)

~ (لعمل أو مشروع أو ما إلى ذلك: باعث على تكوينه أو مُهيِّئ له) promoter

مُـنشَأة (راجع مؤسسة)

~ (أو منشآت) آلية plant(s), concern, firm

مُـنشآت constructions, fixtures

مِـنشار saw

~ دائري (قرصي) circular saw

~ شريطي bandsaw

~ قصاب butcher's saw

مُـنَشِّط (: باعث على حركة أو تفاعل أو ما إلى ذلك) activator

~ (: باعث على نشاط) refresher, tonic; stimulative, stimulus; invigorating (*effect, action*)

مُـنشَقّ dissident (*faction*), seceder, secessionist (*state, etc.*), breakaway (*province*), renegade (*member*), turncoat

~ (عن اضراب) scab

مَـنشور (يوزع باليد) handbill, pamphlet, leaflet

~ (: نشرة) publication

~ (يعرض على جانب واحد من لوحة) placard

~ (لدعاية سياسية أو دينية) tract

مَـنْصِـب office, position

~ قضائي judicial office

مِـنْصَـب stand; frame (*on or in which something is placed*)

مِـنَصَّـة platform; rostrum

~ (: منبر في كنيسة) lectern

~ (قائد جوقة ، خطابة ، الخ..) podium

~ استعراض أو خطابة أو كرسي عرش أو ما إلى ذلك dais

مُـنصَـرَف (من اموال) – منصرفات outgo, outgoings, expenditure

مُـنصِـف fair (*deal*), equitable (*treatment, share, etc.*), just (*judge, decision, etc.*)

مُـنصَـهِـر molten, fused

مَـنصوص (عليه) provided (*for*), laid down (*in or under decree, law, order, agreement, etc.*)

~ (عليه في تعاقد ، مشارطة ، الخ..) stipulated

مِـنضَـدة table

~ كتابة desk

مُـنضَـمّ (خصم ، شريك ، شركة ، الخ..) joined (*party*), joint (*partner*), affiliated (*society, company, etc.*)

~ (: متَّحد) consolidated, associated

مُـنطَـاد airship

مَـنطِـق logic

عالم ~ logician

منطقي logical

مِـنطَـقَـة region, area, zone

~ (ذات حدود مبينة ، حدود) precinct

~ (لأغراض الادارة) district

مُـنطَـوٍ (على نفسه) indrawn, reclusive, introvert, aloof, retired

مَـنْطُـوق (حكم أو ما إليه) text (*of judgment*), pronouncement, ruling

مِـنظار telescope

مَـنظَـر view, sight; spectacle

~ (بهيج) scenery

مُـنَـظِّـم organizer; regulator

مُـنظَّـمَـة organization

~ العمل الدولية International Labour Organization

مَـنظور (راجع مرئي)

مَـنَـعَ prevent, preclude (*something from, etc.*), bar, prohibit, inhibit (*person or thing*), obviate (*disagreeable action*), ban, forbid, interdict, deny (*right, benefit to others, etc.*)

مَـنْـع prevention, preclusion, prohibition, inhibition, interdiction

مَـنْـعة formidability, invincibility

~ (: قوة) might, power

~ (: مقاومة) resistance

مُـنعَـدِم nonexistent, inexistent

~ (الاثر أو المفعول أو الاهمية) null

مُـنعَـزِل secluded (*place*), aloof (*person*), apart, removed (*from colleagues, town life, etc.*)

~ (: يعيش في عزلة) solitary, recluse

مُنعَزِل (: منقطع عن الغير) incommunicado
مُنعَطَف bend, curve
~ حاد hair-pin curve
مَنْفى exile
مُنْفَتِح (في تفكيرأو تعامل) extrovert, outward-looking, open-minded
مَنفَذ access
~ (لدخول) inlet, way in
~ (لخروج) outlet, way out, escape
~ (لورود شيء) approach
~ تعدين adit
~ (راجع منافذ)
مُنَفِّذ executor (*of will*)
~ احتياطي executor by substitution
~ مسمى بالوصية executor named in the will
~ (: جلاد) executioner
مُنَفِّذة (لوصية) executrix
مُنفَرِد single (*object, article*), sole, unique; solitary (*example*)
~ (راجع منعزل ، منفصل)
(منفردون : كلٌّ بمفرده (*several*
(مجتمعون ومنفردون (*joint and several*
مَنفَس (: متنفس) vent (*for feeling, smoke, etc.*), outlet
مُنفَصِل separate (*property*), detached, apart, unconnected or unrelated (*to thing or person*)
~ (: خاص بشيء دون غيره) independent, distinct (*provision, note, etc.*)
~ (: في عزلة) isolated, secluded
~ (: مفصول عن غيره) segregated (*persons*)
مَنفَعَة benefit, advantage, good, interest
~ (: وجه استعمال) use
~ (مجردة عن الترف) utility
مُنفِق (على خصومة بين اغيار) maintainor
~ (راجع انفق)
مُنَقِّب explorer, prospector (*for gold, petroleum, etc.*)
مُنقِذ (من غرق ، هلاك ، الخ..) rescuer
~ (: مخلِّص وطن ، شعب ، الخ..) saviour, deliverer

مُنقِذ بحري salvor
مُنقَرِض extinct (*animal or thing*)
مُنقَطِع ruptured (*relations, etc.*), disrupted, severed, discontinued (*supplies, operations, etc.*), broken (*ties*)
~ (: غير متواصل) intermittent
~ النظير peerless, matchless, without parallel, incomparable
~ الصلة بالغير (: بمعزل عنهم) incommunicado
مَنْقَلَة (: مرحلة) leg (*of journey*)
~ (لقياس الزوايا) protractor
مَنْقُوش engraved, incised; inscribed
مَنْقول matter of report
~ (من مال) movable (*moveable*), personalty, chattel
شبه ~ quasi personalty
~ إليه alienee, assignee, transferee
مَنقولات حية (كالماشية) quick chattels
مَنكِب (: رأس كتف) shoulder (*point*)
~ (: جانب) side
~ (: عون) support, backing, aid
مُنكَر taboo (*person or thing*), anathema (*of doctrine name, etc.*)
مُنكَسِر dejected (*person*); downcast (*look*)
مَنكوب distressed or in distress, stricken; blighted
مِنهاج (راجع منهج)
مَنهَج (طريق واضح) (*clear*) course
~ (دراسي) syllabus, curriculum
~ (مخطط وقائع أو مواعيد أو ما إلى ذلك) programme, scheme, timetable, schedule
مِنْوال (راجع نَسَق ، نَمَط)
مَنوَر (: منفذ نور) light inlet, skylight
مَنُوط entrusted, confided
مُنَوِّم (من ادوية وما إليها) somnifacient, somniferous (*drug, etc.*), soporific
~ (مغناطيسيًّا) hypnotic
~ (مخدر: مفقد للحس) anaesthetic
مَنَوي seminal
سائل ~ semen

مُنير	luminous, bright; radiant (*face, looks, etc.*), shining
مَنيع (: لا يتسنى عبوره)	inaccessible, impervious
~ (: يستحيل قهره أو التغلب عليه)	indomitable, unconquerable, invincible; unsurmountable, impregnable (*castle, defences, etc.*)
مُهاتَرة (: مراشقة بالتهم)	recrimination, indulgence in countercharges
مُهاجِر (من وطن)	emigrant
~ (إلى بلاد ليستقر فيها)	immigrant
~ (من حيوان أو طير أو نبات)	migrant
مُهاجَرة (إلى بلاد)	immigration
~ (من وطن)	emigration
مَهارَة	skill, dexterity, adroitness
مُهايِئ	adapter; conditioner
مهايأة (قسمة)	usufruct division of common
مَهَبّ	windward, direction from which wind blows
مَهْبط	landing (*place, site*)
~ (وحي أو ما إليه)	oracle
مَهْبِل	vagina
مَهْجَر	expatriate home
مَهْجَع	(راجع مرقد)
مَهجور	abandoned (*child, house, etc.*), deserted (*wife, island, etc.*), desolate; forsaken; derelict (*ship*)
مَهْد	cradle
~ (إجرام ، فاحشة ، مؤامرة ، الخ..)	bed
مَهَّد (لشأن)	pave the way, prepare ground (*for*)
~ (: سَهَّل)	facilitate
~ (شيئًا : قدَّمهُ)	introduce, prelude (*something*)
~ (سطحًا ، طريقًا أو ما إليها)	level, flatten or flat
مُهَدِّئ	sedative (*treatment*), tranquilizing (*effect*)
مَهَر ؛ مَهْر	dower
مَهْرَب	(راجع مناص)
مُهَرَّب (ج. مُهرَّبات)	smuggled, contraband (*goods, etc.*)
مُهَرِّب	smuggler, contrabandist
~ اسلحة	gunrunner
مُهَرِّج	buffoon, clown; joker
مِهْرَجان	festival, festivity, celebration
~	(راجع موكب)
مَهْزَلة	mockery, farce, ridiculous or empty show
مَهَق	albinism
مَهْل	ease, leisure, leisureliness
على ~	ease up, go slowly, go easy, unhurriedly; at one's leisure
مُهْلَة	(*period of*) grace; respite; term
~ (يعطاها المحكوم بالاعدام قبل التنفيذ)	reprieve
~ إجبارية	forced respite
~ انتظار لاحقة (فيما يتعلق بسفينة أو شاحنة)	demurrage days
~ خيارية	voluntary respite
~ للتفكير	term for deliberating (*or deliberation*)
مَهْلكة	deadly risk, peril, destruction
مُهِم	important (*thing or person*), significant (*difference*), worthwhile (*experiment, effect*)
مُهِمَّات (: مؤن ، تجهيزات)	supplies, provisions
~ (سكك حديدية : عربات ومركبات بضائع)	rolling stock
مهمات التجارة	stock-in-trade
مُهِمَّة (: شأن)	concern (*of somebody*), affair, matter; business, function
~ (: عمل يتولاه الموكول به)	undertaking; job; mission
~ (: واجب ، عبء)	duty, onus (*of proof, etc.*)
~	(راجع مهمات)
مُهْمِل	careless, negligent or neglectful
~ (في هندام أو هيئة)	sloven
مُهْمَل	neglected, uncared for
~ (: متروك)	abandoned
مِهْنة	profession, occupation
~ (: حرفة)	calling; vocation, trade
سر ~	trade secret
مُهَندِس	engineer
~ انشاءات	construction engineer
~ معماري	architect
مِهْني	vocational, professional, occupational

مَهْوى ، مَهْواة [تعدين] — shaft

مَهُول — frightful, awesome, fearful, alarming (*extent, act, person, etc.*)

مُهَوِّل — alarmist

مُهَيِّج — exciting

~ ~ (: مثير) — provocative; irritating

~ (للخواطر) — disconcerting (*news, event, etc.*)

مُهَيْمِن — ruling, predominating, supreme

~ (في دولة) — sovereign

مُهَيْمِنة (كدولة على اخرى) — suzerain (*state*)

مُهين — degrading, insulting, humiliating, below one's dignity, demeaning (*act, conduct*)

~ (: ساقط) — contemptible

مَوات (ارض) — wasteland

~ (: ارض متروكة) — derelict (*land*)

مُواجِه — facing, fronting on (*a building*), opposite, standing opposite (*or face to face with*) something

~ (لِنِدٍّ ، خَطَر ، الخ ..) — in confrontation (*with*), facing up to (*danger*); meeting (*his judges with self- confidence*)

(في مواجهة الغير — (*as against others*

مُواجَهة — confrontation

مَوارِد — resources, means or available means

مُوازٍ — parallel

~ (: مشابه) — similar, analogous

مُوازِن — equilibrant, stabilizer; counterbalance

~ (: يسوّي جانبًا بآخر) — equalizer

~ (: مساو) — equivalent

مُوازَنة (: ميزانية) — budget

~ (راجع ميزانية)

~ (: مساواة) — equalization, equation

~ (: مقابلة) — comparison

~ حسابات (أو ترصيدها) — balancing of accounts

~ سعر الصرف (أو مراجحة الكامبيو : شراء الاسهم في سوق وبيعها في آخر سعيًا للربح) — arbitrage or arbitration of exchange

مُواساة — comfort, consolation

مُواصَفات — specifications, descriptions

مُواصَلات — communications

مُواصلات سلكية ولاسلكية — telecommunications

~ لاسلكية — wireless communications

مُواطِن — citizen, national, conational

مُواظِب — punctilious, dutiful; prompt

~ (على ميعاد) — punctual

مُواظَبة — punctiliousness, dutifulness, promptness, punctuality

مُوافِق (: مناسب) — suitable, opportune (*moment*), fitting, appropriate (*measure, behaviour, etc.*)

~ (: في اوانه) — timely, seasonable

~ (: مؤيد) — assenting, in agreement, for (*motion, proposal, opinion, etc.*)

مُوافَقة — approval, assent, agreement, sanction (*of law, agreement, etc.*), ratification (*of treaty, law, etc.*)

~ (: ملاءمة لشأن) — suitability, convenience, fitness, appropriateness

مواقعة — copulation, sexual intercourse, carnal knowledge, coition

~ على خلاف الطبيعة — sexual intercourse against nature, buggery

موالٍ — supporter (*of person or thing*), adherer (*to a principle, movement*); siding with, favouring, pro-(*Arab, reform*)

مَوْبوء — infected

~ (راجع ملوث)

مَوْت — death; bane; doom

~ (: وفاة) — decease, demise

~ (جنائي ، غير طبيعي) — violent death

~ طبيعي — natural death

~ مدني — civil death

حشرجة الموت — death rattle

فراش الموت — deathbed

على شفا الموت — *in articulo mortis*

في مرض الموت — *in extremis*, in the last illness

مُوَثِّق — notary public, authenticating officer

موثوق — trustworthy, reliable, confirmed

~ (: مُطَّلع) — well-informed (*source*)

مَوَّج — wave, undulate

مُوجِب (: مشترط ، واعد) stipulator, promisor
مُوجَب (: ايجابي) positive
مَوْجة wave
مَوْجِدَة indignation, anger, ire
~ (: ضغينة) grudge
مُوجَز (: مقتضب) brief, succinct, concise; curt, laconic
~ (: خلاصة) brief, abstract, synopsis, summary, abridgment, epitome, conspectus
~ (: مجمل) outline
~ دعوى abstract of record (*or of case, etc.*)
مؤجَّل deferred (*payment*), postponed (*hearing*)
مُوَجَّه guided (*missiles, etc.*), planned (*action, economy, etc.*); directed, addressed (*to person, place, etc.*), led, piloted, steered
مَوْجود (في مكان) present, existing, found, extant or to be found
~ (: متوافر ، ميسور) available, obtainable
~ (: كائن) being, in being
~ في كل زمان ومكان omnipresent, ubiquitous
موجودات (مخزن من بضاعة) stock
مُوَحَّد unified, united, integrated (*policy, etc.*)
~ (: مشمول بنظام اتحادي) federated
مَوَدَّة affection
مُودِع bailor, depositor
مُودَع لديه bailee, depositary
مُوراتوريوم (: تأجيل اداء الديون) moratorium
مُوَرِّثات genes
مَوْرِد source, means
موارِد resource(s)
مُورْفين morphine
عادة تعاطي المورفين morphinism
مَوْروث (من ملك أو ما إليه) patrimonial, inherited
مُوَزِّع distributer (*distributor*)
مُوسى knife
~ بري (نحت) carving-knife
~ جيب pocket-knife
~ حلاقة razor
~ صيد hunting knife
مُوسِر wealthy, affluent, well-to-do
موسِر (: مليء ، يملك الوفاء بما عليه) solvent
مَوْسِم season
مَوْسوم branded, stigmatized, tainted (*person or thing*)
مُوْصٍ (: الموصي : منشئ الوصية) testator, testate
~ (بمال ثابت) devisor
~ (بمنقول) legator
غير ~ (شخص متوفى) intestate
مُوصى له (بمال ثابت) devisee
~ (بمنقول) legatee, legatary
مُوْصى عليه (: مسجَّل) registered
مُوَصِّل conjunctive (*tissue, line, etc.*), copulative (*word*), conductive (*to heat*); conductive (*of heat*)
مُوَصِّلِيَّة conductivity, transmissibility
~ (: إمكان النفاذ إلى شيء) accessibility
مُوَصْوِص (: يسترق النظر إلى عورات الغير) Peeping Tom
موصية testatrix
~ (راجع موصٍ)
مَوْضِع (راجع محل)
مَوْضِعي local (*effect*), topical (*anaesthetic, remedy, etc.*)
مَوْضوع subject, subject matter, question
~ (دعوى) merits
~ (مقالة ، خطبة ، الخ..) theme, topic, rubric
~ (تأمين) premises, subject of insurance
~ بحث (أو نقاش) controversy
مَوْضوعيّ relevant, of merits, pertinent or material (*to issue, question, etc.*), relating to subject matter
~ (: يتصل بالمهم أو الضروري من شأن) substantive, substantial
مَوْضوعيَّة relevancy, relevance
مَوْطِن domicile; home
~ اصلي domicile of origin
~ تجاري commercial domicile
~ زوجية matrimonial domicile
~ طبيعي (: موطن المولد) natural domicile

مَوْطِن (طبيعي لنبات أو حيوان)	habitat
~ مختار	elected domicile, domicile of choice
مُوَظَّف	functionary, official, employee
~ ادنى	subaltern
~ اعلى	superior official
~ بحكم الواقع	official *de facto*
~ رسمي (أو عمومي)	civil (*or public*) servant
~ شرعي	official *de jure*
(موظفون : في دائرة أو مصلحة أو ما إليها *personnel*)	
مَوْعِد (: ميعاد)	appointment, engagement
~ (اجتماع) متفق عليه	rendezvous, tryst (*between lovers*)
~ (لمراعاة شأن)	term
~ محدَّد	time-limit, deadline (*for a certain occurrence*)
~ (: ميعاد) اثبات	term probatory
مَوعِظة (راجع عظة)	
مَوعود (: موضوع وعد)	promised
~ (: مقرَّر)	fixed, determined
~ (: من أعطي له الوعد)	promisee
مُوفٍ (: كاف)	sufficient, adequate, enough
مُوفَد	delegate; delegated, sent as representative or envoy or emissary
مُوَفِّر	sparing, frugal, thrifty, saving (*scheme*)
مَوْفور	available, obtainable, plentiful
مَوقِع	location, position; place
~ (: نقطة)	spot
~ (: مكان فعل ، حادث ، شيء)	site
مُوَقِّع (على وثيقة)	subscriber (*of document, etc.*)
~ ذيلا (ادناه)	undersigned
مُوَقِّعة (دولة)	signatory (*state*)
مَوقِف	position (*of strength*), situation
مَوقوت	timed (*to ignite, explode, etc.*), time (*charge, bomb, etc.*); set or fixed for a determined time
مَوقوف	in custody, on remand; detained, detainee (*person*)
~ (عن عمل أو ممارسة)	suspended
~ (: محصور الملكية في جهة معينة كالوقف)	mortmain
~ (: مخصص لشأن ، معقود عليه)	dedicated, devoted, consecrated (*to*)
مَوْكِب	procession
مَوْكِبي	processional
مُوَكِّل (في دعوى)	client
~ (: اصيل)	constituent, principal
مَوَّل	finance (*an enterprise*), fund (*economic research*), furnish with funds, invest
مَوْلَى (راجع سَيِّد)	
مَوْلِد	birth
~ (: سلالة ، أصل)	lineage, extraction, origin
مُوَلَّد	hybrid; composite (*word, phrase, etc.*)
مُوَلِّد (١)	obstetrician
مولدة : قابلة	midwife
مُوَلِّد (٢) (: آلة توليد كهرباء أو غيرها)	generator, dynamo
مَوْلود	born, newborn
~ ميت	stillborn
مُومِس	prostitute, whore, harlot, strumpet, streetwalker
مَوَّن	supply, provide (*with*), furnish (*with requirements*)
مَوَّه	water (*stock, etc.*), camouflage (*installations, equipment, etc.*), misrepresent (*facts, figures, etc.*), sham (*illness, a faint, etc.*)
مَوْهِبة	gift, talent (*for*), natural ability, endowment, aptitude, knack (*for*)
مُوهِن (راجع مضعف)	
مَوْهُوب	talented, gifted; endowed
~ له (: مستفيد من هبة)	grantee
مِياه	waters
~ اقليمية ، بحر اقليمي ، حزام بحري	territorial waters, marginal sea, marine belt
~ باطنية ، ~ جوفية	subterranean waters
~ داخلية	inland waters
~ سطحية	surface waters
~ صالحة للملاحة	navigable waters
مُياوَمة	by the day (*labourer, etc.*); daily (*wages, rate of pay, etc.*)
مَيْت	dead, deceased, defunct, decedent

مَولود مَيْت — stillborn (*still-born*) (*child, etc.*)
مِيثاق — covenant
~ (: عهد) — promise, pledge
~ (بين دولتين أو اكثر) — charter, convention, pact
~ جنيف — Geneva Convention
~ هيئة الامم المتحدة — United Nations Charter
مِيثاقي — pactional
مَيْدان — field; province (*of sport, commerce, etc.*)
~ (: نطاق) — area
مِيراث (: وراثة) — succession
~ (: تركة) — inheritance, estate
~ (: مال ينتقل بالميراث) — hereditament
~ (: تراث) — heritage, tradition, patrimony
~ اعتباري — artificial succession
~ ايصائي — testamentary succession
~ بلا وصية (: مات عنه صاحبه دون أن يوصي) — intestate succession
~ مادي — corporeal hereditament
~ مشاطرة — several inheritance
~ معنوي (أو أدبي) — incorporeal hereditament
مِيراثي (: ينتقل بالوراثة) — heritable
~ (ملك ، مال أو ما إليه) — patrimonial
~ (: وراثي) — hereditary
مِيرة — provisions, supplies
~ (: كمية مقننة) — ration
مِيريّ (اراضٍ) — public domain
مَيَّز (١) — distinguish, differentiate; reason
~ (بالمقارنة بين شيئين أو اكثر) — contradistinguish
~ (في معاملة على غير اساس الجدارة) — discriminate (*against person*)
~ (بعلامة فارقة) — mark out
~ (بين اشياء) — discern
مَيَّز (٢) [محاكمات] — bring appeal for cassation (*against judgment*); affirm or pass judgment in cassation
مِيزان — balance
~ (: توازن) — stability, harmony
~ (: معيار) — criterion
~ تجاري — balance of trade
~ تسوية — level
ميزان مدفوعات — balance of payments
كفة ~ — scale
مِيزانيَّة — budget
~ (أو موازنة) تفصيلية — line by line budget
~ كشفية (: ورقة ميزانية) — balance sheet
ضمَّن أو ادخل في ~ ، نظَّم ~ — budget
مِيزة — quality, virtue, attribute, advantage, property
~ (خاصة) — characteristic, trait
~ (من خواص شيء) — attribute
~ (تساعد على سرور أو ترفيه أو تسلية أو ما إلى ذلك) — amenity
~ (تعود بحكم منصب ويختص بها صاحبها) — prerogative (*of king, court, etc.*)
مَيْسِر (راجع قمار)
مَيْسَرة — left, left side, left-hand side, left flank (*of army or side of person or thing*)
مِيْسَم (: علامة) — stamp, sign, mark
مَيْسُور — affluent (*person, society*), well-off
~ (من مذهب) — lenient, tolerant, compassionate, understanding, unburdensome
~ (: متوافر) — readily available, accessible, plentiful
~ (الحال) — comfortable, easy
مِيعاد (راجع موعد)
مِيقات (: زمن ، اوان ، موعد) — time, season; term
مِيكانيكي — mechanical
~ (: عامل ميكانيكي) — mechanic
مَيْل — inclination, propensity, leaning
~ (سطح ، خط ، الخ ..) — slant, dip, slope
~ (: تهيؤ ، استعداد) — predisposition (*to mercy, malaria, etc.*)
~ شديد — penchant (*for*)
~ (: تعلق) — liking
~ (: محاباة) — partiality, bias, bent, favouritism, prejudice (*against or in favour of boxing, etc.*)
~ (إبرة) — dip
مِيل — mile
~ بحري = عُقدة (حوالى ١٨٥٣ مترًا) — nautical mile
~ جغرافي — geographical mile
مسافة ميلية ، علاوة ميلية — mileage

ميل علامة ميلية milestone
ميلاد birth
مَيْمَنَة right, right side, right-hand side, right flank (*of army or side of person or thing*)
~ (سفينة) starboard
مِيناء harbour, port
~ (: ملجأ سفن أو ما إليها) haven
~ اجنبي foreign port

مِيناء أهلي (: ميناء تسجيل السفينة) home port
~ التسليم port of delivery
~ التفريغ port of discharge
~ التوجه (أو الوصول) port of destination
~ حر free port
~ الدخول port of entry
~ القيام (أو الشحن أو السفر) port of departure
رئيس ~ harbourmaster

ناءٍ — distant, remote, outlying (*locality, territory*), far-off, far away

نأي (راجع بُعْد)

ناءَ (بحمل) — sag (*under burden, increased pressure, etc.*)

~ (: نهض مثقلا) — rise heavily

نائب — deputy, substitute, lieutenant

~ (رئيس ، قنصل ، ملك ، الخ..) — vice (*-chairman or -president, -chancellor; -consul; -roy or -regent, etc.*)

~ (في وظيفة) — *locum tenens*

~ (برلمان) — member of parliament, deputy or representative (*in a House of Deputies or of Representatives*)

~ (: مفوض رسمي عن الغير) — proctor, procurator, proxy

~ (: وكيل) — agent

~ (: ممثل) — representative

~ عام — attorney general

~ بالعمالة — commission agent

نائبة (: كارثة ، مصيبة ، محنة) — disaster, calamity, catastrophe; affliction; misfortune, distress

نائم — asleep; dormant (*during winter; faculty; people, etc.*)

شريك ~ (: موصٍ) — dormant partner

نابَ — represent, act for or on behalf; deputize, act as deputy (*for*)

نابٌ (سن) — canine (*tooth*), cuspid

~ (فيل) — tusk

نابِض (: زنبرك) — spring

نابِغة (راجع عبقري)

ناتِىء — protruding, bulging (*part, etc.*), projecting (*over street*), protuberant, salient (*sector, characteristic, point, etc.*)

ناتِج — product, produce (*of country, etc.*), output

~ (: انتاج) — production, turnout, yield

~ (عدة عوامل مختلفة) — resultant, outcome (*of different factors, tendencies, etc.*)

ناجِح — successful

ناجِز (: حاضر) — (*fully*) ready, complete in every detail; performed (*promise*)

~ (: كامل ، مكمل) — consummate, perfect (*happiness*)

~ (عقد أو ما إليه) — executed

ناجِع — expedient (*plan, action, etc.*), useful (*attempt*), availing (*effort*), effective (*remedy*)

ناحَ — wail, whine, lament loudly

ناحِيَة (: جانب ، اتجاه) — side, direction, quarter

~ (: موقع) — locality

~ (: منطقة) — district, zone; vicinity

~ (: وجه) — phase, facet, aspect

ناخِب — elector

~ (: مصوِّت) — voter

~ (: احد افراد دائرة انتخابية) — constituent

~ مغترب — outvoter, absentee voter

هيئة ناخبة ، مجموعة ناخبين — electorate

نادٍ — club

~ ليلي — nightclub

نادَى — call (*someone*)

~ (: استدعى) — summon, send for

~ (بشأن) — proclaim (*independence, sucession, etc.*), profess (*a different idea, policy, etc.*)

نادِر — rare (*stone*), seldom (*found, seen*), scarce

	(*commodity*), infrequent (*visits, occurrence*)
نادِم	regretful (*person, ~ for action, etc.*), rueful, remorseful
نارٌ	fire
خط ~	firing line
وقف (اطلاق) النار	cease-fire
خط وقف النار	cease-fire line
~ كاسرة ، ~ مُعادية	hostile fire
نازِح (من بلاد إلى اخرى)	migrant
~ (يعيش في غير بلاده)	expatriate
نازَع (في شأن)	dispute (*point, decision, etc.*), contend (*with, ~ for something*), contest (*election, title, etc.*), oppugn or call in question
~ (امام محكمة)	litigate (*a question before a court of law*)
~ (: خاصم بسبيل الجدل)	wrangle (*about trifles*)
~ (في حِاس أو حدة)	altercate, wrangle
نازَل (: تحدَّى ، بارى ، قابل في قتال)	challenge, contend (*against*), compete (*with*), encounter or confront in battle; fight
نازِلة (: مصيبة ، كارثة)	disaster, calamity, catastrophe
~ (: حادثة)	accident
ناسَب	suit, befit (*person or thing*), agree, fit, accord (*with*), be appropriate or proper (*for*)
~ (: لاءم – من حيث الشكل أو المستوى أو غيره)	match (*something*), correspond (*to, etc.*)
ناشِئ	nascent (*nation*), emergent, budding (*nation, barrister, novelist*)
ناشَد	call upon (*person to help*); plead with (*him to keep his promise*), implore, appeal earnestly
ناشِر (صحيفة ، قصة ، الخ..)	publisher (*of newspaper, book, etc.*), diffuser, disseminator (*of ideas, literature, etc.*), circulator (*of rumours*), promoter, propagator (*of theory, doctrine, etc.*)
ناشِز ، ناشِزَة	disloyal (*spouse*), insubordinate and alienated or estranged (*wife*), disaffected and disobedient
ناشِف	(راجع جاف)
ناصَر	champion (*a movement*), espouse (*cause, ideology, etc.*), support, back (*an argument, a person*)
ناضِج	ripe, mature
ناضَل	struggle (*for or against, etc.*), fight, strive (*for independence*)
ناطَ (: علَّق)	attach (*hope, importance, etc., to something*); hang, suspend; fasten
ناطَ	(راجع بعُد)
ناطَى (: نازع)	dispute, contend, wrangle (*with somebody about a certain matter*)
ناطِحَة سحاب	skyscraper, a very tall building
ناطِق (بلسان جهة)	spokesman
ناطِقة (بلِسانِ جِهة)	spokeswoman
ناظَر	correspond, match
ناظِر	steward, superintendent, overseer
نافَى	contradict (*a theory*), be at variance (*with*), gainsay, be against (*a law*), depart (*from a certain course*); violate (*an order*)
نافِذ	in (*or of*) force, effective (*law, rule, provision*), operative; valid (*permit, passport, etc.*)
نافِذَة	window
نافَس	rival (*person or thing*), compete (*with*)
~ (: بارى)	match (*with or against*), vie (*with*), contend (*with*)
نافِع	useful, beneficial; serviceable
نافَق	toady (*to the boss*), fawn servilely (*on or upon*), adulate, flatter (*person*) basely
نافِقٌ	salable, marketable
نافِلة (١) (من صلاة)	unordained (*prayer, etc. performed voluntarily*), supererogation
نافِلة (٢) (: عطية)	gift, donation
نافِلة (٣) (: غنيمة)	spoil(s), prize, booty
نافِلة (٤) (ج. نوافل : افعال غير جائزة)	tort(s)

نافِلة الربان (: أعمال الغش – في القانون البحري) barratry

نافورة spout, jet

~ ماء waterspout; fountain

ناقَش (شهودًا أو غيرهم) cross-examine, examine, interrogate (*witnesses closely*)

ناقَص (في مناقصة على عَقْد) underbid, bid or make a bid, make a tender (*for supply of goods, services, etc.*)

ناقِص incomplete; imperfect

~ (: منقوص) diminished

~ (في حساب) minus

ناقَض contradict, gainsay, disaffirm (*statement, declaration, etc.*)

ناقِل carrier, conveyer or conveyor, alienor (*of property*), transporter (*of goods*), bearer (*of message*)

~ (لحق أو ملكية) assigner, assignor, transferor

~ اخبار informer

ناقلة بترول tanker

ناقلة طائرات aircraft carrier

ناكَب (راجع تاخم)

نالَ attain (*a high position*), achieve (*autonomy, etc.*)

~ (: حصل على) obtain (*exemption, ticket, etc.*), receive (*degree, invitation, award*)

~ تعويضاً recover

~ (من شأن أو قيمة) detract (*from value*), derogate (*from a merit, right, etc.*), impair (*effect*); prejudice (*somebody's interest*); depreciate

~ (: حط من قدر) disparage, discredit

نامَ sleep, go to sleep, fall asleep, doze off, slumber (*in comfort, etc.*)

نامٍ (: في سبيل النمو) developing (*country*)

ناموس norm (*of nature or society*), law, rule

ناهَز nearing, be nearly or approximately, approaching

ناهَض resist, oppose, counter or counteract, withstand, run against; combat

ناهِض developing, emergent

ناهِض (: ناشئ) nascent

ناوأ (: عادى ، عارض ، عاكس) antagonize, incur hostility of; oppose, counter

ناوَب (في عضوية أو خدمة أو شأن) alternate (*in membership, service, etc.*), serve by turn, participate or serve alternately; shift

ناوَش skirmish, engage (*in a minor fight, argument, etc.*)

ناوَلَ (١) hand (*a person a letter*), hand over

~ (: سلم باليد) deliver (*by hand*)

ناوَلَ (٢) (المريض دواء أو غيره) administer (*medicine, poison, etc., to patient*)

نأيٌ remoteness; distance

~ (: عزلة) seclusion, aloofness

نبات plants

~ (عِلم) botany

نباهَة (راجع فطنة)

~ (: شهرة) fame, repute, renown

نَبَتَ grow (*as of trees*), germinate or sprout (*as of seed*)

نَبَذَ (: القى بشيء ، رماه أو تخلى عنه) cast (*away or off*), discard (*idea, friend, etc.*), reject, shed (*clothes, armament, etc.*), scrap (*agreement*)

~ (: تنصل من شأن) repudiate (*one's country, relations, etc.*), disown

~ (شخصاً بسبب عقيدة أو ما إليها : لفظ) ostracize

نُبْذة (: لَمْحة) brief relation or history (*regarding person or thing*)

~ (: جُزء) part, portion, section

نَبَرَ (: رفع) raise, lift

النِّبر (: قليل الحياء) brazen, shameless

نَبْرة accent, emphasis

~ (: وقْع) tone, pitch

نَبَزَ (راجع عاب (٢))

نَبَسَ (: تكلم) utter (*a word*), speak

~ (: كتم) conceal, withhold (*a secret*)

نَبَشَ unearth, dig out, uncover

~ (جثة مدفونة) exhume, disinter (*body, remains*)

نَبَضَ pulse, pulsate, throb, beat

نَبْضَة — pulse, throb
نَبَعَ — spring; flow (*from*); arise, originate; issue or proceed (*from*)
~ (: نزَّ) — ooze, seep
نَبْع — spring, fountain, fount
~ (: مصدر) — source, origin
رأس ~ — springhead, fountainhead
نَبَكَة — mound
نَبَّه — caution, warn
~ (: أيقظ) — alert
~ (برفق) — admonish (*not to be negligent, extravagant, etc.*), advise (*against haste, about impending danger*)
~ باخلاء (مكان) — serve notice to quit (*place*)
~ على — notify, serve notice on
نبوءة — prophecy
نُبُوَّة — prophethood
نَبِيّ — prophet
~ (: يتنبأ بوقائع المستقبل) — seer
نَبيذ — wine, fermented grape juice
نَبيل — nobleman
نبيلة — noblewoman
نَبيه (راجع فطِن)
نتأ (: برز عما حوله) — protrude, bulge, project, jut
نِتاج (راجع ناتج)
نَتَج — result, ensue (*from*)
~ (: تأتى ، صدر عن) — arise (*from*), spring (*from*), originate (*from*)
~ (: عاد – من غلة أو غيرها) — accrue (*from enterprise, etc.*)
نَتِن — putrid, foul, rotten
~ الرائحة — malodorous, mephitic
نُتوء — protrusion, bulge, protuberance, projection
~ (مستدير) — lobe
نَتيجة — result; outcome, consequence; conclusion (*of reasoning, speech, etc.*)
~ (: أثر) — effect
~ (: تقويم) — calendar
~ منطقية — syllogism

نَثَر — scatter (*gravel on road*), sprinkle (*sawdust on wet floor*), strew (*flowers over path*), disseminate (*seed*), disperse
نَثْرِيّات — sundries, miscellaneous articles, odds and ends, rummage (*items*)
نَجا — escape (*danger, from shipwreck*)
نَجَّى — deliver, save, rescue
نَجاة — escape; safety
نَجاح — success
نَجَّاد — upholsterer
نِجادة — upholstery
نَجَّار — carpenter
نِجارة — carpentry, carpentering
نَجَح — succeed, be successful, attain a desired object, pass (*some test or examination*)
~ بامتياز (أو بدرجة شرف) — pass with distinction (*or with honours*)
نَجْدة — rescue; succour, aid
~ (: مدد) — reinforcement
نَجُسَ — be defiled, become unclean
نَجَّسَ — defile, sully
~ (: دنس) — profane, violate (*a place of worship*), desecrate
نَجَسٌ — sacrilege, profanity
نَجِسٌ (: من طبقة الانجاس) — untouchable; pariah
~ (: غير نظيف) — unclean; impure
نَجَعَ (: نفع ، اثر) — avail, be of use or benefit; have or produce (*desired*) effect
نَجْل — son, child
نَجَمَ (راجع نتج)
نَجْم (١) (: نبات عديم الساق) — shrub, undergrowth
نَجْم (٢) (ج. نجوم) — star
شبه ~ — quasi-star or quasar
نَجْم (٣) (: قسْط دَيْن) — installment of debt
نَجَّمَ — foretell, divine, practice astrology
~ (الدَّين) — pay (*debt*) by installments
نَجْمِيّ — stellar
نَجْوى (: مشاورة سِرية) — secret counsel
نَحا — tend (*to do, act, copy, etc.*), follow in the footsteps (*of father, etc.*)

نَحَّى remove (*from office, position, etc.*), dismiss; take off or away, push aside
نَحّات (: مثّال) sculptor
نَحّاتة (: مثّالة) sculptress
نُحاس (أحمر) copper
~ (أصفر) brass
نَحَتَ (: برى) taper off, whittle down
~ (تمثالا أو ما إليه) sculpt (*statue, etc.*), sculpture
نَحْت (التماثيل أو ما إليها) sculpture
نَحَرَ slaughter, kill (*animal*) by throat cutting
نَحْر throat
نَحَلَ give, donate (*a thousand pounds*), confer (*thing on somebody*)
نَحِلَ ، نَحُلَ (: هزُل) languish, pine, become feeble or enervated or weak, lose vigour
نِحْلَة gift, donation, *a gratia*
~ إيصائية bequest
نَحْو (١) (: مثل) for instance or example, such as, *e.g.* (*exempli gratia*: for *example*); *i.e.* (*id est*: *that is*)
نَحْو (٢) (: في اتجاه) toward (*progress, ruin, etc.*, *the lake*), due (*north, west, etc.*), in the direction of
نَحْو (٣) (: تقريبًا) nearly (*zero*), approximately (*a million*), more or less
~ ذلك thereabouts
نَحيف slim (*person*), lean, thin, slender (*waist, girl, etc.*)
نَحيل (الجسم) emaciated, debilitated
~ (: هزيل) frail, tenuous
نَخّاس (: بائع عبيد) slaver, slave-trafficker
نِخاسَة slave trade
نُخاع medulla, marrow
نُخاعيّ medullary
نُخالَة bran
نَخَبَ (١) (: اخذ نخبة شيء) select, choose (*the best of something*), take the choice (*wine, goods, etc.*)
نَخَبَ (٢) (: نزع) abstract, pluck (*weeds, fruit, etc.*)
نَخْب (صحة الشخص أو الشيء المشروب على شرفه) toast (*of victory or the victorious*)
نُخْبَة (من شيء) choice (*oranges*), select (*passages, books, etc.*)
~ (: زبدة شيء) cream (*of something*)
نَخِرَ corrode, be eaten into, be eaten away gradually
نَخَزَ (: نكز ، نخس ، وخز) prick, prod, spur (*to action*, ~ *a horse*), rev (*up*)
نَخَسَ (دابة أو ما إليها) (راجع نخز)
نَخَلَ (بمنخل) sift (*by sifter or sieve*)
~ (: غربل) garble; cull
~ (: صفى واختار) purify (*or separate*) and select
نَخْوَة (: مُروءة) chivalry, generosity, civility, gallantry
نِدّ (: نظير ، مثل) equal, peer, parallel
نَدا (: اجتمع ، تلاقى) meet, assemble, rally (*to place*), gather or come together
نَدى dew, droplets of moisture
~ (: جود) generosity, openhandedness, copious or lavish giving
نِداء call
نَدَبَ (١) (لمهمة) delegate
~ (: فوض للقيام بشأن) commission (*person to perfom an act*)
~ (موظفاً ليعمل في غير مقر عمله الاصلي) second
نَدَبَ (٢) (: بكى شخصاً) bewail, lament, pay tribute to dead
~ (بمرثية) elegize (*deceased friend*)
نَدَبَ (٣) (: فزر) puncture, pierce
نَدْب (١) (: انتداب لمهمة) delegation, commission
~ (: نقل مؤقت) secondment (*of an official to work at a department other than his own*)
نَدْب (٢) (: ندبة ، اثر جرح) scar, cicatrix
نَدْب (٣) (: بكاء متوفى) lamentation, bewailing (*dead friend*)
نَدَبَة scar, cicatrix
نَدَبيّ cicatricial
نَدَّدَ بـ (: اسمع قبيح الكلام ، شهّر بـ) revile (*at*),

subject to verbal abuse, defame

نَـدَر be rare or scarce

نُـدْرَة (راجع ندورة)

نَـدِم (على فعل) regret (*act, words, etc.*), rue (*his beastly behaviour*), feel sorry (*for*), feel remorse or penitence (*for*)

نَـدَمٌ regret, remorse, ruefulness; sorrow (*for some act or behaviour*)

نَـدْوَة social gathering

~ (لبحث أو تبادل آراء أو خطابة أو ما إلى ذلك) symposium

~ دِراسيّة seminar

نُـدورة rarity, rareness, seldomness, scarcity, infrequency

نَـذالة meanness, vileness, baseness

نَـذَرَ vow, make a vow, make a solemn promise

النَّذر vow, solemn promise

نَـذْل mean, vile, contemptible

نَـذير forewarning (*of trouble, disaster*); premonition, bad omen, portent, foreboding; forerunner

نَـرْجِسيّ (: هائم بجسده ، مصاب بعشق جسمه)

narcissist or narcist, egocentric, egotist or egoist

نَـرجِسِيَّة (: هيام الشخص بجسده) narcissism, love of one's own body, egocentrism, egoism

نَـزَّ (: رشح ، تحلب) seep, ooze, leak, percolate, (*through*), permeate (*through soil, etc.*)

نِزاع (١) dispute, disputation, wrangle, disagreement

~ (: اختلاف في بحث أو ما إليه) controversy

~ (: عراك) quarrel, squabble

~ (: خصومة قضائية) litigation

نقطة ~ point at issue

نِزاع (٢) (: اشراف على الموت) dying (*state, bed, etc.*)

في حالة النزاع *in extremis*, in a dying state

نزاهة impartiality, probity, uprightness; fairness; integrity

نَـزَح (١) (من مكان) remove, move (*from place, town, etc.*); migrate (*from country*); quit (*house, etc.*); shift (*from one position to another*); depart (*from*), leave (*place, quarter, etc.*)

نَـزَح (٢) (: خف أو انعدم ماؤه) be depleted, become drained

نَـزْح depletion, drainage

نَـزْر (: قليل) meagre (*supply*), scanty (*amount*), sparse (*of population, things, etc.*)

~ يَسير pittance

نَـزَعَ remove, withdraw

~ (: انتزع) abstract, strip, pluck

~ (: خلع) doff, take off

~ (إلى شيء) (راجع اشتاق)

~ إلى (: مال) tend

~ سلاحًا disarm

~ ملكية (ملكًا) expropriate, dispossess (*from estate*)

~ يدًا (عن ملك بالباطل أو بغيره) dispossess (*somebody from an estate*), disseise (*or disseize*), disappropriate

نَـزْع removal, withdrawal

~ سلاح disarmament

~ ملكية expropriation, dispossession (*from estate*)

~ يد (عن ملك بالباطل أو بغيره) dispossession, disseisin (*disseizin*), disappropriation

نَـزْعَـة tendency, disposition, inclination, propensity, proneness (*to idleness, despair, etc.*), leaning (*towards fatalism*)

نَـزَفَ bleed; shed

نَـزْف haemorrhage, bleeding

~ أذني othemorrhea

~ ثانوي posthemorrhage

~ حنجري laryngorrhagia

~ رئوي paneumorrhagia

~ سني odontorrhagia

~ شعبي bronchorrhagia

~ شوكي hematorrhachis

~ عظمي osteorrhagia

~ العين ophthalmorrhagia

نَزْف كبدي — hepatorrhagia
~ لثوي — ulemorrhagia
نَزْفيّ — hemorrhagic
نَزِق — rash, precipitate (*act or conduct*)
~ (: عجول) — impetuous, hasty
نَزَق (: طيش ، عجلة) — rashness, haste, hastiness, precipitancy, impetuosity
نَزَل (: انحدر ، هبط) — descend, climb down, incline, sink (*in poverty, status, etc.*), fall (*as rain, curse, etc.*), land (*on ground, roof, etc.*), dismount (*from horse*), alight (*from vehicle*), disembark
~ (: حل ، سكن) — stay (*in town, hotel, etc.*), lodge, sojourn
~ (: تنازل عن حق أو ما إليه) — waive (*title, right, etc.*), forsake, relinquish
~ (عن اقليم ، مال أو حق للغير: حوَّله) — cede (*territory*), assign, transfer, convey (*property, right, etc.*)
~ (عن عرش ، سلطات ، الخ..) — abdicate (*throne, authority, etc.*), surrender; yield (*ground to enemy*), concede (*point, argument, etc.*)
نُزُل (: فندق) — hotel
~ (ريفي لمسافر عابر) — inn
~ صغير — motel
نَزَّل — send down (*or forth*); emit; pour (*out or forth*)
~ (كتابًا سماويًّا) — reveal
نَزْلَة — catarrh
~ شعبية : التهاب شعبي — bronchitis
نَزْليّ — catarrhal, bronchial
نَزَّه (عن غلط أو ما إليه) — regard (*as*) faultless, hold infallible or beyond reproach
نُزْهَة (: متعة) — pleasure (*walk, boat, etc.*), enjoyment, recreation, delight, delectation
نَزْوَة — caprice, whim
نُزوح — remotion, movement (*from place to another*)
~ (: هجرة) — migration

نُزوح (: مغادرة مكان) — departure
~ (عن وطن) — expatriation
نُزول (: انحدار ، هبوط) — descent; decline, depression; landing (*on rough ground, from platform, etc.*), fall (*of snow, mercy, etc.*)
~ (: تنازل عن حق أو ما إليه) — waiver (*of right*), relinquishment
~ (: تحويل مال أو حق للغير) — assignment, transfer, conveyance
~ اضطراري [طيران] — ditching, forced landing
نَزيف (راجع نزْف)
نَزيل (فندق ، مطعم أو ما إلى ذلك) — guest, visitor, patron
~ (: احد سكان) — lodger, inquiline
~ (ارض : مستوطن) — settler
نَزيه — just (*judge*), fair, impartial (*judgment*), unbiased (*opinion*)
~ (: مستقيم) — upright
نَسَّاخ — copyist
نُسالَة (كتان أو ما إليه) — lint, fuzz
نَسَبَ (: عزا) — impute (*crime, act to someone*), ascribe (*a wrong significance to contract*), attribute (*negligence to person*), relate (*adventure, work, act to colleague*)
نَسَبٌ (: صلة قربى) — relation, relationship, affinity, kinship
نِسْبَة (١) (: عزو) — imputation, ascription (*of offence, act, etc., to necessity*)
نِسْبَة (٢) (: مقدار) — rate, proportion
~ (شيء إلى آخر) — ratio
~ مباشرة — direct ratio
نِسْبيّ — relative (*advantage, comfort, etc.*), comparative, proportionate (*share, payment, etc.*)
~ (: نسبيًّا : كل بنسبة ما له) — *pro rata* (*division, etc.*)
نِسْبيَّة — relativity
نَسَجَ — weave (*cloth*), spin (*web*)
~ (: حاك مكيدة أو ما إليها) — contrive
نَسَخَ (١) (: نقل مكتوبًا) — copy or copy out,

transcribe (*points in full from notes, etc.*) (راجع قَلَّدَ) نَسَخَ

نَسَخَ (٢) (: الغى) abrogate, repeal (*rule, provision*), supersede, rescind; countermand, revoke (*former directive*), cancel or write off

نَسْخ (من محرَّر) copying, transcription, duplication

~ (: الغاء) abrogation, repeal, supersession, revocation, cancellation

نُسْخَة copy (*of an original*), transcript, duplicate, dummy

~ (مطابقة عن رسم أو غيره) replica, facsimile

~ مصدقة certified copy

~ معتمدة (بعد المقارنة بالاصل) examined copy

~ مكتبية office copy

~ (من حيث الفكر أو العقيدة أو ما إلى ذلك) stereotype

نَسْر eagle, vulture

نَسَفَ blast, blow up

~ (: هدم) demolish (*a building*)

نَسَّق coordinate, bring into uniformity, render coherent or orderly, put into orderly fashion

نَسَقٌ order, method, style, system, standard, mode, form, fashion

~ درجي [عسكرية ، بحرية ، طيران] echelon

نَسَقيّ methodical, systematic

نَسْل issue, offspring; descendants (*of pioneers, pirates, etc.*), children (*of Abraham, Khaled, etc.*), progeny

نَسِيَ forget, fail to remember

~ (: اغفل) neglect, overlook

نَسيئة (: تأجيل) deferment (*of payment of debt*), postponement

نِسيان forgetfulness, oblivion

~ (: فقدان الذاكرة) amnesia

نَسيج textile, yarn, woven or knit cloth; tissue (*of lies, absurdities, etc.*)

~ (عنكبوت) (*spider's*) web

نَسيق ، مُنَسَّق coordinated (*efforts*), methodical (*work*), systematic (*record, etc.*)

نَشَأ (: تأتى ، صدر) arise (*from*), spring, stem, emerge (*from*), originate, issue, proceed, emanate, derive (*from*)

نَشأة (: مصدر) origin (*of title, etc.*), inception, source

~ (شخص) early life (*of a person*)

نُشادِر ammonia

نَشاط activity, liveliness

نَشَّال (: يسطو على الجيوب) pickpocket

نَشِبَ thrust (*fingers, claws, etc.*), drive or push (*into*), shove

~ (قتال أو ما إليه) break out; flare up

نَشَدَ seek (*justice*), pursue (*learning*)

نَشَرَ (جناحًا ، نفوذًا ، الخ..) spread, spread out (*wing, dominion, etc.*), extend

~ (على سطح أو في جهة) scatter, strew (*things, forces over surface, area, etc.*)

~ (علمًا ، افكارًا ، محررات ساقطة ، الخ..) diffuse, disseminate (*learning, ideas, bad literature, etc.*)

~ (مطويًا) unfold

~ (: روَّج اشاعة ، خبرًا) circulate (*rumour, news, etc.*)

~ (نظرية ، عقيدة ، الخ..) promote, propagate

~ (فرقًا ، قوات) deploy (*troops, forces*)

~ (جريدة ، كتابًا) publish (*newspaper, book*)

~ (بمنشار) saw

~ (غسيلا على حبل) hang (*washing on line*)

نَشْر spread (*of wings*), scattering (*of people, seed, etc.*), strewing, deployment (*of troops, forces, etc.*), diffusion (*of light*), dissemination (*of propaganda*), circulation; promotion (*of religion, principle, etc.*), propagation

~ (صحيفة ، كتاب ، الخ..) publication

نَشْرة (طبية ، علمية ، ادبية) publication

~ (اخبارية ، مالية ، صحية ، مصرفية) bulletin

~ بيانية prospectus

نَشَزَ become disloyal (*to*), become estranged, be insubordinate; desert (*husband*)

نَشِطَ revive, freshen, be active or lively, act

vigorously or energetically, be stimulated (*to work*)

نَشِطَ (: خَفَّ) hasten (*to opposition*)

~ (بعد هُبوط أو خمول) pick up, recover vigour

نَشَّطَ stimulate, recreate, resuscitate, refresh, refreshen, invigorate, animate, rouse (*to action*); activate; galvanize (*into doing something*), revitalize, energize

نَشِفَ (راجع جفَّ)

نَشَّفَ (راجع جفَّف)

نَشَلَ pick, snatch

~ (: سرق) steal (*from*)

~ (من جيب) pick (*someone's pocket*)

نُشوء (: بداية) origination, initiation, beginning

~ (: تطوُّر) evolution

نُشوب (حرب أو ما إليها) outbreak (*of war, insurrection, etc.*)

نُشوز disloyalty, insubordination and estrangement, desertion

نَصَّ provide, prescribe (*rule, method, etc.*), lay down (*stipulation*)

نَصٌّ (١) (: حكم ، قانون ، عقد ، مشارطة ، الخ..) provision; stipulation, proviso, clause, term

~ جزائي penal clause, sanction

نَصٌّ (٢) (: منصوص ، حرفية) text (*of law, document, etc.*), context, letter (*of agreement*)

نَصّاً (: صراحة لا ضمناً) expressly

~ (: حرفيًّا) literally, *verbatim*

~ (: تمامًا) exactly, precisely

نِصاب limit, limits, minimum value (*subject to tax, jurisdiction, etc.*)

~ قانوني (للجلسة) *quorum*

~ (قيمة) minimum value, limit of jurisdictional value

~ [شريعة] (*determined*) minimum value

نَصّاب swindler, deceiver, cheat, pretender, imposter, duper

~ (محام) shyster

نَصَبَ (١) install (*a pole*), fix, erect (*a boundary mark*), pitch (*a tent*), set up

نَصَبَ (٢) (: احتالَ على ، دلَّس) con, swindle, dupe (*somebody*), palm (*forged coin*) off (*upon somebody*), imposture, doublecross (*a friend*), defraud

~ (في رهان) welsh

نَصْب (: خداع ، احتيال) swindling, sharp practice, trickery, skulduggery

نَصَّب (: عين ، اقام في منصب) appoint, install (*in office, etc.*), institute (*into*)

~ (النفس قاضيًا) constitute (*oneself a judge*)

~ (رسميًّا) induct (*in office, position, etc.*)

نُصْبُ تحديد post, landmark, dowle stone(s)

نُصْبُ تذكاري monument

نصبٌ ثابت (لوثق السفن وما إليها) mooring

نَصَحَ advise, counsel (*patience, action, etc.*)

~ (: أوصى بشأن) recommend (*something*)

نَصَرَ support (*a person, a cause, etc.*), back (*somebody*), side or align (*with*), uphold, lead to victory or triumph

نِصْف half

~ اثبات (بشهادة شاهد واحد أو بورقة عرفية) half proof

~ حقيقة half-truth

~ دم (قرابة) half blood

~ سنة (١٨٢ يومًا) half year

~ الكرة hemisphere

نَصَّفَ bisect, divide into two (*equal parts*)

نَصْل blade, cutting edge

نَصيب share, lot, portion

~ (راجع سَهم)

~ (ارملة من تركة) dower, share in estate (*or inheritance*)

~ (في فعل أو جرم) hand (*in act, crime, etc.*)

نَصيحة advice, counsel

نَضَّ trickle, drip, leak

نِضال struggle, fight, violent exertion

نَضَبَ be drained, get used up or emptied, become depleted or exhausted

نَضِجَ ripen, mature

نَضَحَ spray (*with water, etc.*); overflow (*with,*

as of cup, etc.); spill (*over*); discharge or disgorge (*contents, etc.*)

نُضْرَة — bloom, freshness, beauty

نُضوب — depletion (*of provisions*), exhaustion, drain

نِطاق (يُشد به الوسط) — belt, cincture; girdle

~ (مدينة : الحدود المحيطة بها) — boundary; precinct, environs, limits

~ (: مدى ، مجال) — scope, range, extent

~ (: ميدان) — province, sphere, area, field

~ (: دائرة) — compass, enclosure

نَطَحَ — butt, ram

نُطْفَة — semen, sperm

نَطَقَ — speak, pronounce, utter (*word, sentence*), express (*oneself*)

نُطْق — speech, expression, pronouncement (*of judgment, opinion, etc.*), utterance (*of one's thoughts, notions, etc.*)

~ (: لفظ) — articulation

نُطقي (: لفظي) — phonetic, phonetical; articulative

نَظّاراتي — optician

نَظَارة (: محل توقيف) — lock-up house

نَظّارة (١) (لمساعدة العين أو حمايتها) — spectacle(s)

نَظّارة (٢) (: متفرجون على طريق أو غيرها) — bystanders, audience

نَظافة (جسم أو شيء) — cleanliness, hygiene (*personal and otherwise*), cleanness (*of act and thought*)

~ (: استقامة أو شرف وما إلى ذلك) — integrity, honesty

نظام — organization, system; regimen (*for physical fitness, etc.*)

~ (: قاعدة) — rule

~ (: عدم الفوضى) — order

~ سلسلي — catenary system

~ (قائم ، سياسي ، عرفي ، الخ..) — institution

~ قضاء — judicial system

~ مدني — civil system (*or organization*), polity

~ مرعي — practice

نِظاميّ (: يتمشى مع نظام قائم) — regular, according to rule

نِظاميّ (: منتظم) — orderly, methodical

نَظَرَ (رأى) — see, perceive; view (*thing from angle*)

~ (: تطلع إلى ، شخَص) — look, gaze, stare

~ (: اطّلع ، فحص) — view, examine

~ (دعوى) — hear, take cognizance (*of case*), try (*action*)

نَظَر — sight, vision

~ (: اطلاع) — view (*of record, accounts, etc.*)

~ (عريضة ، طلب) — consideration, examination

~ (قضية) — hearing, cognizance

قيد ~ — pending

نظْرة — look, glance

~ (عابرة أو سريعة) — glimpse

~ (تقدير للاشياء أو حكم عليها) — view, outlook, judgment

نَظَريّ — theoretic

~ (: لا يصلح لتطبيق) — academic

نَظَرِيّاً — in theory, theoretically

نَظَرِيّة — theory; doctrine

~ الدعوى — theory of case

~ هندسية — theorem

نَظَّفَ (من أوساخ) — clean, cleanse, remove (*impurities*), rid (*thing*) of dirt

~ (ماء أو هواء : نقى) — purify

~ (من ادران ، فساد أو ما إلى ذلك) — clean up (*administration*), purge (*party of certain members, ~ person of sin or charge, etc.*)

نَظَمَ — compose (*a verse*), fashion (*a shape*), arrange, set in due form

~ (: أسلك ، لضم) — thread (*beads, pearls, etc.*)

نَظْم (: وزن) — rhythm, rhyme

نَظمي — rhythmic, rhythmical

نَظَّمَ (١) — organize, arrange, arrange in order, set in order; regulate (*trade, procedure, etc.*)

~ (حججًا ، عساكر ، الخ..) — marshal (*troops, arguments, etc.*)

نَظَّمَ (٢) (: حرّر) — draw (*deed, contract, etc.*)

~ حسب الاصول (كفالة ، ضمانًا أو غير ذلك) — execute (*bail, guarantee, etc.*) in due form

نَظَّم (قاعدة) formulate (*rule*)
~ محضرًا (بواقعة) minute (*fact*)
نُظِّم (: حُرِّر) made, drawn
نَظِير (: عديل ، مثيل) equal, peer, counterpart, match
~ (: مقابل) for, in return (*for*), in retaliation (*for*); as against
~ [كيمياء طبيعية] isotope
~ [فلك] nadir
نَظِيف clean, free from dirt (*error, blemish, etc.*)
~ (: مرتب ، مسوًّى ، أملس) trim; smooth (*edge*)
~ (رجل : طاهر) honourable, characterized by integrity
~ (نسخة من محرر : مقروءة) legible
~ (: فارغ) empty
نَعى (١) (: طعن على شأن) decry; disparage
نَعى (٢) (: اخبر بوفاة) announce or intimate decease; mourn (*death of friend*)
نُعاس somnolence, sleepiness
~ (: تهويم) drowsiness
نَعْت adjective
~ (لإبراز حالة قبيحة أو طيبة) epithet
نَعْجَة ewe
نَعْرَة bias, tendentious drift (*to*) or predilection (*for*), trend, uncompromising zeal
نَعَسَ feel sleepy, be somnolent or drowsy
نَعَقَ hoot
نَعْل sole
نِعْمَة blessing, grace
بنعمة الله (عز وجل) by the grace of God (*Almighty*)
(نعيم (*bliss*
نَعْي obituary, notice of (*someone's death*)
نَعيم beatitude, bliss, blessedness
نَغَّص harass, harry (*debtor*), vex, annoy (*neighbourhood*), torment
نَغِلَ conceal ill will, cherish malice or rancour (*toward*)
~ (الجرح) fester, suppurate
نَغْل (: ولد زنى) bastard, illegitimate child, natural child

نَغَلان (: جرب) scabies
نَفى (١) (: انكر ، ناقض) deny, gainsay, contradict
~ (: عارضَ) impugn, call in question
~ (راجع تنصَّل)
نَفى (٢) (: ابعد) banish, exile, relegate, deport (*person*)
نَفى (٣) (: ازال شكوكًا ، مخاوف ، عيوبًا أو غير ذلك) remove, dispel (*doubts*), dissipate (*fears*), eliminate (*defects*)
نَفى (٤) (: استبعد شأنًا) exclude (*a certain procedure*), dismiss (*a consideration*)
نَفّاثة jet; spout
نَفاد (: تمام استهلاك أو نضوب شيء) consumption, exhaustion, depletion (*of stocks, etc.*)
نَفاذ enforcement, coming into force (*of legislation, provision, etc.*), implementation (*of agreement,*), operation (*of law, regulations*), commencement
تاريخ النفاذ date of commencement, effective date (*of law, instrument*)
مشمول بالنفاذ self-executing (*judgment, decree, etc.*)
نِفاس (: عقب الولادة) puerperium
(نفساء (*puerperant*
نُفاس (: ارتباك عقلي) psychosis, mental derangement
نِفاق sycophancy, servile flattery
نُفاية refuse, trash, garbage, waste, rubbish
~ (اقنية) sewage
~ (: بقية) leavings, residue, remnant
نَفَث emit, disseminate; spit, secrete (*venom*)
~ (: رمى) hurl, throw
نَفَخَ blow; inflate
~ (: تنفس في شيء) breathe into, blow softly
نَفِدَ run out, be exhausted, come to an end
نَفَذَ (١) (: سرى) come into force, take effect
~ (: تم تطبيقه) be carried out or enforced, be put into execution
نَفَذَ (٢) (: اخترق) penetrate, pierce
~ (السائل من شيء) permeate
نَفَذَ (٣) (إلى : انتشر) pervade (*all classes of*

community), be diffused (*throughout*)

نَفَّذَ carry out (*orders*), implement (*conditions, regulations, etc.*), enforce (*rules*), give effect (*to plan, etc.*), execute (*a command*)

~ على (مال) levy execution on (*property*), attach (*salary*), take (*land*) in execution, levy a distress on

نَفَرٌ (واحد) individual, single (*person*); poll (*as in poll tax*)

~ (من ناس : جماعة) group, cluster or knot (*of people*)

نَفَرَ (: خاف ، جفل) cower (*from*), shy (*from*)

~ (: اعرض ، ابتعد) shrink (*from*), recoil (*from*)

~ (: اسرع إلى شأن) hasten, rally in urgency (*to*)

نَفْس (: روح) soul, ghost, individual life

~ (: نسمة من مجموع سكان) inhabitant

~ (: ذات) self, same

~ التاريخ same (*or even*) date

~ (المتكلم بالمقارنة للغير) ego

نَفَسَ (: اصاب بعين) cast a spell (*on*), cast an evil eye on

نَفَسٌ breath

نَفَّسَ (: فَرج ، رفّه ، خفّف ، لطّف) alleviate, relieve, mitigate, lighten, assuage

~ (عن غضب أو غم أو ما إليهما) vent, give vent (*to one's anger, trouble, etc.*)

~ (: طرد الريح من عجلة أو ما إليها) bleed (*a tyre*)

نَفْساني psychological, psychiatric (*clinic*)

~ (: عقلي) mental

~ (: ادبي) moral

نَفْسي (: نفساني) psychical, psychic

~ (: ادبي ، عقلي) moral, mental

نَفَضَ shake, shake off (*dust, yoke, dirt*), rid oneself (*of something*)

~ (: اسقط) shed (*leaves*)

~ (البلد من اللصوص : طهّره) purge (*town of thieves*), clean or cleanse

~ (مكانًا : فتش في جميع اركانه) ransack, search thoroughly

نَفَضَ (من مرض : شُفي منه) recover (*from pneumonia*)

نَفْضَة (عضلةٍ ؛ رفة عين) jerk, twitch, twinge

نُفْضَة (مطر : رذاذ) drizzle

نَفْط naphtha

~ (: بترول) petroleum

نَفْطة (: بثرة) blister

نَفْطي blistery

نَفَعَ avail, benefit, be of use, be profitable, serve (*some purpose*), be of advantage

نَفْع benefit, advantage; interest, welfare

~ (: استمتاع باستعمال أو غيره) use, enjoyment

نَفَقَ sell off, sell (*easily, like hot cakes, widely, etc.*)

نَفَقٌ (: ممر باطني) tunnel; tube

~ (يحفره حيوان) burrow

نَفَقات (: منصرفات) expenditure(s), outgoing(s), outlay

~ (: تكاليف) charges, costs, expenses

~ راسمالية capital outlay

~ حمل handling (*or carriage*) charges

~ إدارة عامة (ثابتة كاجرة المباني والنفقات المستمرة والمرتبات وما إليها) overheads

~ عتالة (شيالة) porterage charges

نَفَقَة alimony, maintenance, provision

~ اطعام ، ~ كفاف alimentary interest

~ مدة الخصومة alimony *pendente lite*

~ مقطوعة alimony in gross

~ (راجع نفقات)

نَفَلَ give (*or perform something*) voluntarily or without obligation

نَفْل supererogation

نُفوذ influence, authority

~ (: وزن ذو بال) weight, credit

~ حاكم ascendency

~ (أُمة على أخرى) hegemony (*of one nation over another*), dominion, suzerainty

نُفوذيّة (سائل أو ما إليه) permeability, penetrability

نُفور disaffection, estrangement, alienation of affections (*between husband and wife, etc.*); antipathy (*against somebody*), aversion

نُفور (: تنافر بين اشياء) incompatibility
نُفوق ، نَفاقيّة marketability, merchantability, salability; market
نَفْي (١) (: حالة السلبية) negative
نَفْي (٢) (: ابعاد من بلاد) exile, banishment, relegation, transportation
نَقّى (: صَفّى) purify, depurate; purge (*a society of corrupt elements*)
نَقاء purity
~ (: خُلُوّ من الشوائب) flawlessness
نِقاب guise, mask
~ (: حجاب) veil
نِقابة association, guild, society
~ اطباء medical council
~ محامين bar association, law society
~ (تجار ، شركات) syndicate (*of merchants, firms, etc.*)
نِقابيّة syndicalism
~ ثورية revolutionary syndicalism
نِقاش (: جدَل) controversy, argument
نَقّالة stretcher
نَقاهة convalescence
نَقَب (: خرَق) pierce, puncture
نَقَّب prospect (*for gold, petroleum, etc.*), explore
~ (: فتش بدقة) search thoroughly, ransack
~ (عن آثار أو ما إليها) excavate
نَقَّح revise (*a dictionary, a manuscript*), re-examine and amend
~ (: اصلح ، هذَّب عبارة أو ما إليها) polish, perfect
نَقَد (: ميز جيدًا من رديء) distinguish, single out, discern
~ (: دفع نقدًا) pay (*in cash*)
~ (: لقط) pick up
~ (كتابًا) review (*a book*)
نَقْد (١) (: نقود ، عملة) cash, money, currency
~ قانوني legal tender
~ متداول circulating money
~ معدني specie, coin or coinage, metallic currency
(بالنقود المعدنية (*in specie*
~ ورقي paper currency
~ باليد cash in hand
نَقْد (٢) (ادبي) criticism (*by analysis and evaluation*); review (*of book, etc.*)
~ (: لوم ، تقريع) censure, animadversion
نَقْدًا in cash
نَقْديّ monetary, moneyed
~ (اجرة ، مكافأة) pecuniary
نَقَر dent, mortise
نُقْرة dent, groove, hole
نَقَش inscrible, engrave, incise (*figures or letters*), carve (*designs*)
نَقَص decrease, diminish, dwindle (*as of supplies*), taper
~ (حقًّا أو قدرًا أو ما إلى ذلك) belittle, disparage, depreciate
~ (راجع انتقص)
نَقْص (: عيب) imperfection, defect
~ (: نقصان) decrease, reduction
~ (في قيمة أو ما إليها) depreciation, diminution, decline
~ (في لوازم) shortage
~ قيمة الاصول depreciation in assets
~ اوعية (أو عبوءة) wantage
نَقَض revoke (*will, agreement, etc.*), annul, recall (*command*), countermand (*order by another order*), rescind (*sale*); reverse, set aside (*legal decision, appealed judgment*)
~ (حكمًا من محكمة عليا) cassate (*judgment by Court of Cassation*)
~ (: قرَّر نقيض ما صدر عنه) abjure, recant (*statement, belief*)
~ (عهدًا أو ما إليه) break, violate, infringe
نَقْض revocation, annulment (*of will, agreement*), recall (*of command*), rescission (*of sale*); reversal, cassation (*of judgment*), violation (*of promise*), infringement

نَقَطَ (: وضع نقطة على حرف) dot, mark with a dot
نُقْطة point
~ (: قطرة) drop
~ (على حرف أو في محرر) dot
~ (: علامة وقف في كتابة) full stop, period
~ (: داء) apoplexy
~ (شُرطة) station
~ الأوج apogee
~ الحضيض perigee
~ الرأس في مدار كوكب aphelion
نَقَلَ carry (*passengers, baggage, etc.*), transport (*troops, cargo*); convey (*messages, goods, etc.*), remove (*furniture, lawsuit from one court to another*), transfer (*official, sum of money, ownership, etc.*)
~ (حق ملكية ، عيناً ، الخ..) convey, alienate (*title, realty, etc.*), assign, make over
~ (اخباراً ، تعليمات) transmit, communicate
~ (عبئاً ، واجباً من جهة لاخرى) shift (*burden from one shoulder to the other*)
~ (عِبء إثبات) shift (*onus of proof*)
~ من سفينة إلى اخرى transship
~ (عن زميل في امتحان) crib, copy (*from colleague or neighbour in an examination*)
نَقْل carriage (*of goods*), transport or transportation, removal (*of furniture, of lawsuit from one court to another, etc.*); portage (*of boats or goods overland from one body of water to another*)
~ (أجرة) freight
~ بحري maritime transport
~ (ملك أو حق عيني أو ما إليه) alienation, conveyance, assignment
~ (اخبار ، معلومات أو ما إليها) transmission
~ (حركة ~) traffic
نَقَمَ (: بالغ في كراهية) resent or hate intensely
~ (: عابَ) vilify, speak ill (*of*)
~ من (: عاقب) punish, castigate
~ (: حَقَدَ) (راجع حَقَدَ)
نِقمة intense resentment or hatred

نِقمة (: عقوبة) punishment, castigation
~ (: حِقْد) (راجع حِقْد)
نقَهَ convalesce, recuperate
نقيّ pure
~ (من الشوائب) flawless
نَقيب chief, head, master, leader
~ محامين head or president of a bar association or of a law society
~ عسكري captain
نَقيض (: عكس) opposite, antithesis, contrary, reverse
~ (كلمة أو عبارة ، من حيث المعنى) antonym
نَكأ (: أدّى) (راجع قضى)
نَكَبَ inflict a disaster, subject to adversity
~ (بوفاة) bereave
نَكْبة (: كارثة) disaster, calamity
~ (: كرْب) distress, misfortune
~ (بوفاة) bereavement
نَكَثَ (: نقض عهدًا ، بيعًا) break (*a promise, faith with*); rescind or revoke (*sale*)
~ (: نبذ) repudiate, disown
~ (: حل وثاقًا ، عقدة ، الخ..) untie, unknot
نَكَّدَ harass, upset, render miserable, spoil one's contentment (*happiness, etc.*)
نَكِرَ (: جهل) be ignorant of, have no knowledge of, fail to know; be unfamiliar or unacquainted (*with*)
نُكْر (راجع دهاء)
نُكران (راجع جحود)
نَكِرة (١) (شخص أو ما إليه : غير معروف) obscure, unknown; nonentity (*of persons mainly*)
نَكِرة (٢) (: احتجاج ، بروتستو) protest
~ عدم القبول protest for non-acceptance
~ عدم الوفاء protest for non-payment
سحب ~ على كمبيالة protest a bill
نَكَزَ (راجع نخز)
نَكَسَ (: قلب) turn upside down, invert, overturn
~ (علماً) dip (*flag in salute*), lower (*flag to half-mast in mourning*)
نَكْسة setback, relapse; adversity; mishap

نَكَص recoil, spring back, retreat, turn back (*from a given direction*), withdraw, regress

نَكَف (راجع أنِف)

نُكوص regression, retrogression

نَمّ (عن) betray (*bad faith*), reveal (*dishonesty*), disclose (*perfidy, the truth, etc.*)

نَما grow; thrive, develop

~ (: ازدهر) flourish, prosper

~ (: زاد) increase, augment

نَمَّى cultivate, develop (*spirit of friendship*), further, encourage

~ (: ربَّى) foster, promote, nurture

~ (: عزَّز) enhance, heighten

نَمّام (: واش) informer

~ (همُّه تشويه سمعة الغير) traducer, calumniator, vilifier

نُمْرة (: رقم) number

~ ارض (: قسيمة) parcel, lot

نَمَش freckles, (*brown*) spots

نَمَط style, fashion, pattern, mode, manner, standard, form

نَمَّق ornament, adorn, embellish

نُمُوّ growth, development

~ (: ازدهار) flourish, prosperity

~ (: ازدياد) increase, augmentation, accretion

نَمُوذَج (: مثل ، عينة) specimen, sample

~ (يقتدى به) model (*of good behaviour*), pattern (*to be emulated or copied*); exemplar

نَميمة malicious report (*or reporting*), evil information, communication of evil gossip, tale

نَهى (عن شأن) warn or advise against (*some act or conduct*), tell not to (*cheat, gamble, lie, etc.*)

نِهائي final, last (*resort, goal, etc.*), ultimate

~ (: قطعي ، لا مراجعة بعده) conclusive, peremptory, imperative, absolute

نَهار (من الفجر إلى الغروب) day

~ (: ضوء النهار) daylight

نِهاية end, termination, close, finish, finality (*of development, etc.*), conclusion (*of novel, act, etc.*)

~ (: حد) limit

~ توتر (بين دول) *détente*

~ صغرى minimum

~ عليا (لاسعار أو غيرها) ceiling

~ كبرى maximum

نَهَب plunder (*place*), loot, pillage, sack (*town after its capture*), spoil, rob (*bank, train, etc.*)

نَهْب plunder, pillage, spoliation, depredation

~ (: سرقة بالمراغمة) robbery

نَهَج pursue (*a wrong course*), lead (*a quiet life*), take (*the shortest road*)

~ (: سلك) behave, conduct oneself (*properly*)

نَهْج (: سبيل وصول) course, route, approach

~ (: طريق ، شارع) road, way, street

~ (: خطة) plan, scheme

~ (: نظام مقرر) institution

نَهْر river

~ عام public river

نَهْريّ (: على ضفة نهر) riparian (*land, right, etc.*)

نَهَش bite, snap (*at*), sting

~ (سمعة ، اسمًا) malign, vilify

~ (راجع استغاب)

نَهَض (: انتصب ، هب) rise, emerge

~ (بشأن) promote (*enterprise, etc.*), advance, further, launch (*project*), foster

~ (باعباء) meet (*responsibilities*), shoulder (*burden, duty, etc.*)

نَهْضة (راجع نهوض)

نَهَم avarice, voraciousness, ravenousness

نَهِم avaricious, voracious, ravenous, insatiable

نُهوض (: نهضة) rise, emergence

~ (: تقدم) development

~ (بعد ركود) revival, renascence

~ (بمشروع ، اعباء ، الخ..) promotion, advancement, furtherance

نَوى	intend, resolve, decide, determine
نَواة [طبيعة ، احياء]	nucleus
~ (ثمرة أو فاكهة)	stone
نُوام (: سُبات)	lethargy, torpor
نَوْبة (١)	fit, convulsion, seizure
~ صرع	epilepsy
مصاب بـ ~	epileptic
نَوْبة (٢) (عمل ليلية أو نهارية في مصنع أو ما إليه)	(*night or day*) shift
نُوتيّ	mariner, seaman, sailor
نُور	light
~ (: اضاءة)	illumination
~ (: علم ، معرفة)	enlightenment
~ (: نظر)	eyesight
نَوَّر	enlighten, illuminate
~ (: علَّم)	instruct, furnish knowledge, provide spiritual insight; brief (*on a certain matter or question*)
نَوْع (: كيفية ، درجة ، شكل ، طبيعة ، جنس)	quality, grade; kind, type, nature (*of person, writing, service, etc.*), sort (*of treatment, habit*); species (*of creatures, monkeys, men, etc.*)
نَوَّع	vary, diversify, variegate, variate
نَوْعيّ [طبيعة]	specific (*heat, humidity, gravity, etc.*)
~ (: باعتبار النوع دون الكمية)	qualitative (*selection, etc.*)
~ (اختصاص)	(*jurisdiction*) of value
نُوفمبر	November
نَوْلون (شحن)	freight, haulage
نَوْم	sleep, slumber
~ مغنطيسي	hypnosis
نَوَّم	put to sleep, induce sleep
~ مغنطيسيًّا	hypnotize, induce hypnosis
نَوَّه (بشأن : رفعه أو عظمه)	exalt, glorify
~ (بشأن : اشاد به)	laud, praise highly, extol (*person's skill, merit, etc.*)
نَوَويّ	nuclear, atomic
نُوَيَّة	nucleon
نُوَيْدة	nucleide
نِيءٌ (: غير مطبوخ ، فِج)	raw (*meat*), green (*fruit, etc.*); crude
نِيابة (: النيابة العامة)	(*public*) prosecution, parquet
~ (: وكالة)	agency
~ (: تمثيل في عمل أو اداء واجب أو غيره)	representation, attorneyship
~ (: سلطة تمثيلية يعطاها النائب البرلماني)	mandate
~ ايهامية (ظاهرية)	ostensible agency
~ تخصيص	exclusive agency
~ ضمنية	implied agency
~ عامة (: النيابة العامة)	public prosecution, *parquet général*
~ عامة (: وكالة عامة)	general agency
~ فعلية	actual agency
~ نفعية	agency coupled with interest
~ عن (ولمنفعة)	(*for and*) on behalf of, acting for
بالنيابة	acting (*chairman, manager, etc.*)
نِيَّة	design, intent, intention, *animus*; faith
~ حسنة ، حسن النية	good faith, *bona fide*
~ سيئة ، سوء النية	bad faith, *mala fide*
~ الترك	*animus derelinquendi*
~ التشهير	*animus defamandi*
~ الدفاع عن النفس	*animus defendi*
~ وفعل	*animus et factum*
~ القرار	*animus manendi*
~ المماطلة	*animus differendi*
~ الهبة	*animus donandi*
نِير	yoke
~ (: إذلال)	subjection to compulsion, bondage
نَيِّر (: مضيء ، منير)	bright, luminous, radiant, shining
نَيْسان (: ابريل)	April
نَيِّف	more (*than*), upward (*of*), exceeding (*measure*)
نَيْل	attainment, achievement, obtainment, receiving (*award, degree*)

هائج	excited, enraged, agitated
~ (بحر ، ماء)	rough, turbulent
هائل	awesome, fearful, frightful, formidable (*force, resistance*)
هائم	wandering, running at large
~ (: ضال)	stray (*child, cow, etc.*)
~ (: متشرد)	vagrant
هابَ (: خاف)	fear, be timid of, shrink from, have uneasy anticipation of
~ (: حَذِر)	be wary of
~ (: أجَلَّ)	venerate, revere
هاتَرَ	indulge in countercharges, recriminate, vie accusation against accusation
هاجَ	get excited, be enraged or agitated, get heated
~ (البحر)	roughen, become rough
هاجَرَ (: نزل بلادًا غير بلاده ليستقر فيها)	immigrate
~ (: غادر بلادًا ليستقر في اخرى)	emigrate
~ (لاستقرار مؤقت أو غيره كهجرة الطير أحيانًا من منطقة إلى أخرى)	migrate
هاجَمَ	assail, attack, oppugn (*idea, measure, etc.*), call in question, impugn
هادٍ	guide
~ (: مرشد بحري)	pilot
هادئ	calm, quiet (*life, person, etc.*), serene (*sky, look, etc.*), tranquil (*mind, scene, surface*), peaceful (*spot, policy, etc.*); pacific (*nature, ocean, etc.*), placid (*person, mind, etc.*)
هادِف (: مجرَّد ، بناء)	objective (*view*), constructive (*criticism, advice, etc.*)
هادَنَ	truce, make a truce (*or an armistice*) with
هارِب	fugitive, in flight, runaway, on the run, at large
هارِب (من قانون أو دائن أو ما إلى ذلك)	absconder
هالَ	awe, alarm, cause dread
هالَة	aura, nimbus, aureole
~ (قمر)	halo
هامَ	wander, stray
هامِد	inert, inactive
~ (كالبركان وما إليه)	extinct
هامِش	margin, border
هامِشي	marginal
ملاحظة هامشية	marginal note, postil
هانَ (راجع سَهُل)	
هاوٍ (١) (: متعلق بشأن)	admirer, lover
هاوٍ (٢) (يمارس شأنًا بدافع الميل إليه : غير محترف : ليست له خبرة الخبير المتفرغ)	amateur, dilettante
~ (: غرضه مجرد التسلية أو اللعب)	dabbler
هاوَدَ	compromise (*interest, thing*), agree by conceding (*or surrendering*) something
هايأ	agree, consent
هَبَّ	rise, arise; spring (*to do something*)
~ (لمساعدة أو ما إليها)	respond warmly (*to*)
~ (: نهض)	surge, resurge
~ (كريح أو ما إليها)	blow
هِبَة	gift, donation; estate
~ (: موهبة)	endowment, talent
~ (: اكرامية ، مكافأة)	bounty; premium, gratuity
~ (بوصية)	bequest
~ آجلة	executory bequest
~ إيصائية	legacy
~ تتبُّع	gift over
~ تَخِصَّة (أو تخصيص)	specific bequest
~ رد	residuary bequest
~ عمرية	life estate
~ مشروطة	conditional bequest

هَبَّة (ريح أو ما إليه) — gust, blow
~ (: نهوض) — rise, surge, resurgence
هَبَط — decline, drop (*down*), fall; wane (*of reputation, influence, etc.*), dwindle (*of weight, force, etc.*)
~ (كاسعار أو ما إليها) — slump, sag
~ (: غطس ، غرق) — subside, sink, founder
~ (على ارض) — land
~ (: نزل انحدر) — descend, decline
~ (: خفَّ) — abate
هُبوط — fall, drop, decline, slump (*of prices, etc.*), depression
~ (: انحطاط قيمة) — depreciation
~ (على ارض) — landing
هتف (: صاح ، نادى) — shout, cry out; call
~ (لغالب) — acclaim, hail, shout out one's praises
هَتَك (حرمة) — violate; profane, desecrate
~ عرضاً — assault indecently
~ (: اعتدى على عفاف – قهرًا) — rape
هَجا — satirize, censure severly (*by means of verse*)
هِجاء — satire, severe censure
هَجَر — desert (*wife, place, friend, etc.*), abandon, forsake
هَجْر (: هجران) — desertion, abandonment, forsaking
هِجرة — immigration
~ (النبي) — Hijra, Hegira, Hejira
هَجَع — sleep, slumber, lie dormant
هَجَم — attack, storm (*castle, town, etc.*); assail; charge (*from a certain direction*)
~ (راجع هاجم)
هجوم — attack
~ (: انقضاض) — assault, storm
هَجين — hybrid, crossbred; mongrel (*as of man, animal or plant*)
هَدَّأ — calm; quiet or quieten; allay (*fear*), relieve (*pain*)
~ (: عمل على تهدئة بمسايرة أو مصالحة أو ما إلى ذلك) — pacify, appease, placate, mollify
~ (: سكَّن) — soothe (*pain*), lull, tranquilize
هَدى (١) — guide, lead; pilot (*ship*), steer (*course*), direct
هَدى (: أنار) — enlighten, illuminate
هَدى (٢) (: اهدى) — give, make a present or a gift (*to*), offer, present (*with something*)
هَدَّام — destructive, ruinous, pernicious (*principles, ideas, etc.*), baneful, noxious
~ (من افكار أو اعمال أو ما إليها) — subversive
هُدام (: دوار) — giddiness
~ (: دوار البحر) — seasickness
هِداية — guidance
~ (: توجيه) — direction
هُدْبَة — fringe
هَدَّد — threaten (*person*), utter threats, menace (*somebody by or with, etc.*)
هَدَف (: غاية ، غرض) — aim, purpose, end
~ (: مرمى) — goal, target, mark
~ (: عرضة لشأن) — open (*to criticism*), exposed, vulnerable (*to attack*)
هَدَفَ (إلى) — aim (*at or to*), purpose (*to do, doing*), intend
هَدَم — destroy, demolish (*building, argument, etc.*)
~ (نطاقًا قائمًا أو ما إليه) — subvert; overthrow
هُدْنَة — truce, armistice
هُدوء — calm, quiet; tranquility (*of mind, state, etc.*), placidity, serenity (*of person or thing*); peace
~ (: سكون في قتال أو ما إليه ، فُتور) — lull (*in fighting*), relaxation (*of tension*)
هَدِيَّة — gift, present
هَذَّب (: ربّى ؛ نظم) — educate; discipline
~ (: اصلح) — reclaim, reform
~ (: طهر) — purify, purge (*of impurities, etc.*), cleanse
~ (اخلاقيًّا) — edify (*: edifying book*)
~ بِعقاب — chasten
~ (راجع صقل)
هَذَيان — delirium, disordered speech
~ مدمنين — *delirium tremens*
هَرى — wear out, consume; fray (*the nervous system of someone*)

هُراء nonsense, nonsensical (*talk*), humbug

هِراوة cudgel, bludgeon, truncheon, club

~ (شرطة) baton

هَرَب run away, escape (*from*), flee (*a revolution, from danger, etc.*), make off (*with a sum of money*), abscond (*from law, debtors, etc.*)

~ من منزل elope (*from home, husband, etc.*)

~ من واجب (بداعي خوف أو ما إليه) funk duty

~ (: تفادى) shun (*work, temptation, etc.*)

~ من سجن break prison (*or jail*)

هَرَّب smuggle, run (*arms, liquor, etc., into country*), introduce or convey surreptitiously; spirit away (*thing, person*)

هَرَجَ (في حديث : خلط) mix up, jumble, confuse

هَرْجٌ commotion, bustle, tumult

~ (: ضجة) row, uproar, racket; clamour

هَرَّجَ jest, act jocularly

هَرِمَ become old or senile, reach old age

هَرِمٌ senile, old

هَرَمٌ (١) senility, old age, senescence

هَرَمٌ (٢) (: شكل هندسي) pyramid

رأس ~ apex of pyramid

نظام هرمي pyramidal system

هُروب escape, flight (*from captivity, duty, etc.*)

~ (: تهرُّب ، تملص) evasion, elusion

~ (من قانون ، دين ، أو ما إلى ذلك) abscondence

~ (من سِجن) breakout

~ (زوجة من منزل أو زوج) elopement

هَرْي wear

~ (: تحاتّ) abrasion

هَزَّ shake (*a person or thing*), agitate (*liquid, etc.*), rock (*a cradle*)

~ (: حرَّك) move

~ (: رجَّ) vibrate, jolt, jerk

هُزْء ridicule, mockery; derision

~ (: مهزلة) travesty

هَزَأ أو هَزِئَ (من) (راجع سخر)

هَزَّأ ridicule (*a suggestion*), deride (*one's efforts*), mock (*somebody*); travesty (*a person's style*)

هَزَّة shake; jerk, jolt, jar

~ (عنيفة) shock

~ (: رجة) tremor, quake

هَزَل (١) (: صار مهزولاً) languish, wither, become debilitated or weakened

هَزَل ، هزِل (٢) (: مَزَحَ) jest, joke, kid, fool, speak or act in jest

هَزْل play, comicality, humour, fun

هَزْليّ comic, humorous, whimsical, droll; farcical; laughable, funny

هَزَمَ defeat, beat (*somebody*); vanquish (*person or thing*), win victory (*over*)

هَزيل (: نحيل) flimsy, tenuous, frail; feeble

~ (: قليل : لا يفي بحاجة) scanty, inadequate, paltry

~ (: ضامر) slender, thin

هَزيمة defeat; overthrow (*of an army*)

هَشٌّ brittle, friable, fragile, frangible

هَضْبَة hill, plateau, down

هَضَم digest

هَضْم digestion

هَطَل pour (*as of rain*), fall heavily

هَفْوة fault, failing, error

~ (: عيب ، مأخذ) imperfection

~ (: قصور) shortcoming

هكذا so, thus

~ (: على هذا أو ذلك الشكل) in this (*or that*) manner

~ (: إلى هذا الحد) to this extent

هَلَّ appear, come into view or sight, loom (*up or through*)

هَلاك death, destruction, doom

~ (: ضياع ، عبث) waste

~ (: تلف) deterioration

هِلال crescent; moon

هِلاليّ lunar

هُلام gelatine, jelly

~ بترول petroleum jelly

~ مغذٍّ nutrient gelatine

هُلامِي gelatinous

هِلب — anchor
هَلَكَ — perish, die
~ (: ضاع سدى) — waste
~ (: تلف) — deteriorate
هَلوَسَة — hallucination, delusion
هَمَّ (: خص ، عنى ، شمل) — concern, interest; involve
~ (: كاد ، أوشك) — verge (*on*), be on the verge (*of*), near (*doing something*)
هَمّ (: بلاء ؛ محنة) — distress, affliction, torment; ordeal
هُمام — gallant, noble
~ (: شجاع ، سخي) — daring, dashing, generous
هِمَّة (: عزم ، حيوية ، اجتهاد) — determination; vigour, vitality; endeavour
هَمَجيّ — uncivilised, barbarous, savage, wild
~ (: بدائي) — primitive, primeval
هَمَدَ — subside, abate
~ (: انطفأ ، خبا) — burn out, burn down, die out, become extinct
هَمَرَ — pour (*forth, out*), flow copiously
هَمَزَ (: حرك إلى فعل) — spur, prod, stir, rev (*up*)
هَمَسَ — whisper, speak softly
هَمْسَة — whisper, undertone
هَندَسة — engineering, geometry
~ بحرية — marine engineering
~ كهربائية — electrical engineering
~ كيميائية — chemical engineering
~ مدنية — civil engineering
~ ميكانيكية — mechanical engineering
~ هيدرولية — hydraulic engineering
هَندسي — geometric(al)
هَوى (١) (: تردَّى) — lapse (*into vice, folly*), slip (*into error*)
~ (: سقط) — sink, fall, drop, precipitate, plunge
~ (: انهار) — collapse
هَوى (٢) (: ضرب باداة) — whack, smite
هَوًى (: ميل على خفة أو تعصب لشأن) — caprice, whim, bias
هَواء — air
~ (: جو) — atmosphere

هَوائي (جهاز التقاط) — aerial, antenna
هَوامّ — vermin
هَواميّ (: دُودي) — verminous
هَوان — degradation, abasement, humiliation
هِواية — hobby, avocation
~ (: تسلية) — diversion, distraction
هُوَّة — cleft, ravine
~ (سحيقة) — chasm, gulf (*between opinions, beliefs, etc.*), abyss
هَوَس — mania, disorganization of behaviour, unreasonable elevation of mood, excessive enthusiasm
~ تعصب — *mania fanatica*
~ جنسي (عند النساء) — nymphomania
~ جنسي (عند الرجال) — satyriasis
~ شرب (سُكر) — dipsomania
~ نار (أو بها) — pyromania
هَوَّل — play the alarmist, raise alarms needlessly
هَوَّن — alleviate, relieve; soothe (*pain*), bring solace or comfort, make easier, lessen or lighten (*burden, etc.*); allay
هَويّ — capricious, whimsical, biased
هُويَّة (: تعريف شخصي) — identity (*document, card, etc.*)
هَيَّأ (: أعدَّ) — prepare, get (*thing*) ready
~ (: جهز) — equip, provide, procure (*a neccessary or required thing*)
~ (شيئًا لاستعمال أو ما إليه) — dress, put in order for use or service, fashion
~ فرقًا (أو ما إليها : رتبها لشأن) — array, marshal troops (*etc.*)
~ (: اهل لعمل ، مهمة ، منصب ، الخ..) — qualify
~ (: روض على حال) — season (*to a hot climate*)
~ (فرصة ، وسيلة) — provide (*opportunity, means*), give, afford
هيئة (: جماعة تتفرغ لشأن) — body, panel (*of jurors, doctors*)
~ (: دائرة ، منظمة ، مؤسسة) — department, organization, corporation
~ (: شكل ، مظهر) — form, shape, fashion, figure; demeanour, bearing, posture

هيئة تدريس faculty
~ سياسية diplomatic corps; *corps diplomatique*
~ (لِغرضٍ دينيّ أو علمي) convocation (*of bishops, scholars, etc.*)
~ منتخبين college of electors
~ محلَّفات (متزوجات) jury of matrons
~ محلفين (أو عدول) jury
~ محلفين خاصة (: تشكل من اشخاص ذوي مستوى خاص من خبرة أو علم) special jury
~ محلفين صغرى petit (*or petty*) jury, traverse jury
~ محلفين عادية (لا يتجاوز عدد افرادها اثني عشر) common jury
~ محلفين كبرى (لا يقل عدد أفرادها عن اثني عشر ولا يزيد على ثلاثة وعشرين) grand jury
~ محلفين مختلطة (اعضاؤها مختلفو اللون أو اللغة) mixed jury
~ محلفين منقسمة : لا يستطيع اعضاؤها التوفيق بين آرائهم hung jury

هِياج (: هيجان) commotion, turmoil, rage, agitation
~ (: اضطراب ، فوضى) disturbance, disorder
هَيْبَة dignity, prestige, claim to respect
هَيَّج incense, stir, excite, provoke, inflame (*feeling, etc.*), arouse, enrage
~ (حيوانًا) bait (*animal*)
هَيَجان (راجع هياج)
هَيْكَل (: تركيب) structure, makeup, frame, framework
~ (عظمي) skeleton
هَيْمَن dominate, rule, have or exert mastery (*over*), overlook from a superior elevation
هَيْمَنة domination (*over*), dominion, rule, ascendancy (*of one state over another*), hegemony, exertion of mastery (*over*)

و

واءَمَ suit, befit; match (*habit, taste, etc.*)
وِئام harmony, accord, rapport
وابِل deluge, pour, downpour, heavy rain
واثَق bind (*someone*) with a covenant (*or contract*); make binding
واجِب (يتصل بخدمة أو مركز أو حال) duty, task or assignment, obligation
~ (: حتمي ، لا خيار فيه) obligatory, mandatory, compulsory
~ (: حالُّ الفعل أو الاداء) due
واجِد (: من عثر على شيء) finder
~ (: باعث على وجود) creator; maker
واجَه face, face up to (*responsibility, etc.*), come face to face (*with*), confront (*foe*), encounter, cope (*with difficulties, etc.*)
~ (: قابل ؛ لاقى) meet, see; rendezvous (*person, etc.*)
واجِهَة (عقار أو ما إليه) front, frontage, façade
واحَة oasis
وأْد defossion
وادٍ valley, wadi; elongate depression (*of the earth's surface*)
وارى (: اخفى ، غطى) conceal, hide, cover
~ (: دفن) bury
وارِث ؛ **وارثة** heir, successor
~ اتفاقي أو تقليدي heir conventional
~ افتراضي heir presumptive
~ ايصائي ، ~ مقام بالوصية heir testamentary, heir institute
~ بالتبني heir by adoption
~ حصري heir in tail
~ حكمي heir of provision
~ بالدم heir of the blood
وارِث ذكر (أو أنثى) heir male (*or female*)
~ شرعي lawful (*or legal*) heir, heir apparent
~ صلبي bodily heir, heir of the body
~ ظاهر (شرعي) heir apparent
~ عام heir general
~ عرفي heir by custom
~ فرضي heir forced
~ فرعي (: من الحواشي) heir collateral
~ قانوني heir legal
~ مباشر lineal heir, heir of line
~ منتظر heir expectant
~ منتفع heir beneficiary
~ بالهبة heir by devise
وارثة heiress, successor
وارد incoming (*mail*), imported (*goods*), received (*cash, consignment*)
~ (: قائم ، في الحسبان) arising, existing, to be reckoned with or contemplated
وارِدات imports
وارِم (راجع متورم)
وازى (: قابل ، واجه) countervail, counteract, counterbalance
~ (من حيث الابعاد) parallel (*: something parallels another*)
~ (: عادَل) correspond, be equivalent to
وازِع (راجع رادع)
وازَن (: ساوى بين شيئين) equate, equalize
~ (: قارن) compare, contrast, balance one statement against another, strike a balance (*between*), weigh by comparison
~ (: قابل من حيث الوزن ، راجح) counterbalance, countervail
واسى comfort, solace; cheer (*up person, etc.*)

واسى (: عزّى) console

واسِطة means; agency, medium (*of exchange, etc.*); instrumentality (*of sheer force, diplomacy, etc.*)

واسع (: عريض) broad

~ (: كبير) large

~ (: فسيح) spacious, vast, roomy; extensive

~ الافق (أو التفكير) broad-minded, open-minded, liberal

واصَلَ (: تابع) continue, carry on (*something*), follow up (*search, work, etc.*); pursue (*study, play*)

~ (مسير بضاعة أو ما إليها) forward (*goods, message*)

واصِلات receipts, sums (*or goods*) received, arrivals, incoming (*goods, mail, etc.*)

~ (: واردات) imports

واضِح plain, clear, evident (*doubt*), manifest (*injustice*), explicit (*orders*), visible (*mark*)

~ (للفهم) intelligible, lucid

~ (: لا لبس فيه) unequivocal, unambiguous, unmistakable

~ (النطق) articulate

~ (من غلط أو ظلم أو كذب أو ما إلى ذلك) glaring (*error, injustice, lie, etc.*), garish

~ (: نيِّر) bright (*day, visibility*)

واظَبَ keep up, maintain (*search, studies, etc.*)

~ (على موعد) be prompt

واعٍ conscious (*of*), aware (*of*)

~ (: يقظ) awake

واعَدَ (بعضٌ بعضاً) (*of two or more parties*) promise each other, mutually promise, exchange promises

واعِد (: صدر عنه وعد) promisor (*promiser*)

واعِي (اليتيم) guardian, custodian

وافِر (راجع وفير)

وافَقَ (على) agree (*to or on*), approve (*act, measure*), assent (*to a proposition*), consent or agree (*to*), sanction or ratify (*law, agreement, etc.*)

وافَقَ (: طابق تاريخًا أو ما إليه) correspond (*to certain date*)

~ (: لاءم) suit, fit or befit

~ (نهائيًا على ما يدعيه الخصم : لم يجادل فيه) stipulate

واقَعَ (جنسيًا : ضاجع) have sexual intercourse (*with*), be intimate, copulate (*with*), lie with, have carnal knowledge (*of*)

~ (حرامًا) fornicate

~ قهرًا rape

واقِع fact; actuality; reality

واقِعة fact, incident, happening, occurrence

~ (: حدث) event, episode

~ ثبوتية probative fact

~ مكانية venue fact

~ ناقلة (لحق أو التزام) translative fact

واقِعي factual, of fact, actual, real

واقِف (شرط) suspensive (*condition*), suspensory

~ (: منشئ الوقف) creator of *waqf*, dedicator

واكَبَ keep pace or in line (*with other nations*)

~ (: عاصر) exist or occur at the same time as the thing intended or together with it, be contemporaneous to, be simultaneous or coincident (*as of events*)

والى (١) (: ناصر) give support to, adhere to (*cause*), be loyal (*or profess loyalty*) to, side with, favour (*an idea, a cause, a policy, etc.*)

والى (٢) (: تابع) continue, carry on; pursue

وإلاّ otherwise; failing this (*the same, etc.*)

والد father

~ (: احد والدين) parent

والِدة mother

والٍ (الوالي) governor

واهٍ (راجع واهن)

واهِب grantor, giver, donor

~ (عقار بوصية) devisor

واهِن (: واهٍ) feeble, frail, weak, debilitated

وَباء epidemic, pestilence

وَبال evil consequence, harm, detriment

وَبَّخ chide, rebuke, scold, upbraid, reprove

وَبَّخ (رسميًّا) reprimand, censure
وَبيل severe, unsparing, harsh; pernicious (*torture, disease, etc.*)
وَتَد peg, stake (*driven in the ground*); wedge, picket, holdfast
وَتَرَ (: اساء لشخص ، ظلمه) offend, wrong, aggrieve (*person*)
وَتَرٌ cord
~ (: عرق) tendon, sinew
ضرب على ~ harp on
وَتيرة method, mode, fashion, style, system
~ واحدة stereotype, same standard, standardized (*production, etc.*)
وِثاق bond, ligament, ligature
وَثَب leap, jump, spring
وَثِق confide, have confidence (*in*), trust (*in*), be certain or sure (*of*)
~ (: اعتمد على ، صدَّق) rely (*on*), believe (*in*)
وَثَّق (: اثبت صحة محرر أو ما إليه) authenticate
~ (لدى كاتب عدل أو محرر عقود) notarize
~ (: سجل) register (*officially or notarially*)
وَثَنِيّ heathen, pagan
وَثَنِيَّة heathenism, paganism
وَثيق tight (*knot*), taut (*rope*), firm (*relationship, friendship, etc.*), close (*connection*)
~ (: شديد الصلة ، متين) intimate (*friendship*), warm
وَثيقة document
~ (: ورقة رسمية) official paper
~ (: بينة مكتوبة) evidence in writing
~ ادارة [تركات] letters of administration
~ بيع act of sale
~ تأمين insurance policy
~ تأمين زمنية time policy
~ تأمين غير ثابتة floating policy
~ تأمين محصورة (القيمة) closed policy
~ شحن bill of lading
وَجاهة (: جاه أو اعتبار خاص ، قيمة اعتبارية) notability, distinction, worthiness
~ (: صحة) validity
وَجاهة (: موضوعية) relevance, pertinence
~ (مقدار : كفايته) substantiality, ampleness
وِجاهيّ (من حكم أو ما إليه) in presence
وَجَب be obligatory or mandatory
~ (: اقتضى) must (*perform duty*), shall (*perform, etc.*)
وَجْبَة meal, repast
~ (خفيفة) collation
وَجَد find (*difference between things*)
~ (: جابه) meet with, encounter (*difficulties, etc.*)
~ (: عثر على ، لقي) find out, discover, detect (*some fault, difference, etc.*)
وِجدان conscience, sense of moral goodness (*or propriety*)
وِجداني (: ذو وجدان) conscientious, scrupulous (*person, act*)
معترض ~ (يربأ به ضميره عن الاشتراك في حرب) conscientious objector
وَجَس (راجع خاف)
وجَّع (راجع آلم)
وَجَع (: ألم مادي) pain
~ (: مرض يرافقه ألم) ailment
~ (رأس ، اسنان ، معدة ، الخ..) ache
وَجِلَ (راجع خاف)
وَجَلٌ (راجع خوف)
وَجْنة cheek
وَجْه face (*of thing, person, etc.*), front part; aspect (*of life*), viewpoint or standpoint; phase (*of moon*)
~ (عمارة أو ارض أو ما إلى ذلك) frontage
~ (: سطح) surface (*of water, etc.*); facet
~ (: سحنة) facial expression, grimace
~ (قطعة نقد ، أو مقابل من جانبي حجة أو ما إليها) obverse (*side*)
~ (: اعتبار) count, respect
وَجَّه (خطابًا ، كلامًا أو ما اليه) address, direct, aim
~ (: ارسل) send
~ (: قاد ، دلَّ ، هدى) lead, pilot (*craft*), head (*ship*), guide, steer, set the course (*of*)

وَجَّه (إهانة) — to offer (*an insult*)
~ (تهمة) — impute (*charge*), level (*accusation, etc.*)
~ (شطر اتجاه معين) — orient, orientate
~ (عناية لشأن) — devote, treat with (*care, deference*)
~ (: أرشد) — guide
~ (يمينًا لخصم) — put (*oath to adversary*), offer (*oath*)
وَجْهًا لِوَجْه — vis-à-vis
وُجْهة (: اتجاه ، جهة مقصودة) — direction, destination
~ (مسير) — course
~ (: ناحية ، جانب) — aspect, side, angle
~ نظر — viewpoint, standpoint
وجوب — obligation, obligatory nature, necessity
وُجوبيّ — obligatory, mandatory, compulsory, imperative
وُجود — existence, being
~ (: حضور في مكان) — presence
~ (: عثور على شيء) — discovery, finding, detection (*of fault, error, etc.*)
~ (في كل زمان ومكان) — ubiquity
وُجوديّ (: أساسه الكيان) — existential
~ (: يقوم على الاختبار والملاحظة لا على النظريات) — empirical
~ (: شخص يعتقد بمذهب الوجودية) — existentialist
وُجودية (مذهب) — existentialism
وَجيز (: قصير ؛ موجز) — short; concise, brief, laconic (*style, etc.*)
~ (في تعبير أو اسلوب : جاف نوعًا ما) — curt (*way of expression, reply, etc.*)
وَجيه (شخص) — notable, dignitary, celebrity
~ (: صحيح ، يستحق الاعتبار ، في محله) — valid, worthy, meritorious, relevant, material, pertinent, to the point
~ (: فاضل) — illustrious
~ (مقدار) — substantial, ample
وحام — craving (*of woman with child*)
وَحَّد — unify, unite; integrate
~ (: ضمَّ ، كتَّل) — consolidate, join
~ (ضمن نظام فيدرالي) — federate
~ (دَينًا) — fund (*a debt*)
~ (قياسًا ، إنتاجًا ، الخ..) — standardize

وَحْدانيّة — oneness (*of God Almighty*), unity, uniqueness
وَحْدة (: اتحاد) — unity, union
~ (صف) — solidarity, integrity
~ (مصالح ، حقوق ، خصوم ، الخ..) — identity (*of interests, titles, parties, etc.*)
~ (: انعدام الرفيق) — loneliness, solitude, friendlessness
~ (عددية) — unit; item
~ انتاج — unit of production
وَحْش (: حيوان) — beast; animal
~ (في سلوك أو معاملة) — brute, savage
وَحْشيّ (: همجي ، غير طبيعي من حيث بشاعته أو شذوذه أو قسوته) . — savage, beastly or bestial, inhuman (*act, treatment, etc.*), atrocious (*crime*), monstrous (*conduct, attack, etc.*), heinous (*assault*)
وَحْشيَّة — beastliness, bestiality, brutality, savagery; inhumanity; heinousness
وَحَل . وَحْل — mud, mire, slime
~ مائع — slush
وَحِمَ (ت) — crave, long for
وَحْي — inspiration, disclosure of knowledge by suggestion
~ (رباني) — revelation
وَحيد (: فريد) — sole (*agent*), only (*son to a father*)
~ (من نوعه : لا مثيل له) — unique, unequalled
~ (: لا رفيق له أو أنيس) — solitary, lonely
وَخَزَ — prick
وَخْز (ضمير) — remorse, pricking of conscience, compunction, qualm(s), misgiving(s)
وَخيم — evil, bad (*consequences*), unpleasant, distasteful
~ (: ضارٌّ) — harmful, noxious, pernicious
وَدَّ (: أحب ؛ تمنى) — love, have affection (*for*), like; wish, long for (*something*)
~ (: افرط في حب شيء) — dote (*on or upon person or thing*)
وُدٌّ — love, affection
وَداع — farewell, leave-taking (*reception, party, etc.*)

وَدَّع make (*one's*) farewell, bid farewell, take leave (*of somebody*), bid (*someone*) goodbye

وُدِّيٌّ amicable (*settlement, relation*), friendly

~ (: سلمي) amicable

~ (: يتصف بالمودة) affectionate; loving

وَديع (: مودع لديه) bailee, depositary

~ (: لا قِبَل له بعنف ، خَضوع) meek, submissive

~ (: لين الجانب ، متواضع) mild, humble

~ (: سلس القيادة) docile, tractable

وديعة bailment

~ (في مصرف أو غيره) deposit

~ (: امانة) trust

~ تبرعية gratuitous bailment

~ حكمية constructive bailment

~ رهن vadium

~ عارية bailment for hire

~ عرضية involuntary bailment

~ بعوض lucrative bailment

~ فعلية actual bailment

~ وفاء (لأداء دين) pledge

وَرَّى quibble, equivocate

وَراء behind, at the back of

~ (: خلف) back side, hind, posterior

وِراثة heredity

~ (: خلافة على مال أو منفعة أو غيرها) succession, inheritance

قابل لوراثة inheritable

وِراثي hereditary (*disease, throne, etc.*), descendible

وَرِث inherit (*property, character, etc.*), succeed (*to title, property, etc.*)

وِرْثَة inheritance, heritage, legacy

وَرَدَ come (*from*), turn in

~ (من عوائد) accrue

~ (في باب أو تحت عنوان) fall, or come (*under a head or title*)

وَرَّد (: زوَّد) supply, provide or make provision (*for*), furnish

~ (: استورد من الخارج) import

وَرْشة workshop

وَرَّط (في مسؤولية أو مشكلة أو ما إلى ذلك) implicate, embroil (*in responsibility, trouble, etc.*), involve

وَرْطة fix, predicament, trouble; difficulty

وَرِع pious, devout

وَرَع piety, devotion (*to God*)

وَرَقة ، وَرَق paper

~ (: وثيقة) document

~ (: بينة مكتوبة) note, writing

~ بنكنوت banknote

~ تجارية commercial paper

~ دعوتية writ of summons, adjournment

~ سنفرة sandpaper

~ ضد (راجع سند ضد)

~ عرفية a writing in private form

~ لعب playing card

~ مديونية note

~ مجاملة accommodation paper

~ نبات leaf

~ بصفحتيها من كتاب أو مخطوط أو غيره leaf, folio, sheet

ورق مُقَوًّى pasteboard

وَرَقي paper (*currency, blockade, etc.*), papery

وِرْك ، وَرِك hip, ischium

وِرْكي ischiatic

وَرِمَ swell

وَرَمٌ swelling, tumour, oncoma, neoplasm

~ أميبيّ ameboma

~ بطاني endothelioma

~ تناسلي gonioma

~ جذامي leproma

~ الجلد الجسيء pachydermatocele

~ رأسي cephaloma

~ عصبي neuroma

~ عضلي myoma

~ غدي adenoma

~ كلوي nephroma

~ ليفي fibroma

~ نخاعي cerebroma

وَريد vein

وَريد صغير — venule, veinule, veinlet

وَريدي — venous

وِزارة — ministry; portfolio

~ (: مجلس وزراء) — cabinet or cabinet council, council of ministers

~ [نظام اميركي] — department

~ تجارة — ministry of commerce

~ تجارة (ادارة بريطانية) — board of trade

~ خارجية — foreign office, ministry for foreign affairs

~ خارجية [اميركية] — State Department

~ داخلية — ministry of the interior

~ داخلية (ادارة بريطانية) — Home Office

~ عدل — ministry of justice

~ عدل (ادارة اميركية) — Department of Justice

وَزاري ، وِزاري — ministerial

وِزْر — sin, offence, fault, burden

وَزَّع — distribute; deal out (*rations, cards, etc.*), apportion, allot or allocate (*shares*); dispense with shares; dole out (*alms, help, etc.*), deliver (*magazines, letters, etc.*)

وَزَن — weigh

~ (: اعتبر ، قدَّر) — consider, ponder (*responsibility, problem, etc.*), assess (*importance of a matter*)

وَزْن (١) — weight

~ (: شأن ، أهمية) — significance, importance

~ اجمالي — gross weight

~ زائد — excess weight; over-weight

~ صاف — net weight

~ فارغ — tare

وَزْن (٢) — rhythm (*of words*), rhyme

~ (شعر) — metre

وَزير — minister

~ خارجية — minister for foreign affairs, foreign minister

~ داخلية — minister of the interior

~ دولة — minister of state

~ عدل — minister of justice

وَزير عدل [نظام إنكليزي] — the Lord High Chancellor

~ بلا وزارة — minister without portfolio

~ مفوض — minister plenipotentiary

~ مقيم — minister resident

وَزيعة (: حصة توزع من ارباح) — allotment, dividend (*of share, etc.*)

~ (: حصة محددة لاستيراد أو غيره) — quota

وِسادة — cushion

~ (رأس) — pillow

وَساطة — mediation, intervention (*between conflicting parties*), good offices (*of someone*), intercession (*between powers, persons, etc.*), agency (*of a third party*)

وِسام — decoration (*for bravery*), order (*of merit, of the Garter, of the Bath*), badge, medal (*as for some athletic sport*)

وَسِخٌ — dirty, filthy, foul, squalid (*quarter, existence, etc.*)

وَسَّخ — soil, dirty

~ (: لوَّث) — befoul; pollute, contaminate

~ (: لوَّث معنويًّا) — denigrate

وَسَّد (صدمة أو ما إليها) — cushion

وَسَطٌ — middle, centre, medium

~ (بين طرفين) — mean (*between two extremes*), median, medial

~ (: نسبة وسطى : معدل) — average

~ (جسم) — waist

~ (راجع واسطة)

وَسَّط — have as mediator or go-between, make someone intervene (*between*) or act as intermediary

وُسْطى (إصبع) — middle (*finger*)

وَسِع (: اتسع) — accommodate (*things, persons, without inconvenience*), have room (*for*), hold (*a thousand litres*), contain

~ (: قدر على شأن ، تحمل) — afford (*to do thing*), bear (*sacrifice, cost, etc.*)

وُسْع (: طاقة) — capacity, potential or potentiality, capability

وَسَّع — widen, broaden, enlarge; extend, give

greater scope, expand

وَسَّع (: زاد) increase, augment

~ (بحثًا أو ما إليه) elaborate

وَسَق (: حمَّل) load, ship (*goods*)

وَسَمَ (بالكي) brand

~ (بالجبن) stigmatize (*as a coward or with cowardice*)

وَسْمة (: علامة محدثة بالكي ، وسم) brand, branding

~ (عار) stigma, stain

وَسْواس whisperer, evil counsel

وَسوَسَ whisper, counsel evil

وَسيط intermediary, mediator, go-between

~ (بيع أو تجارة أو غير ذلك) agent, middleman

وَسيلة (: سبب لغاية) mean(s); agency; medium (*of exchange, communication, etc.*)

~ (: أداة) device, instrument

وشَى report maliciously, give (*someone*) away, betray (*him*)

وِشاح sash, girdle, broad band

وِشاية malicious or spiteful information, betrayal

وَشْك (على ~) (*on the*) verge of, verging (*on*), nearly (*done, completed, etc.*); brink of (*ruin, exhaustion, etc.*)

وَشَم tattoo; brand

وَشْم tattoo; brand

وَشيجة tie, link

وَشيعة (: مغزل) spindle

وَشيك imminent (*danger*), impending (*change*), hanging threateningly (*over one's head*), approaching; on the brink (*of boiling, running out*)

وَصَّى (١) (: نصح باجراء ، استحثَّ) recommend, advise, urge the fitness of some act

وَصَّى (٢) (: اوصى بوصية) bequeath (*movable property*), devise (*real or immovable property*), give (*by will*)

وَصَّى (٣) (: عهد بشأن) entrust, commit (*to somebody's care*)

وَصَّى (٤) (: اقام وصيًّا) institute as guardian

وِصاية (: ولاية على قاصر) guardianship, wardship

~ (: امانة) trusteeship

~ (على عرش) regency

مجلس ~ regency council

وَصَف describe

~ (: عيَّن ، حدَّد) designate, specify

~ (حالاً أو واقعة) represent

~ (جريمة : اعطاها وصفها القانوني) characterize

وَصْف description

~ (: تعيين ، تحديد) designation, specification

~ (حال أو واقع) representation

~ (جريمة : تحديد منزلتها بين الجرائم) characterization

وَصْفة recipe

~ طِبية (: رُشيتة) prescription

وَصْفي descriptive; demonstrative

وَصَل connect (*a line*), link (*two ends*), join or adjoin

~ (: انشأ علاقة) establish a relationship

~ (: بلغ) reach (*certain limit*), arrive (*at*)

~ (غاية) attain, realize, accomplish

~ (: جمع اطراف رواية أو ما إلى ذلك) piece (*together*), join into a whole

وُصْلة link, joint, connection

~ (: جزء متمم) appendix, addendum, supplement

~ (وصية) codicil

~ (كمبيالة لادراج التجييرات الحاصلة عليها) allonge

وَصَم (: لطخ) discredit (*reputation, etc.*), taint, stain, blemish, stigmatize (*name*)

وَصْمة discredit, stain, blemish, stigma

وُصول arrival

~ (: ظهور) advent, appearance

وَصيّ guardian

~ (: امين على مال أو مصلحة) trustee

~ (راجع ولي)

~ (على عرش) regent

وَصِيَّة will, testament

~ (بمنقول) legacy

~ (راجع انواع الوصية تاليًا)

~ (: نصيحة) advice, counsel

~ ائتمان trust legacy

وَصِيَّة إضافية (تؤول بالإضافة إلى غيرها) additional legacy
~ بدلية (تعطي الموصى له حق الخيار بين اشياء) alternative legacy
~ بلا منفذ unsolemn will
~ تبادل mutual will
~ تخصيصية specific legacy
~ تضامنية conjoint will
~ تعيينية (ايضاحية) demonstrative will
~ تقابلية reciprocal will, counter will
~ رد ، ~ بزائد residuary will or legacy
~ ساقطة lapsed will
~ شاذة unofficious will
~ شفوية (في مرض الموت) nuncupative will
~ عامة (تنتظم جميع اموال معينة) universal legacy
~ غير تحديدية indefinite legacy
~ قابلة للتبديل ambulatory will
~ مشروطة conditional legacy
~ مضافة إلى زمن مستقبل (ينتقل بموجبها الموصى به عند حصول حال معين) contingent will
~ مطلقة absolute legacy
~ نقدية pecuniary legacy
~ نموذجية (تحدد مقدار المنقول الموصى به واوجه استعماله) model legacy
أهل للوصية (بأن يصدر عن وصية) testable
قضية ~ testamentary cause
قيام الوصية testacy
وَضَحَ (: اتضح) clarify, become plain or clear or apparent, become evident, visible, unequivocal or unambiguous
وَضَّح (: ازال غموضًا ؛ فسر) explain, expound (*a theory*), explicate, elucidate (*a problem*)
~ (: فسر) interpret
وَضَع place, put, set, lay (*foundation, finger on, etc.*), fix, limit (*price, etc.*), affix (*seal, signature, etc.*), formulate (*a policy, an agenda, a reply*)
~ (وصية ، اتفاقية ، الخ..) draw (*will, agreement*), write out (*contract*) in due form
~ (تقريرًا ، خطة ، الخ..) make (*report, plan*)
وَضَعَ (قاعدة ، حكمًا) lay down (*rule, provision*), establish, posit (*principle, method*)
~ (: سنّ) enact, pass (*law*), ordain (*norms, rules*)
~ (: ولدَ) give birth to
~ (: اقام) appoint, install
~ يدًا (على ما للغير) seize, take possession of (*land, property, etc.*), lay hold of
~ (النفس) humble (*oneself*), bring low
وَضْع placement (*placing*), setting, affixation; drawing or writing (*in due form*), making (*a report*), laying down (*a rule*); establishment, enactment; passage, ordainment
~ (: بوادر ، مظاهر ، احتمالات) prospect(s), outlook, foretaste
~ (: تنصيب ، إقامة) appointment, installment
~ (: ولادة) parturition, delivery, birth, child-birth, act of giving birth
~ (: طريقة ، اصول) method, manner, mode, system
~ (: حال ، موقف) position, condition, state (*of the economy, of war, etc.*); situation
~ (: نقطة في مسير أو غيره) juncture, point
~ (: حال خاص أو غيره ، مركز) status
~ راهن (قائم) *status quo*
~ سابق *status quo ante*
~ ما قبل الحرب *status quo ante bellum*
~ يد seisin, seizure, taking possession (*of property, land, etc.*), adverse possession
[في القانون الروماني] *pedis possessio*
وضْعَة pose, posture
وَضْعِيّ positive (*law, etc.*)
وُضُوء ablution
وُضوح plainness, clearness, clarity, evidence (*of default, negligence, etc.*), lucidity (*of style, speech, thought*)
وَضيع (: حقير ، سافل) lowly (*person*), humble (*rank*); mean, lowly, base, vile (*behaviour, etc.*)
وَطِئَ (١) (ارضاً ، مكانًا ، الخ..) foot, set foot

(*on*), step (*on*), tread (*on or upon*)

وَطِئَ (: داس بقدميه) — trample, crush (*with one's feet*)

وَطِئَ (٢) (: جامَعَ) — copulate, know sexually; have sexual intercourse (*with*), have carnal knowledge (*of*)

وَطْء (: وقاع ، مجامعة جنسية) — copulation, coitus or coition, sexual intercourse, carnal knowledge

~ (حرام) — fornication

~ قهري — rape

وطأة — burden, weight, pressure or volume (*of work*), onus (*of proof*)

~ (قدم) — tread

وَطَّد — establish (*peace, justice, etc.*)

~ (: ثَبَّت ، قَوَّى) — stabilize, strengthen; consolidate, solidify

وَطَرٌ (راجع غاية)

وَطَنٌ — fatherland, native land, homeland

وَطَنَ (: استقرّ) — settle (*in a place*)

وَطَّنَ (النفس على شأن) — resign (*oneself to war*), reconcile (*oneself with*), adjust (*to certain situation*), adapt (*to*), coexist (*with*), take as a matter of fact, accommodate (*oneself to hardships, etc.*); submit (*to some fact*)

وَطَنِيّ (: قومي ، مواطن) — national, citizen

~ (: داعٍ إلى القومية ، مخلص لوطنه) — nationalist, patriotic

وَطِيء — low; soft and easy

وَظائِفِيّ (راجع وظيفي)

وَظَّفَ — employ (*an accountant*), engage or appoint for work; hire (*a workman to do a job*)

~ (: ثمَّر مالاً أو ما إليه) — invest (*money, etc.*)

وظيفة — office, post, position, situation, job, appointment, employment

~ (: مهام) — function(s)

وَظِيفِي (: وظائفي) — functional

وَعَى (: جمع ، حوى) — embrace, comprehend, contain, include, hold

~ (: ادرك ، فهم) — be conscious (*of*), be aware (*of*); comprehend, grasp (*an idea, a hint, etc.*)

وِعاء — container, receptacle

~ ضريبة — tax bracket

وَعَدَ (بشيء) — promise (*support, help, etc.*), make a promise (*to do something*)

وَعْد — promise

وَعْر (راجع صَعْب)

وَعَظَ — preach, sermonize, admonish (*an offender*)

~ (في غير موضع الوعظ) — lecture (*on right or wrong or on some irrelevant matter*)

وَعْظ — guidance, moral instruction, sermonization

وَعَكَ — indispose, cause indisposition, render unwell

وَعْكة — indisposition, slight illness

وَعْي (: عَقْل ، فَهْم) — mind, intellectual ability, understanding

~ (لشأن) — consciousness, awareness

~ (: ادراك) — discretion

وَعيد — threat; menace

وَغْد — mean, contemptible

وَغَرَ — seethe with rage, bear grudge (*against*), harbour rancour, have deep-seated hatred

وَفَّى — satisfy (*obligation*); pay (*debt*); square (*an account*); fulfil (*promise*)

وَفاء (١) — satisfaction, payment, fulfilment

~ جزئي — part payment

بسبيل الوفاء الجزئي (: على الحساب) — on account

وَفاء (٢) — fidelity, devotion (*to husband or wife*), faithfulness, loyalty

~ (يقوم على عهد أو يمين) — fealty

وَفاة — death, decease, demise

~ (ج. وفيات) — mortality (*rate, etc.*)

وِفاق — accord, harmony, agreement; conformity, concord

وَفَدَ — arrive (*at*), come into, enter into, visit

وَفْد — delegation

وَفَّر — save (*part of earnings*), spare (*oneself*

the trouble of doing something)

وَفْر (: توفير) saving(s)

~ (في ميزانية) surplus

~ (: فائض ، زائد) surplusage, excess

~ (راجع وفرة)

وَفُرَ (راجع توافر (: وُجِدَ))

وَفْرة abundance, plentifulness, profusion

~ (: توافر) availability, obtainability

وَفْق ، وَفقًا لـ (: حسب ، بمقتضى) according (*to*), in accordance (*with*), pursuant (*to*), in pursuance (*of provision, decree, order, etc.*), as provided (*under a certain provision, article, decree*)

وَفَّق (بين) reconcile (*differences*), conciliate (*discrepant theories*), harmonize (*ideas*), bring (*viewpoints, etc.*) into accord, make (*things*) compatible

وَفِيّ faithful, devoted (*wife, friend*), loyal (*subject, follower*)

وَفير (: وافر) abundant, abounding, plentiful

~ (: متوافر) available, obtainable

وَقى protect, preserve; prevent (*spread of disease*)

وقائع (اجتماع ، جلسة) minutes

وِقائي preventive (*measures, acts*), protective (*custody, tax, etc.*); precautionary; defensive (*war, etc.*); prohibitive (*tax*)

وَقاحة impudence, effrontery, insolence, cheekiness

وَقار dignity; decorum; impressiveness

~ (شيخوخة) venerability

وِقاع (راجع وطء)

وِقاية protection, prevention (*rather than cure*)

وَقْت time

~ (فراغ) leisure (*for play, reading, etc.*)

~ (: أوان) season, occasion

~ حاضر time being

في وقته timely, opportune, seasonable

وَقَّت time

~ (: حدَّد ميقاتًا أو مدَّة) set a time (*for*), fix a term or period (*for payment, performance*)

وَقْتي temporary, momentary, provisional (*government, measures, etc.*)

~ (: عابر) transitory, transient, ephemeral (*happiness, prosperity, etc.*)

وَقُحَ be shameless or impudent; be insolent or cheeky

وَقِحٌ shameless, impudent, insolent

~ (: صفيق) brazen-faced

وَقَعَ occur, happen, take place

~ (في مناسبة ، يوم) fall (*on*)

~ (: سقط) fall, drop

وَقَّعَ (اسمًا على وثيقة) sign, undersign (*document*), subscribe (*a promise*), set hand (*to agreement*)

~ (حجزًا) levy (*an execution*)

وَقَفَ (١) stop

~ (: انقطع) cease, discontinue (*action, progress, etc.*)

~ (: توقف ، اقام في مكان) stay, sojourn, tarry

~ (هنيهة) pause

وَقَفَ (٢) (: انتصب على قدميه) stand

وَقَفَ (٣) (: جَرَّد أو كرَّس لشأن) devote, dedicate, consecrate

وَقَفَ (٤) (راجع حَبَس (مالاً على جهة))

وَقَّفَ (شخصًا أو شيئًا) stand (*person or thing*), set (*him or it*) on his or its feet

~ (راجع أوقف)

وَقْف (١) (: وقوف ، توقف) stop, pause, halt, break; stoppage, cessation (*of operations, hostilities, etc.*); stay (*of process*), arrestment

~ (: انقطاع) discontinuance, interruption

~ (: علامة توقف في محرر: نقطة) full stop, period

~ تنفيذ stay of execution

وَقْف (٢) *waqf;* mortmain; inalienable estate; tail general; gift left in perpetuity; dedication

سند ~ (أو وقفية) deed of *waqf* or dedication

وَقْفَة stand, posture, attitude

~ (عيد) vigil

وقود — fuel
وقور — dignified, impressive; venerable (*person*)
وقوع — occurrence, happening, taking place; incidence
وكالة (قانونية) — power of attorney, attorneyship, proxy
~ (: نيابة عن اصيل) — agency, procuratorship
بالوكالة (زواج ، مدير) — by proxy (*marriage, etc.*), acting (*manager*)
وكر (: مهد لرذيلة) — bed (*of vice, etc.*), cradle, nest
~ (حيوان) — burrow, den
وكز — prod, thrust, strike with the fist
وكس — depreciate, disparage
~ (: وبّخ) — rebuke, reprove, upbraid
وكل (بشأن للغير) — give (*someone*) charge over (*business, affairs, etc.*), commit or entrust (*matter to guardian*), delegate (*inquiry to third party*)
وكّل (محاميًا) — retain (*counsel*), brief
وكن طيران — cockpit
وكيل (قانوني) — attorney, lieutenant; deputy
~ (عن اصيل لادارة اعمال) — agent, procurator
~ (يقوم مقام رئيس مصلحة) — deputy head (*or chief or chairman or president*)
~ تأمين — insurance agent
~ تفريغ (سفن) — stevedore
~ ربان (سفينة) — mate
~ شحن — ship-broker
~ ضابط (عسكري) — warrant officer
~ قانوني — attorney at law, legal attorney
~ قنصل — viceconsul
~ عادي — attorney in fact, private attorney
~ بالعمالة — commission agent
~ وزارة — under-secretary
ولّى — install, induct (*into an office*), appoint
ولاء — allegiance (*to government, state, etc.*); loyalty (*to cause or family*), fidelity, devotion
~ (: خضوع واجلال يصدر عن المولى لسيده) — homage
~ طبيعي — natural allegiance
~ مكتسب — acquired allegiance

ولادة (راجع وضع)
ولاية (١) (: اقليم) — province, administrative district; territory; state
~ (: حكم) — rule
~ (: مدة تولي الحاكم) — governorship
~ (: سيادة) — dominion
~ مُشتركة — condominium, joint dominion
ولاية (٢) (: اختصاص) — jurisdiction
(راجع اختصاص للتثبت من انواعه)
ولاية (٣) (على قاصر) (راجع وصاية)
ولَد — give birth (*to*), beget, procreate; bear or have (*a child, two sons, etc.*); engender (*trouble*)
ولدت المرأة (: قرأت) — give birth (*to*), bear (*a daughter*)
ولَدٌ — boy
~ (: ابن) — child, son
~ سِفاح (بين القُربى) — incestuous child
~ شرعي — legitimate child
~ طبيعي — natural (*or illegitimate*) child
~ غير شرعي (: ولد زِنا) — illegitimate child, bastard
ولّد (: ساعد على ولادة) — assist childbirth, act as midwife
~ (: مارس فن التوليد) — practise midwifery
~ (: بعث على شيء ، ولد ، انتج) — engender (*enmity*), create (*friction*); produce, generate (*power, heat, etc.*)
وَلِعَ — love (*person or thing*), be fond (*of*), indulge (*in drink*)
ولّع — arouse passion (*for*), enamour (*with*), inspire with love (*of*)
ولَغ — lap
وليّ (: وصي) — guardian
~ النّفس — guardian of the person
~ ايصائي (مقام بوصية) — testamentary guardian
~ تربية — guardian for nurture, tutor
~ طبيعي — natural guardian
~ معيّن — guardian by appointment
~ مدة الخصومة — guardian *ad litem*
وليّ عَهْد — heir apparent (*to throne, etc.*)
~ عهد (ملك) — crown prince
وليد — offspring, progeny, outcome (*of chance*),

fruit (*of adventure, chance, etc.*); result (*of haste, inattention, etc.*)

وَليد (: حديث العهد بالولادة) newborn, newly born

~ مَيت still-born (*stillborn*) child

وَليمة banquet, festive dinner

وَمَضَ flash, glint

وَمْضة ، وَميض flash

وَهَى weaken, become frail or feeble, become shaky or rickety

~ (: بَلِيَ) wear out

وَهّاج candent, glowing, candescent

وَهَبَ endow (*with blessing, talent, etc.*), donate (*funds, property,*), give grant

~ (بوصية) bequeath (*movable property*), devise (*real or immovable property*)

وَهْبَة ، هِبَة gift, endowment, donation

~ (: اكرامية تمنح لخادم في محل عام) tip

وَهَج (راجع وهيج)

وَهدة (: مُنخَفَض) depression

~ (ارض) depressed or low land

~ (: حُفرة ، هُوَّة) pit, ditch; abyss

وَهْم imagination, illusion, delusion, fancy; false impression

~ (: خيال) fiction

وَهميّ imaginary, illusionary or illusory, delusional

~ (: خيالي) chimerical, fanciful

~ (شخص ، مشروع أو ما إلى ذلك) fictitious, bogus

وَهن (راجع ضُعف)

وَهيج glare; candescence

وَيْل destruction, evil, woe

يائس desperate (*measure*), despairing (*person*), hopeless, despondent, dejected

يابِس (: منعدم الرطوبة ؛ صلب) dry, dried up or desiccated; hard, solid

يابسة land, *terra ferma*

يأس despair, desperation, despondence or despondency, dejection, hopelessness

يَئِس despair (*of success*), despond, give up or give in

يافِع adolescent

ياقُوت ruby

يانَصيب hazard, chance, lottery; gambling

~ جنوى (: اللعب على الارقام من الواحد إلى التسعين) Genoese lottery

يانِع ripe, mature

ياوَمَ (: عامل على اساس الايام) engage or deal on daily basis, hire for a daily wage

يَبِسَ (: جَفَّ) dry or dry up, become desiccated

~ (: تجمد) solidify

~ (: اصبح صلبًا) harden

يَتَّم orphan

يَتيم orphan

~ المولد (: ولد يتيمًا) posthumous child

ملجأ ~ orphanage

يَخْت yacht

يَد hand

~ (: حيازة) possession

~ إناء handle, holder

~ عليا (في شأن) upper hand

~ عليا (تملك الحكومة وضعها على أي ملك للمصلحة العامة) eminent domain

وضع اليد seisin

يَدَوي manual (*labour, training, etc.*), hand (*work, lever, tool, etc.*)

يَرقان jaundice

يَرقانة larva

يَسار (١) (: قدرة على الوفاء) solvency

~ (: غنًى) well-being, wealth, affluence

يَسار (٢) (اتجاه) left

يَساريّ (العقيدة أو الاتجاه) leftist

~ الذراع sinistromanual

~ القدم sinistropedal

~ اليد left-handed, left-hander

يُسْر (: سهولة) ease, facility

~ (في مذهب) tolerance, leniency

~ (: توافر) availability

~ (حال : رخاء) profusion, plenty, affluence

يَسَّر (: بسط ، سهل) simplify (*matters*), facilitate, render (*thing*) easier

~ (الحصول على شيء) render (*thing*) available

يُسْرَى (يَد ~) left hand

يَسير (: قليل) small, little (*share, trouble, etc.*)

~ (: قليل جدًا) minute, tiny, slight (*difference, mistake*)

يَقِظٌ alert, watchful, vigilant, on the alert, on the lookout

~ (: منتبه) attentive, cautious

~ (: غير نائم) awake, wakeful

~ (: على علم بشأن) aware (*of danger involved*)

يَقِظَ (: صحا من نومه) wake (*up*), awaken

~ (من غفلة) sober up, come to one's senses

يَقَّظَ (من نوم) wake (*up*)

~ (: نبَّه لشأن) alert, put on the alert, caution, warn

يَقْظان (راجع يقظٌ)

يَقَظَة (: عدم نوم) wakefulness

يَقَظَة (: انتباه ، حذر)	alertness, watchfulness, vigilance, attentiveness
يَقين	certainty, certitude, absolute or categorical certainty; absolute credence or faith
يُمْن (: بركة ، سعادة)	blessing; prosperity, beneficence; felicity, happiness
يُمْنَى (يد ~)	right hand
يَمين (١) (: قسم)	oath
~ تعهدية	promissory oath
~ توكيدية	assertory oath
~ حاسمة	conclusive oath, decisive oath
~ رسمية	official oath
~ سيادة	oath of supremacy
~ قضائية	judicial oath
~ غموس ، ~ كاذبة	perjury
~ كيدية	oath of calumny
~ اللياقة لوظيفة	test oath
~ متممة	suppletory oath
~ مغلظة	solemn oath, corporal oath
~ مقيدة	qualified oath
~ نزاع	oath *in litem*
يمين وظيفة	oath of office
~ ولاء	oath of allegiance
حلَّف (الغير) يمينًا (: لقنه اياها)	administer oath
يَمين (٢) (جهة)	right
يناير	January
يَنبوع	spring, fountain, fount, source
يوليو	July
يَوْم	day
~ استحقاق (دين أو كمبيالة)	due date, day of maturity
~ تعطيل	nonworking day
~ شمسي	calendar (*or solar*) day
~ عطلة	holiday
~ عمل	workday, working day
~ فلكي	astronomical day
~ محدد	day certain, fixed day
~ مهلة (أو مجاملة)	day of grace
~ مدني	civil day
يوميّ	daily; quotidian (*chores*), diurnal (*process, cycle, task*), day-to-day (*work*)
يوميًا	per day
يونيو	June

Preface

In a traditional Arabic dictionary, a word beginning with the first letter of the alphabet may have to be looked up under the last letter as in the case of أينع ، أيبس ، أيسر ، أيأس ، أيقظ etc. Hence the contrast with the western dictionary which has persisted since the time of Al-Khalil Ben Ahmad, the father of Arab lexicography.

Even in modern Arabic dictionaries, initial letters may be of no significance in deciding the location of words in the dictionary. In order to trace a word you must first find out its primitive rhythmical root. Once found, this root has to be laid across your word and any letters that do not coincide with it must be dropped out. Your next step should be to look up the remaining radical combination in alphabetical order and then delve for your word among hordes of terms that can emerge from the same combination.

Seeking to simplify lexical use by eliminating the process of dressing terms to certain root measurements, I have arranged the entries in this dictionary according to their absolute alphabetical order.

This system is in conformity with the system used in western dictionaries, and in fact was the system of many specialized Arabic dictionaries as early as the 15th century.

Albeit legal terminology is the principal concern of this dictionary, other terms from related fields like insurance, commerce, finance and diplomacy, have been entered in the hope of rendering it more widely serviceable.

Practical usefulness and simplicity of approach through elimination of grammatical inhibitions have been a constant aim in compiling this work. And to the extent of fulfillment, it is a new lexicon with a new road.

Like most such roads, this one too will have its pits and falls but may eventually lead, I pray, to a less involved Arabic-English dictionary.

H.S.F.